História do Brasil

História do Brasil para ocupados

•

Os mais importantes historiadores apresentam de um jeito original os episódios decisivos e os personagens fascinantes que fizeram o nosso país.

LUCIANO FIGUEIREDO
organização

LeYa

Direção editorial
ANA CECILIA IMPELLIZIERI MARTINS
MARTHA RIBAS

Coordenação de produção editorial e gráfica
CRISTIANE DE ANDRADE REIS

Assistente de produção
JULIANA TEIXEIRA

Capa e projeto gráfico
ANGELO ALLEVATO BOTTINO E FERNANDA MELLO

Revisão técnica
VICENTE SAUL MOREIRA DOS SANTOS

Copidesque
MARIANA OLIVEIRA

Revisão
ARMÊNIO DUTRA
PENHA DUTRA
ALINE CASTILHO

Transcrição dos artigos
RENATA BRAVO SALLES
FABIANO PARRACHO

Diagramação
MEYRELLE TORRES | FILIGRANA

CIP-BRASIL. CATALOGAÇÃO NA PUBLICAÇÃO
SINDICATO NACIONAL DOS EDITORES DE LIVROS, RJ

H578
História do Brasil para ocupados: os mais importantes historiadores apresentam de um jeito original os episódios decisivos e os personagens fascinantes que fizeram o nosso país. / organização Luciano Figueiredo. - 2. ed. - São Paulo: LeYa Brasil, 2020.

Inclui bibliografia
ISBN 978-65-5643-054-6

1. Brasil - História. 2. Brasil - Civilização - História. 3. Brasil - Condições sociais. I. Figueiredo, Luciano. II. Título.
13-05111 CDD: 981
CDU: 94(81)

LeYa Brasil é um selo editorial da empresa Casa dos Mundos.

CASA DOS MUNDOS PRODUÇÃO EDITORIAL E GAMES LTDA.
R. Avanhandava, 133, cj. 21 - Bela Vista
01310-200 - São Paulo - SP
www.leyabrasil.com.br

Sumário

•

Santos e santas

Demônios e tumbas

Mistérios e conciliação

3

Poder

Investimentos e capitais

Nova ordem, velhos pactos

Fascismo verde-amarelo

Golpe militar, violência e exclusão

4

Povo

D. João de passagem

Apresentação

•

HÁ TEMPOS, ENQUANTO entrevistava o historiador Evaldo Cabral de Mello para uma revista da qual eu era o editor, escutei uma definição de História que me chamou a atenção: "A História é como a casa do Senhor, ela tem muitas portas e janelas." A frase soou como uma epifania.

Embora eu não tenha feito outra coisa nos últimos trinta anos do que entrar e sair por algumas dessas portas, só muito lentamente foi ficando claro o que ele estava querendo dizer.

As primeiras décadas do século XXI têm sido das mais empolgantes para a cultura brasileira graças, justamente, a uma das portas que a História descerrou. Nunca se viu por aqui tamanho entusiasmo com o passado, evidenciado na fartura de exposições, novelas, documentários, sites, programas de televisão e de rádio que tratam de eventos históricos, além, claro, de livros, jornais e revistas.

Este fenômeno, para nós surpreendente, tem ocorrido no âmbito global e decorre da alta mobilidade das populações, o que propicia a desconfiguração de antigas referências, levando grupos inteiros a buscar identidades particulares. Por outro lado, diante de um futuro incerto e pouco promissor, parece que a aposta mais segura é a valorização do passado. Ficamos todos de repente "seduzidos pela memória", nas palavras do professor alemão Andreas Huyssen, que reconhece a "emergência da memória como uma das preocupações culturais e políticas centrais das sociedades ocidentais".

A forma inovadora de abordar o passado adotada neste livro combina com essa vivência contemporânea ao oferecer uma visita à História do Brasil arranjada como um caleidoscópio. Cerca de setenta brilhantes historiadores contam passagens singulares da formação do país, resgatando os grandes acontecimentos e personagens, trazendo à tona dramas coletivos e individuais com enorme conhecimento de causa e muita sensibilidade. Tudo isso em uma leitura prazerosa, em que se esmiúçam detalhes pitorescos e fatos curiosos. Nada daquela empostação professoral, nada de jargões ou trechos indecifráveis.

O capítulo "Pátria", o primeiro de outros seis, nos revela um pouco de nossos pecados de origem, nos põe a par de como se deu o contato inicial dos europeus e dos africanos com o Novo Mundo, fosse esse o litoral ou o sertão das amazonas. Nota-se que quase nada escapou incólume à marca da violência naquele universo de estranhamentos e confrontos entre diferentes comunidades que passavam a coexistir pela primeira vez.

Em seguida, o capítulo Fé toca na alma brasileira ao tratar das expressões religiosas, cosmogonias e as crenças que conquistaram a cultura popular. Poder, tema que catalisa os autores do capítulo 3, revela a face bruta da formação da riqueza econômica sempre carimbada na vocação promissora de nossa terra. Não ficam de fora os mais contundentes movimentos da elite política. Dedicado aos reis e rainhas, príncipes e princesas, o quarto capítulo está longe de ser um conto de fadas. Mesmo frequentando os bastidores dos palácios, os artigos deste capítulo contam um pouco dos costumes populares vividos nas ruas e praças.

Subindo a temperatura, os conflitos internos e externos que desmascaram a imagem do brasileiro passivo e cordial são temas do capítulo 5, cujo título, Guerra, não poderia ser outro. O último segmento do livro é uma espécie de síntese de todas as partes, projetada nos percursos individuais de alguns brasileiros e brasileiras. Cada um deles partilhou, a seu modo, aspectos que contribuíram para a História do país, o que os torna também imprescindíveis para o registro de nossa memória.

Fugindo das imposições de um enquadramento canônico da História do Brasil, nessa composição de capítulos procurou-se equilibrar temáticas tradicionais e outras de maior originalidade e, dentro de cada um deles, o mesmo critério. Ao evitar propositalmente um ordenamento cronológico e marcadamente evolutivo, que tanto se conhece, favorecemos algo que se perde com tais programas mais lineares: interpretações particulares que cada um dos autores convocados lapidou de maneira inovadora.

Abrir o leque de temas, diversificá-los — escapando da sucessão previsível de eventos e figuras — e verticalizar a leitura dos acontecimentos exigia um formato editorial novo. Só assim seria possível propor um olhar diferente para se perceber o passado, menos superficial, com mais profundidade.

Se alguns dos eventos e personagens de nossa rica tradição não aparecem objetivamente abordados, isso atendeu à idéia de apostar em conteúdos renovados — como o cotidiano, a cultura popular, as biografias — os quais, optando-se pelo programa tradicional da disciplina, não teriam espaço em obra feita para um volume.

É mais uma maneira, desta vez adaptada aos novos tempos, de se oferecer uma abordagem completa da História do Brasil. Afinal, os historiadores brasileiros assumiram, como é tão comum na França, Estados Unidos e Inglaterra, o papel de protagonistas. Aqui eles mostram, em uma linguagem acessível, mas sem perder o tratamento cuidadoso e as reflexões lapidadas em muitos anos de pesquisa, a vitalidade dos conteúdos que vêm sendo gerados em dezenas de universidades e centros de pesquisa. Mas se na academia esses conteúdos se encerram na forma de monografias, teses e artigos em periódicos científicos, ganham nesse livro um novo frescor pelas mãos de autores que arrancam fragmentos de nosso passado da redoma acadêmica.

Já era o momento de oferecer em um livro tal composição da História do Brasil que, como todo caleidoscópio, está longe de ser a única, mas é decerto inédita.

Grande parte dos artigos aqui reunidos foi publicada em revistas de grande circulação, gentilmente autorizados pelos seus autores ou herdeiros, possibilitando que esta obra ofereça uma visão rara da formação do Brasil. A ideia foi concebida por Renato Pinto Venancio, velho amigo e historiador brilhante.

A novidade desses tempos, ao contrário do que as aparências sugerem, não é a presença de jornalistas e escritores publicando biografias, romances e narrativas históricas. O que há de verdadeiramente novo é o enorme e entusiasmado envolvimento de historiadores profissionais na difusão do conhecimento. Logo eles, geralmente figuras habituadas à comodidade acadêmica, aos debates científicos especializados e à linguagem hermética. Figuras que até então entravam e saíam por outra porta.

Fica aqui o convite para, na pressa do dia a dia, olhar a paisagem que se descortina por essa janela da História e visitar alguns dos refúgios em que se escondia o passado.

Luciano Figueiredo
Professor de História da Universidade Federal Fluminense

1

Pátria

Descobertas • Entre bárbaros, canibais e corsários
O tráfico negreiro • África no Brasil
Amazônia e fantasias

UMA TERRA NOVA, aos olhos dos europeus, inaugura um capítulo da História do mundo. Os portugueses sabiam o que estavam fazendo ao navegar e cravar o padrão e a cruz na Bahia. Ilha de Vera Cruz, Terra de Santa Cruz, costa do pau-brasil. Brasil, o nome que fica. Um pedaço de Império disputado pela cobiça dos inimigos. Ali vive um alemão que acaba aprisionado entre os tupinambás, mais tarde corsários franceses conquistam o Rio de Janeiro enquanto paulistas vasculham o sertão em busca de índios.

Suor africano é temperado com sangue que escorre pelos navios negreiros, pelos canaviais e rios de minérios. Cinco milhões de negros traficados para fecundar a colônia portuguesa. Era africana a origem de uma das santas que o Brasil criou no século XVIII, ou o candomblé. Era baiano um dos grandes traficantes que se muda para a África. Também misturados eram os golpes da capoeira que rodava nas cidades, nem sempre como brincadeira.

Outra porção de terra aparece, a Amazônia profunda que cresce sem tréguas em uma disputa por léguas sem fim com índios, espanhóis, portugueses e quem mais se aventurasse por ali. Até um inglês destemido pensou que encontraria ali uma cidade de tesouros. E por lá ficou, descansando eternamente.

"Pátria", enfim. Pátria, ainda assim. Na definição de Raphael Bluteau, *Vocabulario Portuguez & Latino*, de 1732, "A terra, Vila, Cidade, ou Reino, em que se nasceu. Ama cada um a sua pátria, como origem do seu ser, e centro do seu descanso".

Descobertas

•

Quem descobriu o Brasil?

A viagem de Pedro Álvares Cabral e as notícias da época mostram que a descoberta da nova terra surpreendeu a todos.

JOAQUIM ROMERO DE MAGALHÃES

Depois da descoberta por Vasco da Gama, em 1499, do caminho marítimo para as Índias – proeza magnífica dos súditos do rei de Portugal, "que merece os elogios de toda a Cristandade" –, a Coroa portuguesa logo entendeu que devia repetir a expedição à luz das informações recolhidas pelo navegante. Seria uma armada cuidadosamente preparada, e desta vez não poderiam faltar os metais preciosos indispensáveis para as compras de especiarias, cuja falta se sentira na primeira expedição. Para capitão-mor da armada seria indicado o próprio Vasco da Gama, recentemente feito almirante do mar da Índia. Mas não foi o que aconteceu. Acabou sendo nomeado capitão-mor Pedro Álvares de Gouveia, depois conhecido por Pedro Álvares Cabral. Dele, como de tantos outros navegadores, pouco se sabe, mas algumas qualidades decerto já teria mostrado para lhe ser entregue o comando da maior frota que até então zarpara de Portugal, rumo a paragens tão longínquas.

Fidalgo beirão, Pedro Álvares era um dos vários filhos do alcaide-mor de Belmonte Fernão Cabral e de Dona Isabel de Gouveia. Nascido entre

1468 e 1469, já em 1484 era moço-fidalgo, primeiro grau de nobreza conferido aos jovens da Corte, da casa de D. João II. Antes de 1495, já fizera por merecer uma tença de 26 mil-réis, em conjunto com o seu irmão João Fernandes Cabral. Tença era um favor real que reconhecia serviços anteriormente prestados, embora estes se desconheçam. Fidalgo da casa real, depois teria Pedro Álvares Cabral chegado a cavaleiro da Ordem de Cristo, a mais importante ordem de cavalaria de Portugal, por volta de 1494, com mais uma tença de 40 mil-réis, e também alguma coisa tivera feito para merecê-la. É tudo o que se sabe da sua biografia.

Mesmo se a razão da escolha como capitão-mor tenha resultado da sua ligação a algum grupo cortesão, Pedro Álvares havia de ser considerado com certeza uma pessoa de qualidade para deter o comando que lhe era entregue. Era considerado "homem avisado", "de bom saber, muito auto para isso". Nenhum documento se refere a ele como "experimentado em coisas do mar", como se disse de Vasco da Gama. Mas não devia ser totalmente ignorante da arte de navegar. Algumas provas havia de ter dado no mar para merecer um comando tão importante, pois não é crível que um ignorante em navegação tivesse sido escolhido para comandar a maior e mais dispendiosa expedição naval que até então se armara em Portugal. O capitão-mor não era o piloto da frota, mas também não se limitava a ser uma figura decorativa; tampouco seria apenas um diplomata, enquanto outros se responsabilizariam apenas pela navegação. Uma tão cortante divisão de funções não era um pressuposto em finais do século XV. O capitão-mor comandava os homens da armada em terra e no mar. E sentir-se-ia à vontade nesse comando.

Depois de suntuosas cerimônias com que o rei honrou o capitão-mor, a armada saiu do Tejo em 9 de março de 1500. Eram 13 navios, muito provavelmente dez naus e três caravelas, com mais de 1.500 homens embarcados. A época do ano era a mais adequada para a travessia do Atlântico Sul. Depois de uma navegação direta até o arquipélago de Cabo Verde, passando embora à vista da ilha de São Nicolau, rumou para o sul e descreveu uma larga volta pelo sudoeste, esta muito mais pronunciada que a efetuada pela armada de Vasco da Gama, sem aproximar-se da costa africana. Era a rota certa para aquela época do ano. Fugia-se, assim, das calmarias equatoriais, e essa boa escolha parecia indicar que a esquadra sulcava rotas anteriormente conhecidas.

A 21 de abril de 1500 avistam-se da frota, nas palavras do escrivão Pero Vaz de Caminha, "alguns sinais de terra". No dia seguinte, "topamos aves, a que chamam fura-buchos. E neste dia, a horas de véspera, houvemos vista de terra, isto é primeiramente d'um grande monte, mui alto e redondo, e d'outras serras mais baixas ao sul dele e de terra chã com grandes arvoredos, ao qual monte o capitão pôs nome o Monte Pascoal e à terra a Terra de Vera Cruz". E há um deslumbramento perante a "terra nova que se ora nesta navegação achou". Terra até então desconhecida, de belos arvoredos, povoada de indígenas nus, gente mansa e pacífica, pouco espantadiça, cuja linguagem ninguém consegue entender. "Esta terra, Senhor, me parece que da ponta que mais contra o sul vimos até outra ponta que contra o norte vem (...) será tamanha, que haverá nela bem vinte ou vinte e cinco léguas de costa. Traz ao longo do mar, em algumas partes, grandes barreiras, delas vermelhas e delas brancas, e a terra, por cima, toda chã e muito cheia de grandes arvoredos. De ponta a ponta é toda praia parma, muito chã e muito formosa (...). A terra porém em si é de muito bons ares, assim frios e temperados (...). Águas são muitas, infindas. E em tal maneira é graciosa que, querendo-se aproveitar, dar-se-á nela tudo por bem das águas que tem." Assim o escrivão descreve a terra ao rei.

A 22 de abril de 1500, a armada comandada por Pedro Álvares Cabral, que pelo oceano Atlântico ia a caminho da Índia, deparou com terra a ocidente. Tudo – exceto a vontade persistente de alguns historiadores, sem documentos ou resquício de prova – leva a concluir que esse "achamento" não foi propositado. Para alguns deles, nem se trata de suspeita, mas de uma certeza cuja ausência de provas funciona como evidência afirmativa. O descobrimento ocasional da costa ocidental banhada pelo Atlântico decorre, com certeza, de uma excessiva inflexão para sudoeste da rota da armada de Cabral. Ainda no século XVI um cronista escreveu: "E porque os pilotos já melhor entendiam que encurtavam caminho não indo costeando a costa de São Tomé, foram navegando direitos ao cabo da Boa Esperança e por acerto viram terra de sua mão direita." Podia a terra já antes ter sido entrevista? Talvez apenas suspeitada. No relato da viagem de Vasco da Gama, em 1497, lê-se que da sua armada se viram "pássaros que voavam como se fossem para terra". Era, evidentemente, uma suposição. Só agora, com Cabral, essa terra era observada e de sua existência se passava a ter certeza.

Nenhum documento permite afirmar que Pedro Álvares Cabral partira de Lisboa com o propósito de descobrir novas terras. A intencionalidade da descoberta não encontra fundamento em nenhuma das testemunhas, seja Pero Vaz de Caminha, Mestre João ou o piloto anônimo. A armada partiu com destino à Índia, e foi só isso. Nem os fragmentos das instruções de Vasco da Gama para a viagem permitem suspeitar de uma missão adicional. É arriscado demais supor que tivessem sido redigidas outras instruções secretas – quando as que se conhecem também não eram públicas. E nada, depois do achamento, indicia qualquer segredo anterior bem guardado: não seguiam a bordo quaisquer padrões de pedra para assinalar descobertas, como acontecia nas viagens de exploração de terras desconhecidas; Cabral apressou-se a reunir um conselho dos capitães que decidiu enviar a Lisboa em um navio da armada para anunciar o descobrimento. Reunião que seria absurda se tivesse instruções para a descoberta. Tudo isso para mascarar um achamento intencional? Não parece aceitável.

Desinteressantes são também os argumentos que partem da negociação de Tordesilhas. Não convence que D. João II insistiu em alargar a área limitada pelo meridiano separador dos hemisférios castelhano e português, a 370 léguas para ocidente das ilhas de Cabo Verde, tendo um suposto conhecimento prévio de terras nessa borda do Atlântico. Muito simplesmente, o que o rei português certamente pretendia com a linha de Tordesilhas era garantir a navegação pela Índia com toda a segurança, sem o eventual perigo de castelhanos nas proximidades da rota. Não se pode esquecer que Cristóvão Colombo já chegara às Antilhas em 1492, o que não faz forçosamente imaginar que em Portugal se tivesse certeza da existência de terras a ocidente. Quando muito, se trataria de uma forte suspeita, e de querer garanti-las para Portugal se de fato essas terras existissem, como parte da segurança da navegação em todo o Atlântico.

O Atlântico, então, era apenas parcialmente conhecido. Durante dez anos, entre a passagem pelo sul da África por Bartolomeu Dias (1488) e a partida da armada de Vasco da Gama para a Índia (1497), o oceano funcionou, para os portugueses, como um vasto "laboratório" de navegação. A segurança com que Vasco da Gama e Pedro Álvares Cabral empreenderam a travessia do Atlântico Sul demonstra que seus trajetos não podiam ser frutos do acaso. A precisão revelada exigia o conhecimento prático dos ventos e das correntes dominantes, saber este que só se adquiria navegando. O achamento da nova terra, porém, não passou de um acontecimento que por felicidade se adicionou à missão principal que era a Índia, para onde, feita a aguada (abastecimento de água), a armada se dirigia. Nem sequer se podia dizer, naquele momento, se os navegantes estavam numa ilha ou num continente.

A notícia do achamento da nova Terra de Vera Cruz (a que o rei passa a chamar Terra de Santa Cruz) difundiu-se pela Europa através da correspondência de mercadores que passaram por Lisboa e de um escrito do próprio monarca. A carta de D. Manuel aos Reis Católicos – Fernando de Aragão e Isabel de Castela –, de 1501, é clara ao afirmar que a frota "chegou a uma terra que novamente descobriu a que pôs no nome Santa Cruz (...) a qual pareceu que nosso Senhor milagrosamente quis que se achasse porque é mui conveniente e necessária à navegação da Índia porque ali corrigiu suas naus e tomou água, e pelo caminho grande que tinha para andar não se deteve para se informar das coisas da dita terra, somente me enviou um navio a notificar-me como a achara, e seguiu seu caminho pela via do cabo da Boa Esperança". No ato notarial (registro de tabelião) de Valentim Fernandes, de 20 de maio de 1503, registra-se solenemente que a armada de Pedro Álvares Cabral descobrira "no incógnito mar, sob a linha equinocial (...) outro orbe desconhecido de todos os autores". Uma outra notícia – "nuovamente trovato u'nuovo mondo" ("novamente encontrado um novo mundo") – foi transmitida de Lisboa para Florença pelo rico mercador Bartolomeu Marchione, logo após o regresso de Cabral à capital portuguesa, em julho de 1501. Fica claro, por esses documentos, que o descobrimento do Brasil representava para Portugal e todo o Velho Mundo um fato absolutamente novo.

O nome Brasil

Vera Cruz, Terra dos papagaios e Santa Cruz foram usados para batizar a terra descoberta. Brasil triunfou, após muita polêmica, agradando ao mercado.

LAURA DE MELLO E SOUZA

Quando Pedro Álvares Cabral e seus homens chegaram à costa da atual Bahia em 1500, não havia, obviamente, nem Brasil nem brasileiros. Pode ser, como querem muitos historiadores, que outros tenham andado por ali antes, mas disso não ficou registro consistente, e foram Pero Vaz de Caminha e Mestre João os autores das primeiras narrativas sobre a nova terra e seu céu: Mestre João tomou posse dele para os portugueses e realizou a primeira descrição europeia exata do Cruzeiro do Sul, a "mais famosa constelação de todos os novos céus", como disse a historiadora Patricia Seed.

A ideia geral sobre o espaço físico era então vaga, falha nos detalhes, e os portugueses se empenharam em suplantar essa indefinição por décadas, o que os ocupou bem mais do que o aproveitamento econômico da terra. As expedições de exploração da costa, enviadas desde 1501 e durante os vinte primeiros anos do século XVI, deram nome a acidentes geográficos e mediram as latitudes de norte a sul, trazendo contribuições decisivas para reforçar a ideia de que se tratava de um continente. Como os portugueses, antes de 1525, conheciam a costa sul-americana do Atlântico muito mais do que os espanhóis, estavam em vantagem na disputa pelo controle político dos espaços do Novo Mundo.

Nessa época, não havia nenhuma preocupação consistente com o povoamento, e Portugal, que só tinha olhos para o Oriente, considerou a terra – ainda um território fragmentado, que nada tinha da unidade de hoje – uma espécie de "espaço-reserva" para atividades posteriores. A fluidez do direito internacional e da diplomacia, por um lado, e a nascente concorrência internacional, por outro, não permitiriam, contudo, que área tão vasta ficasse guardada para o futuro. Mal se iniciava o século XVI e os espanhóis já exploravam a costa nordeste da América do Sul. Os franceses também não tardaram, contestando a divisão luso-espanhola do globo e enviando navios para o Atlântico Sul. Acabaram, assim, decidindo a sorte das terras achadas por Cabral, carregando, pelo menos desde 1504, os navios de armadores normandos e bretões com pau-brasil, e estabelecendo, em 1555, uma colônia na Baía de Guanabara. E desta forma despertaram o interesse português pelo Atlântico Sul.

O início da colonização, após 1530, não criou a unidade, e foram várias as frentes colonizadoras que se abriram, mais ou menos independentes, quase sempre autocontidas, isoladas, comunicando-se mais facilmente com a Corte – como é o caso das terras ao norte – do que umas com as outras. Se as capitanias hereditárias, cedidas pela Coroa a particulares, foram o início da vida da terra, a expressão dessa configuração espacial fragmentada e isolada persistiu por séculos, sendo uma das feições dominantes do território brasileiro até praticamente o século XX.

A tantas indefinições somava-se a falta de um nome certo. Entre 1351 e 1500, os mapas europeus mostram o nome *Brasil* e variantes dele – *Bracir, Bracil, Brazille, Bersil, Braxili, Braxill, Bresilge* – em diversas fontes, para designar uma ilha ou até três, expressando um horizonte geográfico ainda mítico, como o das ilhas Afortunadas e tantas outras miragens que a prática navegadora e a experiência acabariam por dissipar. Assim, primeiro houve o nome, depois o lugar que foi nomeado.

Por curto tempo, ocorreu uma denominação que não vingou, adotada nas cartas de Pero Vaz de Caminha e de Mestre João, ambas de 1º de maio de 1500: *Vera Cruz*; usada, é verdade, por alguns italianos nos primeiros anos após as viagens de Cabral e de Américo Vespúcio. Depois, durante os trinta anos seguintes, pelo menos três denominações se sucederam nos mapas e nos escritos sobre o novo achado do rei de Portugal. Ainda entre os italianos, após 1501, quando chegou do Oriente a armada de Cabral, a terra foi referida como *Terra dos papagaios*, como aparece no globo de Schöner em 1520 e no de Ptolomeu, de 1522. Quando D. Manuel enviou aos sogros, os Reis Católicos, uma carta narrando o achamento, em 1501, foi o nome de *Santa Cruz* que utilizou e, desde então, outros fizeram o mesmo. Por fim, em 1512, começou a surgir o termo *Brasil* para designar em âmbito oficial a América portuguesa, tornando-se cada vez mais frequente daí em diante e consagrando-se oficialmente entre 1516, quando D. Manuel investiu Cristóvão Jaques das funções de "governador das partes do *Brasil*", e 1530, quando D. João III designou Martim Afonso de Sousa governador da terra: "Martim Afonso de Sousa do meu conselho capitão-mor da armada que envio à terra do *Brasil*."

Certa flutuação de nomenclatura, contudo, continuou a existir, seja em escritos, seja em mapas. No mapa do Visconde de Maiolo, de 1527, aparecem as duas designações, combinadas numa fórmula só: "*Terra Sante Crusis de lo Brasil e del Portugal*." O aspecto mais curioso dessa indefinição inicial é a "disputa" que dividiu humanistas e comerciantes, a partir de meados do século XVI, e que teria vida longa. Apesar de intuída pelo historiador português Antônio Baião, essa disputa nunca foi estudada, e o fato de ter-se estendido no tempo atesta sua importância e interesse. Como não podia deixar de ser em uma época em que o plano espiritual e o temporal se apresentavam de forma indistinta, e numa conjuntura histórica marcada pelas reformas e perseguições religiosas, era também religiosa a linguagem e a forma de abordar o assunto.

Tudo indica ter sido João de Barros o fundador de uma tradição, perpetuada depois por outros autores, onde a luta entre Deus e o Diabo aparece identificada com o surgimento da colônia luso-brasileira. Conta o humanista que Cabral chamou-a de *Santa Cruz*, homenageando o Lenho Sagrado e inscrevendo o sacrifício de Cristo na gênese da terra encontrada, que ficava assim toda ela dedicada a Deus, como a expressar as grandes esperanças na conversão dos gentios

Mas os acontecimentos tomaram rumo diverso. Se a cruz erguida naquele lugar durou algum tempo, o demônio logo começou a agir para derrubá-la, negando-se a perder o domínio sobre a nova terra: valendo-se do fato que carregamentos cada vez maiores de pau-brasil chegavam a Portugal, trabalhou para que o nome da madeira comercializada dominasse o do lenho no qual morrera Jesus, vulgarizando-o na boca do povo. Assim, era como se importasse mais "o nome de um pau que tinge panos" do que o "daquele pau que deu tintura a todos os sacramentos por que somos salvos, pelo sangue de Cristo que nele foi derramado".

Condenando o apreço excessivo à atividade comercial, João de Barros clamava contra o triunfo de princípios seculares sobre os religiosos, querendo corrigir tanto o rumo tomado pela expansão portuguesa quanto o nome que ia ganhando prestígio popular para designar as terras "descobertas" por Cabral. Como não podia se vingar do demônio de outra forma, Barros advertia seus leitores "da parte da cruz de Cristo Jesus" para que se empenhassem em devolver à terra "o nome que com tanta solenidade lhe foi posto, sob pena de a mesma cruz que nos há de ser mostrada, no dia final, os acusar de mais devotos do pau-brasil que dela". E finalizava, celebrando o providencialismo da expansão: "E por honra de tão grande terra chamemos-lhe província, e digamos a Província de *Santa Cruz*, que soa melhor entre prudentes que *Brasil*, posto por vulgo sem consideração e não habilitado para dar nome às propriedades da real coroa."

As considerações de João de Barros sobre a viagem de Cabral e sobre o Brasil encontram-se na primeira *Década*, publicada em 1552. Dois anos depois, Fernão Lopes de Castanheda sintetizaria a mesma ideia na sua *História da Índia*, e, em 1556, Damião de Góis também se estenderia sobre a questão na *Crônica de D. Manuel*, repetindo a superioridade do nome de *Santa Cruz* sobre o de *Brasil*. Na mesma época, D. Jerônimo Osorio frisou que Cabral desejou celebrar a Santa Cruz ao nomear a nova terra, que acabou por se chamar *Brasil*. Todas essas evidências revelam que os humanistas portugueses, preocupados com o problema da expansão, acabavam discorrendo sobre a nomenclatura da terra brasílica, o que parece ter sido decisivo na fixação definitiva deles no território.

João de Barros recebeu em 1535 duas capitanias na nova terra: a do Maranhão, em sociedade com Aires da Cunha, e uma para si, a do Rio Grande do Norte. Tudo indica que nunca esteve nelas nem em qualquer outra parte da América, ao contrário de um outro humanista, Pero de Magalhães Gândavo, que teria permanecido cerca de seis anos em Salvador como provedor da Fazenda e que, em 1575, manifestou concepções análogas às do autor das *Décadas* na *História da Província de Santa Cruz*.

Autor dessa importante crônica dos primeiros anos da terra, Gândavo mostrava-se igualmente inconformado com o nome que vigorava na designação da Colônia - *Brasil* -, acreditando não haver razão para negar ou esquecer o nome originalmente dado, já naquela época eclipsado "tão indevidamente por outro que lhe deu o vulgo mal considerado, depois que o pau da tinta começou de vir a estes reinos". Para magoar "ao Demônio, que tanto trabalhou e trabalha por extinguir a memória da Santa Cruz e desterrá-la dos corações dos homens, mediante a qual somos redimidos e livrados do poder de sua tirania", Gândavo propunha que se restituísse à terra o nome antigo, chamando-a - daí o título de seu livro - *Província de Santa Cruz*. Aos ouvidos cristãos, concluía, soava melhor o nome "de um pau em que se obrou o mistério de nossa redenção que o doutro, que não serve de mais que de tingir panos ou cousas semelhantes".

Gândavo foi um propagandista da colonização, escrevendo, por isso, uma história em que as riquezas e as potencialidades da terra incitariam pessoas pobres a virem povoá-la. Na sua concepção - chamada pelo historiador Capistrano de Abreu de "teológica", mas que foi, sobretudo, típica de seu tempo e da indistinção então vigente entre o sagrado e o profano -, colonização não podia ser entendida sem cristianização, nem descobrimento sem providência divina. Deus tinha, desde muito cedo, dedicado a terra à Cristandade: na passagem em que trata do nome da terra e lamenta o triunfo da designação comercial sobre a religiosa, Gândavo acrescenta um aspecto novo, ausente dos demais textos. Lembra que o nome de *Santa Cruz*, dado inicialmente por Cabral, fazia sentido não apenas em razão da primeira missa ter sido rezada no dia 3 de maio, data da comemoração do Lenho Sagrado, mas porque as terras descobertas por portugueses cabiam à Ordem de Cristo, cujos cavaleiros traziam no peito a cruz por insígnia. Não havia, pois, como negar à colonização o seu caráter sagrado, que deveria se refletir no nome da terra a colonizar.

Antes da *História da Província de Santa Cruz* – cujo título é acompanhado do complemento *a que vulgarmente chamamos Brasil* –, Gândavo escrevera um *Tratado da Terra do Brasil*, provavelmente redigido em 1570. No transcurso de cinco anos, portanto, mudara de posição e passara a considerar preferível a designação religiosa, sinalizando, como João de Barros, que a outra, comercial, se impusera por obra do vulgo e não deveria, nessa qualidade, ser endossada por homens doutos e pios.

Houve, porém, homens religiosos que, à época, ficaram fora dessa discussão. Importantes textos jesuíticos da segunda metade do século XVI ignoraram a questão e não hesitaram em abraçar a nomenclatura que se ia consagrando, ou seja, a referida ao pau-de-tinta. Para Manuel da Nóbrega, o *Brasil* ainda era plural: "A informação que destas partes do *Brasil* vos posso dar...", escrevia na *Informação das Terras do Brasil*, de 1549. José de Anchieta teria atitude semelhante, anos depois. Na *Informação do Brasil e de suas capitanias*, de 1584, resolve o problema de forma direta e sem delongas: "Os primeiros portugueses que vieram ao *Brasil* [no singular] foram Pedro Álvares Cabral com alguma gente em uma nau que ia para a Índia Oriental no ano de 1500 [...]. E toda a província ao princípio se chamava *Santa Cruz*; depois prevaleceu o nome de *Brasil* por causa do pau que nela há que serve para tintas". Naquele momento, a guerra dos nomes não era assunto de padres catequistas, para quem as lutas entre Deus e o Diabo tinham um sentido bem mais concreto, encarnando-se no esforço cotidiano – e cada vez mais estéril... – de converter almas para as vinhas do Senhor.

Outro jesuíta célebre, o padre Fernão Cardim, também adotou sem problemas a designação de *Brasil* nos seus textos, ignorando a questão da nomenclatura anterior. *Do clima e terra do Brasil e de algumas cousas notáveis que se acham assim na terra como no mar* e *Do princípio e origem dos índios do Brasil e de seus costumes, adoração e cerimônias* devem ter sido escritos por volta de 1585, e foram publicados quarenta anos depois numa coletânea do inglês Samuel Purchas, denominada *Pilgrimages*. Contemporâneos da *Informação* de Anchieta, neles o *Brasil* também figura no singular: a parte começava a se tornar um todo devido à colonização que avançava, aproximando os portugueses de um e de outro lado do Atlântico. Tornou-se célebre a frase que abre o capítulo XXV no livro *Do clima e terra do Brasil*: "Este *Brasil* é já outro Portugal...".

Na *Notícia do Brasil*, de Gabriel Soares de Sousa, obra de 1587 e considerada a mais importante do século XVI, a referência à nomenclatura dupla aparece pela primeira vez numa perspectiva distinta, secular e histórica. O relato do descobrimento é factual e objetivo, explicando-se o nome de *Santa Cruz*, sob o qual a província foi nomeada por "muitos anos", devido à cruz erguida no local quando da primeira missa rezada a mando de Cabral. Nada se diz de diabos, luta entre o Bem e o Mal, entre o sacrifício de Cristo e o vil comércio. Quase quarenta anos depois, em 1618, o *Diálogo das Grandezas do Brasil*, de Ambrósio Fernandes Brandão, apresentaria posição análoga, acrescentando mais um elemento – a identificação da terra com o continente, retomada apenas no século seguinte. "Essa província do *Brasil* é conhecida no mundo todo com o nome de América", diz um dos personagens do *Diálogo*, registrando outro fato interessante: na época, o rei e "os senhores dos Conselhos" [a administração, portanto] usavam nos documentos oficiais o nome conciliador de *Terra de Santa Cruz do Brasil*.

Mas a nomenclatura comercial não suplantaria de imediato a mística. Ambas conviveram por longo tempo, tanto nos despachos dos Conselhos reais quanto nas páginas dos livros que os letrados da época escreveram sobre a nova terra. E assim se chega à primeira *História do Brasil* digna do nome, escrita pelo franciscano frei Vicente do Salvador, em 1627. À primeira vista, frei Vicente filia-se à tradição fundada por João de Barros, segundo a qual o Diabo conseguira substituir a Santa Cruz pelo pau-de-tinta. Há, porém, duas diferenças substanciais no texto do franciscano: a perda do controle demoníaco sobre os homens não valia para a nova descoberta, onde os habitantes eram ainda gentios e, nessa condição, sujeitos potenciais do Diabo; por isso, a catequese era necessária, transformando gentios em fiéis e fortalecendo a Igreja. Se o *topos* (tema) era repetido, o contexto histórico fazia com que ele mudasse de significado, e entre João de Barros e frei Vicente o processo de colonização lançara raízes.

A tensão entre Deus e o Diabo era mais do que mera retórica para frei Vicente, mas o que o levava a justificar a restauração do primeiro nome, *Santa Cruz*, era a necessidade de recolocar a colonização nos trilhos: o vício do nome funcionava, assim, como metáfora ao vício mais arraigado da colonização. E de quem seria a culpa da colonização ter desandado? Para uns, era dos reis que, intitulando-se senhores da Guiné, "nem o título quiseram" do *Brasil*, dando-lhe pouca atenção depois que D. João III – esse sim um povoador – desaparecera. Desde então, a Coroa só cuidara de "colher as suas rendas e direitos". Para outros, era dos povoadores, que não conseguiam se fixar de fato na terra e, uma vez ricos, só pensavam em levar tudo para Portugal, privilegiando o interesse privado e não o público.

Esses últimos exemplos de historiadores da nova terra – Ambrósio Fernandes Brandão e frei Vicente – mostram que conteúdos mais secularizados já se manifestavam sob a superfície das formas de cunho místico, mas ainda não conseguiam prescindir delas. Havia limites à secularização do pensamento, parecendo contraditório e intrigante que religiosos como Nóbrega, Cardim ou frei Vicente se incomodassem menos com a perda da nomenclatura mística em favor da comercial do que letrados como João de Barros ou Gândavo. Essa contradição aparente se deve ao fato de o humanismo do renascimento português ter combinado o civismo – que valorizava o bem comum, a *República* – ao messianismo salvacionista, acentuado após a derrota de D. Sebastião em Alcácer Quibir.

Nesse novo contexto, o embate entre o Santo Lenho e o pau-brasil perderia muito do sentido original, inteligível apenas no ambiente do humanismo português e dos conflitos entre letrados burocratas e mercadores. Dele se conservou o aspecto mais evidente, de cruzada do Mal contra o Bem. Em Gândavo, é um *topos* já meio esvaziado; em frei Vicente, é um invólucro para o esforço reinterpretador do sentido da colonização portuguesa na América, onde se procurava dar a César o que era de César, e a Cristo o que era de Cristo.

Entre bárbaros, canibais e corsários

•

Canibalismo para alemão ver

Como a experiência de Hans Staden espalhou por toda a Europa o fascínio pelos selvagens do Brasil.

RONALD RAMINELLI

Na edição de 1509 das cartas de Américo Vespúcio, há uma gravura que retrata um marinheiro e três mulheres que parecem seduzi-lo com a nudez de seus corpos. As índias, no entanto, desviam a atenção do conquistador para que uma outra, segurando um porrete, o acerte na cabeça. O marinheiro, que a princípio pensava em atrair as belas selvagens, terminaria como iguaria em um banquete canibalesco. Desde então, a cartografia europeia, ao representar a América, passou a difundir a fama desses povos consumidores de carne humana. Esse alerta aos futuros desbravadores era traduzido nos mapas em imagens de guerras, fogueiras e corpos fracionados em pleno cozimento.

Durante o século XVI, o Brasil era conhecido nos mapas como Terra dos Papagaios, em referência às belas aves que aqui se encontravam, ou Terra dos Canibais. A imagem do canibalismo ameríndio, porém, seria difundida na Europa com mais intensidade a partir do relato de Hans Staden, explorador alemão que foi capturado pelos tupinambás em meados do século XVI. Sua incrível experiência como prisioneiro de um grupo de antropófagos foi descrita em relatos que ganharam várias edições entre os séculos XVI e XVIII.

Hans Staden nasceu em Homberg, na província de Hesse-Nassau, na Prússia, por volta de 1520. Participou de duas viagens ao Brasil como controlador da artilharia de guerra. A primeira começou em Kampen, na Holanda, em 29 de março de 1547, de onde rumou para Lisboa. Atravessou o Atlântico em um navio português e participou de batalhas contra os franceses na altura de Pernambuco, voltando a Lisboa em 8 de outubro de 1548.

A segunda viagem teve início dois anos depois, e Staden dirigia-se ao Rio da Prata, atraído pelos rumores da existência de ouro na região. Embarcado em navio espanhol, o alemão naufragou junto com a tripulação no litoral de Itanhaém, em São Vicente (atual estado de São Paulo). Salvo, ele lutaria na guerra dos portugueses contra os tupinambás, pois sabia manejar canhões.

Certo dia, em busca de caça na floresta, Hans Staden foi capturado pelo grupo indígena inimigo. Os guerreiros logo arrancaram suas roupas e o levaram para a aldeia. Começava, então, a saga de Hans Staden entre os canibais.

Depois de muitos apuros, ele conseguiu retornar à Europa e tratou de divulgar a experiência passada entre os tupinambás. A primeira edição do livro foi publicada em Marburgo (atual Alemanha), em 1557. Muitas outras viriam a público nas décadas seguintes, devido ao sucesso dos desenhos e dos episódios narrados sobre as duas viagens ao Brasil.

A história foi fartamente ilustrada com gravuras sobre os costumes indígenas: como guerreavam, plantavam mandioca, pescavam, caçavam, cuidavam dos doentes e enterravam os mortos. Além de preparar os alimentos, as mulheres produziam o cauim, bebida fartamente consumida durante cerimônias que antecediam o banquete canibal.

O livro descreve os pormenores do ritual antropofágico e revela, por meio de imagens, todas as suas etapas. Depois de capturados, os prisioneiros ficavam sob a guarda de um senhor e eram levados para o interior da aldeia pelas mulheres. Em seguida, ganhavam uma esposa e esperavam livres, como qualquer homem da tribo, o grande dia em que todos os parentes de seu amo e os demais vizinhos consumiriam o seu corpo. Ao observar como os guerreiros capturados eram tratados, o alemão procurou traçar estratégias com a intenção de se livrar do triste destino.

Para os guerreiros tupis, mesmo quando prisioneiros, era uma grande honra morrer durante os combates ou demonstrar sua bravura ao enfrentar o sacrifício e a sina de ser consumido pela tribo. Por ser cristão e europeu, Staden certamente não concebia a cerimônia como um tupi. E, com certeza, não queria ser sacrificado em um ritual. Por temer a morte, ele era considerado um covarde pelos índios. Como cristão, precisava convencê-los de que era um aliado e não merecia morrer.

No livro escrito por Staden, percebe-se que ele recorreu a várias estratégias para assegurar que seu público leitor aceitaria como verdadeiras as suas desventuras americanas. Para atestar a veracidade do relato, utilizou desenhos que representavam as terríveis cenas de morte e canibalismo, reunindo detalhes que nem sempre seriam traduzidos em palavras.

Os textos e as imagens, porém, não eram suficientes. Como a história era inacreditável para os europeus, os editores empregaram outro recurso para convencer os leitores. Para tanto, mandaram desenhar o próprio Staden protagonizando as mais terríveis situações, em fantásticas ilustrações que mostravam as práticas de canibalismo testemunhadas por ele. Era como se o alemão estivesse ali, no meio dos eventos, como testemunha fiel dos costumes exóticos daquele povo.

Nas ilustrações, o protagonista da história externava suas sensações de medo e pavor, além da reprovação, própria de um cristão. Hans Staden aparece, aqui e ali, nas imagens, nu, de braços cruzados e pedindo clemência ao Deus cristão para livrá-lo do sacrifício imposto a todos os prisioneiros. No período em que viveu entre os canibais, ele presenciou a morte de dois cristãos portugueses, que foram assados e devidamente consumidos como manjar.

Por servir aos portugueses nos combates, Staden foi considerado um inimigo pelos tupinambás. Na época, os tupinambás se aliaram aos franceses contra os portugueses e os tupiniquins. Para tentar convencer o chefe do grupo de sua amizade pelos tupinambás, Staden inicialmente denominou-se alemão. Como os índios desconheciam essa nação, ele achou melhor declarar-se amigo e parente dos franceses e, finalmente, francês e inimigo dos portugueses. Sua barba ruiva era um álibi, pois os portugueses eram identificados pela barba preta. Com isso, ele conseguiu plantar entre os índios a dúvida sobre a sua origem, sabendo muito bem manipular as informações e os costumes nativos, motivo pelo qual não fora sacrificado.

A religião também seria uma arma importante em sua estratégia: o alemão procurou convencer os tupinambás de que o Deus cristão era muito poderoso e o protegeria, provocando chuvas e espalhando doenças, caso fosse sacrificado. Assim, ele preservava sua vida com manobras defensivas que por vezes o transformaram em uma espécie de líder dos tupinambás, quando, na verdade, era prisioneiro e escravo. A proteção de Deus, seus poderes sobre a natureza e a dúvida sobre a sua pátria livraram-no dos ritos canibais.

Com a intenção de se aproximar da divindade cristã, o alemão fez uma cruz com varas grossas e a plantou em frente à sua choça. Mas as orações estavam ameaçadas: os nativos não queriam a permanência do símbolo cristão na aldeia. Mesmo depois de muito alertar sobre o castigo divino, os índios retiraram a cruz. Com este gesto, afirmou Hans Staden, provocaram a ira de Deus: durante muitos dias choveu abundantemente, impedindo que fossem feitas as plantações. Segundo os relatos, os tupinambás acreditaram no castigo e devolveram a cruz ao local anterior. Feito isso, a chuva parou e o sol voltou a brilhar. Todos os nativos ficaram admirados com a mudança do tempo e convenceram-se de que o Deus cristão obedecia a Staden.

Mas esta não teria sido a única demonstração dos poderes sobrenaturais do prisioneiro. Algumas vezes, ele teria demonstrado até mesmo controlar os processos naturais com o auxílio de sua fé. Durante uma pescaria, Staden e dois índios presenciaram a chegada de uma forte tempestade. Eles, então, pediram ao alemão para que falasse com o seu Deus e evitasse que a chuva atrapalhasse a pesca. Com essa ajuda, talvez eles apanhassem mais peixes, pois na cabana não havia nada para comer. Este apelo comoveu o alemão, que pediu ao seu Senhor para afastar o perigo. Quando terminou a oração, o vento e a chuva se aproximaram, mas não atingiram o grupo. E assim exclamou Paraguá, o mais nobre entre os índios: "Agora vejo que falaste com o teu Deus." Esses episódios despertaram admiração na aldeia, e Hans Staden passou a ser visto como homem poderoso.

Depois de ganhar fama, ele se sentiu mais seguro para evitar o sacrifício; o retorno à sua pátria não tardaria. No Rio de Janeiro, à época sob o controle dos franceses, um capitão francês resgatou Hans Staden, depois de convencer o chefe tupinambá Abatí-poçanga da origem francesa do prisioneiro. Ele, então, deixou o litoral americano e os perigos que, durante nove meses e meio, rondaram a sua vida. Em 10 de fevereiro de 1555, Staden chegou salvo a Honfleur, na França.

Longe dos canibais, ele escreveu em seu diário: "Foi assim que o Deus Todo-Poderoso, o Deus de Abraão, de Isaac e Jacó, ajudou-me a escapar da violência dos terríveis selvagens. A Ele, todo louvor e a glória e a honra, por meio de Jesus Cristo, seu filho querido, nosso salvador. Amém."

Desde o início dos descobrimentos e da expansão europeia, o contato do homem branco com os canibais é descrito e desenhado em livros. No século XX, o assunto recebeu reforço ainda maior no cinema e na televisão. Hoje, a prisão de um explorador por uma tribo canibal é uma cena comum em filmes e desenhos animados que retratam aventuras passadas na África e na América. Depois de feito prisioneiro, o europeu é conduzido por guerreiros ao interior da aldeia, onde existe um grande tacho com água fervente e muitos nativos ansiosos para degustar a iguaria capturada durante um confronto bélico. A cena atesta a selvageria de povos perdidos em terras afastadas da civilidade do homem branco.

Banalizada pela mídia, essa narrativa acende a ideologia colonial, um conjunto de pressupostos, nem sempre verdadeiros, que reforça a inferioridade dos povos africanos e ameríndios. Entre esses preconceitos estava o canibalismo. A prática não era, porém, uma mentira, uma invenção europeia, mas um ritual controlado por regras. Entre os tupis, por exemplo, os guerreiros se sentiam honrados quando morriam em um banquete canibal. Para os europeus, no entanto, comer carne humana era abominável, pois nem mesmo os leões ingeriam seus semelhantes.

Ao banalizar as cenas de canibalismo, os europeus pretendiam comprovar que índios e negros agiam como os piores animais e necessitavam da intervenção de povos mais "civilizados" para promover a paz. Os conquistadores tinham a intenção de controlar as terras, as riquezas e a força de trabalho dos nativos. Para os europeus, os índios e negros seriam incapazes de dominar seus instintos, promovendo, por isso, guerras, emboscadas e traições. A preguiça destes povos inviabilizava o cultivo dos campos e a domesticação dos animais, por isso dependiam da carne humana.

Portanto, para os conquistadores, o canibalismo era sinônimo de barbarismo e da incapacidade de se autogovernar. A intervenção colonialista europeia seria um meio de erradicar o costume de comer carne humana, de livrar os próprios nativos do destino cruel e, por fim, conduzi-los à civilização.

A história de Hans Staden reúne elementos que estariam presentes em várias narrativas posteriores sobre ameríndios e africanos. Inicialmente, elas destacam a preguiça dos índios, o gosto pela guerra e pela carne humana. Em um segundo momento, os relatos difundem a superioridade da religião cristã e demonstram a inteligência e a capacidade dos europeus para manipular os nativos. Esses preconceitos vão originar o mito da superioridade do homem branco. A biografia de Hans Staden é também um bom exemplo para se entender como os cristãos legitimavam as guerras e a escravidão nas colônias: os europeus seriam senhores de povos incapazes de obedecer às leis mais elementares.

A partir de centenas de narrativas de viagem, percebe-se como os europeus contavam tanto com a fé em Deus quanto com a superioridade de seus navios e armas de fogo para dominar outros povos. Entre os séculos XVII e XIX, aos poucos as vitórias europeias no mundo colonial tornaram-se garantia de sua superioridade intelectual, e da missão de converter os bárbaros em "homens civilizados". Desta forma, legitimavam as intervenções militares, o domínio sobre os povos ameríndios e africanos para o "bem e progresso da humanidade". Eis, então, como a narrativa de Hans Staden, falsa ou verdadeira, não importa, contém os princípios do colonialismo e do imperialismo que ainda persistem na atualidade.

Bandeiras indígenas

São Paulo e o sertão cresceram embalados por um forte jogo de interesses entre paulistas, mamelucos e ameríndios. Isto custaria aos nativos séculos de escravização.

JOHN MONTEIRO

Em 1663, a paulista Maria do Prado ditou em seu testamento: "Declaro que não possuo escravo algum cativo mas somente possuo como é uso noventa almas do gentio da terra as quais tratei sempre como filhos e na mesma formalidade as deixo a meus herdeiros."

Ao procurar resolver o destino dos noventa índios que ficaram sob sua responsabilidade depois da morte do marido, a viúva de 80 anos tocou de forma explícita em um problema delicado: a liberdade dos índios. Ponto crucial da legislação colonial, este direito convivia de maneira precária com os "usos e costumes" dos paulistas. Em meados de 1650, Maria do Prado e seu marido, Miguel de Almeida de Miranda, chegaram a ter mais de duzentos índios, capturados, em sua maioria, em expedições bandeirantes nos sertões. A forte presença da escravidão indígena é bastante reveladora da formação da economia e da sociedade da época. E as bandeiras ajudam a explicar esse fenômeno.

As expedições para o sertão começam no século XVI e só perdem força e sentido na segunda metade do século XVIII. A palavra sertão já aparece discretamente na carta de Pero Vaz de Caminha, como referência a um vasto e desconhecido interior. Com o tempo, o termo passou a representar mais do que uma simples referência geográfica, também demarcando um espaço simbólico. A distinção entre o povoado e o sertão marcava o contraste entre dois universos, um ordenado pela religião católica e pelas leis do Reino, o outro pautado pela ausência da ordem: "sem fé, nem lei, nem rei", como rezava o ditado da época. Nesse mesmo período, começaram a ser conhecidas as suas riquezas: madeiras, minérios e, sobretudo, populações indígenas. Graças às alianças com esses grupos, os europeus puderam ocupar efetivamente diferentes pontos do litoral e, no caso excepcional de Piratininga (São Paulo), no interior do continente.

A semente do sertanismo estava inscrita nestas alianças em dois sentidos importantes. Primeiro, as lideranças indígenas buscavam aliados portugueses para aumentar seu prestígio e seu poder de fogo em guerras contra outros grupos, que envolviam expedições para capturar inimigos e perpetuar a vingança. Em segundo lugar, as uniões entre portugueses e índias produziram filhos mestiços, os chamados mamelucos. Muitos destes se valeram de suas raízes nativas e de suas habilidades linguísticas para se tornarem sertanistas especializados, alimentando a crescente demanda de seus parentes brancos por escravos. Já as filhas mestiças se casaram com portugueses, dando início a genealogias que instalavam uma "nobreza da terra" ao mesmo tempo em que apagavam o passado indígena. Na capitania de São Vicente, a principal aliança deste tipo se deu por meio da relação entre o náufrago português João Ramalho e Mbcy (ou Bartira), filha do chefe tupi Tibiriçá.

Com a fundação da Vila de São Vicente em 1532 e a introdução da produção açucareira pouco depois, as guerras entre grupos indígenas passaram a produzir um número crescente de braços para a nascente economia colonial. No final da década de 1540, segundo um relato da época, existiam três mil escravos índios no litoral vicentino, ocupados nos seis engenhos e nas outras propriedades dos europeus.

No entanto, havia um entrave que impedia o florescimento pleno de um sistema escravista baseado na mão de obra indígena. Os missionários jesuítas, que chegaram ao Brasil em 1549 e a São Vicente em 1553, entraram em competição direta com os sertanistas ao direcionar os índios "descidos" do sertão para aldeias missionárias. Eles pressionaram a Coroa para proibir o cativeiro injusto dos índios. A "Lei sobre a Liberdade dos Gentios", de 1570, estabeleceu um dos fundamentos da política indigenista portuguesa, declarando livres todos os índios, salvo aqueles sujeitos à "Guerra Justa" – grupos inimigos que apresentavam alguma resistência armada.

Outros fatores dificultavam a escravidão dos índios. O contato com os europeus trazia doenças contagiosas que encontravam neles um "solo virgem", devido à falta de resistência imunológica. Uma gripe podia causar a morte de muitos, e doenças graves, como a varíola, tiveram um impacto ainda mais fulminante. Em algumas partes da América portuguesa, estas dificuldades favoreceram o crescimento do tráfico transatlântico de escravos africanos. Mas também estimularam a intensificação das expedições para o sertão, em busca de novos cativos para substituir as vítimas das epidemias.

Na capitania de São Vicente, com o apoio das autoridades locais, os colonos começaram a organizar expedições de maior porte para adquirir cativos. Os primeiros grandes empreendimentos, nas décadas de 1580 e 1590, tomaram a forma de "Guerras Justas". Outras expedições, que partiam para o sertão com o pretexto de buscar metais preciosos, regressavam a São Paulo com números cada vez maiores de índios capturados.

No início do século XVII, as expedições tornaram-se mais frequentes e assumiram explicitamente o projeto de abastecer as propriedades rurais com a força do trabalho indígena. Entre 1600 e 1641, as populações carijós (guarani) localizadas no sul e no sudoeste de São Paulo foram as mais visadas. De língua e cultura muito semelhantes às dos índios tupis do planalto, os carijós passaram a constituir a maioria da população colonial na região de São Paulo nesse período. As expedições ganharam feições paramilitares, ao arrepio da lei e a despeito da voz de protesto dos jesuítas. Este movimento chegou ao seu auge nas décadas de 1620 e 1630, com as grandes bandeiras sob o comando de Manuel Preto, Antônio Raposo Tavares, André Fernandes e Fernão Dias Paes, para citar apenas os maiores. Estas expedições destruíram as reduções jesuíticas de Guairá (no atual Paraná), causaram grandes estragos nas missões do Tape (no atual Rio Grande do Sul) e criaram um novo momento de tensões envolvendo paulistas, jesuítas e a Coroa.

Armados pelos jesuítas, os índios das missões do Tape derrotaram duas grandes expedições de apresamento em batalhas decisivas, primeiro em Caaçapaguaçu (1638) e depois em Mbororé (1641). Enquanto isso, em São Paulo, os colonos venciam outra batalha: a luta pelo controle dos índios espalhados entre as propriedades particulares. Expulsaram os jesuítas em 1640 e negociaram com a Coroa o direito de explorar a mão de obra indígena que lhes custou tanto sangue e suor para obter. Esta postura foi resumida por um jesuíta português que visitou São Paulo em 1700: "Estavam tão firmes os moradores daquela Vila em que os índios eram cativos que ainda que o Padre Eterno viesse do céu com um Cristo crucificado nas mãos a pregar-lhes que eram livres os índios, o não haviam de crer." É nos testamentos dos próprios moradores que se vê com mais clareza a posição assumida. Em 1684, o casal Antônio Domingues e Isabel Fernandes declarava que os índios que possuíam "são livres pelas leis do Reino e só pelo uso e costume da terra são de serviços obrigatórios".

A derrota para os índios no sul não significou o fim das expedições de apresamento. Pelo contrário; apesar de diminuírem em tamanho médio, aumentaram em número, frequência e distância percorrida. A maioria operava em escala pequena, seja na forma de empreendimentos familiares, seja por meio de contratos entre "armadores" e sertanistas. Os armadores forneciam correntes, pólvora e índios sertanistas com a expectativa de receber metade do "lucro" da expedição, isto é, metade dos índios trazidos do sertão.

Um dos resultados destas mudanças foi o aumento na diversidade étnica e linguística da população subordinada. Essa diversidade também denunciava as dificuldades que os sertanistas enfrentavam. Agora eles percorriam sertões mais distantes e menos conhecidos, trazendo quantidades cada vez menores de cativos. Outro resultado evidente foi a diminuição da população indígena nas propriedades paulistas. Os inventários do século XVII mostram que a posse média atingia quase quarenta índios por proprietário em meados do século, um número que despencou para menos de dez no início do século XVIII.

Ainda assim, os índios eram uma presença constante em todas as propriedades que deixaram algum vestígio documental do século XVII.

Vários inventários arrolam posses superiores a cem índios, o que levou o historiador Sérgio Buarque de Holanda a observar a situação paradoxal da "grande propriedade, pequena lavoura".

Como explicar a necessidade de tantos índios numa área colonial periférica, à margem da economia do Atlântico? Para muitos autores, os paulistas aprisionavam índios para vender aos setores mais dinâmicos da Colônia, como as zonas açucareiras do Rio de Janeiro, da Bahia e de Pernambuco. A documentação, no entanto, aponta para outra versão. A mão de obra indígena certamente mostrava-se indispensável na lavoura paulista que abastecia uma parte da América portuguesa. Mas os índios também colaboraram em todas as etapas da ocupação de terras por europeus. Limpavam os caminhos, abriam as roças, construíam as casas e as igrejas, transportavam bens e pessoas, participavam das expedições para o sertão. Proporcionavam uma força de trabalho e uma força militar. Este segundo aspecto tinha um sentido prático nas disputas entre facções que tanto marcaram a História colonial, mas também se revestia de sentido simbólico, pois os paulistas comandavam a atenção das autoridades nos dois lados do Atlântico. Sua imagem era contraditória. Rebeldes e insubordinados para uns, leais vassalos para outros.

Na segunda metade do século XVII, a Coroa procurou explorar estes laços de vassalagem ao convocar alguns paulistas "potentados em arcos" para combater indígenas e africanos rebeldes, sobretudo nas capitanias da Bahia, de Pernambuco e de Rio Grande. Animados com a perspectiva de aumentar o número de escravos, vários paulistas concordaram em participar destas campanhas. Mas as guerras no Recôncavo, no rio São Francisco e no Açu remeteram poucos cativos a São Paulo. E até mesmo os sertanistas deixaram de voltar para suas terras de origem, buscando aproveitar as grandes dotações de terras que receberam pelos serviços prestados. Na análise pioneira do historiador Capistrano de Abreu, passaram de despovoadores a povoadores.

O sertanismo de apresamento já estava com seus dias contados. O golpe mais forte veio com as grandes descobertas do ouro, entre 1693 e 1722, justamente em lugares frequentados havia décadas pelas expedições de bandeirantes. Os paulistas em Minas Gerais, Mato Grosso e Goiás ainda tiveram um papel importante na relação com as populações indígenas dessas regiões e até ensaiaram reproduzir o sistema de administração dos índios que tanto lhes rendeu no século anterior. Mas as bandeiras do século XVIII adquiriram características muito diferentes, menos preocupadas com a transferência dos índios para as zonas de povoamento colonial e mais voltadas para a destruição dessas populações.

A história de São Paulo no século XVII se confunde com a história dos povos indígenas. Por isso, convém reconhecer que os índios não se limitaram ao papel de tábula rasa dos missionários ou vítimas passivas dos colonizadores. Foram participantes ativos e conscientes de uma história que foi pouco generosa com eles.

Invasão francesa

A espetacular tomada do Rio de Janeiro a mando de Luís XIV saqueou a cidade, humilhou Portugal e deixou a população atônita.

MARIA FERNANDA BICALHO

A 12 de setembro de 1711, uma esquadra francesa composta de 18 embarcações fez a entrada mais espetacular de que se tem notícia nas águas da Guanabara. Nem mesmo os mais experientes marinheiros portugueses haviam mostrado tanta perícia em romper a estreita e fortificada entrada da baía. Encobertos por intenso nevoeiro matinal, que favoreceu sua empreitada, em poucas horas os franceses se encontravam defronte à cidade de São Sebastião do Rio de Janeiro – na época um aglomerado de construções situado nas imediações de onde fica hoje a Praça XV –, diante dos olhares perplexos e incrédulos dos habitantes.

A esquadra invasora era comandada por um dos mais célebres corsários dos tempos de Luís XIV: René Duguay-Trouin (1673-1736). Ao longo de sua carreira, ele capturou mais de trezentas embarcações de comércio e cerca de vinte navios de guerra de potências europeias. Por dois anos seguidos, entre 1706 e 1708, tentou interceptar, na altura de Lisboa, a rica frota do ouro proveniente do Brasil, sem obter sucesso. Sua glória, no entanto, seria retumbante no projeto realizado em 1711: a invasão e o saque de uma das mais ricas e prósperas cidades pertencentes ao rei de Portugal na América.

Não foi a primeira vez que corsários franceses invadiram o Rio de Janeiro. Um ano antes, na manhã de 17 de agosto de 1710, uma esquadra composta de seis navios comandados por Jean-François Duclerc (1670-1710) surgira ao largo da Baía de Guanabara. O alarme fora dado no dia anterior, quando as velas que navegavam sob falso pavilhão inglês foram avistadas por um pescador em alto-mar. Hostilizado por disparos provenientes das fortalezas da barra, Duclerc resolvera navegar mais para o sul, em direção à Ilha Grande. Impedido de aí desembarcar por soldados que defendiam a costa, rumara um pouco para o norte, chegando à praia de Guaratiba, onde, sem maiores dificuldades, fizera descer à terra cerca de 1.200 homens. Era o dia 11 de setembro. O comandante, seus oficiais e soldados, guiados por quatro negros fugidos do engenho de Bento Amaral Coutinho, na Ilha Grande, seguiram a pé por matos espessos e altas serranias até bem próximo à cidade, quando, a 18 de setembro, alcançaram o engenho dos jesuítas.

Na manhã de 19 de setembro, Duclerc atingira finalmente a cidade, adentrando-a na altura da Igreja de Nossa Senhora do Rosário dos Pretos. Segundo relatos de época, apesar da imensa superioridade dos portugueses, nem o governador nem os soldados dos dois regimentos de linha foram os grandes heróis da batalha que então se travou. Dois antigos emboabas, Bento do Amaral Coutinho e frei Francisco de Menezes, se destacaram na luta. Além deles, os moradores, seguidos por seus escravos armados de pedras e paus, tiveram efetiva participação no combate, e os estudantes do Colégio dos Jesuítas se distinguiram por sua valorosa participação no ponto mais crítico do confronto. Também os padres entraram com sua cota de bravura fazendo soar os sinos da igreja, conclamando os defensores à luta. Segundo um poeta satírico que escrevera sobre aquela façanha, os membros da Companhia de Jesus foram os únicos religiosos que se destacaram, pois "as mais religiões fugiram com o bispo".

Enfim, parece que os bravos defensores lutaram com afinco, pois no mesmo dia derrotaram os franceses. Muitos deles foram mortos e os restantes aprisionados. Duclerc e alguns de seus oficiais ficaram presos no Colégio dos Jesuítas. Dois meses depois o corsário foi encarcerado em uma das casas da cidade, onde um grupo de homens mascarados o matou. A identidade dos assassinos nunca foi descoberta, apesar da rigorosa investigação ordenada por Lisboa. Durante os meses que se seguiram foi possível aos portugueses se deliciarem com os louros da vitória, promovendo festejos, dando mostras de sua alegria à luz de luminárias em ação de graças por tão notável sucesso. No caso da invasão de Duguay-Trouin, porém, não houve o que comemorar.

Na verdade, foi um desastre anunciado. Em fins de agosto de 1711, um paquete de carreira inglês enviado de Lisboa trazia notícias a Francisco de Castro Morais, governador do Rio entre 1710 e 1711, de que uma grande esquadra havia sido armada nos principais portos da França, tendo zarpado rumo ao Rio de Janeiro. Duguay-Trouin cumpria ordens do seu rei. O corso, distintamente da pirataria e da ação dos flibusteiros (aventureiros que atuavam como piratas no mar das Antilhas nos séculos XVII e XVIII), era no período um empreendimento legal, e muitas vezes oficial, praticado pelas potências europeias em momentos de guerra. Os capitães dos navios corsários recebiam uma "carta de marca" concedida pelo rei, que os autorizava a atacar os navios e a saquear os domínios das nações inimigas.

No caso da França, o corso era sobretudo uma atividade privada. Os navios corsários pertenciam, em sua grande maioria, a particulares que os armavam e abasteciam. Saint-Malo, cidade bretã no litoral norte daquele país – onde nascera Duguay-Trouin –, era tradicionalmente um porto corsário. No curto período entre 1695 e 1715 estima-se que os corsários franceses acometeram cerca de sete mil navios inimigos. A mais célebre dessas operações foi o assalto a Cartagena das Índias em abril de 1697 pela esquadra do Barão de Pointis. Alguns grandes corsários se integraram à Marinha real, como foi o caso de Jean Bart (1650-1702), nomeado tenente em 1679, e do próprio Duguay-Trouin, investido em capitão de fragata em 1697.

O projeto de invasão ao Rio de Janeiro foi apresentado a Pontchartrain, ministro da Marinha, submetido a Luís XIV, e aprovado, sendo as condições definitivas da empresa assinadas em março de 1711. Envolvia 14 diferentes armadores e acionistas, dentre os quais o próprio Duguay-Trouin e alguns de seus familiares, contando ainda com um dos mais poderosos banqueiros parisienses, o Conde de Toulouse, almirante da França, filho natural (ou seja, bastardo) de Luís XIV. Em termos gerais, as cláusulas acordadas estabeleciam que ao rei caberia conceder sete navios de guerra, quatro fragatas, uma corveta, duas galeotas de bombas e uma *flûte*, todos aparelhados e equipados com armas e munições. Comprometia-se ainda o monarca a recrutar os marinheiros para a esquadra, cabendo aos armadores o pagamento de seus salários. Para viabilizar o empreendimento, Luís XIV forneceria também os guardas e os soldados da Marinha francesa (cerca de dois mil homens) e pagaria os seus soldos. Caso a expedição não desse lucro, o dinheiro adiantado pelos armadores seria considerado perdido.

Quando o governador do Rio de Janeiro, Francisco de Castro Morais, foi alertado sobre as finalidades da poderosa esquadra, tratou de reunir imediatamente as guarnições das fortalezas, ordenando que as tropas e as milícias que defendiam a cidade permanecessem em estado de alerta. Alguns dias mais tarde, um vigia em alto-mar avistaria cerca de 16 naus francesas na altura de Cabo Frio, no litoral fluminense. As precauções foram intensificadas. Tal prontidão foi mantida até 11 de setembro, quando, sem outras notícias da armada inimiga, os ânimos se arrefeceram e o governador ordenou a retirada dos defensores de seus postos. Por isso, ao entrarem na baía, camuflados pelo nevoeiro, os invasores não encontraram grande resistência.

Embora houvesse cerca de quarenta navios mercantes portugueses no porto do Rio de Janeiro, além de quatro naus de guerra, estas últimas encalharam logo à chegada do inimigo, seguindo-se um intenso bombardeio de lado a lado. No meio da confusão que se seguiu, a perplexidade levou ao pânico, e o pânico ao desânimo. Dois dias depois, em 14 de setembro, cerca de três mil franceses desciam na Ilha das Cobras, já dentro da baía, a pouca distância do centro da cidade. Por algum tempo o governador tentou manter o controle da situação, enquanto os invasores fortificavam a ilha, armando suas baterias e canhões. No dia 19, os franceses enviaram uma mensagem aos portugueses para que se rendessem, ameaçando, caso contrário, bombardear a cidade. Francisco de Castro Morais retrucou bravamente, afirmando que lutaria até a última gota de seu sangue.

No entanto, ao anoitecer do dia 21, apavorados diante da proximidade do inimigo, os regimentos e milícias que defendiam a cidade e seus moradores começaram a desertar. Circularam rumores de que não havia mais jeito de resistir, pois tudo estava perdido. Francisco de Castro Morais ordenou o abandono das trincheiras e a total evacuação da cidade. As cenas que então se seguiram foram de verdadeiro horror. Naquela mesma noite, oficiais, soldados, autoridades civis e eclesiásticas, homens, mulheres e crianças fugiram desordenadamente para o interior, deixando para trás suas casas e pertences. Desabava intenso temporal, que transformou os caminhos de fuga em charcos ou, segundo os relatos mais apaixonados, em rios caudalosos. As cenas de pânico e terror descritas pelos cronistas eram atordoantes. Segundo uma testemunha, os sobreviventes daquela "noite, que parece o Diabo a pintou", se assemelhava a "passageiros do espetáculo de um naufrágio".

Enquanto isso os invasores, sem ter notícia da fuga da população, se preparavam para, no dia seguinte, invadir a cidade. Tão logo veio a aurora, Duguay-Trouin fora informado de que o Rio de Janeiro se encontrava totalmente deserto. Cautelosos, sem conseguirem acreditar no que viam – a cidade abandonada pelo medo de seus habitantes –, os franceses se assenhorearam do Colégio dos Jesuítas, em cuja igreja cantaram um *Te Deum* ao som de oboés e trombetas. A partir de então começaram a saquear e a reunir em seus navios tudo o que de valor puderam encontrar. No entanto, não acharam ouro, pois os moradores – como sempre costumavam fazer quando eram avisados da proximidade de alguma esquadra inimiga – já haviam levado o que possuíam de mais valioso para suas fazendas no interior.

Da mesma forma, o governador mandara esconder o ouro equivalente aos quintos reais, que viera das Minas e fora depositado na Casa da Moeda para ser embarcado para Portugal. Ao saber disso, Duguay-Trouin lançou um derradeiro ultimato, exigindo o pagamento imediato de vultoso resgate. Se não fosse atendido, destruiria a cidade. Sem esperar pelos reforços militares que desciam das Minas, Castro Morais – que se encontrava na Fazenda dos Jesuítas, a meia légua da cidade – negociou o resgate com o corsário francês: 610 mil cruzados em ouro, cem caixas de açúcar e duzentas cabeças de gado. A maior parte foi paga com os tais quintos régios, embora os moradores mais abastados tivessem contribuído substancialmente com o dinheiro que haviam escondido em suas fazendas. Depois de cinquenta dias de ocupação, a esquadra de Duguay-Trouin partiu para a França abarrotada de riquezas, deixando para trás uma população atônita.

O tráfico negreiro

•

Sem Angola não há Brasil

O tráfico negreiro viabilizou a expansão colonial portuguesa, mas destruiu Angola.

LUIZ FELIPE DE ALENCASTRO

No Atlântico português formou-se uma matriz espacial colonial específica. De um lado, no litoral da América do Sul, desenvolveram-se uma economia e uma sociedade fundadas no trabalho escravo africano. Do outro, principalmente em Angola, mas também no Golfo da Guiné, situavam-se as redes de reprodução dessa mão de obra escrava. As duas margens do Atlântico Sul completavam-se em um só sistema de exploração colonial, cuja singularidade ainda marca profundamente o Brasil contemporâneo.

No início do século XVII, a circulação de homens e mercadorias entre Brasil e Angola já era considerável. Uma das mais claras demonstrações da ligação entre as duas colônias aparece no encadeamento das invasões holandesas. Na estratégia holandesa, os portos comerciais dos dois lados do Atlântico Sul eram alvos conjugados.

Quando tomaram a Bahia, em 1624 e 1625, os holandeses promoveram também o bloqueio naval de Benguela e Luanda, em Angola. A segunda campanha atingiu o alvo em 1630, com a captura de Olinda e Recife, em Pernambuco. Cinco anos depois, a Zona da Mata pernambucana tinha caído sob o controle de Maurício de Nassau. No primeiro relatório que envia a Amsterdã, ele enuncia as regras do jogo colonial no Atlântico Sul. Adverte que não era qualquer um que servia para ser colono na Nova Holanda: os candidatos deveriam dispor de capital "para mandar fazer a fábrica de que precisam, pois não podem ser trazidas da Holanda como são aqui necessárias, e para comprar alguns negros, sem os quais nada de proveitoso se pode fazer no Brasil". E insiste: "Necessariamente deve haver escravos no Brasil (...) é muito preciso que todos os meios apropriados se empreguem no respectivo tráfico na Costa da África."

Admitida a necessidade do tráfico negreiro, faltava ainda montar o circuito transatlântico de compra, transporte e venda dos africanos. Em 1637, Nassau envia uma tropa do Recife para capturar São Jorge da Mina, entreposto português de comércio de ouro e de escravos no litoral africano (atual Gana). Sem saberem ainda negociar escravos na África, os holandeses levam dois intermediários para tratar com os traficantes africanos. Mas, ao constatar que a região não era suficiente para dar conta do fornecimento de escravos a Pernambuco, Nassau lança seus navios sobre o maior mercado atlântico de cativos: Angola.

Luanda, Benguela e São Tomé caem nas mãos dos holandeses entre agosto e novembro de 1641. A captura dos dois polos da economia de plantações – as zonas produtoras escravistas americanas e as zonas africanas reprodutoras de escravos – mostrava-se indispensável para o implemento da atividade açucareira no Brasil. Nassau é enfático: sem o tráfico negreiro e os portos angolanos, o Brasil holandês seria "inútil e sem frutos para a *Compagnie*". Pelos mesmos motivos, Portugal se preocupava com a situação na América. Chegou a tentar um acordo com os holandeses para que as duas partes tivessem acesso ao comércio de escravos. Não teve sucesso, e em meados de 1643, Telles da Silva, governador-geral do Brasil, prevenia el-rei: "Angola, senhor, está de todo perdida, e sem ela não tem Vossa Majestade o Brasil, porque desanimados os moradores de não terem escravos para os engenhos, os desfabricarão e virão a perder as alfândegas de Vossa Majestade os direitos que tinham em seus açúcares." Ou seja, sem o trato de Luanda, a colônia americana estava condenada. Diferentemente do que tem sido dito e escrito em boa parte da historiografia brasileira, o tráfico de escravos no Atlântico Sul era predominantemente bilateral, e não triangular.

Tropas, navios e munição em quantidades suficientes para o socorro da África Central não poderiam sair de Portugal, que continuava em guerra de fronteira com a Espanha e guerra marítima com a Holanda. Coube então ao Rio de Janeiro e às capitanias adjacentes - principais interessadas no restabelecimento do tráfico negreiro - a tarefa de fornecer gente e petrechos, "pois todo o Brasil necessita de escravos para seu remédio". Por força das circunstâncias que coibiam a ação da metrópole, abriu-se espaço para uma cogestão lusitana e "brasílica" (nome genérico para os colonos do Brasil) no Atlântico Sul.

É Salvador Correia de Sá e Benevides (1602-1688) quem conduz, em maio de 1648, a frota luso-brasílica que reconquistará Angola. Composta de 11 naus e quatro patachos, com quase dois mil homens, a expedição é financiada em 70% por fundos coletados dos negreiros e fazendeiros fluminenses. Dispondo de um estado-maior experimentado no Atlântico Sul e de "boa gente e infantaria exercitada nas fronteiras nas guerras de Portugal e na campanha de Pernambuco", o corpo expedicionário desembarca e, após combates em Luanda, vence os holandeses em agosto de 1648.

Num memorial enviado à Corte, a Câmara de Luanda reconhece explicitamente que os sucessos da reconquista de Angola "mal se lograriam se os moradores daquela ilustre cidade [*o Rio de Janeiro*] se não fintaram [*tributassem*] com uma muito grande soma de dinheiro com que a armada se forneceu e obrou o fim desejado". Cinco anos mais tarde, a Câmara do Rio de Janeiro reivindicou orgulhosamente o mérito da expedição: "Quem pode negar a esta cidade a glória da restauração de Angola?". A história da expulsão dos holandeses deixou evidente que o Brasil tinha continuidade fora das fronteiras americanas.

A partir daí, a presença brasílica afirma-se na África Central. Depois da independência, Angola continua sob influência brasileira, e desde 1823 fala-se da presença em Luanda, e sobretudo em Benguela, de um "partido brasileiro", que joga as cartas dos interesses negreiros dos escravistas do Império do Brasil contra a política colonial portuguesa. Do lado brasileiro também havia um "partido angolano", que almejava anexar Angola ao

Brasil. Esta estratégia anexionista foi claramente enunciada por Nicolau Pereira de Campos Vergueiro (1778-1859), pai da pátria, senador, regente do trono e ministro, na Constituinte de 1823.

Nenhuma região escravista das Américas teve na África um peso similar ao do Brasil. A intervenção brasileira em Angola, como também no Golfo da Guiné, sobretudo no antigo reino do Daomé, só declina após 1850, com o fim do tráfico negreiro no Atlântico Sul. Concretamente, o ciclo mais longo da economia brasileira é o ciclo negreiro, que vai de 1550 a 1850. Todos os outros - do açúcar, do tabaco, do ouro e do café - são, na realidade, subciclos dependentes do ciclo negreiro. Neste sentido, pode-se dizer que a construção do Brasil se fez à custa da destruição de Angola.

A dependência do tráfico negreiro e da escravidão também deixou efeitos perversos entre nós. O fato de pilhar durante três séculos a mão de obra das aldeias africanas facilitou o extermínio das aldeias indígenas, tornadas desnecessárias, e gerou entre os senhores de engenho, os fazendeiros e o próprio governo uma brutalidade e um descompromisso social e político que até hoje caracterizam as classes dominantes brasileiras.

Traficante Chachá

A incrível trajetória do baiano Francisco Felix de Souza, o maior mercador de escravos do Atlântico.

ALBERTO DA COSTA E SILVA

Por volta de 1800, desembarcou na Costa dos Escravos, no Golfo de Benim, um baiano chamado Francisco Félix de Souza. Tinha 46 anos de idade, se realmente nascera em 1754, em Salvador, de pai branco e mãe ameríndia, cabocla ou cafuza. De seus tempos no Brasil nada se sabe, exceto que estudou o suficiente para tornar-se guarda-livros e escrivão do forte português de S. João Batista de Ajudá, no reino do Daomé, hoje República do Benim. Dizia-se, na época, que talvez fosse foragido da Justiça ou condenado ao desterro. Se, em 1803, já estava no forte em Ajudá, vivera antes em Badagry, na Nigéria, e Popô Pequeno (ou Anexô), no atual Togo, onde se casara com a filha do soberano de Gliji, Comalangã. A moça chamava-se Jijibu e, menina, havia estudado na Bahia.

É provável que o sogro o tenha ajudado a iniciar-se como negreiro, entregando-lhe cativos para que os comercializasse. Isso explicaria ter se tornado traficante de gente quem disse ter descido na África sem um centavo, tão pobre que, para pagar o que comer, recolhia os cauris, conchas usadas como moedas, depositados nos altares dos voduns. Tinha um organismo tão forte que resistiu às vibrações e às doenças de uma região insalubre. Em cada dez recém-chegados, seis morriam no primeiro ano, vítimas de doenças tropicais. Francisco Félix manteve-se, porém, com boa saúde até a velhice.

O baiano começou a prestar serviços a mercadores europeus e brasileiros e logo lhes ganhou a confiança. No negócio de escravos não faltava lugar para auxiliares, prepostos e parceiros menores. Rapidamente, Francisco foi se firmando como comerciante de escravos. Deve tê-lo favorecido o seu cargo no forte de S. João Batista, sobretudo após 1806, quando, havendo o governo português abandonado a fortaleza, Francisco passou a cuidar dela como se fosse o comandante. Um de seus trunfos seria a facilidade com que aprendia idiomas. Não tardou em tornar-se, por ter aprendido as línguas locais, um excelente intermediário entre os nativos e os capitães dos navios. O outro trunfo foi o de ter se tornado rapidamente apreciado pela "integridade inflexível e indiscutível" com que "conduzia todas as suas operações comerciais" – palavras de um oficial britânico, que tinha tudo para lhe ser hostil. Com a fama de honesto, pôde participar no sistema de crédito que sustentava o tráfico: contra a promessa de futura entrega de cativos, era comum que se adiantassem mercadorias em confiança aos reis e mercadores.

No início, Francisco negociava para os outros, mas, com os ganhos, começou a operar por conta própria. E a guardar os seus escravos em depósitos próximos ao litoral, à espera do melhor momento para vendê-los aos navios.

A fim de evitar que as febres e as diarreias causassem estragos nas tripulações, os barcos negreiros paravam o menor tempo possível em cada porto. Quem dispusesse de escravos armazenados tinha condições, por isso, de vendê-los a um melhor preço, determinado pela ânsia do capitão de fechar o carregamento. Francisco Félix não tardou em aprender essa lição. O que não aprendeu foi como lidar com o rei soberano do Daomé, Adandozan.

No início da segunda década do século XIX, Francisco já devia ser um comerciante de importância. Tinha sócios e financiadores na Bahia que lhe mandavam as mercadorias com que adquiria escravos. E o seu grande fornecedor de cativos era o rei.

A Adandozan Francisco adiantava mercadorias. Quando o rei se descuidou do pagamento, o baiano foi à capital, Abomé, queixar-se. O soberano recebeu-o numa varanda do palácio. Recostado em almofadas, estava de torso nu e de espingarda na mão. Tinha duas centenas de mulheres ao redor a abaná-lo com flabelos ou a lhe espantar as moscas com rabos de cavalo encastoados em prata. Uma delas, de joelhos diante dele, sustentava uma escarradeira de ouro. Guarda-sóis, grandes e coloridos, completavam, a girar, a cena.

Ao cobrar o que o rei lhe devia, Francisco mostrou-se desrespeitoso. Irritado, Adandozan mandou prendê-lo. E, a fim de que perdesse a petulância de branco, determinou que periodicamente o mergulhassem num tonel de índigo, para escurecer-lhe a pele.

Na prisão, Francisco ajustou com um príncipe daomeano, Gapê, um pacto de sangue que os obrigava a se ajudar mutuamente até a morte. Daí que Gapê não tenha tardado em arranjar a fuga de Francisco da prisão. Da região de Popô Pequeno, onde se refugiou, o baiano passou, por sua vez, a abastecer Gapê de armas de fogo e também de tecidos, tabaco e outros bens, que, distribuídos com largueza, conquistavam aderentes. Pôs-se, assim, em marcha uma conjura, da qual resultou a deposição de Adandozan.

Gapê subiu ao poder com o nome de Guezo. E mandou buscar Francisco Félix, a quem fez cabeceira, que tornou-se grande chefe. Concedeu-lhe terras em Ajudá e, mais importante ainda, o tornou seu único agente comercial. Ao nobilitá-lo, Guezo transformou em título a alcunha que o baiano ganhara após a fuga da prisão. Ao atravessar numa piroga, escondido sob esteiras, o rio Mono, os guardas indagaram dos remeiros o que levavam, e esses responderam: *chachá*, isto é, esteiras. Há quem diga, porém, que o cognome significaria "andar com passos curtos e apressados", ou seria uma corruptela de "já, já!", imperativo usado com frequência.

Como o Chachá era o agente de Guezo, os demais mercadores só podiam fazer suas transações depois que ele vendesse todos os escravos do rei e os dele próprio. Tornou-se com isso senhor quase absoluto do mercado. Não foi, como se disse, o vice-rei de Ajudá, o "chefe dos brancos" ou *yovogan*. Mas isso não o impediu de tornar-se, graças à irmandade com o rei, o homem mais poderoso de Ajudá, o mais rico do Daomé e talvez o maior mercador de escravos de seu tempo.

À sua condição de agente e amigo de Guezo somava-se a de funcionário informal de D. João VI, pois continuava a cuidar do forte. Não vivia, porém, nele. Construíra um casarão enorme, Singbomey, numa área próxima, o futuro Bairro Brasil. Símbolo de riqueza e poder, Singbomey era a um só tempo fortificação, residência, entreposto, banco, hospedaria e oficina, tendo ao lado o depósito de escravos. Havia lá também um mirante, de onde o Chachá vigiava as manobras do esquadrão britânico que desde 1816 combatia a exportação de escravos por Ajudá.

O colar de lagunas, esteiros, furos e rios que corria paralelo ao litoral dificultava a ação britânica. Os traficantes iludiam os poucos navios do esquadrão antitráfico ao transferirem, pelas águas que corriam pelo interior do território, os escravos de um porto para outro. O Chachá tornou-se mestre nesses deslocamentos. Contava, ao longo da costa, não só com informantes que o mantinham a par dos movimentos britânicos, mas também com sócios e agentes. E navios próprios, pois passara também a ser dono de embarcações.

Por essa época, já era enorme a prole de Francisco Félix. Casado pelas normas daomeanas com várias mulheres, conhecem-se pelos nomes 63 de seus filhos, mas se diz que seriam mais de cem. O Chachá deles exigia que procedessem na rua como europeus. Não trajavam como daomeanos, mas à brasileira: os homens de branco, de botas e chapéu panamá; as mulheres, de vestidos longos, cintados e sem decotes, calçadas com sapatos fechados. O pai exigia que frequentassem a escola e a igreja que mantinha no forte. Ali aprendiam a ler e escrever em português, rudimentos de matemática e a doutrina cristã. A alguns mandou completar a educação na Bahia e em Portugal.

Vinculado pelos matrimônios a muitas outras famílias, Francisco tinha a base de poder ampliada por agregados, escravos domésticos e outros dependentes. E o número dos que a ele se arrimaram cresceu ainda mais devido aos ex-escravos que retornavam do Brasil. O Chachá conseguia de Guezo terras onde assentá-los e os apoiava em tudo. Tornou-se o protetor e o líder deles. E não é impossível que, entre aqueles que ajudou, figurassem alguns que ele próprio, anos antes, vendera.

Os ingleses, que tanto o combateram, deixaram dele esta descrição: um homem afável, hospitaleiro e prestativo, "o mais generoso e mais humano das costas da África", para usar as palavras de um cônsul britânico. Seria assim com os seus iguais, porém duríssimo com os escravos que endereçava à venda. Exercia um ofício fundado na crueldade.

A sua casa-grande dividia-se em duas partes: numa, com dependências próprias para cada uma de suas mulheres, vivia com a família; noutra, acolhia os capitães dos navios que aportavam em Ajudá. Não cobrava a hospedagem, mas proveu-se de meios para arrancar-lhes dinheiro sem desdourar a hospitalidade que lhe atribuíam, montando uma casa de jogo com belas mulheres, bilhares, roleta e tudo o mais.

Sua hospitalidade estendia-se até mesmo, no auge da repressão ao tráfico, aos comandantes dos cruzadores britânicos. Não hesitava em recebê-los para jantar, oferecendo a mesa arrumada com talheres de prata, copos de cristal, pratos de porcelana e toalhas de linho. Quando, em 1843, o príncipe de Joinville ali jantou, serviram-no em baixela de prata, numa sala iluminada por tocheiros e candelabros de igreja, tudo de prata maciça. O brinde aos reis da França foi acompanhado por 21 salvas de canhão.

A pompa do jantar ao príncipe disfarçava a decadência. No apogeu de sua carreira, estimou-se a fortuna do Chachá em US$ 120 milhões, uma enormidade à época. No fim ele mal tinha como pagar suas dívidas em Salvador e em Havana, e essas cresciam porque não abandonara seu comportamento perdulário. Avançado nos anos, não mais memorizava os empréstimos e perdera a energia para cobrá-los. Os devedores, entre os quais o próprio Guezo, não lhe pagavam. E os filhos, a quem passara parte dos negócios, não tinham as qualidades dele, nem um pacto de sangue com o rei. O pior de tudo é que os britânicos estavam a somar êxitos na repressão. Não só apresaram numerosos carregamentos pelos quais o Chachá era responsável, mas até mesmo navios de sua propriedade – 34, conforme Joinville.

Francisco Félix de Souza faleceu em 8 de maio de 1849, com 94 anos de idade. Correu à época que teria sido envenenado por Guezo, mas a acusação era evidentemente falsa. O rei o estimou até o fim. Não apenas se fez representar por dois de seus filhos e oitenta amazonas nos ritos funerários, como enviou sete pessoas para serem imoladas no túmulo do amigo. Esses e outros sacrifícios humanos teriam sido feitos em honra do Chachá, apesar da oposição de seus filhos. Mas há quem diga que prevaleceram as razões desses últimos. Certo é que as festividades fúnebres duraram alguns meses, com amazonas a dançar na praça de Ajudá e sacerdotes a imolar pombos, bodes e outros animais, e muitos batuques, e muitos tiros.

Se havia naquela época um padre em Ajudá, esse certamente encomendou o corpo de Francisco Félix e rezou a missa de sétimo dia. Chachá era católico e devoto de São Francisco de Assis. Não perdia missa, mas patrocinava também um santuário dedicado ao vodum Dagoun, que, dizia-se, trouxera do Brasil. Foi nisso e em tudo o mais um centauro cultural: europeu e africano. Do mesmo modo que, após 1822, ficou sendo brasileiro e português. Nos seus domínios, hasteava a bandeira das quinas ou a verde-amarela, conforme as conveniências do momento. Saía à rua de chapéu, calças, colete e paletó, mas coberto por um grande guarda-sol e acompanhado por tambores, pífanos e amazonas a disparar para o ar as suas espingardas.

África no Brasil

•

Os mistérios da Rosa

Escrava e ex-prostituta, a africana Rosa Maria Egipcíaca se tornou a mais venerada santa negra do Brasil colonial.

LUIZ MOTT

Não há na história da escravidão no Brasil uma africana cuja biografia seja tão fantástica e tão documentada como a de Rosa Maria Egipcíaca da Vera Cruz. Até hoje se conserva no Rio de Janeiro uma capela maravilhosa no Convento Santo Antônio, no Largo da Carioca, cujo modelo e construção tiveram inspiração numa visão celestial dessa africana ainda pouquíssimo conhecida em nosso país. Muito mais que a lendária escrava Anastácia, Rosa Egipcíaca foi a mais famosa e venerada santa negra da diáspora africana no Novo Mundo.

Rosa era uma negrinha nascida na Costa de Mina, de nação Courana, que desembarcou de um navio negreiro no Rio de Janeiro em 1725: tinha seis anos de idade. Foi comprada por um tal senhor José de Sousa Azevedo, que a mandou batizar na Igreja da Candelária, templo onde grande parte dos africanos era batizada e que na época não passava de uma pequenina igreja, sede da Freguesia da Várzea, humílima em comparação à grandiosidade do templo neoclássico que hoje conhecemos.

Dizem os manuscritos de seu processo – conservado no Arquivo da Torre do Tombo, em Portugal – que, ao atingir catorze anos, o senhor de Rosa, "após desonestá-la e tratar torpemente com ela", a vendeu para as Minas Gerais. A adolescente mina teve o mesmo triste destino de tantas escravas da cor de ébano, presas fáceis da volúpia dos machos de todas as cores numa sociedade que acreditava não haver pecado abaixo do equador.

Na capitania das Minas, Rosa foi comprada pela mãe de um de nossos mais destacados literatos do período colonial, frei José de Santa Rita Durão, autor do poema " O Caramuru", indo morar na freguesia do Inficcionado, a duas léguas de Mariana. Como tantas escravas de norte a sul da colônia, a negra courana vai viver de vender seu corpo a favores sexuais aos homens mineiros, que com ouro em pó compravam mercadorias e prazer das disputadas mulheres que percorriam as faisqueiras, pequenas áreas de mineração abertas a todos que buscavam enriquecer por si próprios. Era a única escrava negra num plantel de 77 escravos machos! Segundo mais tarde confessou perante o comissário do Santo Ofício do Rio de Janeiro, passou 15 anos "a se desonestar vivendo como meretriz".

Ao completar trinta anos é atacada de estranha enfermidade, logo diagnosticada como uma espécie de "encosto": ficava com o rosto inchado, sentia fortes dores no estômago, caindo ao chão desacordada. Rosa decide então mudar de vida: por volta de 1748, vende seus poucos bens – joias e roupas amealhadas com a venda de seu corpo – e distribui tudo o que consegue aos pobres. Adota vida beata, frequentando os ofícios divinos e liturgias, que, abundantes, eram celebrados nas barrocas igrejas mineiras, muitas delas acabadas de construir nessa mesma década. Foi numa dessas andanças que encontrou na Capela de São Bento, no mesmo arraial do Inficcionado em Mariana, o padre Francisco Gonçalves Lopes, que realizava espantosos exorcismos em alguns possuídos. Esse sacerdote português era então vigário da freguesia de São Caetano, no mesmo distrito, e tão eficaz e useiro era em tirar o demônio do corpo de brancos e pretos que tinha por apelido "Xota-Diabos".

Impressionada com a cerimônia do exorcismo, Rosa revelou que ela própria também estava possuída por sete demônios: segundo ela, era como se um caldeirão de água quente estivesse sendo despejado sobre seu corpo, o que a fez cair desacordada ao chão, partindo a cabeça na pedra debaixo do altar de são Benedito. Um segundo exorcismo realizado nessa mesma freguesia confirma ao sacerdote que de fato a escrava do casal Durão era uma possessa especial, pois, quando vexada, fazia sermões edificantes, sempre com a preocupação de que todos mantivessem perfeita compostura nos templos, retirando à força para a rua a quantos conversassem ou desrespeitassem o Santíssimo Sacramento. Quando possuída por Satanás, falava grosso, caía desacordada e dizia ter visões celestiais. Por diversas vezes afirmou ter visto Nossa Senhora da Conceição, ouvido diversos coros de anjos que lhe ensinaram algumas orações, e até recebido a revelação de uma fonte de água milagrosa ao pé de uma montanha, onde devia ser construída uma igreja em honra de Senhora Santana. O culto da mãe de Maria substitui, no imaginário místico de Rosa, a perda e o desconhecimento dos próprios ancestrais, culto muito forte na maior parte das culturas da Costa da África.

A fama de visionária de Rosa espalha-se por Mariana, Ouro Preto, São João del Rei, sempre acompanhada do padre Xota-Diabos e de seus exorcismos. Nesta última cidade, na Igreja Pilar, certa feita Rosa courana interrompe a pregação de um missionário capuchinho italiano, gritando que ela era o próprio Satanás ali presente: é presa e enviada para a sede do bispado, em Mariana, sendo flagelada no pelourinho com tal rigor que por pouco não morreu, ficando, contudo, para o resto da vida com o lado direito do corpo semiparalisado. Recuperada da tortura, procura o recém-empossado bispo da diocese, D. Frei Manoel da Cruz, que encarrega uma junta de teólogos de investigar se Rosa era mesmo possuída ou embusteira. Após uma série de provas – inclusive testando a resistência da pobre vexada à chama de uma vela, que por cinco minutos suportou debaixo da língua! –, concluem os teólogos que era tudo fingimento, passando então o povo a zombar de Rosa, chamando-a de feiticeira.

Para evitar novos problemas, Rosa foge para o Rio de Janeiro, sempre auxiliada e protegida pelo seu inseparável padre Xota-Diabos, agora seu proprietário legal, o qual nessa época passava dos 50 anos – corria a fama de que eram amantes. Chegam então à heroica e leal cidade do Rio de Janeiro em abril de 1751. Depois de Salvador, a capital da Colônia, o Rio de Janeiro era nossa segunda cidade em importância demográfica e econômica, e com vivíssimo *décor* religioso: vinte e três igrejas distribuídas em quatro paróquias: São José, Catedral (São Sebastião no morro do Castelo), Santa Rita e Candelária; 70 oratórios, 26 confrarias, 380 frades, mais de centena de padres seculares.

Rosa instala-se, inicialmente, numa casa em frente à Igreja de Santa Rita, tendo sua primeira visão na Igreja de Nossa Senhora da Lapa – "caindo no chão sem sentidos e como morta" –, quando lhe apareceu o Menino Jesus vestido de azul-celeste, com uma tiara pontifícia na cabeça. Por sugestão de uma das muitas beatas que frequentavam assiduamente os templos cariocas, Rosa revela sua vida atribulada e dons espirituais ao provincial dos franciscanos, frei Agostinho de São José, que passa a ser seu diretor espiritual. Foi esse menino frade quem edificou o segundo andar do Convento de Santo Antônio, ainda hoje dominando do alto do morro o Largo da Carioca. A vida mística de Rosa impressiona vivamente os franciscanos, que a veem cumprir todos os exercícios pios muito em voga nos séculos passados: jejuns prolongados, uso de silício (instrumento para autoflagelação), comunhão frequente. Dão à preta Rosa o maravilhoso título de "a Flor do Rio de Janeiro".

Nessa época, convém esclarecer, malgrado a discriminação legal e institucional contra a raça negra, sujeita à escravidão e aos mais cruéis tormentos, procurava a Igreja oferecer modelos de santidade para este enorme contingente demográfico representado pelos africanos e afrodescendentes que pululavam por toda a América portuguesa. É nesses meados do século XVIII que o papado estimula, por todas as partes do mundo escravagista, o culto a são Benedito, santo Elesbão, santa Ifigênia, santo Antônio de Noto (ou Catigeró), todos os negros como Rosa, todos exemplos de humildade, resignação e santidade. A beata Rosa Maria Egipcíaca da Vera Cruz, portanto, ex-prostituta como sua patrona santa Maria Egipcíaca (natural do Egito, que teve vida escandalosa da adolescência aos 29 anos, quando se converteu, isolando-se na Palestina, onde viveu sob duras penitências por 47 anos), vinha a calhar nessa renovação pastoral da Igreja e poderia ser – certamente assim o desejavam os franciscanos – uma futura santa. Tão logo chega ao Rio, Nossa Senhora obriga a negra courana, através de uma visão celestial, a aprender a ler e escrever, tarefa que cumprirá razoavelmente, sendo até agora a primeira africana de que se tem notícia em nossa história a ter aprendido os segredos do abecedário. Também por inspiração sobrenatural, Rosa

Egipcíaca decide fundar um recolhimento para "mulheres do mundo" que pretendiam, como ela, trocar o amor dos homens pelo do Divino esposo.

Financiada por polpuda doação de um sacerdote de Minas Gerais, seu devoto e admirador das virtudes da ex-escrava, contando com o beneplácito do bispo do Rio de Janeiro, D. Antônio do Desterro, em 1754 é lançada a primeira pedra do Recolhimento de Nossa Senhora do Parto, aproveitando a existência de pequena capela localizada no centro histórico desta cidade, onde hoje se situa a rua da Assembleia. Construído, o recolhimento chegou a abrigar uma vintena de moças-donzelas e ex-mulheres da vida, sendo metade delas negras e mulatas. Madre Rosa, como então era chamada por dezenas de seus devotos – sofistica suas visões, passando a escrevê-las ou ditando para que suas escribas anotassem tudo o que via e ouvia, seja revelado pelos santos, por Maria Santíssima ou pela própria boca da Onipotente.

Sempre aplaudida e venerada pelo padre Francisco Gonçalves Lopes, pelo seu frade confessor e por um capuchinho italiano, a negra courana escreve mais de 250 folhas do livro *Sagrada teologia do amor de Deus luz brilhante das almas peregrinas*, e diz que o Menino Jesus vinha todo dia mamar em seu peito e, agradecido, penteava sua carapinha; que Nosso Senhor trocara seu coração com o dela, e que no seu peito trazia Jesus Sacramentado; que morrera e que tinha ressuscitado; que Nossa Senhora era Mãe de Misericórdia e que ela, Rosa, recebera de Deus o título e encargo de Mãe de Justiça, dependendo de seu arbítrio o futuro de todas as almas, se iam para o céu ou para o inferno; que ela própria era a esposa da Santíssima Trindade, a nova Redentora do mundo. A ex-escrava, agora madre do Recolhimento do Parto, foi a principal vidente e divulgadora em terras brasileiras do culto aos Sagrados Corações, originado na França no século XVII e oficializado para toda a cristandade pelo papa Clemente XIII em 1765, incluindo não apenas a devoção oficial a Jesus e Maria, mas a toda a família no Nazareno, a saber, os corações de são José, são Joaquim e Santana. Foi graças às visões de Rosa, e para representá-las visualmente, que os franciscanos construíram no Convento de Santo Antônio a maravilhosa Capela dos Sagrados Corações, até hoje perfeitamente conservada e aberta à visitação pública, muito embora omitindo-se os créditos à sua verdadeira inspiradora: santa Rosa Maria Egipcíaca da Vera Cruz.

Em seu recolhimento, além do culto idolátrico à sua pessoa, algumas liturgias igualmente pecavam pela oposição aos dogmas da Igreja, notando-se elementos de forte inspiração africana. Não esquecer que mais da metade das recolhidas – entre as quais as principais assessoras de Rosa – eram afrodescendentes. Além do hábito de pitar cachimbo, a negra courana comandava certas cerimônias em que é nítido o sincretismo afro-católico, incluindo danças e transe.

A fantasiosa megalomania religiosa de madre Rosa tinha no padre Xota-Diabos seu promotor, o qual mandara pintar um quadro sobre cobre, em que a "Flor do Rio de Janeiro" posava com todos os símbolos da santidade, trazendo na mão direita uma pena, símbolo de sua erudição teológica, posto que o padre Xota-Diabos, agora capelão do recolhimento, proclamara mais de uma vez que "Rosa deixava santa Teresa d'Ávila a léguas de distância" e que aquela santa, primeira mulher a ser declarada Doutora da Igreja , não passava de uma "menina de recados" da mestra africana. Muitos fiéis frequentavam o Recolhimento do Parto, alguns para ouvir os conselhos da madre superiora, outros para buscar suas relíquias, notadamente uma espécie de biscoito feito com a saliva de Rosa, amassada com farinha, que era guardada para esse fim, e que seus devotos reputavam o poder de curar todas as enfermidades. Profetizando que o Rio de Janeiro ia ser inundado e destruído do mesmo modo como acontecera no ano anterior (1755) com o terrível terremoto de Lisboa, madre Rosa convence uma dezena de famílias a refugiar-se no recolhimento, garantindo que seriam os únicos sobreviventes do dilúvio e que essa nova Arca de Noé iria cruzar o oceano para encontrar-se com o rei D. Sebastião – desaparecido havia dois séculos nas areias do Marrocos – o qual tinha escolhido a negra Rosa para sua Esposa. E que desse matrimônio e de seu ventre nasceriam o novo Redentor da humanidade. Rosa foi, dentre todos os sebastianistas, a que mais ousou em suas profecias!

Não foram tanto os vaticínios não cumpridos nem seus êxtases e revelações de características epileptoides a causa da derrota de madre Egipcíaca: seu erro foi indispor-se com o clero carioca, por ter ralhado com alguns sacerdotes que davam maus exemplos conversando na igreja durante as cerimônias sacras. Acabou sendo denunciada ao bispo, sobretudo após ter retirado à força, da Igreja de Santo Antônio, uma senhora da sociedade que se comportava com menos compostura. Mandada prender no cárcere eclesiástico do Rio, dezenas de testemunhas passam a denunciar as excentricidades dessa preta beata: aí então se revelam todos os seus desatinos religiosos, como dizer-se mãe de Deus, redentora do universo, superior a santa Teresa, objeto de verdadeira e herética idolatria em seu recolhimento, além de capitanear rituais sincréticos igualmente suspeitos.

Após quase um ano presa no cárcere eclesiástico do Rio de Janeiro, Rosa e o padre Xota-Diabos são enviados para Lisboa, sendo ouvidos pelo Santo Ofício, em 1763. O sacerdote em poucas sessões do inquérito declara ter sido enganado pela falsidade da negra, alegando ser pouco letrado em teologia e ter-se fiado na boa opinião que o provincial dos franciscanos dela fazia. Pede perdão por sua boa-fé e excessiva credulidade: tem como pena o degredo de cinco anos para o extremo sul de Portugal, no Algarve, além de perder o direito de confessar e exorcizar. Rosa, por seu turno, dá um heroico espetáculo de autenticidade, insistindo em muitas sessões que nunca mentiu, nem inventou coisa alguma: confirma que todas as suas visões, revelações e êxtases foram verdadeiros. Em 4 de junho de 1765 se dá a última sessão de perguntas à vidente afro-brasileira: nesse dia ela narra uma de suas visões. Que estando para comungar ouviu uma voz sobrenatural que lhe dizia: "Tu serás a abelha-mestra recolhida no cortiço do amor. Fabricareis o doce favo de mel para pores na mesa dos celestiais banqueteados, para o sustendo e alimento dos seus amigos convidados".

A partir daí, inexplicavelmente, se interrompe o processo de Rosa Egipcíaca, fato dos mais raros quando se trata de processos de feiticeiras, sodomitas, bígamos, falsas santas e blasfemos. Os inquisidores sempre eram muito minuciosos em anotar o desfecho do julgamento. Comparando suas culpas com a de outras beatas e embusteiras processadas pelo Santo Ofício da Inquisição, é possível avaliar que Rosa deveria ser condenada à pena dos açoites e degredada por cinco anos para o Algarve, aliás, como foi o caso de outra afro-brasileira, a angolana Luzia Pinta, esta sim verdadeira "mãe de santo" de um calundu, muito mais ligada às raízes africanas do que madre Rosa.

Através da vida dessa ex-escrava africana, alguns aspectos cruciais da sociedade colonial brasileira merecem maior reflexão, além de uma revisão historiográfica. Por exemplo, o fato de que, num contexto em que o negro equivalia a escravidão e indignidade, e africanos eram desprezados como raça inferior, bruta, "sangue impuro", não deixa de ser notável a veneração e verdadeira idolatria de inúmeros brancos - incluindo ex-senhores e membros do clero - a uma negra africana, ex-prostituta. A inteligência, determinação e esperteza dessa negra courana fazem-na merecedora, muito mais do que a escrava Anastácia, de ostentar título de santa e Flor do Rio de Janeiro.

Candomblé para todos

Culto afro de tradições religiosas nagôs e jejes predominou na Bahia do século XIX. Aos poucos deixou de ser apenas africano e exclusivo dos escravos.

JOÃO JOSÉ REIS

Foi na Bahia do século XIX que ficou estabelecido o modelo básico adotado pelo candomblé que conhecemos hoje. Segundo a tradição, o Ilê Iya Nassô – a Casa de Mãe Nassô, popularmente conhecida como Candomblé do Engenho Velho ou Casa Branca – teria sido o primeiro a celebrar diferentes deuses simultaneamente sob o mesmo teto. Essa prática refletiria alianças entre grupos étnicos diferentes, contribuindo para a consolidação de novas identidades africanas em terras brasileiras.

Mas teria sido aquele terreiro o único com essas características no ambiente que o viu nascer? Pouco se sabe sobre a história das religiões afro-brasileiras no século XIX, inclusive sobre os indivíduos e grupos envolvidos. É a respeito de líderes, acólitos, devotos e clientes que vamos falar aqui. Informações sobre homens e mulheres participantes de formas diversas nesses rituais aparecem basicamente em dois tipos de fontes, os registros policiais e as notícias de jornal. Os indivíduos que produziam esses documentos, em geral, não eram iniciados no candomblé, não tinham interesse nele como tema de pesquisa, curiosidade ou lazer, e o estavam perseguindo e/ou condenando. Por isso, as informações se apresentam quase sempre incompletas, distorcidas ou simplesmente equivocadas. Mesmo assim, revelam muito das práticas e dos praticantes ligados aos cultos de origem africana ao longo do século XIX.

Durante esse período, na Bahia, a maior atividade do candomblé acontecia nos subúrbios de Salvador. Apesar disso, não foram poucas as denúncias de episódios acontecidos na cidade, sob as barbas da polícia, como insistia *O Alabama*, periódico "crítico e chistoso", publicado entre 1864 e 1871. Dedicando-se a uma dura e sistemática campanha contra os candomblés baianos, o jornal publicava, com considerável frequência, histórias de pessoas envolvidas nesses rituais.

Os que podem ser considerados líderes do candomblé não eram apenas os indivíduos que presidiam os terreiros propriamente – ou seja, uma comunidade religiosa com seu grupo de iniciados, estrutura hierárquica e organizacional, calendário de festas e assim por diante. Eram também os auxiliares mais próximos dos chefes de terreiros, incluindo, por exemplo, o líder dos tocadores de atabaques e o responsável pelo sacrifício votivo de animais. Com frequência, adivinhos e curandeiros atendiam em casa, sem participar da hierarquia dos terreiros de candomblé. Alguns atraíam centenas de consulentes, mesmo de fora da Bahia, até da África.

Nomes como o da sacerdotisa Nicácia, uma mulata que teria morrido em 14 de março de 1807, conforme registrado com precisão, no final do século XIX, em *Resumo chronologico e noticioso da Província da Bahia desde seu descobrimento em 1500*. Segundo o autor da obra, o registro de Nicácia fora feito porque ela "tão falada foi por muito tempo e da qual inda hoje se referem factos interessantes". Infelizmente ele não relata esses "factos". Moradora no Cabula, na época periferia rural e hoje bairro popular de Salvador, Nicácia demonstrou seu carisma alguns meses antes quando uma multidão a seguira até a cidade, presa por ordem do governador da capitania da Bahia, o Conde da Ponte. Esse governador desencadeou uma vigorosa campanha repressiva contra candomblés e quilombos nos arredores da capital e no recôncavo dos engenhos. Mas a perseguição aos cultos afro aconteceu durante quase todo o século XIX na Bahia.

Amaro, um liberto africano, foi uma vítima. Preso em novembro de 1855 em incursão policial provocada por rumores de uma conspiração de escravos, era suspeito de ser "o grande sacerdote dos africanos" no distrito da Sé, populoso centro administrativo e religioso de Salvador. Com ele foi encontrada a maioria dos "vários objectos de [...] crenças" africanas confiscados em sua casa e em outras da vizinhança. Alguns desses objetos foram assim descritos pelo subdelegado: "figuras, símbolos, sapos mortos e secos, chocalhos, pandeiros e algumas vestimentas". Nessa mesma ocasião, na freguesia de Santana, foi preso o crioulo (preto nascido no Brasil) Francisco Antonio Rodrigues, o Vico Papai, segundo relatório policial porque "com embustes e superstições reúne em sua casa Africanos escravos para danças e [para] batuques com ofensa à moral pública". Nem Amaro nem Vico Papai estavam liderando conspiração alguma, mas sim cultos da religião africana, o que não deixava de ser uma forma de rebeldia.

A maioria dos líderes identificados no período tinha nascido na África. É possível ir um pouco mais longe na tentativa de determinar a origem deles. Os escravos importados para a Bahia ao longo da primeira metade do século XIX vieram principalmente de povos do grupo linguístico gbe, localizados sobretudo na atual República do Benim, conhecidos como jeje na Bahia; ou eram falantes do iorubá, vindos do sudoeste da atual Nigéria e chamados nagôs na Bahia. Maiores vítimas do tráfico transatlântico nos anos que antecederam sua proibição definitiva, em 1850, os nagôs alcançaram a marca de quase 80% dos escravos africanos em Salvador na década de 1860. Tradições religiosas nagôs e jejes predominaram no candomblé da Bahia oitocentista, mas, no final do século, os nagôs já tinham estabelecido sua hegemonia.

Embora *candomblé* seja um vocábulo de origem banta (família linguística dos escravos chamados no Brasil angolas, congos, benguelas, cabindas etc., trazidos principalmente de território da atual Angola), poucas são as evidências escritas sobre cultos especificamente bantos no século XIX baiano. Mas temos algumas expressões, como *candonga* e *milonga* para designar feitiçaria, e *calundu*, para definir a prática religiosa africana em geral. Este último termo, que predominou até o final do século XVIII, foi mais tarde substituído por candomblé. É possível, porém, identificar uns poucos sacerdotes angolas entre os líderes desse universo religioso.

Na religião, o papel de líder era também desempenhado por crioulos, pardos e até brancos. Tem-se notícia que, em julho de 1859, o português Domingos Miguel e sua amásia, a parda Maria Umbelina, foram presos numa casa à rua Coqueiros d'Água de Meninos, porque ali organizavam um candomblé com "danças e objetos de feitiçaria", dele participando homens e mulheres pardos, crioulos e africanos, escravos, livres e libertos. Prenderam 16 pessoas. Parece provável que o português estivesse envolvido naquela experiência religiosa, mas talvez a batuta ritual estivesse de fato nas mãos de sua amante parda ou de outra pessoa do grupo; talvez nas mãos de Felisarda Sulana, escrava e única africana presa com o grupo.

A polícia não deixou nenhuma dúvida no caso da outra pessoa branca na lista de líderes. Acusou abertamente Maria Couto de ser "dona ou diretora" de um "grande candomblé" no Saboeiro, arredores de Salvador, que estivera ativo – batendo tambor e dançando para os deuses – por alguns dias em abril de 1873, até ser denunciado por vizinhos alarmados. Segundo o chefe de polícia, além de moradores locais bem conhecidos, estranhos armados e escravos fugidos frequentavam aquelas cerimônias, o que recomendava cuidado. O chefe de polícia ordenou ao subdelegado daquele distrito que prendesse Maria Couto e a levasse à sua presença – sinal de que ele achava pouco usual, talvez preocupante, ou apenas curioso, o fato de uma casa de candomblé ser liderada por uma mulher branca.

Alguns escravos faziam parte da liderança religiosa africana. O mais antigo documento conhecido no qual o termo *candomblé* aparece é relativo ao escravo angola Antônio, descrito por um capitão de milícias em 1807 como "presidente do terreiro dos candomblés". Observe-se que aqui também aparece a palavra *terreiro* associada a candomblé, outra novidade. Sacerdote, adivinho e curandeiro bem-sucedido, Antônio vivia longe de sua senhora, em terras localizadas em um engenho no rico município açucareiro de São Francisco do Conde, onde ele tinha estabelecido o seu terreiro. Ali, o escravo era procurado por "número maior [de pessoas] de alguns engenhos vizinhos nas vésperas de dias santos e domingos". Segundo um relatório policial, ele exigia, "apesar de ser moço, que lhe tomassem a bênção, e lhe prestassem obediência, inda os mais velhos". De início, Antônio conseguiu escapar às forças de milícia enviadas para capturá-lo, subornando um feitor do engenho, o que sugere que tinha acesso a algum capital obtido de sua prática religiosa. Prenderam seis escravos para obrigá-los a informar onde Antônio se escondera. Ele foi preso porque o feitor subornado não cumpriria sua parte no trato.

Para ser chefe de terreiro, o que implicava dedicação de muito tempo, um escravo tinha de ter relações especiais com seu senhor. Era o caso de Antônio, cuja senhora o deixava viver sobre si. Infelizmente não sabemos por quê. É provável que ela temesse seus poderes espirituais e se intimidasse com seus conhecimentos de ervas venenosas. Mas a explicação pode ser mais simples: como muitos outros senhores, ela o autorizava a trabalhar sem impedimentos, desde que lhe pagasse parte da renda adquirida. Há casos do período colonial de senhores que chegaram a agenciar escravos curandeiros e por isso tiveram que dar satisfação à Inquisição.

Uma expressiva maioria dos líderes do candomblé havia nascido livre ou, principalmente, adquirido a alforria por compra ou doação. Os libertos formavam um setor importante da população africana e crioula na Bahia, sobretudo na capital, onde o sistema do ganho facilitava o acesso do escravo ao trabalho remunerado – como o de carregadores, vendedores, operários e artesãos –, que permitia a formação da poupança amiúde usada para a compra da alforria. Foram os libertos, sobretudo, os maiores responsáveis pela estruturação do candomblé baiano nesse período. Alguns deles haviam provavelmente obtido a liberdade com dinheiro ganho com práticas divinatórias, curas e outros trabalhos, ou essas práticas complementavam formas mais convencionais de ganhar a vida e a liberdade.

Negociantes, quitandeiros, ambulantes e vendedores eram algumas das ocupações de muitos dos adivinhos, curandeiros, pais e mães de terreiros. Mas não deviam ser poucos os sacerdotes africanos vivendo exclusivamente da religião, a se considerar os muitos clientes que, segundo as fontes, eles tinham. Esses clientes em geral deixavam, individualmente, pouca coisa na esteira do adivinho ou do curandeiro, mas de vez em quando pequenas fortunas podiam ser ali gastas. Como aconteceu com a africana liberta Maria Romana, que, em 1856, acusou um certo Jorge, africano liberto como ela, de lhe tomar todo o dinheiro, joias, além de um baú de roupas e até uma casa, como remuneração pelo tratamento de seu marido, o também africano liberto Pedro Theodoro da Silva, que segundo ela teria sido lentamente assassinado com "ervas venenosas" feitas por Jorge. Depois de sete meses tentando negociar, sem sucesso, uma reparação, Maria resolveu denunciar Jorge à polícia. Não se tem notícia do desfecho dessa história. Mas, decerto, a reputação do acusado foi arruinada com o escândalo.

Era comum que esses líderes fossem despóticos, o que podia até elevar o seu prestígio, mas eles tinham de balancear essa reputação com outra mais positiva de generosidade, proteção e sobretudo eficiência ritual. Essa última é que ajudava as religiões africanas a recrutar, desde o período colonial, devotos e clientes de diversas camadas sociais.

Apesar de sua origem remontar a grupos étnicos específicos da África, na Bahia o candomblé se caracterizou por um movimento crescente de mistura cultural, étnica, racial e social. Isso começou entre os próprios africanos de diferentes etnias. Documentos relativos ao fim do século XVIII e à primeira metade do XIX, ainda que escassos, sugerem a formação de identidades étnicas a partir dessa mistura. Em 1785, por exemplo, seis africanos foram presos em um calundu na vila de Cachoeira, no Recôncavo, onde danças, batuques e cantos eram frequentes. Foram identificados por uma testemunha africana no inquérito policial como dois "marris", dois "jejes", um "dagomé" e um "tapá" (termo iorubá que se usava na Bahia para designar os nupes, povo da África ocidental).

Apesar de identidades diversas e mesmo da possível hostilidade que pudesse ter havido na África entre alguns grupos ali representados, eles eram falantes, exceto o tapá, de línguas gbe. Portanto, antes da criação do Ilê Iya Nassô, a religião africana já servia como instrumento de alianças interétnicas na Bahia, sobretudo entre os que partilhavam o mesmo universo linguístico. Mas aqui ainda estamos exclusivamente entre africanos.

Em 1828, um juiz de paz prendeu mulheres, tanto africanas quanto crioulas, dançando para deuses africanos em Salvador, na freguesia de Brotas. Aquilo representava outro passo largo na formação do candomblé baiano: a incorporação ritual de negros nascidos do lado de cá do Atlântico. Considerando sua reação, o juiz que invadiu o terreiro se defrontara com algo novo. Em longos e coléricos relatórios ao presidente da província, ele argumentou que a mistura de crioulos e africanos para celebrar deuses d'além-mar era a ruptura de uma norma comportamental e prática perigosa para a ordem pública; a seu ver, negras nascidas no Brasil deviam ser exclusivamente católicas.

Mas, de acordo com o juiz de paz, elas, ao contrário, "adoravam" deuses africanos sem muita preocupação em escondê-lo, embora fingissem ser devotas dos santos católicos. Era como se, à mistura étnica, de fato equivalesse a religiosa. O juiz não entendeu, mas testemunhava um fenômeno, embora novo para ele, já característico da religiosidade dos que viviam na Bahia: a circulação das pessoas através de diferentes sistemas religiosos, sem necessariamente misturá-los.

Na segunda metade do século XIX, abundam evidências sobre africanos, crioulos, mulatos e uns poucos brancos ritualmente misturados no candomblé. Com o correr dos anos, observa-se um processo de nacionalização das bases religiosas, mesmo que a liderança continuasse predominantemente africana.

Em 1862, tendo sabido que um grupo de crioulos havia construído terreiro em um bairro sob sua jurisdição, num local chamado Pojavá, um subdelegado escreveu que "neste distrito nunca os crioulos se deram a tal divertimento, foi a primeira vez que aqui o praticaram com admiração de [todos]". Essa mesma autoridade se vangloriou de haver acabado com todos os candomblés de africanos em sua jurisdição, que representavam - escreveu - "um modo de vida dos africanos que se não queriam empregar na lavoura". O jornal *Diário da Bahia* fez um perfil detalhado dos presos no candomblé do Pojavá. Dos 26 homens, um era africano, três pardos e 22 crioulos. Quanto às mulheres, duas eram africanas libertas, quatro "pardas escuras" e 29 crioulas, mas nenhuma escrava; entre os homens, apenas quatro crioulos eram escravos. Além da predominância parda e crioula, o candomblé era formado, sobretudo, por gente livre e liberta que, ao contrário do insinuado pelo subdelegado, trabalhava. Havia um tipógrafo, um escultor, um sapateiro, um pintor, um marceneiro, um aparelhador e um lavrador; dois saveiristas e dois funileiros; três alfaiates e três carpinteiros; nove pedreiros. Não listaram as ocupações das mulheres.

A composição do candomblé do Pojavá refletia os ventos de renovação característicos do processo de nacionalização desse universo cultural no século XIX, fosse seu dirigente africano ou não. Era um candomblé predominantemente formado por gente emancipada da escravidão e, a se considerar o perfil ocupacional dos homens, gente empregada em um setor mais especializado no mercado urbano de trabalho. Eram também jovens e nascidos no Brasil. Quanto à predominância crioula, o Pajová não era exceção. No ano seguinte, 1863, um subdelegado da freguesia da Vitória declarou que ali os "filhos da terra" já tinham substituído os africanos nos "batuques de tabaques". Entretanto, os centros religiosos africanos continuariam a existir, pelo menos até a virada do século. E o apelo à pureza africana se tornaria índice de prestígio dos candomblés desde essa época.

Entre os clientes ocasionais e visitantes, encontra-se nos documentos todo e qualquer grupo, fosse de cunho racial, étnico, social ou ocupacional. Havia negros, brancos e mulatos, escravos e senhores, homens de negócio e vendedores de rua, professores e estudantes, prostitutas e madames, policiais e criminosos, artesãos, empregados públicos, padres católicos, políticos. Pessoas de todos os estratos sociais consultavam adivinhos e curandeiros e compareciam a funerais, ritos de iniciação e festas que celebravam divindades específicas ao longo do ano.

Típico nesse caso era o que acontecia em 1862, no centro de Salvador, numa casa na ladeira de Santa Teresa, ao lado do convento com o mesmo nome onde eram educados seminaristas. Na casa, libertos e libertas africanas, assim como "pessoas de gravata e lavadas", participavam de cerimônias presididas por Domingos Pereira Sodré, sacerdote nagô da cidade-porto de Onim (Lagos), que havia sido escravo num engenho do Recôncavo. Sodré era um afamado adivinho e "feiticeiro" que atendia a gente de toda sorte. Mas havia muitos outros e outras. Entre a clientela de Anna Maria, mãe de terreiro angola denunciada por *O Alabama* em 1864, constava uma parda que queria curar o filho de feitiço, um português e uma crioula que procuravam tirar o diabo dos corpos dos respectivos amásios, um crioulo em busca de cura para seu afilhado e uma "moça", provavelmente branca, Virgínia por acaso, que queria arrumar casamento.

Se é lícito dizer que o candomblé baiano dessa época se identificava com africanos e era encabeçado, sobretudo, por eles, pode-se também afirmar que essa religião aos poucos deixaria de ser uma instituição ou uma forma de espiritualidade apenas africana, uma religião exclusiva de escravos.

A história do candomblé na Bahia do século XIX é, portanto, a história de sua mistura étnica, racial e, logo, social. Um processo que ocorreu em diversas frentes: a reunião de africanos de diferentes origens étnicas para, juntos, celebrarem seus diferentes deuses, a atração dos descendentes de africanos nascidos na Bahia e a difusão de todo tipo de serviço espiritual entre clientes de diversas origens étnicas, raciais e sociais. Obviamente isso não fez do candomblé parte da cultura dominante local, pois ele continuou a ser visto – talvez pela maior parte da população e decerto pela maioria da elite – como anticristão ou incivilizado e legitimamente sujeito à perseguição e à brutalidade policiais.

Durante todo o século XIX e por muitas décadas depois, o candomblé continuou a ser identificado como uma instituição africana. Devemos admitir que, embora essa religião tenha se difundido na sociedade, enquanto existiram africanos na Bahia, é provável que tenham existido candomblés apenas de africanos, e, mesmo entre estes, alguns etnicamente restritos. Mas, ainda que os terreiros não tenham deixado de representar uma memória da identidade étnica – pois continuam até hoje a se definir, de acordo com sua "nação", como nagô, ketu, jeje, angola –, tal identidade, em virtude da inclusão de tantos elementos estrangeiros, deixou de se basear na linhagem étnica para se basear na afiliação espiritual. Mesmo com a repressão policial e o menosprezo público, esse processo transcorria a todo vapor nas vésperas da Abolição, em 1888.

Capoeira mata um

Jogada na rua pelas camadas populares, seus golpes serviram em batalhas nacionais e mancharam de sangue as disputas políticas no Império.

CARLOS EUGÊNIO LÍBANO

Centro da cidade do Rio de Janeiro, cerca de 1886. Na esquina da rua Senhor dos Passos com rua São Jorge – atual Gonçalves Ledo –, a concentração de pessoas indicava que ali haveria uma grande "função", como se chamavam as festas populares no Rio dos idos do final do século XIX. Estas casas eram conhecidas naquele tempo como *maxixes*.

Ali se encontravam trabalhadores, quitandeiros, feirantes, estivadores, rameiras, todos os tipos populares da Corte imperial. Mas entre todos eles alguns se destacavam pelas vestes características e o andar desenvolto: os capoeiras. Naquele salão, três eram especialmente conhecidos pelos apelidos: Biju, Coruja e Lagalhé. Eram parte da gangue ou *malta* de capoeiras que dominava a freguesia de Santa Rita, hoje o entorno da área portuária.

Mas eles não estavam sós. Um membro da *malta* rival que dominava a zona da Lapa, conhecido como Fazenda, os observava. Um gracejo dele com uma mulher no baile – também alvo de flertes do grupo rival – bastou para incendiar a rixa. O Fazenda, mesmo encurralado e inferiorizado numericamente, tomou a iniciativa. Girou o corpo com grande rapidez e aplicou com a cabeça um violento golpe no queixo do tal Biju. Era a *chifrada*, na exótica gíria da capoeiragem carioca. A vítima foi jogada a dois metros.

Os outros dois logo empunharam as navalhas, arma clássica dos capoeiras. O Coruja escondia a lâmina atrás das costas e na mão esquerda apontava o chapéu, que servia de escudo. Na mesma posição estava o Lagalhé, e ambos cercaram o forasteiro contra a parede. Nisto o Biju havia se levantado, com o queixo ferido e um dente partido, sangrando.

– *É direito!* – exclamou o derrubado, querendo dizer que o seu adversário era destemido. E saiu da luta tropeçando.

Os outros dois começaram na refrega. Fingiam cutiladas contra o Fazenda, para ele se desproteger e ser abatido de vez. Este fez uma *ginga* e aplicou uma soberba rasteira – conhecida naqueles tempos como *caçador* – na perna do Coruja. Ele rodopiou no ar antes de cair barulhentamente ao chão sobre o braço. Neste momento o público da festa assistia a uma autêntica *pegada* de capoeiras. Mas Coruja rapidamente se levantou humilhado e partiu furiosamente com a navalha para acabar com o tal Fazenda.

Enquanto isso Fazenda fez três entradas falsas, no que o Lagalhé acabou desprotegendo o ventre. Levou um formidável *bute* – pontapé na barriga – e terminou num *banho de fumaça* – que significava tombo. O Coruja lançou a navalha. Fazenda fez uma *negaça* desviando da faca e deu uma *braceada* (golpe com o cotovelo) no olho do adversário, que caiu, em definitivo. A polícia já entrava no *maxixe* quando os capoeiras fugiram noite adentro por uma porta dos fundos...

Esta narrativa de uma luta de capoeiras no Rio dos finais do século XIX foi resgatada de uma pequena publicação de 1886 quase desconhecida na época: *Os capoeiras*, de Plácido de Abreu Morais. Ela lança um facho de luz em uma das tradições mais duradouras da cultura popular da cidade do Rio de Janeiro: a capoeira. Na segunda metade do século XIX, a capoeira era uma marca da tradição rebelde da população trabalhadora urbana na maior cidade do Império do Brasil, que reunia escravos e livres, brasileiros e imigrantes, jovens e adultos, negros e brancos. O que mais os unia era pertencer aos porões da sociedade, e na última escala do piso social estavam os escravos africanos.

Deles nasceu aquilo que os relatos policiais dos primórdios do século XIX já chamavam de "jogo da capoeira", conceituação genérica que englobava turbulentos portadores de facas e exímios praticantes de uma luta marcial pitoresca. Mas nos meados do século esta "arte" tinha deixado seu estrito círculo social e abarcava amplas camadas da plebe urbana do Rio de Janeiro.

Apesar da sua notoriedade no século XIX, a capoeira carioca desapareceu das crônicas no século XX, em parte apagada pela versão baiana, dominada pelos mestres Bimba e Pastinha. Desaparecida da memória popular, inicialmente por obra e graça da repressão implacável de Sampaio Ferraz, primeiro chefe de polícia da cidade na era republicana, ela permaneceu oculta por anos dos olhos dos estudiosos da cidade. Só foi possível à nova historiografia escavar camadas e mais camadas de esquecimento ao se voltar para a escravidão urbana das cidades coloniais e do Império.

Na escravidão urbana, a capoeira pode ser entendida em suas características fundamentais: controle informal de determinados setores urbanos por grupos de escravos *ao ganho* e uma prática grupal forjadora de novas identidades locais; participação nos conflitos políticos, principalmente nos momentos de desordem social; forte presença dentro dos embates urbanos relacionados à escravidão e uma estranha simbiose com os aparatos policial e militar. Os escravos *ao ganho* viviam de vender produtos ou força de trabalho pelas ruas, e pagavam a seus donos uma quantia fixa para terem uma vida autônoma.

Estas características podem ser apontadas para o período pré-1850, mas suas raízes repousam em terreno ainda desconhecido. As origens da capoeira se perdem na noite dos tempos. Durante decênios praticantes e estudiosos deram crédito a versões sem nenhum fundamento, como a de que o berço da capoeira era Palmares (quilombo de escravos na divisa de Pernambuco e Alagoas, na serra da Barriga), e que era a arma dos escravos fugitivos. Estudos atuais apontam a hipótese mais provável de que ela foi o somatório de diversas danças rituais praticadas em um amplo arco da África que abasteceu os negreiros e que se encontraram no ambiente específico da escravidão brasileira. Registros documentários de Angola na era da escravidão revelam práticas lúdicas e marciais tradicionais muito parecidas com a capoeira que chegou com os navios negreiros. Desta forma, a capoeira seria um mosaico formado por diversas danças africanas ancestrais que se teriam amalgamado em definitivo na terra americana.

Documentos históricos brasileiros são insistentes em mostrar a capoeira como fenômeno urbano da cultura escrava. As indicações documentais mais antigas remontam ao século XVIII, quando da gênese da vida urbana na colônia. Então podemos afirmar ainda hipoteticamente que o nascimento da capoeira se deu nas primeiras grandes cidades do país, Salvador e Rio de Janeiro, ambientes propícios a partir de 1700. Mas as suas raízes se perdem na vastidão das savanas, berço da humanidade.

A polêmica questão de se a capoeira é uma dança ou uma luta é falsa, porque nas tradições africanas, principalmente entre os povos chamados bantos (grande grupo linguístico que domina a África ao sul da linha do equador) a luta sempre tem características de dança. A capoeira moderna junta os dois conceitos.

Outra questão é o lugar de nascimento. Fontes seguras da capoeira antiga repousam no Rio de Janeiro, Salvador, Recife e São Luís do Maranhão. Mas estudos regionais no campo da História ainda não existem. É possível datar tão precisamente o nascimento de uma manifestação da cultura?

Os estudiosos até há pouco, ao se debruçarem sobre o mal conhecido fenômeno da capoeira no Rio de Janeiro do século XIX, a entendiam dentro do conceito vago e impreciso de "resistência": a forma como as camadas populares enfrentavam o poder das elites. Na realidade, ao mesmo tempo em que enfrentava o aparato policial e a ordem escravista, a capoeira participava ativamente das lutas políticas dentro dos grupos dominantes, como capangas dos senhores da Corte, e mesmo incorporava termos e trejeitos do vocabulário pedante de juízes e doutores da política da época.

O marco temporal da metamorfose que envolve a capoeira carioca pode ser colocado em 1850. Neste ano, o tráfico de escravos da África para o Brasil começou a sua trajetória definitiva de declínio, que também marcou o início do fim da própria instituição escravista. Os escravos africanos iam desaparecendo da cidade, por obra do tráfico interno que os tragava para as fazendas de café, mas também por causa de doenças, maus-tratos e negligência, que ceifavam milhares. Os crioulos (negros nascidos no Brasil) rapidamente alcançam a maioria nas *maltas*.

O ano-chave para a capoeiragem carioca é 1870. Por muitos motivos a Guerra do Paraguai (1865-1870) foi um divisor de águas na sua história. Arrastados às centenas para o campo de batalha, eles arrancaram pendores de bravura nos combates corpo a corpo, e conquistaram o respeito da oficialidade. Voltaram como heróis. Retomaram o controle dos pontos da malha urbana que haviam abandonado como "voluntários" para lutar no sul.

Não era só um retorno. A elite conservadora, que dominava a vida política da nação, de uma forma ou de outra, se entusiasmara com o fervor marcial daquela gente na frente de batalha. E também se impressionara vivamente com a violência das lutas de rua no retorno dos veteranos. A partir deste momento, por caminhos que permanecem ainda obscuros, os capoeiras entraram definitivamente na agenda política da elite monárquica da Corte Imperial do Rio de Janeiro.

A *malta* que se tornou uma espécie de lenda na vida político-eleitoral do Rio a partir deste momento era a Flor da Gente. Dominava a freguesia da Glória, área nobre da cidade, onde pontuavam os sobrados, mansões e chácaras da elite fluminense. Em 1872 ela entrou com fúria nos violentos embates que caracterizavam as disputas eleitorais do Império.

Os capoeiras levaram para a primeira fila do debate político o nome de Duque-Estrada Teixeira. Filho de tradicional clã político, era um exemplo do jovem criado nas "melhores famílias", mas que se envolvera com o submundo. Apaixonado pela marginal capoeira, ele a levou para o seio da boêmia acadêmica da Faculdade de Direito do Largo do São Francisco, em São Paulo.

De volta ao Rio como bacharel, entrou na política. Tomou ódio dos liberais em 1863, quando os conservadores caíram. A vingança veio em 1872. Candidato a uma vaga na Câmara de Deputados pela Corte, desbancou seus adversários com o braço forte dos navalhistas, que colocaram os eleitores liberais para correr.

Durante oito anos os "capoeiras políticos" – como os denominava a imprensa oposicionista – dominaram os corredores do poder na cidade. Com apoio de poderosos padrinhos, eles se infiltraram na polícia, que passou a não reprimi-los por temor de provocar seus protetores. Na justiça, os processos por agressão e homicídios não prosperavam porque as testemunhas temiam represálias. Eles se tornaram sinônimos de uma máfia eleitoral, espécie de ensaio do crime organizado no imaginário dos pacatos cidadãos de classe média.

A festa acabou em 1878. Os conservadores caíram, levando consigo a camarilha da Flor da Gente. A repressão que desabou sobre a cabeça deles foi pesada, mas não conseguiu eliminá-los. Nos dez anos seguintes eles ainda controlaram o mercado da violência política na cidade, até serem destronados de vez pela energia moralista de Sampaio Ferraz, em 1890.

O ódio entre capoeiras e republicanos, que ganhou fama nas façanhas da Guarda Negra de 1889, não nasceu no pós-13 de maio. Em 1873, 15 anos antes, os capoeiras já tinham empastelado o jornal *A República* na rua do Ouvidor, sede de diminuto clube antimonárquico, atiçados pelos seus padrinhos conservadores. Com a repressão de 1890, a capoeira no Rio de Janeiro mergulhou no limbo, como uma página sinistra virada pelos cronistas da nova era.

Os capoeiras não eram conhecidos apenas no folclore político. A memória popular guardou imagens que retratam a intrepidez, o colorido e a ousadia deles. Ficaram célebres os desafios de tocar os sinos das torres mais altas da cidade com o próprio corpo, arrelia que muitas vezes terminava em tragédia no pó das ruas. As cores de Nagoas (branco) e Guayamus (vermelho) eram a marca da rivalidade. Muitas vezes inocentes eram confundidos e agredidos nas ruas.

Os meninos pobres ansiavam por pertencer às *maltas* de suas ruas. Ingressavam com cerca de 10 anos, e inicialmente carregavam as armas - facas, canivetes, navalhas - para as refregas previamente anunciadas. Depois treinavam em locais determinados. Os Nagoas tinham sua escola no morro que dava para a Praia do Russel. Os Guayamus preferiam o morro do Livramento (atual Providência). Numa segunda fase eles passavam a ser a vanguarda dos combates, provocando o inimigo. Aqui já ganhavam nomes específicos: entre os Nagoas eram os caxinguelês. Nas fileiras Guayamus eram carrapetas.

Com 14 anos já estavam formados. A expectativa de vida destes jovens era pequena; segundo os registros da polícia, era de 22 anos. Mas alguns faziam carreira. Célebre ficou Campanhão, chefe Guayamu afamado como "o terror de Santa Rita". Podemos citar outros nomes bizarros que misturaram lenda com realidade e que só foram arrancados do esquecimento por Plácido de Abreu, um português capoeira que depois abandonou a guerra das ruas para tentar as letras: Daniel Moleque, Pilotinho, Trancinha,

Quebra-Tudo, Josué, Gary, Estudante-Pobre, Dente de Brilhante, Cabo Velho... Mas entre todos permanece até hoje o de Manduca da Praia. Eternizado por cronistas como Alexandre Mello Morais, ele era capoeira afamado e chefe político das urnas da freguesia de São José. Mas fora das rinhas eleitorais vivia de pequenos golpes, venda de proteção, contrabando, atentados arranjados, tira-teimas com dom-juans empedernidos, além de tráfico de influência e outros crimes.

Quem esperava heróis da população escrava, voltados totalmente para a libertação de seu povo, e inimigos encarniçados do poder senhorial, na certa se decepcionou.

Portugueses e imigrantes também tinham oportunidades nas *maltas*. Lançados aos milhares nas praias do Rio como trabalhadores pobres, muitos, ainda na adolescência, eram facilmente tragados pela cidade grande. Mas os mais espertos ingressavam nas *maltas*, e alguns se tornaram célebres, como o próprio Plácido de Abreu. O momento deles se deu quando eclodiu a Guerra do Paraguai. Os mulatos e brasileiros foram detidos às centenas e enviados para a guerra no sul, e por breves anos os imigrantes se tornaram os donos das ruas. Com o fim da guerra tudo voltou ao que era, e os portugueses passaram a aparecer ocasionalmente nos registros policiais, como antes.

Mas sua contribuição foi perene. Antes de sua chegada em massa, o símbolo mais popular da capoeira era a cabeçada, golpe comum de escravos desarmados. Mas com o passar dos anos a navalha do lusitano pobre passou a ser ligada à arte. Raul Pompeia, quando apontava a proximidade dos capoeiras com o chefe de polícia de Cotegipe, não vacilava em denunciar a "aliança com a navalha".

Esta força cultural e simbólica da marginália era um desafio aberto a uma elite que propunha para os destinos da cidade a modernidade acima de tudo. Com o golpe de 1889, estava aberto o caminho para o moralismo conservador e autoritário de certos intelectuais da classe média, antes alijados pelos políticos populistas do Partido Conservador. Decênios de ressentimento explodiram nas mãos de João Batista Sampaio Ferraz. Filho da oligarquia paulista do café, sentia-se ultrajado com a ousadia destes grupos marginais no coração do Rio de Janeiro, e comandou com mão de ferro a "redenção" da cidade.

Todos foram presos sem distinção de idade, sexo, cor, religião, e mesmo origem social: o herdeiro da maior fortuna lusitana no Rio e do jornal *O Paiz* foi colocado atrás das grades e deportado num vapor barato. Mas era uma exceção. A grande massa dos encarcerados na vaga repressiva de 1890 era formada de negros, mulatos, pobres, ex-escravos, nordestinos, desempregados, biscateiros, que foram jogados sem dó nem piedade no porão do vapor *Madeira*, e mandados apodrecer no arquipélago de Fernando de Noronha – sem processo, sem condenação, ou qualquer veleidade jurídica, ao total arrepio da lei tão defendida pelo sacrossanto ministro da Fazenda Rui Barbosa. Como símbolo de um passado que tinha de ser morto e enterrado para todo sempre, o vapor que carregou os capoeiras para o distante atol foi afundado na Baía de Guanabara pelos revoltosos da armada de 1894. No local ele ainda jaz, no fundo das águas escuras da Guanabara.

Amazônia e fantasias

•

Nasce a Amazônia

A presença dos inimigos europeus e a resistência dos índios atrapalharam os planos de Portugal e tornaram a conquista da região um feito único.

RAFAEL CHAMBOULEYRON

Em 1609, depois de ir de Pernambuco ao Maranhão em uma missão, o padre jesuíta Luís Figueira escreveu que a viagem era tão longa que seria mais fácil e menos demorado viajar até os Açores, arquipélago português no Atlântico Norte. A grande distância em relação à cidade de Salvador da Bahia – capital do Estado do Brasil – foi um fator determinante na decisão de se criar uma província administrativa independente no norte da América. Tendo São Luís como capital, o estado do Maranhão e Pará (ou Grão-Pará) seria fundado efetivamente em 1626, com a chegada do primeiro governador, Francisco Coelho de Carvalho. Mas os portugueses – ainda integrando a União Ibérica, liderada pela Espanha – teriam que travar inúmeras batalhas para assegurar o controle da região, muito cobiçada por outras potências europeias e assolada por povos indígenas hostis aos conquistadores lusitanos.

Quando comparadas a outras partes da América portuguesa, a conquista e a ocupação da região amazônica ocorreram relativamente tarde. Foi somente durante a década de 1610 – mais de meio século depois do estabelecimento de Salvador como capital do Brasil – que a Coroa resolveu ocupar a região de forma sistemática e definitiva. O estado do Maranhão correspondia aproximadamente à atual Amazônia brasileira e compreendia várias capitanias reais (diretamente submetidas ao rei), como Pará, Maranhão e, depois, Piauí, e privadas (de donatários), como Cametá, Caeté, Tapuitapera e Ilha Grande de Joanes.

A tarefa de ocupar o novo estado seria, de fato, árdua para os portugueses: outras nações – particularmente a França, a Inglaterra e as Províncias Unidas (Holanda) –, atraídas pelas promessas de riquezas, enviaram para lá várias expedições. Já no fim da década de 1610, o capitão Manuel de Sousa de Eça, um dos primeiros conquistadores portugueses a atingir a região, advertia a Coroa contra as atividades de holandeses e ingleses. Os estrangeiros visitavam o Cabo do Norte (atual estado do Amapá), comerciando tabaco e plantas tintórias (como urucum e carajuru), além de madeiras. Diferentemente dos portugueses, os ingleses e holandeses usaram a margem ocidental do delta do Amazonas para penetrar no território. Possuíam diversos postos na Amazônia e ao longo de vários rios, como o Tapajós e o Xingu.

A presença francesa era vista como uma perigosa ameaça aos interesses portugueses no Maranhão. Sob pressão, a Coroa tomou uma decisão enérgica: a região deveria ser conquistada de uma vez por todas, e o quanto antes. Os franceses já estavam por ali havia algum tempo: dois exploradores, Charles des Vaux e Jacques Riffault, haviam se instalado entre os índios, estabelecendo importantes relações com certos grupos nativos. Mas somente alguns anos depois, quando retornou à França, Charles des Vaux encontraria os parceiros certos para empreender uma missão de maior amplitude na Amazônia. Com a autorização da rainha regente da França, o conquistador capitaneou uma companhia de colonização que chegaria ao Maranhão em 1612.

A ameaça representada pela vila francesa de São Luís, numa terra da qual a Coroa ibérica se considerava dona por direito, serviu de justificativa para o envio de uma expedição militar com o objetivo de expulsar os "intrusos". Havia muito tempo que os portugueses estavam combatendo os franceses no atual Nordeste, forçando-os a se deslocarem para o norte e para o oeste. Em 1615, Portugal finalmente conquistou São Luís, depois de alguns meses de conflitos. As batalhas contra a França se mantiveram no continente durante séculos, principalmente por causa da fundação de Caiena (atual Guiana Francesa).

Com a vitória, os portugueses se estabeleceram de vez na região e lentamente foram consolidando o seu domínio sobre a região amazônica. As cidades de São Luís e Belém (1616) e a fortaleza de Santo Antônio de Gurupá (1623) – a "chave" ou a "sentinela" da região, como foi definida na época – constituíram os três centros estratégicos da dominação do estado do Maranhão e Pará. Mas a conquista da Amazônia não seria assim tão fácil; os portugueses teriam inúmeros confrontos com potências europeias – suas inimigas de praxe – e ainda enfrentariam os índios para assegurar a supremacia da Coroa sobre o território.

As guerras continuariam: durante a primeira metade do século XVII, foram frequentes os conflitos com ingleses, irlandeses e holandeses. Em meio a tantas batalhas, uma boa notícia para a Coroa: na década de 1640, ingleses e irlandeses praticamente abandonam suas atividades na região. Mas os holandeses não dariam trégua e seguiriam firmes em seus combates, oferecendo resistência na floresta e no Cabo do Norte, e ocupando São Luís em 1641. A cidade só foi retomada três anos depois.

A ação holandesa pode ser considerada parte de um conflito mais amplo entre as nações ibéricas e as Províncias Unidas. Deflagradas na América (na ocupação de Bahia e Pernambuco, entre outras batalhas), na Ásia e na África, as guerras começaram no fim do século XVI e duraram mais de setenta anos, tendo um efeito devastador no império ultramarino português (sob o domínio da Espanha entre 1580 e 1640).

Como se não bastassem os sangrentos embates que travaram com as nações europeias, os portugueses tiveram que enfrentar várias rebeliões e conflitos com os indígenas durante as primeiras décadas da conquista. Os líderes indígenas Amaro e Cabelo de Velha foram os principais inimigos dos portugueses no início da conquista. As autoridades coloniais fizeram muitas expedições para punir os índios considerados hostis. Apesar do relativo sucesso de muitas dessas expedições, os conflitos continuaram ao longo de todo o período colonial e representaram um grande empecilho para o próprio desenvolvimento da sociedade e da economia portuguesas na região.

Como sempre, havia certos setores que lucravam com as guerras: as batalhas ofereciam uma excelente oportunidade para os portugueses escravizarem os índios prisioneiros. A Coroa procurou de várias maneiras regular a ação dos colonos, estabelecendo limites, nem sempre obedecidos, às lutas promovidas por moradores e autoridades contra os nativos.

O "deixa disso" não foi acatado: os colonos da região continuaram se envolvendo em violentas batalhas com os índios, e estes continuaram atacando os moradores. Opondo-se ao avanço dos portugueses, os chamados "índios do corso" assolaram principalmente a fronteira oriental da capitania do Maranhão, destruindo fazendas e matando portugueses e seus escravos. As ações desafiadoras levaram a Coroa a agir com vigor em várias ocasiões.

A região do rio Itapecuru, na capitania do Maranhão, por exemplo, foi um espaço continuamente visado pelos ataques dos grupos indígenas. Já em 1624, o capitão-mor do Maranhão, Antonio Moniz Barreiros, sugeria à Coroa a construção de uma fortaleza sobre o rio, e justificava o requerimento: "Por respeito dos selvagens não descerem pelo rio abaixo e fazerem dano às fazendas que nele se fazem." No fim do século XVII, os "índios do corso" continuavam a atacar e devastar as comunidades de moradores no Itapecuru, a ponto de o rei declarar uma expedição punitiva organizada pelo governador do Maranhão uma ação "justa e necessária".

Nem todos os grupos indígenas eram hostis aos colonizadores: muitas nações se aliaram à Coroa, combatendo "estrangeiros" e outros grupos nativos, como, aliás, ocorreu em toda a América portuguesa. Os conquistadores portugueses preferiam ter as nações indígenas do seu lado, e não lutando contra eles. A possibilidade de uma aliança entre os chamados "intrusos" – as potências europeias rivais – e grupos indígenas causava calafrios espinha abaixo nos portugueses. De fato, estes pactos militares anti-Portugal ocorreram com certa frequência durante a conquista: as ameaças "estrangeira" e "indígena" muitas vezes se associavam para lutar contra as tropas portuguesas.

Em 1647, o capitão-mor do Pará, Sebastião Lucena de Azevedo, relatava ao rei um fato ocorrido no naufrágio de um navio na Ilha de Joanes (ilha de Marajó): os índios que viviam na ilha acabaram matando todos os tripulantes. Tal barbárie, segundo o oficial, devia-se ao fato de serem aqueles nativos "capitais inimigos do nome português". Depois, continuava Lucena de Azevedo: "(...) andam feito corsários, admitindo toda a gente da Europa que a estas partes vem, como holandeses, ingleses e franceses, tendo com eles grandes comércios e mercancias." Os colonos se sentiam muito ameaçados: um ano mais tarde, o mesmo oficial advertiria o rei sobre o fato de os holandeses estarem ensinando aos índios o uso de armas de fogo, "em que já muitos deles andam destros [ou seja, hábeis]".

A conquista da região amazônica acompanhou a progressiva ocupação da costa norte da América portuguesa, movendo-se de leste para oeste, em uma campanha empreendida, na maior parte, pelos moradores de Pernambuco. Os "conquistadores" pernambucanos procuraram estabelecer a produção canavieira, principal atividade econômica de sua província.

Os conflitos entre famílias, tradição trazida pelos novos moradores, constituíram um capítulo importante da construção da Amazônia colonial. Nos primeiros trinta ou quarenta anos da conquista, esses conflitos, ao lado das batalhas travadas contra "estrangeiros" e indígenas hostis, fizeram parte do cotidiano da vida no estado do Maranhão.

Após a Restauração da Coroa portuguesa, em 1640, um novo período foi inaugurado no Maranhão. O novo rei, D. João IV, estava cada vez mais preocupado com a ocupação e o domínio militar da região. Para a Coroa, o povoamento e o desenvolvimento econômico do Maranhão - sua "conservação e aumento", como se dizia na época - se tornariam uma prioridade. Com a descoberta de novos produtos - as chamadas "drogas do sertão", como cacau, salsaparrilha e cravo-de-casca, entre outros - e com o declínio do domínio português no Oriente, os colonizadores passaram a ver no estado do Maranhão uma promissora fonte de riquezas. A Coroa incentivaria a extração e o cultivo de muitos desses produtos, além de fomentar - sem muito sucesso - o povoamento e o incremento do comércio na região.

Louco, aventureiro e místico

A saga do obstinado inglês Coronel Fawcett em busca da cidade perdida nas florestas tropicais está até hoje cheia de mistérios.

CHRIS BURDEN

Em 29 de maio de 1925, numa clareira próxima ao rio Xingu, o explorador inglês coronel P.H. Fawcett escreveu sua última carta à mulher: "Faz muito frio à noite e as manhãs são frescas; mas os insetos e o calor aparecem por volta do meio-dia e daí até seis da tarde é só sofrimento no acampamento (...) Você não deve temer nosso fracasso (...)". O medo do fracasso, entretanto, não saía da cabeça do alquebrado missivista. Aos 58 anos, ele já não era aquele homem de vitalidade sobre-humana, cujos feitos fabulosos inspiraram o escritor Arthur Conan Doyle (1859-1930) a compor as imagens de uma terra esquecida, ainda habitada por dinossauros, que aparecem no livro *O mundo perdido*, e que serviu de modelo para o inquieto arqueólogo Indiana Jones, vivido nas telas pelo ator Harrison Ford. Agora Fawcett estava esgotado e cheio de dúvidas, caminhando com dificuldade, ao lado de dois companheiros tão exauridos quanto ele, pelo território dos índios kalapalos, que certamente observavam, ocultos na mata, o rumo incerto dos exploradores.

São as derradeiras notícias que se têm da expedição Fawcett. Depois disso, ele, seu filho Jack e o amigo Raleigh Rimmel jamais foram vistos.

Desapareceram misteriosamente, sem que o obstinado explorador tivesse encontrado a maravilhosa cidade cheia de riquezas, oculta na selva amazônica, que procurou por toda a vida e que parecia só existir na sua cabeça algo delirante. Na esteira do seu sumiço, mais de uma dúzia de expedições foram organizadas na tentativa de localizá-lo – e cerca de cem pessoas morreram nessas perigosas aventuras –, sem acréscimos significativos ao pouco que se conhece sobre as circunstâncias da sua morte. Menos esforço seria gasto para se saber, pela sua biografia e por suas anotações, o que Fawcett procurava, e até mesmo quão próximo chegara de seu destino.

Percy Harrison Fawcett nasceu em Torquay, no sul da Inglaterra, em 1867. Ainda garoto, tinha fascínio por História Antiga e – influenciado pelos irmãos, que tinham inclinações esotéricas – pelo espiritualismo. Sua carreira como explorador começou em 1886, quando ocupava um posto no regimento da artilharia real no Ceilão. Enojado com os hábitos de oficiais abastados e alcoólatras, o abstêmio Fawcett passava suas horas livres esquadrinhando a paisagem atrás de tesouros arqueológicos ainda não descobertos. Mais tarde, seu nome seria associado a uma profecia bizarra, feita por monges budistas no porto de Tricomalee. Ao verem sua mulher no início da gravidez, eles corretamente predisseram que ela daria à luz um menino, a 19 de maio, dia da festa de Buda. E mais: "Esta criança irá crescer e acompanhá-lo em uma viagem por terras longínquas, ao sul, onde ambos desaparecerão." A profecia, com seu caráter fatídico, parece ter exercido uma influência psicológica determinante no curso final da vida de Fawcett.

Em 1906, depois de ocupar novos postos no norte da África – onde se aperfeiçoou como agrimensor –, ele foi convidado para demarcar uma seção da fronteira Peru-Bolívia. Seria a primeira de uma série de expedições que liderou, contratadas pelo governo boliviano. Foi assim que adquiriu experiência e consolidou sua reputação como modelo do *gentleman* aventureiro típico do período do rei da Inglaterra Eduardo VII (1901-1910). Inspirado em inúmeras lendas que falavam de míticas minas de prata, índios de pele clara e torres de cristal erguidas na selva, Fawcett parte para a região amazônica, onde acreditava encontrar "povos superiores" que em outras eras teriam habitado a região, conforme se presume do conteúdo de seus escritos: "Contaram-me de uma caverna próxima a Vila Rica, no

Alto Paraná, onde há curiosos desenhos e inscrições feitas numa língua desconhecida", anotou ele. E perguntava: "Será que não se poderia alegar que, ao lado dos incas, havia outras civilizações antigas neste continente – e que os próprios incas teriam vindo de uma raça superior e mais difundida cujos traços, irreconhecíveis no presente, ainda serão encontrados aqui e ali?" Era essa a pergunta que ele queria responder. Em 1920, Fawcett voltou à América do Sul para realizar, finalmente, o antigo sonho de localizar a cidade cheia de riquezas que estaria escondida no coração da Amazônia brasileira. Sua principal fonte era um documento conhecido como "Manuscrito 512", que está guardado ainda hoje na Biblioteca Nacional, no Rio de Janeiro. Supostamente escrito pelos primeiros a se aventurarem pelos sertões do Brasil, na década de 1750, conteria informações que poderiam conduzi-lo a seu destino.

Fawcett conhecia também a lenda sobre as fabulosas minas que estariam localizadas no interior da Bahia, recheadas de fantásticos depósitos de ouro e prata. Por onde andasse na América do Sul, o explorador ouvia histórias de cidades perdidas. As escavações de Machu Picchu, por Hiram Bingham, a poucos quilômetros de onde Fawcett fez investigações arqueológicas em 1911, sugeria que outros antigos povoamentos, até maiores, poderiam ter permanecido desconhecidos por séculos. Não seria razoável, então, supor que o vasto território do Brasil, coberto pelas altas copas da floresta tropical, pudesse ocultar antigas construções? As cartas dos antigos bandeirantes pareciam confirmar essas suspeitas. Além disso, Fawcett conheceu um homem que afirmava haver encontrado a cidade abandonada. O tenente-coronel Sullivan O'Beare, ex-cônsul britânico no Rio de Janeiro, lhe assegurou ter descoberto por acaso, em 1913, cobertos pela vegetação, resquícios das antigas minas de ouro e prata a apenas 12 dias de viagem de Salvador. Outras teorias iam firmando as convicções do excêntrico Fawcett. Uma delas se relacionava a uma imagem que lhe fora presenteada pelo escritor H. Rider Haggard, autor de *As minas do rei Salomão*.

Tratava-se de uma figura de basalto, com cerca de 25 centímetros, portando uma placa em que enigmáticas runas haviam sido rabiscadas. Segundo o antigo dono, o objeto teria sido adquirido de índios no interior do Brasil, e Fawcett garantia que, quando manipulada, a estátua emitia uma poderosa descarga elétrica. Convidada a examiná-la, uma médium, em transe, descreveu a visão de uma antiga civilização sendo atingida por uma enchente: "Eu vi o alto sacerdote tomar a estátua e dá-la a outro sacerdote, com instruções para protegê-la cuidadosamente, e no tempo devido entregá-la a um escolhido que, por sua vez, deveria passá-la adiante até que, num certo momento, se tornasse propriedade de uma reencarnação da personagem por ela retratada, quando inúmeras coisas seriam elucidadas através de sua influência..."

A mulher concluiu atribuindo propriedades malignas à imagem e advertindo que seria "perigoso não levá-la a sério". Nem de longe era esta a intenção de Fawcett. Muito pelo contrário. Para ele, o estranho objeto representava a peça-chave que faltava ao seu quebra-cabeça. Teria vindo de uma cidade arruinada mencionada por bandeirantes em 1753 e construída, Fawcett não tinha dúvida, por antigos habitantes da Atlântida que buscaram refúgio no interior do Brasil depois que seu continente desaparecera sob o mar. Bem aqui, no santuário da floresta tropical, reergueram então uma cultura altamente desenvolvida, sem contato com o mundo externo, e a estátua, como tinha sido sugerido pela médium, estava agora nas mãos do "eleito" (Fawcett), por intermédio de quem "várias coisas" seriam "desvendadas".

Empolgado, o coronel recrutou dois companheiros – que logo depois se revelariam totalmente despreparados para a missão – e partiu da cidade de Cuiabá, no outono de 1920, em busca da cidade perdida. Pelo caminho, tudo parecia confirmar suas fantasias. Relatos de moradores locais davam conta de "casas iluminadas com estrelas que nunca se apagam", "índios-morcegos" especialmente bárbaros e "homens-macacos" que viviam em buracos no chão e só saíam à noite. Aparentemente, Fawcett acreditava em tudo que lhe contavam: eram indicadores de que estava no caminho certo. No entanto, esta primeira expedição, depois de um início alvissareiro, terminaria num "fiasco patético e triste", segundo suas próprias palavras.

Um dos companheiros de Fawcett – com seu currículo pouco confiável de vaqueiro e pugilista australiano – mostrava-se pouco à vontade com sua montaria e, à medida que a expedição avançava, lamentava a distância que o separava cada vez mais dos prostíbulos de Cuiabá. O outro integrante do grupo – um taciturno ornitologista – sucumbiu à histeria, e durante um surto atirou num dos cães prediletos de Fawcett. Os animais de carga morreram afogados ou fugiram. Após seis semanas, a expedição que o explorador planejara durante anos terminava, e ele voltou à Inglaterra de mãos abanando. Mas não se deixou abater pelo fracasso. Logo estaria planejando uma nova viagem ao Brasil, desta vez patrocinado pela imprensa, mais precisamente pela Aliança dos Jornais Norte-Americanos, em troca dos direitos exclusivos da história. Seria a sua última aventura.

Os novos companheiros de empreitada eram seu filho Jack, de 21 anos, e o amigo Raleigh Rimmel. Estranhamente, o explorador parece ter desprezado a companhia do lendário e seguramente muito mais qualificado T.E. Lawrence (o "Lawrence da Arábia"), talvez porque este pudesse ofuscar sua liderança. Uma nota de sabor premonitório já constava de suas memórias: "Às vezes duvido se vou estar à altura desta viagem. Já estou ficando velho demais para carregar pelo menos vinte quilos de equipamento nas costas por meses a fio... Se a viagem não for bem-sucedida, meu trabalho na América do Sul terminará em fracasso, pois não poderei fazer outra. Serei inevitavelmente desacreditado como visionário e apontado como alguém que procurava apenas enriquecer. Quem entenderá que não busco glória nenhuma, nenhum lucro para mim, que faço isso com a crença não remunerada de que este último benefício para a humanidade irá justificar os anos dedicados a esta busca? Os últimos anos foram os mais miseráveis e decepcionantes da minha vida – cheio de ansiedades, incertezas, restrições financeiras, negócios escusos e traições óbvias."

Ele sentia que era sua última oportunidade de alcançar a glória. Apostava na crença de que a presença de seu filho Jack, conforme a profecia budista, era fundamental para o sucesso da expedição. E tendo recusado a oferta de um avião anfíbio por parte do governo brasileiro – certamente para assegurar que seu destino (que chamava simplesmente de "Z Misterioso") seria mantido em segredo –, rumou para o interior do Brasil. Em Cuiabá, mais uma vez Fawcett ouviu falar em pedras cobertas de inscrições, torres emitindo luzes, índios-morcegos e uma cidade com "construções de pedra baixas, com muitas ruas perpendiculares umas às outras... e um grande templo, onde se encontrava um grande disco cortado em pedra cristal". Ele participou de sessões espíritas e rituais de candomblé antes de conduzir Jack e Rimmel pelo caminho que havia abandonado cinco anos antes. Um mês mais tarde, depois de quase terem se perdido na floresta – com Rimmel todo mordido por carrapatos e cada vez mais cético quanto aos motivos da expedição ("Está além da minha compreensão!", ele escreveu) –, adentraram cambaleando o posto indígena de Bakairi.

Foi a última vez que Fawcett foi visto, e não parecia triste. Junto com o filho, fez apresentações musicais para os índios, que ele divertia tirando e recolocando a dentadura. Intimamente, no entanto, cultivava dúvidas sobre a capacidade de Rimmel para prosseguir viagem. Seu companheiro mancava por causa de uma ferida infeccionada, produzida pelos carrapatos que infestavam a floresta, e o jovem Jack lhe parecia despreparado para os rigores da jornada que tinham pela frente. "[Os guias] estão ansiosos para voltar, já não aguentam mais (...). Eu mesmo estou todo mordido por carrapatos", escreveu. Apesar de tudo, ainda parecia confiante: "Acredito estar em contato com a antiga civilização em menos de um mês, e de alcançar meu objetivo principal em agosto. Daí em diante, nosso destino estará nas mãos dos deuses!" Qual seria o "objetivo principal"? Não se sabe. Desanimado mas ansioso por cumprir sua meta, Fawcett dispensou os guias que relutavam em prosseguir e continuou, mesmo sem eles, sua marcha tenaz. Não se sabe que fim levou. Alguns dias mais tarde, desaparecia, com Jack e Rimmel, na selva de Mato Grosso.

Nos anos que se seguiram, Brian, o filho caçula do explorador, fez várias e prolongadas tentativas de localizar o pai. Em 1952, quase trinta anos após o desaparecimento, foi instado a examinar ossos encontrados num túmulo ao largo de um assentamento dos Kalapalos, que o indigenista brasileiro Orlando Villas-Boas garantia serem do coronel Fawcett. Mais tarde provou-se que era o esqueleto de um homem muito menor que o explorador, surgindo daí a desconfiança de que a falsa descoberta visava apenas desencorajar outras incursões de "fawcettologistas" no território dos Kalapalos. Mesmo assim, expedições continuaram a ser organizadas, e sempre sem sucesso.

Há alguns anos, o autor teatral e produtor da BBC Misha Williams teve acesso a anotações inéditas de Fawcett. Ele afirma que a publicação das memórias do explorador que se conheciam haviam sido substancialmente reescritas por Brian, seu editor póstumo. Segundo Williams, longe de ser cético em relação às crenças esotéricas do pai, Brian tinha um interesse apaixonado pelo ocultismo. Por isso, alterou as memórias para esconder o motivo verdadeiro da missão paterna. Antes de buscar cidades perdidas,

Fawcett queria, na verdade, estabelecer comunidades esotéricas na Amazônia – "colônias de um superpovo que iria assumir o poder no lugar dos governos existentes e iniciar uma nova raça". Seu filho Jack comandaria o que chamava de "Grande Irmandade Branca". Seja lá o que revelem, as afirmações de Williams pareciam enterrar de vez o desejo do coronel de ser levado a sério como arqueólogo e historiador. Ultimamente, no entanto, uma curiosa reviravolta vem contribuindo para o restabelecimento de sua reputação.

Em setembro de 2003, pesquisadores da Universidade da Flórida desenterraram vestígios de extensos assentamentos urbanos na região amazônica do Alto Xingu – perto de onde a expedição Fawcett desapareceu. A área, que parecia abrigar uma floresta tropical intocada, escondia sob as copas das árvores, segundo os pesquisadores, uma série de aldeias, com praças, pontes, fossos e estradas, "matematicamente paralelas", de até 50 metros de largura. De acordo com o pesquisador-chefe da universidade, Michael Heckenberger, os restos dessa cidade perdida revelam "um conhecimento astronômico e matemático muito sofisticado, algo como o que associamos à construção das pirâmides". Acredita-se que as aldeias tenham sido construídas entre quinhentos e mil anos atrás, tendo acolhido cada uma dois mil ou cinco mil habitantes. Poderiam esses assentamentos estar por trás da lenda da cidade perdida de Fawcett?

Novas evidências de uma civilização amazônica desaparecida surgiram em junho de 2006, quando arqueólogos descobriram ruínas de um suposto observatório astronômico de dois mil anos, construído com pedras, no Amapá. Formada por 127 blocos de granito de três metros de altura, alinhados com o solstício de inverno, a misteriosa construção foi chamada de "Stonehenge tropical". Seu primeiro registro foi feito pelo antropólogo Curt Nimuendajú nos anos 1920 – exatamente enquanto Fawcett estava explorando as florestas tropicais atrás de antigas construções. O explorador inglês seria um genuíno visionário ou um D. Quixote moderno duelando com moinhos de vento? Sua exasperação por não ter sido capaz de "induzir homens da ciência a aceitarem a suposição de que existem vestígios de uma antiga civilização no Brasil" parece justificada, decerto, depois dos achados no Xingu e no Amapá.

"Eles estão organizados de forma a sugerir um sofisticado conhecimento de matemática, de astronomia e de outras ciências", afirma Heckenberger sobre os assentamentos no Xingu. Sobre o observatório de granito, a arqueóloga Mariana Petry Cabral, do Instituto de Pesquisa Científica e Tecnológica de Amapá, afirma que "somente uma sociedade de cultura complexa poderia ter erigido tal monumento". A convicção de Fawcett de que encontraria vestígios de uma cultura superior na Amazônia parece coincidir com a afirmação de Heckenberger de que os índios do Alto Xingu descendem dos arquitetos das construções encontradas. Fawcett parecia também correto ao especular que os habitantes da região tinham sofrido algum evento cataclísmico no passado. Não teria sido a catástrofe mítica de Atlântida, mas sim a chegada dos europeus com suas doenças.

Finalmente, seu sonho de estabelecer uma comunidade esotérica localizada na Serra do Roncador, Mato Grosso, também seria realizado. Em 1968, nasceu um culto conhecido como o "Núcleo Teúrgico", baseado na crença de que Fawcett e seus companheiros não morreram. Apenas encontraram sua cidade perdida debaixo da terra e então rumaram para lá. Esta seita – uma entre várias, segundo as quais Fawcett continua vivo num paraíso subterrâneo – foi encabeçada pelo brasileiro Udo Luckner, que profetizou o fim do mundo e proibiu o consumo de carne entre seus seguidores. O culto persiste até hoje, apesar das falhas nas previsões milenaristas de Luckner e da triste descoberta de que ele tinha um fraco por galetos.

Como todas as personalidades extraordinárias, Fawcett era um homem de seu tempo, em suas convicções espiritualistas e simpatias eugenistas, e ao mesmo tempo à frente dele, na sua percepção intuitiva das vastas possibilidades culturais e arqueológicas da Amazônia. Apesar de toda a descrença que cerca sua memória, quem sabe um dia não possa recuperar a reputação de genuíno – embora excêntrico – pioneiro? Antes de iniciar a expedição final, ele escreveu ao filho Brian: "Se conseguirmos (...) ou se deixarmos nossos ossos para apodrecerem lá, uma coisa é certa: a resposta ao enigma da América do Sul – e talvez do mundo pré-histórico – será encontrada quando aquelas velhas cidades forem localizadas e abertas à pesquisa científica." Até o fim, não perdeu sua fé: "Que as cidades existem, disso eu tenho certeza."

2
Fé

A ordem cristã • Santos e santas
Demônios e tumbas • Mistérios e conciliação

FORAM TEMPOS DE uma peleja interminável entre as forças do bem do mal. Deus, o dragão e o capeta nas terras tropicais. O *coisa-ruim* conspirava ardiloso como só ele podia ser. Tentava as mulheres, almas volúveis, desafiava homens, corpos frágeis. Era o senhor do medo que o imaginário do ocidente viveu desde o século XVI.

Contra o demônio e pela catequese um exército de batina se mobilizava para defender as almas, os templos e os súditos. Soldados de Cristo, da Companhia de Jesus criada em 1534 por Inácio de Loyola, convertiam os nativos, ensinavam a entender o mundo nos bancos escolares. Os africanos, só a escravidão redimia.

Na Bahia e em Minas, sem contar as outras terras, no calundu e nas encruzilhadas, as tradições dos africanos convocavam suas divindades para dançar, curar e alegrar. Feitiçaria para o olhar inquisitorial, lenitivo para o sofrimento que os médicos convencionais não conseguiam expurgar.

Santos e santas se achegam ao panteão que as marés de grupos e de conveniências fazem oscilar. São Jorge, guerreiro adorado em Portugal, desfila nas procissões de *Corpus Christi* no Brasil e se converte em Ogum na constelação de sincretismo. Uma virgem negra se torna padroeira e rainha do Brasil, nossa Senhora Aparecida, em 1930. Em 1970 os devotos de uma irmandade carioca inventam a crença na escrava Anastácia, sem qualquer documento probatório exceto a adoração popular.

Terreiros, templos, igrejas e lojas, estas últimas as preferidas dos pedreiros-livres, desde 1801 estão instalados aqui. Colabora a maçonaria com as novas causas em tempos de mudança, senhores da razão, da perfeição e do silêncio. Discretíssimos e, depois de consumar a Independência, logo são perseguidos. Perseguição que chegou à crença dos espíritas, criminalizada no início do regime republicano. Pouco adiantou, as curas, a proximidade com o catolicismo, a caridade e o carisma de um Chico Xavier emplacaria o espiritismo no sangue do país.

"FÉ, s.f. A crença de alguma coisa por amor da autoridade, e respeito da pessoa, que a afirma; Fé Divina, fundada na revelação; Fé humana, fundada no testemunho dos homens." (Antonio de Moraes Silva, *Diccionario da lingua portugueza*, 1789).

A ordem cristã

•

Exércitos de Cristo

Como reação à Reforma Protestante, os jesuítas se transformaram em um poderoso instrumento da Igreja Católica e ganharam o mundo.

RONALDO VAINFAS

Criada em 1534 por iniciativa de Inácio de Loyola (1491-1556), a Companhia de Jesus foi um modelo de ordem religiosa nascida da Contrarreforma - ou da Reforma Católica, como quer a historiografia recente. A fundação da *Societas Iesu* ocorreu quase vinte anos depois de Martinho Lutero (1483-1556) afixar suas 95 teses na Catedral de Wittemberg, dividindo a cristandade romana. Os jesuítas se esforçaram ao máximo para defender uma Igreja acuada. E, assim, correram o mundo. Na Europa, procuravam reforçar o catolicismo por meio do ensino. Nas conquistas ultramarinas ibéricas, procuravam expandi-lo pela catequese. Desde cedo, afirmaram a vocação da Companhia e, não por acaso, seriam chamados de "soldados de Cristo".

Natural do país basco, Loyola estudava na Universidade de Paris quando criou uma congregação voltada para a propagação da fé católica no mundo. E os jesuítas levaram ao limite aquilo que os franciscanos e dominicanos haviam começado no final da Idade Média: difundir a fé junto ao povo.

No preâmbulo das *Constituições* inacianas, o ânimo missionário aparece com nitidez: "procurar ajudar, com a graça divina, a salvação e perfeição dos próximos."

Em 1540, o papa Paulo III aprovou o instituto inaciano, e os jesuítas se lançaram ao Oriente português, sob a batuta de Francisco Xavier (1506-1552). No mesmo século, alcançaram a China, onde o padre Matteo Ricci (1552-1610) iniciou a adaptação do cristianismo à língua chinesa falada em Macau. Em 1549, chegaram ao Japão, onde Luís Fróes traduziu o cristianismo para a cultura local, experiência que terminou em tragédia, pois os jesuítas acabaram martirizados em 1638, após uma revolta de camponeses cristãos.

No mundo atlântico, alcançaram o Congo ainda em 1548, favorecidos pela conversão do *manicongo*, o governante do Reino do Congo, ao cristianismo. Logo se instalaram em Angola, fundando o colégio de Luanda. Como no Oriente, traduziram o cristianismo para a cultura dos povos bantos. Essa missionação na África centro-ocidental põe em xeque a tese de que os escravos enviados ao Brasil desconheciam o cristianismo.

Ao Brasil eles chegaram em 1549, liderados por Manuel da Nóbrega (1517-1570). Defrontando-se com uma sociedade menos complexa que as orientais, os jesuítas julgaram, de início, que a catequese seria mais fácil, e alguns chegaram a escrever que os tupinambás não tinham religião. Nóbrega esboçou em 1557 seu plano de aldeamento, cujo passo inicial era deslocar os índios para aldeias controladas pelos padres. Missionar no mundo indígena era ineficaz e perigoso: um deles, Pedro Correia, fora comido pelos carijós, na região de Cananeia, em 1554.

Com muito esforço, sobretudo na doutrinação das crianças, construíram "índios cristãos". Estes acabariam reforçando os portugueses na conquista da terra, como na Guanabara, onde os temiminós destroçaram, em 1567, a resistência dos tamoios.

Também no Brasil os inacianos adaptaram o catolicismo à cultura local, no caso a tupi, a começar pela *Gramática* de José de Anchieta (1534-1597). Escrita em 1556, tornou-se leitura obrigatória para os regedores das aldeias. Em todo caso, tiveram que enfrentar a resistência das tradições nativas. Obstáculo maior enfrentado pela Companhia foi a avidez dos colonos em escravizar os nativos. Os jesuítas resistiram em toda parte, sobretudo no século XVII, arrancando da Coroa leis proibitivas do cativeiro indígena. Os colonos, por sua vez, sempre pressionaram pelo direito de apresar os índios em "guerra justa", isto é, em suposta represália a índios hostis.

Em 1640, colonos do Rio de Janeiro cercaram o colégio do Morro do Castelo acusando os jesuítas de mentores de nova lei proibitiva do cativeiro. Foi a "Botada fora dos padres", que só não foram mortos graças à intervenção do governador Salvador Correia de Sá e Benevides. No mesmo ano foram expulsos de São Paulo, só regressando em 1653. No Maranhão, foi Antônio Vieira (1608-1697) quem enfrentou os colonos. Os padres foram corridos dali em 1661, mas Vieira conseguiu autorização para seu retorno um ano depois.

Também na América espanhola os jesuítas se destacaram. Mas ali só chegaram nos anos 1560. Tiveram que disputar espaço com dominicanos e franciscanos, pioneiros da catequese no México e no Peru. Acabaram dominando a catequese somente no sul, junto aos guaranis, no atual Paraguai. Estenderam a missão ao continente de São Pedro, no atual Rio Grande do Sul, fundando os Sete Povos das Missões.

Ao longo do século XVII, a Companhia se consolidou como instituição de poder no mundo católico. Sediada em Roma, era dividida em Assistências (europeias), subdividas em Províncias. Por mais que estivessem associados a reis católicos, o soberano da Companhia era o papa.

Os colégios inacianos se espalharam por todos os continentes, atravessando os sete mares. Formavam professores, intelectuais e missionários. Dominaram o ensino em várias universidades, como a de Coimbra, consolidando a neoescolástica, com ênfase no estudo filosófico e teológico. Produziram intelectuais como Martin Azpilcueta Navarro, Juan de Mariana, Francisco Suarez, Baltazar Gracián e Antônio Vieira. Este último foi um autêntico ideólogo da Restauração portuguesa, na década de 1640, contra a dominação do reino pelos espanhóis. Legitimou o reinado de D. João IV (1640-1656) como manifestação da vontade divina, superando a polêmica sobre qual dinastia deveria reinar em Portugal - Bragança ou Habsburgo. Foi Vieira quem fez de D. João IV o herdeiro simbólico de D. Sebastião (1568-1578).

Neste embate pelo rei, Vieira enfrentou a Inquisição portuguesa, de olho no apoio que os judeus portugueses podiam oferecer à causa da

Restauração. Mas a Companhia de Jesus e a Inquisição portuguesa nunca foram muito amigas. Basta lembrar a estratégia missionária dos jesuítas, calcada na adaptação do catolicismo à cultura dos povos missionados, enquanto a Inquisição era obcecada pelo ideal de pureza da fé, sem mistura de nenhum tipo.

Os serviços prestados pelos jesuítas à Igreja de Roma e às Coroas ibéricas transformaram a Companhia em uma potência econômica. Como de início ela foi beneficiada por doações e alguma esmola real, os jesuítas enriqueceram, metendo-se em todo tipo de negócio: emprestavam dinheiro, alugavam casas, controlavam o comércio das aldeias, arrendavam terras. Formaram vasto patrimônio fundiário nas Américas. Nas propriedades da Companhia, a escravidão africana era largamente utilizada. Não por acaso, os jesuítas se empenharam em justificar a legitimidade do "cativeiro dos etíopes", como Alonso de Sandoval em Nova Granada e Vieira no Brasil. No entanto, sempre combateram os senhores leigos pelo excesso de castigos e negligência na doutrinação dos africanos. Tudo em prol de seu lema: *Ad majorem Dei gloriam* (para a maior glória de Deus).

Na segunda metade do século XVIII, as Coroas ibéricas bateram de frente com os jesuítas, a começar pela portuguesa, no tempo do Marquês de Pombal. Muitos alegam que o problema residia na riqueza dos jesuítas, alvo da cobiça real. Outros destacam a fidelidade deles ao papa, um "soberano estrangeiro", e não ao rei. Há quem destaque o papel dos jesuítas na Guerra Guaranítica (1753-1756), quando os índios aldeados enfrentaram tropas luso-espanholas desafiando o Tratado de Madri, que definia os limites das colônias espanholas e portuguesas. Tudo isto teve o seu peso. Mas talvez o mais importante tenha sido a hegemonia intelectual que os inacianos exerciam no mundo ibérico, o que contrariava o projeto de modernização do despotismo ilustrado, isto é, um conjunto de reformas adotadas pela Coroa, sob a inspiração de alguns ideais iluministas, na segunda metade do século XVIII.

O fato é que, por decreto de 1759, os jesuítas foram expulsos de Portugal e das colônias, tendo todos os bens confiscados. Outras monarquias seguiram o exemplo luso, por convicção ou interesse: a França, em 1762; a Espanha e o Reino de Nápoles, em 1767; o Ducado de Parma, em 1768. Em 1773, sob forte pressão, o papa Clemente XIV, franciscano, extinguiu a Companhia. Os inacianos foram presos e vários deles ingressaram em outras ordens.

Por incrível que pareça, os jesuítas foram atraídos por Catarina, a Grande, czarina da Rússia ortodoxa, e pelo luterano Frederico Guilherme II, rei da Prússia, que viram o potencial dos inacianos como professores. Os jesuítas tiveram que esperar até 1814 para ver sua Companhia restaurada. Depois do furacão napoleônico, a Roma dos papas percebeu que precisava deles outra vez.

Compromisso entre irmãos

Em Minas Gerais a limitação das Ordens Religiosas propiciou a multiplicação de Irmandades que se tornaram espaços vitais tanto para escravos quanto para senhores.

CAIO BOSCHI

A visão das incontáveis igrejas que hoje adornam e embelezam a paisagem de Minas Gerais leva em geral à suposição de que no passado a presença da Igreja Católica tenha se feito sentir, ali, de maneira inequívoca. Mas não foi bem assim. Na verdade, a religiosidade em Minas Gerais no tempo da Colônia precedeu as intervenções do Estado e da Igreja, do ponto de vista institucional. Era uma religiosidade fundada e desenvolvida a partir da vontade de leigos e de instituições laicas.

Na primeira década do século XVIII, a Metrópole promulgou legislação cerceando a circulação de eclesiásticos na área mineratória e terminou por proibir o estabelecimento e a fixação de ordens religiosas na região. Ao contrário do que aconteceu no litoral da Colônia e em outras partes das vastas conquistas ultramarinas portuguesas, em Minas não se construíram mosteiros e conventos durante todo o século XVIII. Mesmo após ter sido criado, em 1745, o primeiro bispado, na então capitania de Minas Gerais, a presença e a ação da Igreja Católica mantiveram papeis secundário e suplementar em relação às iniciativas dos devotos leigos.

Nesse catolicismo peculiar, a religião era praticada sem que necessariamente estivesse integrada ou vinculada às estruturas institucionais da Igreja. Assim, a carência religiosa e o contato com o sobrenatural se realizavam, fundamentalmente, através da devoção, da invocação e da *conversa* direta entre os devotos e uma rica proliferação de oragos: Rosário, Conceição, Carmo, Mercês, Francisco, Gonçalo, José, Benedito, Elesbão etc. Era a intimidade com os santos protetores que guiava a religiosidade dos irmãos.

Como explicar tal fenômeno? No cenário inicial de insegurança e de instabilidade do *rush* mineratório, os homens se agregavam e se congregavam em torno de suas afinidades votivas, consagrando-se ao culto dos santos padroeiros por eles mesmos livremente escolhidos. Aí estava o embrião dessas associações leigas, denominadas genericamente *irmandades*, que, na interpretação de Fritz Teixeira de Salles, se tornaram, desde sempre, a mais viva expressão social de Minas Gerais, e cujo conhecimento é requisito básico para a compreensão da história e da cultura locais.

Quando, em 1711, foram criadas as primeiras vilas na área, isto é, quase vinte anos após se verificarem achamentos de ouro em quantidade significativa naquelas paragens, o número das referidas agremiações já superava a primeira dezena. Naqueles tempos, a religiosidade se foi exprimindo através da construção e no interior de toscas e precárias capelas. Nos adros, o comércio ganhava viço e vigor. Concomitantemente, as sociabilidades se exercitavam, quando não se confundiam com a religiosidade. Ou seja, a partir dos espaços de práticas religiosas, o convívio social foi se forjando, os núcleos urbanos se erigindo e o comércio se configurando. Não por acaso, muitas das benfeitorias e das obras públicas são devidas a iniciativas e se executaram a expensas das confrarias.

Como entidades corporativas, as irmandades coloniais mineiras não eram uma novidade. No entanto, cumpre assinalar diferenças entre elas e suas homólogas, sejam as que se localizavam no litoral ou em outras áreas da América portuguesa, sejam as suas congêneres metropolitanas. Por exemplo, o não atrelamento ou subordinação a congregações religiosas permitiu a esses homens a livre opção pelos oragos, isto é, pelos santos invocados como e para patronos das suas irmandades. Assim é que Nossa Senhora do Rosário, de longe a santidade mais evocada na Minas setecentista, não deveu sua escolha a qualquer tipo de indução perpetrada por jesuítas e frades dominicanos, religiosos a que, não só em Portugal, esse culto se relacionava. Não havendo obstáculos à sua constituição, as irmandades foram se multiplicando ao longo do século, de modo que, ao término do período colonial, o total dessas agremiações em Minas Gerais ultrapassava três centenas.

A todos era facultada a oportunidade de organizar ou de aderir a uma ou mais irmandade. Isso não deve ser interpretado como sinônimo de igualdade social, no sentido próprio do termo. Na sociedade escravista colonial, apregoar a igualdade diante de Deus não anulava a desigualdade existente entre os homens no corpo social. Incorporarem-se em torno de um orago e implementarem seu convívio social ao abrigo de uma confraria não gerava, necessariamente, a solidificação de laços culturais ou de outra natureza, fossem elas associações formadas por escravos, por negros forros ou por brancos. Com efeito, proporcionar aos negros e aos mulatos a sua agregação em torno de irmandades era decisão consciente do branco colonizador, mascarando, assim, ilusória *igualdade* entre os homens.

Com o passar do tempo, a natureza e a composição dos quadros associativos foi sendo alterada. Com o processo de estratificação social que se foi desenvolvendo na região, emergiram associações com diferentes características, como as ordens terceiras. Na maior parte dos casos, o advento desses sodalícios atendia e respondia aos anseios de obtenção ou de aumento de prestígio social de uma população, acentuadamente citadina, por representantes das diversificadas e vigorosas atividades econômicas características da realidade e do espaço geográfico em Minas Gerais. Ressalte-se que a região também se distinguiu por delinear um processo urbanizatório *sui generis*, no qual nem tudo que reluzia vinha do ouro.

Assim, para certos comerciantes e profissionais liberais não bastava associarem-se à Ordem Terceira de São Francisco, sem embargo de já integrarem os quadros de uma ou mais irmandade. O intuito era o de estarem também presentes na Ordem Terceira de Nossa Senhora do Carmo. No outro extremo da sociedade, para certos negros já não lhes satisfazia a adesão e a participação nas irmandades do Rosário. Na metade do século, irmandades sob a proteção de Nossa Senhora das Mercês eram espaços alternativos ou complementares para congregarem os negros, inclusive para lhes propiciar, sobretudo, mais saliente e visível presença nos espaços de sociabilidade locais. Uma razão especial explica, em parte, essa circularidade. É que, no século XVIII, as irmandades dos homens pretos adquiriram o direito de resgatar, mediante justa avaliação, escravos que os senhores se dispusessem a vender. Condição que, na Colônia, começou por ser exercida pelas associações sob a invocação de Nossa Senhora do Rosário e que se consagrou na das Mercês, orago por excelência da redenção dos cativos.

Seja como for, para as populações escravas, as irmandades eram o único espaço de sociabilidade consentido e emulado pelas autoridades. Em vez de ameaça à ordem social, eram entendidas pelo Estado absolutista português como instrumentos de controle da sociedade. Controle, mas sem inibir a manifestação de sentimentos. Ao contrário, sendo as mais numerosas, as irmandades de negros impunham-se como veículos de expressão da cultura e da religiosidade negra africana, sobretudo no que diz respeito a festas e celebrações de rituais religiosos.

Como bem interpretou Roger Bastide, no Brasil o catolicismo – religião do colonizador – se sobrepôs, mas não substituiu as religiões dos africanos. Sob o seu manto protetor e aliadas a elementos cristãos, cultivaram-se e preservaram-se tradições religiosas africanas. Ritos e práticas religiosas de origem africana juntaram-se e se fundiram com tradições e práticas religiosas do colonizador branco. Diante do avassalador domínio do branco, para o negro importava não perder os fortes matizes originais de sua cultura religiosa e, por extensão, sua identidade. Preservaram esses traços o quanto lhes foi permitido fazer, amoldando-os e amalgamando-os com os da religião do colonizador.

Na Minas Gerais setecentista, o espírito lúdico era uma constante e as irmandades suas principais promotoras. Considerem-se as festas naquele contexto. As copiosas e faustosas procissões. Relembre-se que foi ali que teve lugar aquela que é tida como a mais exuberante e suntuosa das solenidades públicas da América portuguesa: o tríduo promovido em 1733, a pretexto da trasladação do Santíssimo Sacramento da igreja de Nossa Senhora do Rosário para a inauguração da nova matriz de Nossa Senhora do Pilar, em Vila Rica. Festa sacra e profana, como costuma acontecer em uma sociedade praticante de religiosidade sob o signo do exibicionismo exteriorista, consignado nas orientações do Concílio Tridentino (1545-1563). Festa que, nas palavras do cronista que a celebrou, Simão Ferreira Machado, fazia da "nobilíssima Vila Rica mais que esfera da opulência, teatro da religião", como se lê no *Triunfo Eucarístico*. Esse ludismo cumpria importante função política, ao descomprimir as agudas tensões sociais existentes em plagas mineiras. Por outro lado, é compreensível que aflorassem litígios entre tais agremiações. Litígios que, na aparência, se circunscreviam a questões menores, como desavenças pela precedência nas procissões, mormente na de *Corpus Christi*.

Quanto aos soberanos portugueses, ao estimularem a criação das irmandades, eximiam-se de subsidiar a construção, a ornamentação e a manutenção das igrejas, não obstante o seu dever de fazê-lo na qualidade de grão-mestres da Ordem de Cristo. Com essa postura, a Coroa ampliava a sua vigilância sobre a sociedade colonial. No âmbito das irmandades, essa estratégia se efetivava na obrigatoriedade de elas se constituírem formalmente através da elaboração de *compromissos*, documentos que prescreviam os direitos e deveres dos associados e as responsabilidades da agremiação. Esses livros, que nas ordens terceiras se denominavam *estatutos*, deviam ser submetidos às autoridades civis ou eclesiásticas, sendo a aprovação ou *confirmação* de seus capítulos a chancela e o reconhecimento oficial da entidade. Vários outros expedientes e exigências testemunham a permanente ingerência das autoridades na gestão das irmandades. Cuidados que, possivelmente, se justificavam, pois não é despropositado inferir que, no interior dessas agremiações, as discussões de natureza política fossem uma realidade.

Como se depreende, pertencer a uma ou mais irmandades era necessidade tanto de vida como de morte. Sem aderir-se a elas, poder-se-ia dizer que as pessoas se viam desamparadas. Não apenas diante dos percalços e das agruras da vida, como também quanto a um sepultamento condigno e a celebração de missas pela salvação das suas almas. Recorra-se à peça teatral *As confrarias*, de Jorge Andrade, no qual o texto ficcional bem reproduz e traduz as aflições de uma mãe que, infrutiferamente, peregrina pelas ruas de Vila Rica, recorrendo a variadas irmandades, a fim de obter sepultura para o filho morto que levava consigo. A não esquecer a inoperância, quando não a inexistência, de santas casas de misericórdia na capitania do ouro, instituições que tanto brilho e relevância social tiveram em todas as terras onde os portugueses se fizeram presentes.

De todas as maneiras, como se não bastassem essas anotações que tentam evidenciar a relevância histórica dos grêmios laicos mineiros coloniais, caberia, ainda, e para finalizar, recordar que, ao serem agentes, atores e promotores da religião católica, foram também os principais mantenedores da vida cultural na Minas Gerais do século XVIII. Se hoje as expressões da arquitetura religiosa, das artes plásticas e da música barrocas e rococós constituem patrimônio que cumpre admirar e preservar, se neste universo exaltamos o mulatismo como aspecto singular, cabe lembrar que, igualmente, foram as irmandades coloniais mineiras as responsáveis pelo custeio e pela manutenção daquela intensa e prolífica produção cultural que é orgulho de uns e encantamento de todos.

Santos e santas

•

Santo Guerreiro

Do culto de realezas europeias à veneração popular por todo o país, São Jorge é das mais emblemáticas representações da relação de fé que liga Brasil e Portugal.

GEORGINA SILVA DOS SANTOS

No Brasil, ele está presente nos altares das igrejas, nos gongás da umbanda, nos ninhos domésticos, na fachada de lojas, no interior de oficinas mecânicas. Para fazer jus a tamanha popularidade, São Jorge conquistou os corações dos reis portugueses, de seus súditos mais humildes e fez com eles a travessia do Atlântico. No entanto, alguns dizem que foi cassado pela Igreja porque sua luta contra o dragão não passa de uma fábula. Outros dizem que perdeu seu posto celeste porque se misturou com os orixás nas casas de santo do Brasil. Na verdade, continua santo oficial do catolicismo.

A veneração ao "Santo Guerreiro" no Brasil é uma das mais arraigadas heranças portuguesas, pois o culto dos reis de Portugal a São Jorge teve início com a fundação do Reino. Honrado com uma igreja em Lisboa por Afonso Henriques, primeiro monarca português, São Jorge recebeu como herança o cavalo de seu sucessor, Sancho I, e passou a ser evocado como grito de guerra por Afonso IV. Devoção pessoal desses reis da dinastia de Borgonha (século XII ao século XIV), o culto a São Jorge assumiu outra dimensão com a ascensão da casa de Avis (século XIV ao século XVI).

O santo foi tomado como intercessor celeste na batalha que opôs Portugal e Castela pela disputa da Coroa lusitana. Em agosto de 1385, os exércitos se defrontaram nos campos da aldeia de Aljubarrota e as tropas lusitanas estavam em desvantagem. Temendo o pior, D. João I entregou o desfecho do conflito ao Santo Guerreiro e avançou sobre o exército inimigo gritando: "Avante, São Jorge, São Jorge avante, que eu sou rei de Portugal!". Os cavaleiros castelhanos, embora invocassem Santiago, não resistiram ao confronto. No meio da tarde, bateram em retirada, amargando a derrota. Para celebrar a vitória sobre o "dragão castelhano", o monarca fez de São Jorge padroeiro do Reino, defensor de suas terras e gentes, e deu ao paço régio o nome do santo – o famoso Castelo de São Jorge de Lisboa.

Os atos de D. João I inauguraram uma devoção dinástica. O nome do santo passou a designar, para a monarquia, o compromisso com a fé católica e a vocação de Portugal para a conquista. Quando os portugueses se lançaram ao Atlântico, deflagrando a colonização de novos territórios, São Jorge ligou-se às regiões anexadas. O infante D. Henrique atribuiu a uma das ilhas dos Açores o nome do mártir. D. João II, ao edificar uma fortaleza na Costa da Guiné, chamou-a de São Jorge da Mina.

Mas foi a introdução do santo na procissão do Corpo de Deus, ainda em 1387, a grande responsável pela transformação do mártir numa entidade popular. Realizada em todo o Portugal, a procissão em honra à Eucaristia era a festa mais importante da Igreja local. Organizado pela Câmara e financiado pelos participantes, o cortejo contava com a presença dos funcionários das câmaras, dos artesãos, do clero e, às vezes, do próprio monarca. Os preparativos para o evento mobilizavam pessoas do lugar e dos arredores e coalhavam as ruas de gente. Por determinação municipal, as vias eram atapetadas de flores e damascos. Embora com variações regionais, o desfile seguia um certo padrão. O cortejo se abria com a dança de trabalhadoras das hortas e pomares ao som das gaitas e das flautas. Adiante, assistia-se à passagem de São Jorge, escoltado pelos artesãos que lidavam com ferro e fogo. Seguiam-nos as demais corporações, cada qual com seu patrono, os mercadores, os funcionários das câmaras e as ordens monásticas. Por fim, avistava-se o Santíssimo, ostentado pelo bispo, ladeado pelo rei e pelos oficiais palacianos.

A presença de São Jorge no cortejo de *Corpus Christi* simbolizava a fundação da dinastia dos Descobrimentos e imprimia ao evento um caráter cívico. Por obra da realeza e das câmaras, a devoção monárquica ao mártir manteve-se, transformando-se numa tradição também no além-mar. São Jorge atravessou o Atlântico junto com a festa que o popularizou entre os portugueses. Em 1549, o padre Manoel da Nóbrega deu notícia ao provincial dos jesuítas em Portugal da primeira procissão que se fez na Bahia, a do Corpo de Deus.

Tal como na Metrópole, o cortejo do Santíssimo na Colônia unia o tom solene à festa dos sentidos. A convivência entre o sagrado e o profano, tão própria ao "catolicismo colonial", causava a admiração dos viajantes. Em 1696, acompanhando uma esquadra francesa de passagem pela Bahia, o cronista François Froger ficou pasmo com os "bandos mascarados, músicos e dançarinos" que perturbavam a ordem da "santa cerimônia" com uma conduta indecorosa. O cortejo despertou outra impressão em Thomas Lindley, que assistiu à solenidade em 1803. O inglês achou piegas a cavalgada de São Jorge, na qual o cavaleiro exibia o seu penacho, majestosamente.

À moda de Lisboa, o santo saía na procissão baiana sobre um cavalo ricamente adornado, escoltado por seu pajem, por seus alferes, "o popular homem de ferro", e por cavalariços vistosamente trajados. Em Vila Rica (hoje Ouro Preto), no século XVIII, também não se economizava em pompa. Na véspera da procissão, à noite, os criados de São Jorge, vestidos de capa e calção vermelhos, rufando tambores, anunciavam pelas ruas o cortejo. Ao amanhecer, ao som da banda e ao estouro dos fogos, o povo ganhava as ladeiras da cidade. Antes da missa, na Matriz de Nossa Senhora do Pilar, a imagem de São Jorge sobre um cavalo, seguida por seu alferes em ricos trajes romanos, e por um anjinho, dirigia-se à igreja. Saía escoltada por quatro estribeiros vestidos como pajens e um piquete da cavalaria com cascos dourados, prateados e arreios enfeitados. No início da cerimônia, ouvia-se a salva das tropas que lhe apresentavam as armas. Ao término da missa, a procissão, encabeçada por São Jorge, cumpria seu trajeto. Na praça do antigo morro de Santa Quitéria, as tropas eram revistas pelo santo, a quem prestavam honras de general. Findo o desfile, a imagem, esculpida pelo famoso Aleijadinho, era recolhida no Paço da Câmara.

O modelo da procissão das Minas setecentistas espelhava-se no de Lisboa, no qual o padroeiro abria e encerrava o cortejo de *Corpus Christi*. Na capital do Reino Português, o santo era acompanhado por sua confraria, composta, desde a época do mestre de Avis, por armeiros, barbeiros, ferreiros, ferradores e demais ofícios indispensáveis à manutenção de um exército. No encerramento da festa lisboeta, ano após ano, o santo tomava posse de seu castelo e, como nas Minas, recebia ali, à vista de uma multidão entusiasmada, as honras de general. O rito atualizava no tempo o pacto de defesa e proteção da cidade, que as câmaras, como braço do poder régio na Colônia, enraizaram no Brasil.

No Rio de Janeiro imperial, o desfile de São Jorge provocava tamanho impacto no dia do Santíssimo que se tornara por si só um acontecimento. O mártir era o único santo a integrar o cortejo. Ao repique do sino da igrejinha da rua de São Jorge, atual Gonçalves Ledo, declarava-se iniciada a festa. O foguetório abafava o vozerio e a irmandade do santo, com capa e volta, punha-se a aguardar a chegada do corcel branco de São Jorge, que, à maneira lisboeta, era cedido pela estrebaria real. No meio da manhã, presente a montaria, o santo, até então exposto a rezas e promessas, atravessava a capela, cujo chão era coberto de areia e flores. À porta, fiéis e curiosos prostravam-se diante da imagem e de seu alferes, o "homem de ferro". O cortejo, liderado pela irmandade, contava com a banda de escravos da Quinta da Boa Vista. Seguia-lhe o homem de ferro, que se movia sobre um cavalo negro, vestindo malhas, peito de aço, gálea e viseira. Logo atrás, em cima de um corcel branco, com um criado de cada lado, vinha a figura de São Jorge, com armadura, escudo, elmo com ornamentos dourados e capa de veludo carmesim bordada a ouro. Atrás, o escudeiro sobre um ginete abria o caminho para vinte e quatro cavalos das cavalariças da Quinta. Ao longe, as fortalezas soltavam canhonaços, e, ao eco dos tiros, São Jorge passava em revista a Guarda Nacional e batalhões cariocas. O único presente a rivalizar com o santo era mesmo o imperador, que em sinal de piedade desfilava com a cabeça descoberta.

O gesto de D. Pedro II subtraía do tempo a distância entre os monarcas de Avis e a Casa de Bragança, a dinastia que restaurara a independência do

Reino Português após a dominação filipina, no remoto século XVII. Mas, se São Jorge supria a demanda dos reis e dos exércitos, ajudando-lhes a forjar uma estampa de glória e conquista, no meio do povo logo se tornou advogado de causas cotidianas, com a ajuda dos orixás. Como enfrentara, num passado longínquo, desafios semelhantes aos de Prometeu, Perseu e São Marcelo, São Jorge também assumira os de Ogum e os de Oxóssi nos cultos afro-brasileiros.

A função medianeira, as habilidades e o conhecimento no trato sobre certa matéria aproximavam santos e orixás. Se os primeiros eram intermediários entre os homens e o Criador no credo católico, os últimos desempenhavam o mesmo papel entre os homens e Olorum – o ser supremo no culto afro-brasileiro. Enquanto os atributos dos santos indicavam o exercício de seu antigo ofício, a aptidão para cura de uma doença ou a resolução de um problema, os símbolos dos orixás revelavam do mesmo modo suas propriedades curativas e materiais. O processo cultural de identificação, associação e inversão que caracterizaram o sincretismo religioso entre São Jorge e os orixás da guerra e da caça construiu-se sobre o caráter múltiplo das divindades africanas e as variantes hagiográficas de São Jorge, um santo de "canonização literária".

Omitido nas procissões brasileiras do Corpo de Deus, o combate entre o santo e o dragão circulava, porém, nas imagens votivas. O mártir era tido e havido como o herói que, na floresta, abateu com sua lança uma fera, tal e qual Oxóssi, rei de Ketu, deus da caça, ligado à terra virgem e à lua. O orixá cuja dança descreve sua perseguição ao animal até o disparo de sua flecha. São Jorge sincretizou com Oxóssi na Bahia, e não com Ogum. Ali, foi com Santo Antônio que Ogum se mesclou, porque fora evocado como *defensor* da cidade, durante as invasões holandesas do século XVII. As vitórias resultaram em um soldo municipal para a festa de Santo Antônio, mas renderam a lua a São Jorge, e, no futuro, uma das mais belas músicas do cancioneiro brasileiro – *Lua de São Jorge*, de Caetano Veloso.

A conjuntura histórica, a variedade de nações africanas e o isolamento dos centros urbanos no passado imprimiram variações e, muitas vezes, distinções entre os terreiros da mesma cidade. São Jorge sincretizou com Ogum nas casas de santo do Recife, de Porto Alegre e do Rio de Janeiro. Na capital do Império, onde o desfile imponente de São Jorge era uma atração à parte e o santo recebia o soldo de general, seus atributos de guerreiro conduziram-no ao encontro de Ogum, o rei ioruba de muitas faces, que inventava suas próprias armas e ferramentas. Guerreiro invencível, em sua Dança Ogum agita a espada, como se fosse golpear um inimigo ou abrir os caminhos. Reza a tradição que ele o fez: ensinou os homens a dominar o fogo e a fabricar os utensílios de ferro.

Reprimidos pela Igreja e mesmo pela polícia, os cultos afro-brasileiros encontraram na devoção aos santos enorme abrigo. Não era raro que escravos ou libertos de uma irmandade figurassem entre os integrantes de terreiro de umbanda. O folclórico D. Obá II d'África, ex-combatente da Guerra do Paraguai e assíduo frequentador da Quinta da Boa Vista, era um deles. Dizia-se católico, mas não via muros entre uma religião e outra. No retrato que mandou publicar na imprensa, em 1882, fez incluir os símbolos de Ogum e Oxóssi, declarando sua linhagem. E costumava dizer: "no Brasil, São Jorge é Ogum!"

Santa e padroeira

Fé, mistérios e política atravessam desde o século XVIII a história de Nossa Senhora Aparecida no Brasil, sagrada Padroeira do país em 1931.

JULIANA BEATRIZ ALMEIDA DE SOUZA

Habitações de pau a pique erguidas ao redor da capela de Santo Antônio, no pequeno outeiro à margem direita do rio Paraíba, deram início, em meados do século XVII, à vila de Guaratinguetá. Passagem obrigatória em direção às Minas Gerais e ao Rio das Velhas, para os que vinham de São Paulo ou Rio de Janeiro, o povoado se desenvolveu com suas roças de mantimentos e colônias de pesca que garantiam a subsistência dos habitantes e das tropas que por ali passavam.

Os moradores eram gente nascida e criada em extrema pobreza: rudes padrões de habitação, alimentação e vestuário. Não era diferente para João Alves, Domingos Garcia e Felipe Pedroso, três pescadores da vila. Num dia de outubro de 1717, época ruim para a pesca, saíram, como sempre, para trabalhar. Ficaram horas nas suas canoas, sem resultado. Mas tinham de insistir. O governador recém-nomeado da capitania de São Paulo e Minas do Ouro, Pedro de Almeida Portugal, futuro Conde de Assumar, passaria por ali, para assumir seu cargo em Vila Rica, e era preciso recebê-lo bem. Os membros ilustres do lugar pretendiam fazer um banquete em sua homenagem, com fartura de pescado. E, no entanto, os peixes não apareciam.

João Alves lançou novamente a rede e, dessa vez, sentiu um peso na malha. Quando a puxou, percebeu no fundo um pequeno objeto de cor escura que identificou como a imagem de Nossa Senhora, sem a cabeça. O pescador atirou de novo a rede. Veio, então, a cabeça da Virgem. Eles a guardaram e voltaram a pescar. Daí em diante, o sucesso foi tal que os três, com os barcos abarrotados de peixe, decidiram voltar para casa, com medo de naufragarem.

Unindo a cabeça ao tronco da imagem com "cera da terra", Felipe Pedroso conservou-a em casa. Após a sua morte, o filho, Atanásio Pedroso, construiu um altar e um oratório para a imagem que ganhou manto e coroa artesanais. A devoção foi crescendo e o culto à Virgem surgida nas águas do Paraíba acabou oficializado pela Igreja, em 1743. Já na segunda metade do século XVIII, capelas e oratórios dedicados a Nossa Senhora da Conceição Aparecida foram construídos em outros lugares, nos quais a fama da Senhora foi levada pelos tropeiros, sertanistas e mineradores, desde Sorocaba até Campos de Curitiba, Laguna e Viamão, na direção sul; e a Cuiabá e a Goiás. A Virgem *seguia* o caminho do ouro. O título "Aparecida" deve ter surgido nesses primeiros tempos de devoção, denotando as circunstâncias do encontro dessa imagem de Nossa Senhora da Conceição: *aparecida* das águas. No século XIX, o culto continuou se expandindo e a capela recebia visitas ilustres: em 8 de dezembro de 1868, na festa da Imaculada Conceição, a Princesa Isabel e o Conde d'Eu foram à capela e consta que, na ocasião, doaram à imagem uma coroa de ouro.

No início da República, o culto à Virgem passou a ser promovido de forma especial pela Igreja Católica. Esta, compreensivelmente, recebeu a nova ordem política com desconfiança. Com o advento da República, o Estado se separou da Igreja, extinguindo-se o Padroado – conjunto de direitos, privilégios e deveres concedidos pelo papado à Coroa portuguesa –, que a Constituição de 1824 ratificara e a de 1891 suprimira. Era hora, enfim, de a Igreja brasileira redefinir o seu lugar na sociedade. O final do século XIX e o início do XX significaram, para ela, um momento de desenvolvimento institucional, com o fortalecimento de suas estruturas internas, criação de novas dioceses, aumento do controle episcopal sobre o clero e crescimento das ordens religiosas, com a chegada de um novo fluxo de sacerdotes estrangeiros. Mas parece ter sido a busca por símbolos que representassem a recém-inaugurada República o mote do projeto de fazer da Virgem de Aparecida um símbolo católico genuinamente brasileiro. Essa escolha ligava-se à tradição devocional mariana, ou seja, ao culto à Virgem Maria, presente desde os tempos coloniais, apresentando ainda a vantagem de a imagem ser de cor escura, o que sugeria, também, um possível canal de inclusão dos negros entre a crescente legião de devotos.

Em novembro de 1903, seguindo uma decisão dos bispos da província meridional do Brasil, D. Joaquim Arcoverde, arcebispo metropolitano do Rio de Janeiro, solicitou à Santa Sé, sendo atendido, licença para coroar solenemente a imagem, escolhendo 8 de setembro, dia da Natividade de Nossa Senhora, para os festejos. Foi a primeira vez, no Brasil, que se organizou uma cerimônia desse tipo. Os bispos buscavam, com a solenidade, renovar o culto a Maria e oficializar o gesto que a devoção popular já havia consagrado, de enfeitar com manto e coroa o objeto da sua devoção. Além dessa intenção, havia o desejo de mostrar ao governo republicano a força da fé católica. Em lugar da figura do rei paternal, a Igreja oferecia a figura maternal de uma rainha, com poderes especiais para ouvir as demandas de seu povo e, se justas, atendê-las. Nossa Senhora Aparecida podia se transformar, também, no símbolo feminino que o novo regime tanto procurava.

Foi no final dos anos 1920 que o projeto de tornar a Virgem de Aparecida símbolo nacional se configurou plenamente. Em setembro de 1929, o episcopado brasileiro reunido em Aparecida, no Congresso Mariano, comemorava o jubileu de prata da coroação da imagem. Ao final do Congresso, o então arcebispo do Rio de Janeiro, D. Sebastião Leme, liderou um movimento para pedir ao papa que a Virgem fosse reconhecida como "rainha e padroeira do Brasil". Em 16 de julho de 1930, Pio XI assinou o decreto atendendo à solicitação. O pontífice acreditava estar colaborando assim para o aumento da devoção mariana, em especial sob a invocação da Imaculada Conceição. Acontecimento assim, de tamanha relevância, deveria ter comemoração à altura. A festa também precisava de cenário especial, representativo de toda a nação. O ano era 1931. O lugar escolhido, a cidade do Rio de Janeiro, então capital federal.

Ato de fé e patriotismo, a cerimônia atingiu seus objetivos máximos. A nação republicana ganhava a proteção da Virgem negra de Aparecida, cuja mensagem de harmonia social vinha contribuir para a consolidação das bases políticas no Brasil dos anos 1930. Nessa época, a Igreja Católica no Brasil buscava a consolidação interna e a reafirmação de seu poder e de sua imagem perante a sociedade. Ao mesmo tempo, o governo de Getulio Vargas procurava instaurar uma nova ordem política e social movida pela valorização do trabalho e baseada na conservação da família tradicional. A religião se apresentava, então, como um dos elos capazes de unir a todos, sem distinções.

O período pode ser percebido, portanto, como o da reaproximação mais efetiva entre o Estado e a Igreja após a Proclamação da República. A 12 de outubro de 1931, também no Rio de Janeiro, foi inaugurado o Cristo Redentor, no alto do Corcovado. Novamente se combinaram os ingredientes que fizeram o sucesso da procissão em homenagem à Virgem, cinco meses antes: uma semana de preparação dedicada ao Cristo, ato público com concentração popular e presença de bispos e autoridades públicas de todo o país, entre elas Getulio Vargas. A ocasião foi igualmente bem aproveitada por D. Sebastião Leme, que entregou ao presidente um documento com reivindicações católicas para uma futura Constituição. O ensino religioso nas escolas públicas e corporações militares se destacava entre as questões para as quais pedia atenção.

Assim, a Igreja defendeu o respeito às instituições públicas, postura que agradava ao governo, reivindicando, entretanto, uma legislação de acordo com a doutrina católica. Percebia, na verdade, a proximidade de uma renovação política no Brasil na qual deveria influir, e a união dos bispos em torno do culto à Virgem de Aparecida representou um passo importante nesse sentido. Numa época em que a ideia comunista fermentava no mundo, a Igreja temia pelo seu futuro no país, mas a fé popular contribuiu para assegurá-lo. Devoção religiosa e projeto político se combinaram, portanto, na escolha de Nossa Senhora Aparecida para Padroeira do Brasil.

Salve Anastácia

A escrava negra de olhos azuis que se transformou em símbolo de fé para o povo brasileiro é um fenômeno recente: a adoração nasceu no Rio de Janeiro nos anos 1970.

MÔNICA DIAS DE SOUZA

Não há quem não tenha ouvido falar na escrava Anastácia. Sua imagem, estampada em pequenos *santinhos* com orações no verso, pode ser encontrada nos lugares mais inusitados – até em balcão de lanchonete. A despeito da popularidade, sua origem se envolve em mistério. Quem seria afinal aquela escrava, que aparece na iconografia com parte do rosto velada por um instrumento de tortura? Se negra, por que é representada com os olhos azuis? Que poderes atribuem a ela? O culto a Anastácia envolve muitas perguntas e poucas respostas. Sua imagem mais conhecida é até de fácil identificação. Ela reproduz, na verdade, uma gravura retirada do livro *Voyage autour du monde*, de Étienne Arago, viajante francês que esteve no Brasil em 1808 integrando uma expedição científica, e registrou suas impressões em textos e desenhos. De um destes, saiu a escrava cultuada como santa em várias regiões do Brasil. Mas, fora essa constatação, nem o faro mais apurado pode conduzir a algum registro histórico sobre a vida de Anastácia. Dados de sua biografia não constam em registros oficiais, documentações paroquiais, autos punitivos, fichas de casa de detenção etc. Sua "certidão de nascimento" foi conferida pelo povo, como disseram Gilberto Gil e o escritor Antonio Risério à revista *Manchete*, de 21 de maio de 1988.

E, se foi o povo que a transformou numa entidade arquetípica, ao mesmo tempo divina e guerreira, temos obrigatoriamente de tentar ouvir aqueles que trouxeram Anastácia à luz. De prosa em prosa, chegamos à Igreja de Nossa Senhora do Rosário e São Benedito dos Homens Pretos e ao Museu do Negro, ambos localizados na rua do Rosário, no centro do Rio de Janeiro. A igreja abriga uma instituição secular, a Irmandade do Rosário e São Benedito dos Homens Pretos – congregação de leigos com um histórico que remonta ao século XVIII. Até hoje a instituição busca, com reuniões dominicais realizadas todo mês, manter seus compromissos originais, cultivando ideais étnicos e estimulando o sentimento de coletividade entre os negros. Para preservar sua memória, construíram um museu, na década 1970, e foi neste ambiente, repleto de grossas correntes de ferro, fitinhas, santos, imagens de pretos velhos e até uma réplica da cripta da Princesa Isabel e do Conde d'Eu, que nasceu a escrava Anastácia.

Numa exposição sobre os martírios infligidos aos escravos no Brasil antigo, realizada em 1971, o museu recebeu como doação, do Instituto do Patrimônio Histórico e Artístico Nacional (Iphan), uma imagem em forma de pôster. Era a já citada reprodução de Étienne Arago. A imagem, que em si não revela sequer traços femininos, acabou virando a de uma mulher, que em pouco tempo recebeu nome e biografia. Dentro da irmandade, o responsável pelas primeiras versões sobre a vida de Anastácia foi Yolando Guerra. Através das instruções desta liderança, articulou-se uma identidade para a imagem de Arago. A crença tomou vulto e, no início dos anos 1980, os frequentadores do museu já tinham de enfrentar longas filas para chegar até a gravura da santa. Fora dali, podiam encontrar a escrava nas tendas espíritas, convertida na *Vovó Anastácia*, que gosta de fumo de rolo e de rosas brancas.

Como bom preceptor, Yolando Guerra atribuiu a Anastácia qualidades que certamente considerava necessárias a um grande vulto popular. Criou para ela uma genealogia africana: "princesa de um povo" (no caso o povo banto) e filha de Oxum. Mas a devoção a Anastácia não se restringe aos banto-descendentes, mas a brasileiros e brasileiras de outras etnias e religiões. No Rio de Janeiro, seu culto parece mais sistematizado, o que não impede a existência de devotos em Belém, São Paulo, Minas Gerais e na Bahia, local que abriga um grupo afro exclusivamente feminino, chamado Didá, que tem estampada em seu estandarte a imagem de Anastácia com os dizeres: "Lyá Anastácia. Didá, o poder da criação." Se ela não é reconhecida como santa pela Igreja Católica, o povo lhe delegou poderes de cura e lhe presta homenagens, especialmente no seu dia, 12 de maio. Nessas ocasiões, os devotos revelam no seu ar contrito a riqueza espiritual de uma sociedade como a nossa, capaz de fabricar a possibilidade de olharmos para nós mesmos e de pensarmos, através de Anastácia, no passado escravista e no presente preconceituoso simultaneamente.

Demônios e tumbas

•

Vade retro!

Favorecida pelos rituais indígenas, pelas crenças africanas e por uma medicina precária, a prática do exorcismo foi vastamente difundida na América portuguesa no período colonial.

MÁRCIA MOISÉS RIBEIRO

Nem sempre o diabo teve patas de bode, chifres, rabo e cheiro de enxofre. Antes abstrato e teológico, foi durante o Renascimento que ele ganhou forma nas paredes e capitéis das igrejas. O medo do diabo foi então se alastrando pelo Ocidente de uma forma jamais vista, e a partir do século XVI uma verdadeira obsessão satânica tomou conta do imaginário europeu, com um impressionante conjunto de imagens do inferno e seus horrores invadindo a Europa. Ao mesmo tempo, a cultura escrita difundia o medo do demônio tanto nas publicações populares quanto nas obras eruditas. Assim, mascates, ambulantes e afamados mágicos negociavam folhetos e brochuras ensinando como fugir das armadilhas diabólicas, enquanto teólogos e doutores da Igreja se dedicavam aos inúmeros tratados de demonologia escritos a partir dessa época.

Essa vasta literatura dedicada aos poderes diabólicos ganha impulso com os surtos de possessão demoníaca coletiva que se tornaram famosos pelo continente, principalmente na França e na Inglaterra do século XVII. Tais obras mostravam o diabo como capaz de alterar o curso dos céus e realizar tudo o mais que pudesse perturbar o natural andamento do cotidiano. Por meio dos feiticeiros – seus grandes aliados –, podia matar o gado e lançar-lhes doenças, tornar estéreis campos que antes eram férteis e ainda destruir as colheitas. Dado o imenso poder que lhe era atribuído, muitos o chamavam de "príncipe deste mundo". Além da intervenção no curso da natureza, a ação diabólica atingia o corpo e a alma dos homens, fazendo dos sãos pessoas doentes, e dos lúcidos, espíritos imundos e perturbados.

A Igreja Católica sempre ofereceu armas celestiais contra o diabo, porém foi durante a onda de satanismo do Renascimento que os meios de combate, especialmente os exorcismos, ganharam destaque. Sua origem perde-se na noite dos tempos, e diversos povos da Antiguidade já se valiam desses ritos para expulsar espíritos considerados malignos. Entre as armas desenvolvidas pela Igreja Católica contra o demônio estavam as orações, o culto aos santos, as imagens miraculosas, as relíquias, a água benta e sobretudo os exorcismos, considerados o meio mais eficaz de combatê-lo.

Portugal e suas colônias também conheceram a difusão dos ritos de expulsão demoníaca, embora em escala menor que entre ingleses e franceses. Os exorcismos eram regulamentados por tratados específicos e, apesar de nenhum desses livros ser de origem lusitana, as principais obras que circulavam na Europa sobre o assunto foram traduzidas para o português. Afinal, era grande o número de indivíduos que se diziam possuídos pelo diabo e, consequentemente, também o de exorcistas que atuaram no Império português a partir do século XVII. O objetivo desses livros era impor regras às funções dos exorcistas, evitando assim que seu desempenho fosse confundido com rituais supersticiosos. Entretanto, as normas destinadas a regulamentá-los estiveram longe de serem obedecidas.

De acordo com os manuais de exorcismo, um dos sinais mais evidentes da possessão diabólica era o conhecimento de línguas estrangeiras sem nunca tê-las aprendido, principalmente o latim. Outros sintomas seriam a faculdade de saber de fatos que se passavam em lugares distantes, a adivinhação e a capacidade de praticar ações sobrenaturais – levitar, mover objetos sem tocá-los etc. Havia ainda outros indícios. Difundia-se a crença de que os endiabrados tinham verdadeira repugnância por objetos e imagens sagrados, que se sentiam muito incomodados durante as orações e leitura do Evangelho e que a figura do sacerdote lhes causava verdadeiro pavor.

As denúncias e processos da Inquisição movidos contra curandeiros e supostos feiticeiros mostram que, na maior parte das vezes, a procura por rituais mágicos decorria de problemas de saúde, físicos ou mentais. No universo das curas sobrenaturais, havia dois caminhos possíveis, sendo um oferecido pela Igreja e outro pelos afamados feiticeiros. No mundo colonial, marcado pela baixa condição sociocultural de seus habitantes, pela precariedade da medicina e ainda pela influência das religiões africanas e ameríndias – que também faziam uso de cerimônias de despacho dos espíritos malignos –, não é de se estranhar que as pessoas procurassem o feiticeiro antes de procurar um exorcista. Dessa forma, só restava à Igreja intensificar a propaganda difundindo a eficácia de seus ritos.

Doenças desconhecidas, difíceis de aplacar com remédios naturais – e, portanto, suspeitas de serem provocadas por feitiços – eram normalmente as causadoras da busca por exorcismos. E, por mais estranho que pareça, a crença de que o diabo podia ser o autor das desordens corporais atingia não apenas indivíduos comuns ou homens da Igreja, mas também renomados médicos, formados nas mais expressivas universidades europeias. Além das tradicionais sangrias e indicações de medicamentos feitos de produtos dos três reinos da natureza – mineral, vegetal e animal –, eles também defendiam os exorcismos como meio eficaz para aplacar as doenças. Muitas vezes, incapazes de compreender as leis que regiam o funcionamento do corpo e de apresentar soluções favoráveis para sua cura, os médicos acabavam se valendo das teorias da demonologia como uma espécie de "ciência auxiliar" que não só os ajudava a diagnosticar as doenças, como a justificar os limites da medicina.

A obsessão pelo satanismo é muito visível em determinados livros de medicina no século XVIII. Por mais contraditório que pareça, o Século das Luzes – que defendia a razão como principal meio para trazer "luz" e conhecimento aos homens – foi marcado pela presença da magia, da demonologia, da feitiçaria e dos exorcismos. No caso de Portugal, até por volta de 1772 – quando a Universidade de Coimbra passa por uma série de reformulações –, o aprendizado da medicina se fazia mediante a leitura das versões latinas dos gregos Hipócrates (c.460 a.C.-377 a.C.) e Galeno (c.131-c.200), e de seus comentadores árabes, como Avicena (980-1037) e Averróis (1126-98). Formulada pelos gregos e posteriormente ampliada por Galeno, a teoria da existência de quatro humores no organismo (sangue, fleuma, bile e bile negra, ou melancolia) vigorou na medicina de Portugal e do Brasil pelo século XVIII adentro. Para a conservação da saúde, os humores deveriam estar presentes no organismo em quantidades proporcionais e equilibradas. De acordo com esse sistema, a bile negra, ou humor melancólico, normalmente associada à noite e às trevas, era considerada o humor preferido do diabo. Se cabia aos médicos cuidar das disfunções humorais, por que não tratariam dos problemas ligados ao humor melancólico partilhando crenças comuns aos teólogos e abordando a demonologia da mesma forma que dissertavam sobre qualquer outro assunto referente à medicina?

Apesar de encontrar adeptos em diferentes setores da sociedade, os exorcismos só podiam ser realizados por indivíduos autorizados pela Igreja. Assim, além de possuir a ordem de exorcista, era imprescindível obter licença da diocese da qual o padre exorcista fizesse parte. Portando o crucifixo, estola e sobrepeliz – tal como determinado por Roma –, o exorcista começava o ritual. Inicialmente havia um interrogatório no qual o suposto endemoniado dava informações detalhadas ao religioso sobre o que se passava com ele, o que o afligia, onde doía e, enfim, o que o levara a suspeitar da presença do Maligno. Ajoelhados, os supostos endiabrados deveriam seguir todas as ordens do padre.

Os manuais de exorcismo defendiam que, durante o ritual, o religioso tinha de manter um ar sério e sisudo para melhor enfrentar o diabo, e a voz deveria soar bem alta, refletindo a superioridade da Igreja sobre os espíritos do mal. Gritos, açoites, bofetadas e cuspidelas no rosto do suposto endemoniado também faziam parte do cerimonial. De acordo com esses mesmos livros, os possessos urravam e estrebuchavam no chão, dizendo blasfêmias e palavras sem sentido. Vomitavam coisas estranhas, como penas, alfinetes e bichos peludos, enquanto o sacerdote dizia *fuga satana!* (fora, Satanás!) em altos brados. Quando o diabo não era eliminado com facilidade, eram necessárias várias intervenções do sacerdote.

As igrejas eram eleitas como locais mais propícios para a realização dos esconjuros. Mas, no caso de o doente estar impossibilitado de deslocar-se até o Templo Sagrado, permitia-se que fossem feitos na própria casa do enfermo ou mesmo do sacerdote – o que acabava favorecendo variadas transgressões.

Durante o século XVIII, muitos exorcistas foram denunciados ao Santo Ofício por transgredir a aplicação dos exorcismos. Os delitos cometidos iam de práticas consideradas supersticiosas até o envolvimento sexual entre os religiosos e as endemoniadas. Aproveitando-se da posição de "intermediários" entre Deus e os homens, alguns exorcistas cobravam pelos seus serviços, pediam alimentos e chegavam até mesmo a roubar objetos de valor, como joias, dos "possessos" a quem atendiam.

A leitura dos processos da Inquisição de Lisboa confirma que as mulheres eram a maior parte da clientela. Naturalmente frágeis e propensas ao predomínio do humor melancólico – segundo as teorias médicas da época –, eram consideradas presas preferidas do diabo e capazes de gerar situações embaraçosas. Ardiloso e tentador, o demônio podia pôr tudo a perder, dominando o exorcista e induzindo-o ao pecado da carne. Apoiados, portanto, na convicção de que o "príncipe das trevas" desviava até mesmo os religiosos do bom caminho, os autores de manuais advertiam os leitores para o fato de o esconjuro de mulheres requerer imensos cuidados. Entretanto, na prática, tais advertências pouco valiam, e durante toda a época colonial os "padres diabos" continuaram cometendo toda sorte de abusos sexuais contra mulheres.

Nas primeiras décadas do século XVIII, atuava em Portugal certo frei Luís das Chagas, que tinha um modo muito peculiar de exorcizar as mulheres: "mandava deitá-las de costas e punha-se a cavalo nelas sobre o estômago (...) Metia as mãos por baixo da roupa (...) e mandava o dito padre se lhe metessem entre as pernas e se abraçassem com ele e desta forma lia os exorcismos (...) dizendo que ele fazia muitas coisas que não se achavam nos livros mas que a experiência lhe ensinava e que Deus Nosso Senhor lhes inspirava." No Brasil, frei Luís de Nazaré, carmelita que vivia em Salvador por volta de 1730, sempre que era chamado para exorcizar mulheres, dizia que para recobrar a saúde era essencial ter relações carnais com ele.

Por tudo isso, um conjunto de instruções destinadas a regulamentar o ofício dos exorcistas, datado da década de 1770, dizia que "quando o exorcismo se fizer a alguma mulher, deverão estar presentes dois homens de idade madura e vida bem regulada e também algumas mulheres de boa vida e costumes e quanto pode ser suas parentas e não consentirá que assistam mais outros homens, só se for um eclesiástico".

Buscando impedir tantos abusos, a Igreja toma uma série de providências, punindo com rigor aqueles que praticassem os esconjuros de forma indevida. Com pouquíssimas exceções, todas as acusações da Inquisição contra exorcistas infratores do mundo luso-brasileiro são do século XVIII. Ameaçada por uma ordem cultural mais cética que se impunha sobre o cenário europeu e ainda por setores racionalistas do próprio clero, a Inquisição portuguesa intensificou a vigilância aos exorcistas infratores.

Foi esse espírito racionalista que, nas últimas décadas do século XVIII, levou José Monteiro de Noronha – vigário-geral do Rio Negro e professor de teologia moral na catedral de Belém, no Grão-Pará – a escrever um conjunto de instruções destinadas a esclarecer sobre a falsidade de grande parte das operações sobrenaturais e manifestações diabólicas. Considerava que os culpados pela ignorância das populações eram os próprios clérigos, que costumavam acreditar em falsas manifestações de possessão diabólica. Envolto na filosofia iluminista, e colocando-se como um autêntico defensor das ciências, atribuía a causa de tantos erros e abusos à "ignorância da física e da medicina". Tal observação é extremamente significativa, pois mostra que na distante capitania da América alguns seguiam as mesmas ideias dos grandes vultos do pensamento ilustrado europeu. Entretanto, isso não significa que a polêmica envolvendo o tema do diabolismo e da magia, entre aqueles que defendiam o uso da razão para a compreensão do mundo natural – os iluministas – e aqueles que defendiam uma visão de mundo "encantada" ou supersticiosa, tivera desfecho semelhante na América e em Portugal – onde as Luzes clarearam o horizonte em velocidade bem maior.

Na América portuguesa, a ausência da universidade – local por excelência de disseminação da cultura científica – dificultava o desenvolvimento dos novos modelos culturais e filosóficos propostos pelo Iluminismo. Paralelamente, as três etnias que formaram o Brasil somavam-se para garantir a solidez do pensamento mágico no universo colonial e sua resistência aos caminhos da razão.

Feitiços e feiticeiros

Evocando as raízes africanas, os escravos negros utilizavam as magias e feitiçarias como resistência cultural e também para aplacar os sofrimentos do cativeiro.

DANIELA BUONO CALAINHO

A beleza, o mistério e a pompa dos terreiros de umbanda e candomblé pelo Brasil afora, em particular na Bahia, vêm de longe, no tempo e no espaço. Nasceram da cultura e da religiosidade dos negros que deixaram tantas outras marcas profundas em nossa sociedade, desde que foram retirados à força de suas comunidades e aqui desembarcaram em finais do século XVI, trazendo crenças e ritos cuja prática muitas vezes lhes custou caro.

Quando os navegantes portugueses ousaram se aventurar pela costa ocidental da África, em meados do século XV, a Coroa e os mercadores particulares passaram a engordar seus cofres vendendo ouro, plantas aromáticas, marfim, tecidos, algodão, pedras preciosas, madeiras, animais desconhecidos etc. Pouco a pouco, porém, vender escravos se mostrou bem mais lucrativo, em especial no momento em que a demanda de mão de obra se intensificou em função do crescimento da cultura de cana-de-açúcar no Brasil e no Caribe, a partir do século XVII.

E assim africanos de diferentes grupos étnicos, arrancados de suas aldeias na Baixa Guiné, no Congo e em Angola, foram compartilhando ritos tradicionais ao longo do percurso por terra até os navios negreiros, durante a demorada travessia marítima em direção à Europa ou à América, e depois nos seus locais de trabalho. Ali, numa tentativa de recriar a identidade social perdida com o exílio, eles e seus descendentes se entregavam a manifestações mágico-religiosas quase sempre malvistas pelas autoridades civis e principalmente pela Igreja Católica.

Aliás, por isso mesmo uma das melhores fontes de informação sobre tais práticas e crenças são os documentos produzidos pela Inquisição, ou Santo Ofício, tribunal religioso que perseguia e reprimia tais atividades, tidas como feitiçaria, por significarem um pacto com o diabo, e daí assemelhadas à heresia. O Santo Ofício tinha por objetivo principal combater hereges, especialmente os cristãos-novos judaizantes – os judeus convertidos ao cristianismo suspeitos de continuarem praticando sua religião original –, mas outros delitos foram também tidos como heréticos no rol das condutas passíveis de perseguição inquisitorial, como foi o caso da feitiçaria.

Incansáveis no rastreamento da ação do diabo, os inquisidores, nos casos de curandeirismo, por exemplo, queriam sempre saber onde estaria a "mágica" que eliminava os males. À parda Maria Tomé, presa em Évora em 1744, por exemplo, chegaram a perguntar se seu poder de cura se encontrava nas ervas, nas orações ou na força do demônio, se este "lhe comunicara alguma virtude para as curas" e se outra pessoa faria o mesmo que ela. Nos séculos XVI, XVII e XVIII, o Brasil foi distinguido com várias visitações inquisitoriais – as capitanias da Bahia, Pernambuco e Grão-Pará eram os principais alvos. As denúncias e confissões surgidas nestas ocasiões são valiosos registros de um aspecto importante da presença dos africanos no Brasil.

Entre as manifestações se destacavam os calundus, reuniões frequentes na Bahia e Minas onde se dançava e pulava ao som de instrumentos de percussão, às vezes com defumações, e a certa altura um ou outro entrava em transe, perdendo os sentidos ou falando em nome de espíritos, visando realizar curas, adivinhações ou cultuar ídolos e outros objetos. Embora frequentes na Bahia, foi na região das Minas Gerais que as referências mais constantemente apareceram na documentação, generalizando-se no século XVIII em função do grande contingente de escravos, do processo de urbanização e da produção de ouro.

Nuno Marques Pereira retratou bem este rito no seu *Compêndio narrativo do peregrino da América*, publicado em 1728. Em meio às suas andanças por Bahia e Minas, hospedou-se ele no engenho de um rico senhor. Mas foi impedido de dormir pelo barulho ensurdecedor que vinha da senzala. Explicaram-lhe que acontecia um calundu. "Que cousa é calundu?", perguntou ao proprietário, que respondeu: "São uns folguedos ou adivinhações que dizem estes pretos que costumam fazer nas suas terras, e quando se acham juntos também usam deles cá, para saberem várias cousas, como as doenças de que sofrem, e para adivinharem algumas cousas perdidas, e também para terem ventura em suas caçadas e lavouras, e para outras cousas."

Indignado, Nuno mandou chamar o líder da cerimônia: "Pois eu vos quero explicar (lhe disse eu), pela etimologia do nome, o que significa. Explicado em português e latim, é o seguinte: que se calem os dois. *Calo duo*. Sabeis quem são estes dois que se calam? Sois vós e o Diabo. Cala o Diabo, e calais vós o grande pecado que fazeis, pelo pacto que tendes feito com o Diabo; e o estais ensinando aos mais fazendo-os pecar, para os levar ao Inferno quando morrerem, pelo que cá obraram junto convosco." A palavra, entretanto, vem do quimbundo: *kilundu*, que significa "espírito de um antepassado remoto", que, incorporando-se numa pessoa, influencia o destino de sua vida.

Já sobre os africanos e seus descendentes "especializados" nas artes curativas, a historiadora Laura de Mello e Souza considera-os, junto com os indígenas e mestiços, os grandes curandeiros do Brasil colonial, pelo fato de serem hábeis manipuladores de ervas, substâncias de origem animal (em particular de frangos e galinhas), alimentos e líquidos diversos, excrementos e fluidos corporais, cabelos, unhas e cadáveres. A propósito, o uso de partes destes ganhou espaço importante na literatura médica europeia entre os séculos XVI e XVIII, sobretudo o crânio humano, o pó de múmias, o óleo de sangue e os elementos liberados pelos corpos em decomposição, a ponto de aparecerem arrolados numa tabela de preços de medicamentos vendidos no Brasil, datada de 1744.

Muitos curandeiros negros também utilizavam à vontade elementos ligados ao culto católico, como água benta, orações impressas, hóstias, terços, cruzes e outros objetos de devoções a santos, no sentido de potencializar os efeitos das curas, revelando um evidente sincretismo mágico-religioso e cultural. Sua clientela se compunha em geral de indivíduos das camadas mais humildes, fossem brancos ou negros, e o que as fontes consultadas sugerem é que o apelo aos africanos funcionava como uma espécie de última alternativa de cura, sendo chamados até por padres e médicos. Numa época em que as profissionais da medicina oficial não existiam em grande número, era habitual este apelo.

A prática de "pôr à mesa as almas" - expressão usual nos processos inquisitoriais -, normalmente em caminhos ou encruzilhadas, alimentando-as com pão, bolos, queijo, mel, água e vinho, além de curar, também dava conta de objetos perdidos e do paradeiro de pessoas vivas e mortas. Isso foi comum nas cerimônias de evocação de deuses ou espíritos antepassados em muitas regiões da África, perpetuando-se no Brasil. Para várias comunidades as encruzilhadas tinham um caráter divino. Lá, rituais de fecundidade e sacrifícios de animais eram realizados, e também lá se abandonavam elementos nocivos e impuros, como dejetos e crianças mortas, na crença de que os espíritos locais transformassem tais forças negativas em energias positivas para os homens. A terra da encruzilhada servia ainda de ingrediente em numerosas preparações.

O jesuíta Antonil, em seu *Cultura e opulência do Brasil*, de inícios do século XVIII, advertia os senhores de engenho para que moderassem os castigos aos escravos, pois do contrário eles poderiam fugir, suicidar-se ou então se vingar de seus algozes, enfeitiçando-os de várias maneiras. Mas nem toda feitiçaria era uma forma de resistência à escravidão: a escrava Francisca, no Maranhão de 1730, foi denunciada à Inquisição por manter uma mão de defunto e ossos humanos debaixo da cabeceira de sua senhora para fazê-la dormir e assim acalmá-la...

Outra importantíssima manifestação das crenças e tradições africanas na Colônia eram os amuletos protetores conhecidos como "bolsas de mandinga". O sentimento de insegurança tanto física como espiritual gerava uma necessidade generalizada de proteção: das catástrofes da natureza, das doenças, da má sorte, da violência dos núcleos urbanos, dos roubos, das brigas, dos malefícios de feiticeiros etc. Também para trazer sorte, dinheiro e até atrair mulheres, o costume era corrente nas primeiras décadas do século XVIII, envolvendo não apenas escravos, mas também homens brancos. Feitas de couro, veludo, chita ou seda, as bolsas continham ingredientes variados, como ossos de defuntos, desenhos, orações católicas impressas, sementes, entre outros apetrechos, mesclando diversas tradições culturais.

A palavra *mandinga* se relaciona à história dos muçulmanos na África. A conversão dos malinquês, ou mandingas, do Reino de Mali ao islamismo, ali pelo século XIII, não fez desaparecerem por completo as antigas crenças, surgindo na verdade um sincretismo muçulmano-fetichista que se disseminou. Seus seguidores continuaram usando os tradicionais patuás pendurados ao pescoço, comumente sob a forma de bolsas de couro - agora contendo orações e passagens impressas do Alcorão. Se as bolsas dos mandingas eram tipicamente islâmicas, entre nós isto nunca foi verificado. Aqui, o que acontecia era, sim, a ligação com o catolicismo, fosse pelos objetos guardados nas bolsas, fosse pelo fato de muitos as colocarem debaixo de um altar no qual seriam rezadas missas, para ganharem mais força protetora.

Detentores de saberes "mágicos", os africanos e seus descendentes foram requisitados, como se viu, também por homens brancos, o que geralmente elevava seu *status* junto à sua própria comunidade e garantia a obtenção de ganhos materiais não só em dinheiro, mas ainda em gêneros. Para os senhores, porém, era um grande inconveniente ter seus cativos identificados como feiticeiros pela Inquisição, uma vez que estes, quando presos, dificilmente retornavam aos seus ofícios.

Nenhum processo contra negros ou mestiços feiticeiros mereceu o "relaxamento ao braço secular", ou seja, a transferência para a justiça comum dos hereges irredutíveis e sua condenação à morte na fogueira, embora nenhum magistrado civil sequer visse os autos, expediente que se revelava nada mais do que um mero artifício do tribunal para não assumir a execução. As demais sentenças inquisitoriais, entretanto, embora não levassem à morte imediata, por vezes destruíam o indivíduo física e emocionalmente. Jogados nas prisões durante anos, expostos a execração pública, degredados para regiões inóspitas ou condenados a trabalhos forçados, dificilmente resistiam às situações que a "misericórdia" inquisitorial lhes garantia.

Mistérios e conciliação

•

Maçonaria na luta

Apesar de mais diversificada em suas ideias do que se supõe, a maçonaria que desembarca no Brasil no século XIX foi decisiva nos debates e na independência do Brasil.

MARCO MOREL

Marcado por luzes e trevas, o surgimento das maçonarias no Brasil ainda é pouco conhecido. Superdimensionadas por escritores maçons ou banalizadas por pesquisadores que não têm acesso a documentos consistentes, as maçonarias, entretanto, estavam entre as mais importantes formas de associação do período da Independência e início da construção do Estado nacional brasileiro e desafiam até hoje o conhecimento histórico.

Apesar das especulações em contrário, a Loja Reunião, do Rio de Janeiro, é comprovadamente a primeira a ser criada e a reunir-se regularmente no Brasil, em 1801. Tal testemunho veio de um dos mais importantes líderes maçônicos, José Bonifácio de Andrada e Silva (1763-1838), conhecido como "Patriarca da Independência" e que atribuiu a fundação desta "primeira Loja Simbólica Regular" no país, ligada ao *Grand Orient d'*Île-de-France, à iniciativa de um misterioso "cavalheiro Laurent", viajante no navio de guerra francês *Hydre*, que fazia a rota para a ilha Bourbon. Antes disso pode ter havido agremiações secretas não maçônicas. Ou, então, as que existiram foram tão clandestinas que não deixaram maiores rastros, atiçando a chama da curiosidade de autores do século XX que, mesmo sem documentação, procuraram "evidências", com destaque para a Conjuração Mineira de 1789, muitas vezes apontada como obra de maçons, da mesma forma que a Conjuração Baiana de 1798.

Existiram raras e nebulosas agremiações maçônicas nos principais centros brasileiros no fim do período colonial, como Rio de Janeiro, Bahia e Pernambuco, onde a derrotada República de 1817 tornou evidente a presença deste tipo de entidade. Hipólito da Costa, que redigiu em Londres o pioneiro *Correio Braziliense* entre 1808 e 1822, fazia propaganda maçônica em seu jornal.

A referência às maçonarias no plural parece ser a mais exata, pois não havia um centro possante, homogêneo e unificado, mas uma concepção de organização que se espalhou por diversos países. As maçonarias representaram desde meados do século XVIII, em diferentes casos de passagem de um antigo a um novo regime, uma das mais expressivas formas de organização política. Pode-se afirmar que tais associações tiveram desempenho significativo nos primeiros esboços de modernidade política, seja no caso de independências nacionais americanas ou na crise dos absolutismos europeus.

Haveria uma ideologia maçônica? Mantendo o plural, é possível pensar em ideários maçônicos e não numa ideologia coerente, com práticas diferenciadas e até contraditórias entre si. Seria cômodo escrever que tais organizações apenas refletiam as ações e ideias de cada tempo e lugar. Isto é correto, mas não basta, pois estas instituições, permeadas por valores e interesses externos a elas, deram uma contribuição própria à vida política dos séculos XVIII e XIX. E apesar das características locais havia uma espécie de fundo comum teórico, prático e simbólico das lojas maçônicas, sem esquecer os laços internacionais que chegaram a se estabelecer.

O ideário maçônico apresentava duas características centrais: a Razão e a Perfeição, como formadoras das *Luzes*. Ou seja, a racionalidade envolvida com a busca do progresso humano. E neste encontro entre segredo e *esclarecimento* há um paradoxo bem característico: as *Luzes* só poderiam florescer à sombra. Tal ideário fazia parte dos chamados princípios maçônicos, mas compunha a visão de mundo de uma época, além de tais associações.

É prudente evitar a ligação simplista entre maçonarias e revoluções, mesmo se os Grandes Orientes e suas lojas desempenharam papel importante nas desagregações de antigos regimes, como na Revolução Francesa e em outros países europeus. Os maçons nem sempre eram revolucionários – havia uma espécie de gradualismo evolucionista nesta liberação da humanidade. Se cada indivíduo atingisse o degrau máximo e hierarquizado desta escala da perfeição, as revoluções se tornariam desnecessárias. A conquista de um mundo novo, neste sentido, tinha sua dimensão *interior* ou espiritualizada, e a liberação da sociedade seria quase uma consequência das *Luzes* expandidas, sem rupturas sociais.

No período da Independência brasileira as atividades maçônicas cresceram ao lado de outros tipos de associações filantrópicas, políticas, culturais ou de ajuda mútua. É conhecido o exemplo do Grande Oriente Brasileiro de 1822, que se tornou importante foro de debate, mobilização e contato entre forças políticas que efetivaram a separação do Brasil de Portugal – e tal escolha se explica também pelo caráter reservado. No quadro ainda do absolutismo, embora abalado pelo movimento constitucional português desde 1820, o espaço maçônico era adequado para realizar tal articulação que, tornada pública, seria ilegal.

As reuniões do Grande Oriente se mostraram decisivas neste momento. Emissários foram enviados às demais províncias para articularem a adesão à Independência. E foi durante um desses encontros que surgiu a ideia de se chamar de "Império" o país que seria independente e de "imperador" seu primeiro governante.

Este primeiro Grande Oriente do Brasil se tornou referência historiográfica obrigatória e mesmo formadora de memória histórica, na medida em que outras maçonarias, posteriores, se apresentavam como autênticas herdeiras desta matriz. A instituição, com sede na rua do Conde (atual rua Visconde de Rio Branco, no centro do Rio de Janeiro), foi reconhecida pelos Grandes Orientes da França, Inglaterra e Estados Unidos e era adepta do Rito Francês Moderno, um dos modelos de organização simbólica mais difundidos na época.

Em seus primórdios, o Grande Oriente brasileiro teve como membros mais influentes: Gonçalves Ledo (que breve se exilaria em Buenos Aires), José Bonifácio (o grão-mestre), todo-poderoso ministro, e o próprio D. Pedro.

O Grande Oriente brasileiro aglutinava em 1822 três lojas cariocas: Comércio e Artes, Esperança de Niterói e União e Tranquilidade. Este primeiro avanço do movimento associativo moderno será logo reprimido pelo novo Império, com a proibição, assinada pelo *irmão* Guatimozim (D. Pedro I) em 21 de outubro de 1822, dos trabalhos maçônicos e das associações políticas durante todo o Primeiro Reinado. A escalada repressiva culminaria, cerca de um ano depois, com o fechamento da primeira Assembleia Constituinte brasileira, a prisão e o exílio de deputados.

Apesar da repressão, sabe-se que algumas dessas agremiações continuaram a existir na clandestinidade no Rio de Janeiro, como a Loja *Bouclier d'Honneur* (Escudo da Honra) e o Apostolado, ambos em 1823 e, dois anos depois, a Vigilância da Pátria, de tendências liberais e oposicionistas, integrada por Nicolau de Campos Vergueiro (futuro senador em 1828 e regente em 1831). Sem falar do jornal *Despertador Constitucional Extraordinário*, redigido em 1825 pelo baiano Domingos Alves Branco Muniz Barreto, conhecido dirigente maçom, em cujas páginas havia pregações maçônicas.

Mas será somente com a crise e o fim do Primeiro Reinado e no período das Regências (1831-1840) que os trabalhos *maçônicos* serão retomados de maneira *regular*, embora já sem a importância de 1822. Nos anos 1830 assistiu-se a um crescimento considerável das maçonarias e, ao mesmo tempo, a um verdadeiro "canibalismo" maçom, com a existência de cinco Grandes Orientes somente no Rio de Janeiro, além de dissidências e intrincadas brigas entre os grupos, revelando como era difícil a busca de fraternidade e perfeição. Neste período surgiram os primeiros textos formalmente maçônicos impressos e tornados públicos no Brasil.

Kardec entre nós

Acusados de criminosos ou loucos no século XIX, os espíritas conquistaram diferentes classes sociais e se firmaram como uma das mais disseminadas religiões no Brasil.

EMERSON GIUMBELLI

Um indivíduo comum, sem qualquer conhecimento de medicina, recebe pessoas doentes, diagnostica seus males e prescreve medicamentos. Não o faz por conta própria: alega agir como intercessor do espírito de um médico. Trata-se de um "médium receitista".

Cenas como esta eram quase desconhecidas no Brasil da década de 1870, e começavam a ser noticiadas com grande espanto pelos jornais. Além da prática "receitista", que normalmente indicava aos pacientes remédios homeopáticos, vinham ao conhecimento do público outras técnicas terapêuticas não ortodoxas, como a dos "médiuns curadores" – que faziam algo semelhante aos "passes" dos atuais centros espíritas – e a chamada "desobsessão", que curava a loucura causada pela intervenção de um espírito mal-intencionado.

Os desinformados julgavam estar diante de uma nova roupagem do velho curandeirismo. Para os adeptos da prática, porém, o que experimentavam era uma demonstração poderosa da existência de entidades espirituais e de sua intervenção no mundo material.

Surgido na França em 1857 – quando Allan Kardec sistematiza a doutrina em seu *O livro dos espíritos* –, o espiritismo cruzou o oceano com surpreendente rapidez. As primeiras notícias da formação de grupos espíritas no Brasil são da década de 1860. Na mesma época, são feitas as primeiras traduções das obras de Kardec, providenciadas pelo médico Joaquim Carlos Travassos (1839-1915).

Ele não foi uma exceção. Vários outros médicos brasileiros abraçariam desde cedo o espiritismo. Foi o caso de Adolfo Bezerra de Menezes (1830-1900), criado em família católica e que também foi vereador e deputado. Em 1882, ele anuncia publicamente sua conversão ao espiritismo, que considerava "um coroamento do cristianismo". Passa então a defender a doutrina em artigos publicados em *O Paiz*, um dos principais jornais da época. Sua adesão à nova religião aconteceu depois que ele se impressionou com as "curas extraordinárias" obtidas pelo médium João Gonçalves do Nascimento (1844-1916).

Morador da região suburbana do Rio de Janeiro, João Gonçalves trabalhava como despachante da Alfândega. A autoria de suas curas era atribuída ao espírito do Dr. Dias da Cruz, professor da Faculdade de Medicina falecido na década de 1870. Os feitos do médium causaram tanto impacto que o próprio filho de Dias da Cruz, médico homeopata, converteu-se ao espiritismo.

A crença trazida havia pouco tempo da Europa se mostrava capaz de articular, à sua maneira, erudito e popular, elite e povo: o médium era pouco qualificado, mas a entidade que se manifestava pertencia a uma profissão prestigiada. Do mesmo modo, as práticas pouco diferiam de outras formas populares de busca por cura, mas sua explicação apelava para termos cultos e teorias sofisticadas. Era uma "fé raciocinada". Por isso não havia contradição na adesão de setores da classe média à religião espírita. Engenheiros, advogados, oficiais militares, administradores públicos, parlamentares... Os novos adeptos ressaltavam afinidades entre a doutrina de Kardec e os princípios científicos e liberais em voga naquele fim de século. Não à toa, vários crentes do espiritismo se engajaram em campanhas abolicionistas. Republicanos proeminentes, como Saldanha Marinho (1816-1895) e Quintino Bocaiúva (1836-1912), tinham simpatia pela doutrina. Por outro lado, a difusão do espiritismo também se fazia em meios mais populares, interagindo com saberes, práticas e religiosidades ancestrais dos descendentes de escravos.

A partir da instauração do regime republicano em 1889, as restrições a práticas espíritas ganham nova arma. Para os defensores da moderna medicina acadêmica, a "mediunidade receitista" era mais um exemplo de curandeirismo, arcaico e anticientífico, do qual a sociedade deveria se proteger. Esta resistência tomou forma de restrição legal no Código Penal elaborado em 1890. O artigo 157 qualificava o delito: "Praticar o espiritismo, a magia e seus sortilégios, usar de talismãs e cartomancias, para despertar sentimentos de ódio ou amor, inculcar cura de moléstias curáveis ou incuráveis, enfim, para fascinar e subjugar a credulidade pública." No momento em que se extinguia o regime de religião oficial (o Império católico), persistia a intolerância diante de novas crenças.

Ao longo das primeiras décadas do século XX, ganha credencial científica a associação entre espiritismo e loucura. Alguns psiquiatras chegam a divulgar estatísticas apontando o espiritismo como uma das principais causas de distúrbios mentais no país. Com respaldo do Código Penal, surgem diversas iniciativas de combate ao espiritismo. Autoridades policiais e sanitárias protagonizam muitos episódios de perseguição. Mas a repressão se concentra, como era de se esperar, nas práticas religiosas populares, que exibiam referências africanas.

Neste período, ganhou importância a atuação da Federação Espírita Brasileira (FEB). Criada em 1884, a instituição se via agora no dever de lutar pela liberdade religiosa e ajudar a difundir a doutrina pelo país. Para isso, mantinha o jornal *Reformador* (publicado ainda hoje) e funcionava como centro espírita, com atividades de culto e estudo, incluindo um serviço de "mediunidade receitista". Iniciado em 1899, esse serviço atinge o mais alto índice de consultas no ano de 1923, com quase 400 mil pessoas atendidas.

Outro objetivo da FEB no período republicano era unificar os trabalhos dos centros espíritas em torno de doutrinas e rituais comuns. Afinal, a crença se espalhara rapidamente e sob diversas formas. Ainda em 1904, circulavam no Brasil nada menos que 19 periódicos dedicados ao espiritismo. Os centros filiados à FEB multiplicaram-se entre as décadas de 1920 e 1940, saltando de 47 para mais de duzentos. Embora houvesse grupos espíritas em quase todos os estados, era nas regiões Sul e Sudeste

– especialmente no Rio, em São Paulo e em Minas Gerais – que eles mais cresciam. Nas outras regiões, poucos grupos se concentravam nas capitais costeiras.

Um fator decisivo para a consolidação do espiritismo no Brasil foi o aparecimento da carismática figura de Francisco Cândido Xavier, o Chico Xavier (1910-2002). Eclodiu primeiro como fenômeno literário, com apoio da FEB, que desde o começo do século se dedicava à edição de livros – somente no período de 1931 a 1941, a instituição publicou 1.411.400 exemplares de títulos espíritas. *Parnaso d'Além Túmulo*, primeira obra de Chico Xavier, lançada em 1932, é uma compilação de poesias atribuídas a autores brasileiros e portugueses – "recebidas" por um médium que mal completara o primário.

Em 1938 vem a público outra obra psicografada por Chico Xavier, *Brasil, Coração do Mundo, Pátria do Evangelho*. O livro narra a formação do Brasil sob a perspectiva espírita: os principais acontecimentos de nossa História teriam contado com a intervenção de entidades espirituais. Desde o princípio, quando forças invisíveis levaram a frota de Cabral a se desviar do caminho das Índias, até a libertação dos escravos, também orientada por mentores espirituais, estava profetizado o lugar de destaque do Brasil no universo da cristandade. Surge daí uma forte associação entre o espiritismo, a formação e o destino nacionais.

Interessante é que, naquele período, outras religiões também procuram se vincular à identidade nacional. A Igreja Católica elege Nossa Senhora Aparecida como padroeira do Brasil em 1929, e dois anos depois é inaugurada a estátua do Cristo Redentor, no Rio de Janeiro, ganhando *status* de símbolo pátrio. De sua parte, a umbanda, em processo de constituição, privilegia nos cultos dois tipos de entidades espirituais: os caboclos e os pretos-velhos, que têm como referência explícita os índios e negros, vertentes consagradas, ao lado dos brancos, como base da sociedade brasileira.

Mesmo congregando elementos católicos, africanos e do ocultismo, a umbanda se constituiu como uma modalidade de espiritismo. É o que indicam os primeiros livros que identificavam a nova religião. Seus mentores criam em 1939 a Federação Espírita de Umbanda, e em 1941 realizam o I Congresso Brasileiro de Espiritismo de Umbanda. Kardec não é sua principal referência, mas consta obrigatoriamente dos debates para a institucionalização da umbanda, que mais tarde se proclamará a "primeira religião genuinamente brasileira".

A postura da FEB em relação à umbanda era ambígua. Ainda que o espiritismo kardecista tivesse predileção por espíritos brancos, nos anos 1920 não era raro se encontrar caboclos e pretos-velhos produzindo curas e outras benemerências em centros espíritas. Isso mudaria na década de 1940. Com a nova religião já institucionalizada, predomina uma atitude de distinção: para os kardecistas, espiritismo e umbanda precisavam ser diferenciados. A enorme heterogeneidade dos centros espíritas passou a incomodar aqueles que buscavam uma doutrina mais unificada e definida. Por outro lado, essa mesma diversidade era fonte de vitalidade para o universo do espiritismo.

A aceitação social cada vez maior da crença fica evidente com a promulgação do novo Código Penal brasileiro em 1949, no governo Vargas. Persistiam artigos acerca de "charlatanismo" e "curandeirismo", mas o termo "espiritismo" já não constava mais da lei. Na prática, os kardecistas deixaram de ser assediados pelas autoridades. O mesmo não aconteceu com os cultos afro-brasileiros, que continuaram sendo vítimas de perseguição.

Modificações nas práticas espíritas ajudaram a vencer resistências junto à classe médica. A "mediunidade receitista" não era mais hegemônica, substituída pela "desobsessão" e, sobretudo, pelos "passes". Sem implicar qualquer contato físico entre médium e paciente nem envolver a prescrição de medicamentos, os passes eram mais aceitáveis do ponto de vista da medicina acadêmica.

Por fim, contribuíram para legitimar a religião as atividades assistencialistas praticadas pela FEB. Para os espíritas, promover a caridade é um princípio fundamental da moralidade kardecista. Graças a ela, a atuação do espiritismo não ficou restrita aos centros, ganhando diversos espaços sociais. A boa recepção das práticas assistenciais propiciava a aceitação das práticas religiosas. Do ponto de vista religioso, a caridade permitiu um novo diálogo com o catolicismo. Em contraste com o período inicial, quando pregavam a ruptura, os espíritas passam a adotar uma atitude de aproximação. Atitude que jamais seria recíproca por parte da Igreja Católica.

Na segunda metade do século XX, o espiritismo tinha os caminhos abertos para se tornar uma das religiões mais populares do Brasil. Se na França, berço de Allan Kardec, perdeu vitalidade já no início daquele século, para o cotidiano dos brasileiros a crença permanece uma influência marcante. A grande difusão da crença na reencarnação em um país de maioria católica é prova disso. Hoje a viagem feita pelo espiritismo em sua chegada ao Brasil é percorrida em sentido contrário. A sepultura de Kardec é uma das mais visitadas, entre as muitas celebridades que repousam no cemitério Père Lachaise, em Paris. Em boa parte, graças aos turistas vindos do "maior país espírita do mundo".

3
Poder

Investimentos e capitais
Nova ordem, velhos pactos • Fascismo verde-amarelo
Golpe militar, violência e exclusão

SENHORES DE ENGENHO, mineradores, barões do café, oligarcas, ministros tenentes e generais. Um cortejo de figuras respirando o ar cerimonioso da política. A expressão mais pura que ganha forma em acordos, alianças e pactos selados em câmaras, palácios e corredores ministeriais, na sua forma mais nobre. Ou tem cheiro de morte. Alcança a forma de arbítrio, golpe e tortura nos porões de delegacias, quartéis e masmorras. Nos portos, judeus perseguidos pelo horror nazista são indesejados. Um pavor para a democracia.

A riqueza movimenta quase sempre as lutas de poder. O ouro do Brasil que inundou a Europa serve aqui para concentrar nas mãos de muito poucos a opulência, e pulverizar as migalhas de sobrevivência pelas Minas Gerais. Brasões assinalados brotam nos títulos que a monarquia distribui a barões nos vales verdes do café, dono da pauta de exportações no século XIX. Riqueza mais uma vez edificada sobre a dominação dos escravos.

A força do café invade o regime republicano, amalgama acordos entre estados para governarem velando grandes e exclusivos interesses. Há tenentes desafiando o pacto oligárquico, das areias da praia de Copacabana ao sertão mais perdido do país.

O desejo de mudança balança, flertando nos anos 1930 com o fascismo que inspira os camisas verdes integralistas. Escorrega ainda mais para a direita com o golpe militar, mas civil também, de 1964. Águas passadas.

"Poder, v, n. Ter posse, força física, para por em movimento, levar, sofrer, &c." (Antonio de Moraes Silva, *Diccionario da lingua portugueza*, 1789).

Investimentos e capitais

•

Civilização de açúcar

Com engenhos, escravos e soluções originais fundou-se no campo um dos mais duradouros núcleos de poder da sociedade brasileira.

ANA MARIA DA SILVA MOURA

Imaginem se, por alguma razão absurda, o mundo ficasse de repente sem açúcar. Representaria o desemprego de milhões de trabalhadores direta ou indiretamente ligados à produção, industrialização e distribuição de produtos derivados da cana. Afetaria a economia global e até guerras – por que não? – poderiam ser deflagradas para a disputa de estoques ainda existentes.

Esse produto tão caro ao mundo contemporâneo foi fundamental para o desenvolvimento da América portuguesa a partir do século XVI. É nesse período que ele começa a se transformar de especiaria cara e rara num bem de consumo cada vez mais presente e requisitado no mundo. Esse processo foi tão importante que o engenho, como a unidade produtiva do açúcar, é considerado o grande modelo para a análise da colonização do Brasil.

Os engenhos se espalharam pela Colônia desde o Nordeste do século XVI, área de concentração original, à capitania do Espírito Santo e à capitania real do Rio de Janeiro no século XVII, atingindo o sul da capitania das Minas do século XVIII – no presente, a produção maior se concentra no estado de São Paulo. Deles saíram os açúcares mascavos e semirrefinados, em formas chamadas de pães de açúcar e as aguardentes de cana – a nossa famosa cachaça.

A produção e a comercialização desses produtos foram vitais tanto para consolidar o império mercantil português no Atlântico quanto para a expansão colonial e a formação de grupos de poder e prestígio na Colônia. Mais ainda, sua unidade produtiva – latifundiária, exportadora e escravista – formou a base da sociedade colonial brasileira.

Nesse processo, a presença africana é muito mais conhecida e difundida do que a escravidão indígena. Numerosas pesquisas e publicações sobre o assunto tratam da complexidade das formas de apresamento na África, do tráfico atlântico, de seus mercados no Brasil e de sua redistribuição para as áreas coloniais. Mas, ao longo do século XVI e início do XVII, foi a escravaria dos "negros da terra" (indígenas) que sustentou a implementação e a expansão contínua dos engenhos e canaviais.

O processo de colonização produtiva iniciou-se com a utilização da mão de obra indígena. As diversas formas de contato entre colonizadores e as diferentes culturas indígenas variaram das alianças às guerras de extermínio. As parcerias, principalmente através das relações de parentesco (casamentos), permitiram ao colonizador não somente fazer uso da mão de obra das comunidades aliadas, como também explorar o trabalho de indígenas escravizados em guerras intertribais.

Ainda, através dessas alianças, os prisioneiros de guerra indígenas eram repassados como escravos aos colonos. Este intercâmbio se tornou, com o passar do tempo, um tipo de empreendimento colonial assumido tanto pelas comunidades aliadas quanto pelos colonos e mestiços. Não se fazia sem o uso de muita violência, conforme um relatório oficial datado de 1º de junho de 1676: "Depois de seis ou sete dias de marcha através de caatingas e terrenos agrestes, a rastejar o inimigo, os perseguidores surpreendem a tribo espavorida e faminta e, após ligeira escaramuça, subjugam-na, jungindo os guerreiros estropiados e, decorridos dois dias, sob fútil pretexto, degolam quatrocentos e reduzem à escravidão as mulheres e crianças."

Concomitante a esse tipo de ação tínhamos também a "guerra justa". Eram as que se davam, no dizer de teólogos que justificavam a dominação colonial, quando as populações indígenas resistiam ao poder colonizador ou à cultura cristã. Como "justa" punição eram retirados dos oponentes os seus direitos à liberdade e à propriedade, fazendo-os escravos vitalícia e hereditariamente, por linha materna.

A princípio a produção e exportação do açúcar demandaram a montagem de toda uma infraestrutura material e mercantil que, ao longo dos séculos e da colonização, se foram tornando complexas e sofisticadas. Aqui o colono encontrou terra abundante e propícia, como o massapé nordestino, imensas florestas que seriam devastadas para fazer lenha, madeira para cabos de ferramentas, para as prensas e os carros de boi que transportavam a cana da plantação à moenda. Mas teve também de trazer ou importar valiosíssimos tachos de cobre, caldeiras, ferro para as ferramentas e moendas, e até mão de obra especializada - os mestres artesãos do açúcar - para movimentar seus engenhos.

No início as dificuldades eram enormes. Pelas cartas dos antigos donatários verificamos as diversas estratégias que ajudaram ou mesmo garantiram a manutenção e sucesso do empreendimento açucareiro. Duarte Coelho (?-1554), donatário de Pernambuco, escreve diversas vezes ao rei que, "gastando o meu", mandara buscar em Portugal, Canárias e Galiza artesãos de vários ofícios necessários à produção. Vasco Fernandes Coutinho (?-1561), donatário da capitania do Espírito Santo, informa que também gastou milhares de cruzados do seu patrimônio para estabelecer os primeiros quatro engenhos da região.

Além de gastos próprios, outras possibilidades eram negociadas: créditos e financiamentos através de mercadores de açúcar portugueses, genoveses e holandeses. Mesmo o monopólio real da extração e comercialização do pau-brasil, que permitia apenas aos colonos uma quantidade ínfima "para uso próprio", se tornou, através de licenças especiais, fonte de recursos para que os donatários investissem em seus engenhos.

A produção do açúcar, entretanto, não envolverá somente as grandes fortunas ou colonos que possuem, pela sua importância na hierarquia social da época, "validos" e padrinhos na Corte portuguesa, ou relações de negócio e parentesco entre o grupo de mercadores do reino e seus associados. Permitiu também que colonos menos afortunados plantassem canaviais em suas sesmarias. Estes negociavam de maneiras diversas os partidos de cana com aqueles que possuíam engenhos.

Como centro mais importante da produção de açúcar, o Brasil ocupa o seu lugar na órbita mercantil do império português e também nas suas questões políticas. As invasões holandesas no século XVII vêm mostrar a que ponto as relações de poder europeias passam a transbordar pela Colônia. Aqui os holandeses não somente mantiveram o latifúndio canavieiro, exportador e escravista, mas agregaram a ele a produção e a comercialização das "exóticas" frutas tropicais cristalizadas – uma guloseima cara para a nobreza e a alta burguesia europeias.

A agromanufatura da cana resultaria em outro produto tão importante quanto o açúcar: a cachaça, até recentemente pouco valorizada pelos historiadores. Alambiques proliferaram ao longo dos séculos coloniais, tanto nos grandes engenhos quanto nas sesmarias de colonos plantadores de cana. Aqui na Colônia, juntamente com as farinhas de mandioca e milho, a cachaça passou a ter uso corrente na alimentação colonial e foi fundamental para abastecer a escravaria.

A comercialização da bebida afetava profundamente, no entanto, a importação de vinhos de Portugal. Este comércio era obrigatório, pois através dos tributos pagos pelas cotas do vinho importado é que a Coroa pagava as suas tropas na Colônia. A cachaça produzida aqui passou a concorrer com os vinhos, com vantagens econômicas e culturais. A questão era tão séria que medidas restritivas à produção e circulação da aguardente de cana motivaram na capitania do Rio de Janeiro, em 1660, uma pequena revolução com mortos e feridos, a chamada Revolta da Cachaça. Diante das restrições e finalmente da proibição do fabrico da cachaça no Brasil (e da criação de um novo imposto), produtores da capitania do Rio de Janeiro se rebelaram para garantir a defesa de seus direitos.

É muito importante destacar que essa concorrência comercial entre colônia e metrópole se estendeu para as praças negreiras e rotas de comercialização de escravos na África portuguesa. A "jeribita", como também era conhecida a cachaça brasileira, por ser a bebida preferida para os negócios de compra e venda de escravos africanos, colocou em grande desvantagem a comercialização dos vinhos portugueses remetidos à África.

A longa queda de braço mercantil acabou favorecendo afinal a cachaça, porque sem ela, nada de escravos, nada de produção na Colônia, com consequências graves para a arrecadação do reino. A cachaça foi responsável pela quebra de um princípio do qual os impérios coloniais não abriam mão: a proibição de concorrência entre os produtos da metrópole e dos monopólios de grupos mercantis do reino.

O grande sucesso da economia baseada na exploração dos produtos derivados de cana consolidou-se a partir da oferta regular de mão de obra abundante. A escravização das populações indígenas e africanas é que levou o processo adiante durante séculos. Sem ela, a produção não poderia ter acompanhado o aumento da procura nos mercados europeus, o que impediria a expansão econômica e a própria colonização.

Conforme a produção aumentava em volume e unidades produtivas, alcançando várias áreas colonizadas, cresceu também o processo da escravização do indígena. Quando este não atuava escravizado nas lavouras, era "reduzido" ou "aldeado" pelos missionários, o que provocava tensões e conflitos com os colonos. Essas relações eram agravadas nas frentes pioneiras, onde os recursos eram mais escassos. Nessas áreas os "assaltos" às aldeias indígenas eram a maneira de garantir mão de obra escrava, acirrando as rivalidades entre missionários e colonos.

A lavoura canavieira, portanto, trouxe enormes consequências para a Colônia. Foi ela que deu o tom da colonização e das relações entre os colonos e as populações nativas. Alterou profunda e irreversivelmente alianças tribais, suas organizações de trabalho e ocupação de espaço, a cultura e as possibilidades de sobrevivência. Deu ao colono a oportunidade de enraizamento na terra, de enriquecer ou pelo menos reunir recursos para garantir o abastecimento da mão de obra trazida da África.

Todas essas atividades necessitam de uma organização de trabalho, mas também de vigilância e controle que moldaram não somente a produção dos açúcares e cachaça, mas toda a sociedade colonial, e cujos ecos ainda ressoam na sociedade brasileira contemporânea. Coube ao engenho, como primeira unidade colonial de produção de grande porte, o desenvolvimento de uma sociedade que tem suas mãos e pés na escravaria, mas que por muito tempo só enxergou o país pelos olhos do senhor de engenho – símbolo do poder, riqueza e prestígio do Brasil colonial.

O chapéu e o chicote, a rudeza e brutalidade dos senhores de engenho foram romantizadas durante séculos. Entre a senzala e a casa-grande ficara um hiato que só os estudos mais recentes vêm preenchendo e anexando à História, com os devidos matizes sociais e econômicos, a participação de homens livres, escravos indígenas e africanos, brancos e mestiços, que, com o suor de seu trabalho, construíram a sociedade brasileira.

Ouro de tolo

Em um século, o Brasil enviou a Portugal - imagine!
- cerca de 800 toneladas de ouro.

ANGELO CARRARA

Mais do que um recurso natural. Mais do que um artigo de exportação. O que se descobriu em Minas, depois de dois séculos de colonização, foi fortuna em estado puro.

Ao contrário do que ocorria com a produção de cana-de-açúcar no Nordeste, o metal extraído dos leitos dos rios mineiros não dependia da demanda internacional e suas oscilações de cotação: já vinha em forma de dinheiro, pronto para ser posto em circulação ali mesmo. O ouro em pó transformou-se imediatamente na principal moeda das Minas Gerais naquele final do século XVII. E era tão abundante que, embora quase sempre tivesse Portugal como destino, causou enorme impacto econômico e social também deste lado do Atlântico.

Uma verdadeira corrida pelo ouro tomou de assalto a capitania até então pouco habitada. Levas de gente chegavam de toda parte atrás do sonho da riqueza imediata, disputando as margens dos rios para montar seus arraiais, muitas vezes com violência. A ganância movia a todos, e era preciso aproveitar antes que o Estado decidisse impor regras e restrições de acesso àquela fortuna natural.

Quase todo o ouro se encontrava em terrenos de aluvião – nas margens ou na foz dos rios, onde a erosão deposita cascalho, areia e argila. O sistema de extração era simples: ficava-se dentro dos ribeiros, com água até a cintura. Com uma bateia, lavavam-se as areias auríferas, até que os materiais mais leves ficassem na parte superior, de onde eram retirados. No fundo ficava o ouro, misturado a outros minerais. A época mais adequada para a atividade era o inverno, quando o nível da água dos rios estava mais baixo, o que permitia trabalhar melhor os leitos. O ouro assim extraído já vinha em pó ou em pepitas – não requeria, para se dissolver das rochas, o uso de mercúrio para formar amálgamas. Recém-retirado das bateias, podia ser usado como moeda.

Dois grupos de trabalhadores se dedicavam à mineração: os escravos dos grandes proprietários e os trabalhadores livres, chamados de garimpeiros ou "faiscadores". E se nos primeiros tempos da corrida do ouro a riqueza ficava com quem chegasse primeiro e defendesse melhor o seu quinhão, com o tempo a exploração gerou forte concentração de renda: o grosso ficava com os grandes proprietários, que se contavam nos dedos, enquanto os muitos "faiscadores" dividiam o resto.

Em 1710, por exemplo, apenas cinco pessoas foram responsáveis por 47,65% de todo o ouro produzido na Intendência do Rio das Mortes. Um século depois, quando o volume extraído já minguava, a desigualdade ainda era regra: os cinco maiores produtores conseguiram quase 82 quilos de ouro – uma média de 16 quilos para cada um –, enquanto os 568 menores ficaram com menos de 184 quilos – média de 347 gramas para cada um. O minucioso censo feito em 1814 mostra ainda que havia 5.747 garimpeiros atuando na região. Juntos, eles produziram cerca de 413 quilos, o que rendeu a cada um, em média, 71 gramas.

Embora importante para a economia colonial, era pequena a quantidade de pessoas envolvidas na mineração. A maior parte da população da capitania morava nos campos e vivia dos trabalhos agrícolas e pastoris. Enquanto isso, a extração de ouro, setor que gerava os mais valiosos rendimentos fiscais para a Coroa, mobilizava, no máximo, 5% dos moradores de Minas Gerais. E nem todos de modo exclusivo: muitos se dedicavam também à agricultura.

Mesmo assim, a disponibilidade de uma enorme quantidade de moeda, distribuída por um número de pessoas bem maior do que até então se vira, explica o impacto que a mineração tinha sobre a economia local. Sem exagero, pode-se afirmar que o ouro estimulou a produção de gêneros de muitos setores da economia brasileira daquele século, especialmente a agricultura e a pecuária voltadas para o abastecimento interno.

Em Minas, na contabilidade das lojas e vendas, ao lado dos réis (plural de real), aparecia a unidade monetária fundamental: a "oitava" de ouro – o equivalente a 3,586 gramas. A oitava, por sua vez, dividia-se em 32 frações: eram os "vinténs" de ouro. Cinco vinténs davam um "tostão", e vinte vinténs completavam um "cruzado de ouro". Quem acumulasse um quilo de ouro podia ter acesso a bens consideráveis. Este valor era suficiente para comprar 75 cabeças de gado ou 2.250 sacos de milho com cerca de trinta quilos cada um. Ou, ainda, para adquirir uma mercadoria muito valorizada na economia da época: um saudável escravo africano.

O maior desafio do governo era a cobrança do "quinto" – 20% de qualquer quantidade de metal ou pedra preciosa extraída na Colônia que deveria ser paga à Coroa. Após várias tentativas de se encontrar o sistema mais eficaz de cobrança, chegou-se finalmente ao método adotado a partir de 1751: foram instaladas quatro casas de fundição nas sedes das quatro comarcas de Minas: Vila Rica, Rio das Mortes, Serro Frio e Sabará. Ficou, então, proibida a circulação do ouro em pó: nas casas de fundição, o metal ganhava a forma de barras e o carimbo real, com o devido desconto do quinto. A nova ordem também tabelou o preço do ouro. Ao entrar, em pó, nas casas de fundição, ele valia 1.200 réis a oitava (até então, costumava ser negociado por 1.500 réis). Ao sair, já "quintado", seu valor era de 1.500 réis a oitava.

Essa diferença gerava uma situação curiosa, detectada pelo Barão Wilhelm Ludwig von Eschwege (1777-1855): a revolta contra o pagamento do quinto era atenuada. Eschwege veio ao Brasil em 1810, a convite do príncipe regente D. João VI, para compreender as causas do declínio da produção de ouro. Sabia-se que a cobrança do quinto gerava insatisfação entre os mineradores, que o qualificavam de "exorbitante". Para surpresa do Barão, no entanto, os produtores tinham a impressão de que seu prejuízo não era tão grande, justamente por causa da cotação mais alta da oitava quintada. A lógica era a seguinte: cinco oitavas de ouro em pó valiam seis mil réis (1.200 x 5). Depois de fundidas, o proprietário recebia uma barra com apenas quatro oitavas, já que a quinta parte era deixada como pagamento do direito régio. Mas ele possuía os mesmos seis mil réis, pois cada oitava em barra valia 1.500 réis (1.500 x 4 = 6 mil). Claro que melhor seria não pagar imposto algum, mas ao quinto "não podia resistir nenhum homem honesto", argumentavam, segundo Eschwege.

A queda da produção devia mesmo preocupar a Coroa. Afinal, no século do ouro, pela primeira vez a metrópole vira a Colônia operar em crescente superávit fiscal. Os ventos de bonança eram facilmente constatados nos portos, sobretudo no do Rio de Janeiro, de onde embarcava a maior parte do ouro enviado a Portugal e onde desembarcavam as mercadorias importadas do Reino. Entre 1700 e 1710, a arrecadação do imposto de importação (a "dízima da Alfândega") no Rio saltou de 1,5 conto de réis (o equivalente a 1,5 milhão de réis) para quase cinquenta contos de réis. E não parou mais de crescer, acompanhando o aumento da produção de ouro. Como consequência deste fluxo de metal precioso, em 25 anos a cidade e capitania do Rio de Janeiro, até então deficitária do ponto de vista fiscal, passou a disputar com Salvador a segunda maior receita do Brasil, atrás apenas de Minas.

Mas, afinal, será possível estimar a quantidade de ouro enviada para Portugal desde a descoberta do metal até o encerramento das extrações? Graças aos estudos das últimas décadas, é possível, sim. Com base em relatórios de cônsules franceses em Lisboa, nos anos 1970 o historiador Virgílio Noya Pinto calculou a quantidade de ouro desembarcado em Lisboa somente de navios vindos do Brasil: foram mais de 529 toneladas entre 1697 e 1760. Já o pesquisador francês Michel Morineau, a partir de informações de gazetas holandesas, chegou a um total não muito diferente: cerca de 566 toneladas.

Recentemente, as estatísticas sobre a produção de ouro no Brasil ganharam uma nova fonte: os "manifestos do 1% do ouro" na Casa da Moeda de Lisboa, cujos dados foram arduamente levantados pela historiadora portuguesa Rita de Sousa Martins, da Universidade Técnica de Lisboa. Os manifestos registram, para o período entre 1753 e 1801, um total de 279.838,29 quilos de ouro na Casa da Moeda de Lisboa. Aproximadamente 94% dessas quase 280 toneladas vinham de Minas Gerais (o restante, de Goiás, Mato Grosso e Bahia). No século XIX, a produção já minguava: entre 1801 e 1807, não passou de 14,5 toneladas, e dali em diante só fez decair.

Arredondando essas diferentes contas, pode-se afirmar que em todo o século XVIII o Brasil mandou para Portugal cerca de oitocentas toneladas de ouro. Imagine uma manada de cem elefantes de ouro maciço. Foi isso. Sem contar o que circulou de forma ilegal e o que ficou na Colônia, ornando suntuosas igrejas.

O amarelo da bandeira faz jus à nossa História.

Ciclo do café

Sustentados pelo trabalho escravo, cafeicultores do Rio e de São Paulo fizeram fortuna e poder mas foram derrotados pela abolição.

SHEILA DE CASTRO FARIA

Café, escravos, fortuna e requinte europeu. Esta foi a receita que garantiu aos cafeicultores do Rio de Janeiro e de São Paulo um lugar de destaque na sociedade imperial brasileira. Durante grande parte do século XIX, o café foi produto-chave na pauta econômica do país. Fonte de riquezas para os senhores, a produção cafeeira foi ainda caminho para obtenção de títulos de nobreza, influência política e poder.

No Brasil, escravos e café tiveram uma origem comum: a África. Natural das montanhas da Etiópia, o café era originalmente comido em forma de pasta. Passou a ser torrado, reduzido a pó e lançado em água fervente. De comida, passou a bebida, mas sem ser coado. Ainda hoje consome-se o café preparado desta forma, chamado "café turco". O intenso contato entre os árabes e as cidades italianas, principalmente a partir do século XVII, acabou por introduzir o café na Europa, o qual recebeu mais uma etapa em sua preparação: a filtragem, pois os italianos não apreciavam a borra. Estava criada a forma de preparo da bebida mais utilizada nos dias atuais.

Há quem afirme que as primeiras mudas que chegaram ao Brasil foram dadas clandestinamente pela mulher do governador da Guiana Francesa, na década de 1720, ao oficial português Francisco de Melo Palheta, que as plantou no Pará. História real ou ficção, fato é que boa parte dos cafeeiros do Brasil teve sua origem no Pará. Outra parte veio de mudas transferidas diretamente de Goa (na Ásia) para o Rio de Janeiro.

O café foi o principal produto de exportação do Brasil por um longo tempo. Na década de 1820, exportavam-se cerca de 3,2 milhões de sacas. Uma década mais tarde, tornou-se o artigo de exportação mais importante na pauta brasileira. Na década de 1880, o número foi de 52 milhões de sacas. Em fins do século XIX, o Brasil exportou mais de 130 milhões de sacas, sendo responsável por quase 75% do mercado mundial de café.

O vale do rio Paraíba do Sul, entre as províncias do Rio de Janeiro e São Paulo, com solos e clima adequados ao cultivo de café e com vias de transporte já existentes, tornou-se, desde a década de 1820, a principal área de produção cafeeira no país. As cidades de São João Marcos, Resende, Vassouras – a mais rica –, Piraí, Valença e Paraíba do Sul eram as principais, na parte fluminense do Vale do Paraíba. Na parte paulista, destacaram-se os municípios de Areias e Guaratinguetá, seguidos de Bananal, Lorena, Taubaté, Jacareí, Mogi das Cruzes e Jundiaí. Desses municípios saíram os "barões do café".

"Barão do café" é a expressão que os historiadores usam para indicar os ricos cafeicultores escravistas do período imperial (1822-1889), a maioria proprietários do Vale do Paraíba. Deve-se esclarecer que nem todos os barões do Império eram cafeicultores e nem todos os ricos cafeicultores foram barões. Muitos senhores de engenho, banqueiros, comissários e comerciantes receberam o baronato. Por outro lado, alguns poderosos e ricos cafeicultores quiseram o título, mas não conseguiram.

O costume de conceder títulos de nobreza no Império do Brasil tem origem na herança cultural e política de Portugal. Reis de Portugal, desde o século XV, premiavam com títulos e comendas os que auxiliaram o governo de alguma forma. Foram agraciados, por exemplo, os que lutaram pelo rei na expansão das conquistas portuguesas na África e na Ásia. A maioria dos nobres lusitanos da época vivia com rendimentos dados pela Coroa portuguesa ou com a liberação do pagamento de taxas e impostos para suas atividades. Eram as "benesses", as "mercês".

A monarquia do Brasil, com D. João VI, D. Pedro I e D. Pedro II, adotou prática similar, concedendo títulos de forma a conseguir apoio e aliados. Só que a situação era um tanto diferente, pois os nobres recém-agraciados tinham outra ocupação: não eram guerreiros, mas homens ricos, que viam o título como prestígio social. No Brasil, para que um filho ou herdeiro recebesse o título do pai, teria de pedir novamente ao imperador, que poderia, ou não, concedê-lo. A nobreza não foi em nenhum momento hereditária. Essa troca de favores entre os imperadores do Brasil e os produtores enriquecidos ajudou a monarquia a se manter no Brasil por 67 anos.

D. João VI concedeu, entre 1808 e 1821, 119 títulos; o imperador D. Pedro I, 134, entre 1822 e 1831; D. Pedro II foi o mais disposto a agradar, distribuindo 1.065 títulos de 1841 a 1889. O título de Barão estava reservado, desde a época de D. João, aos proprietários rurais que se projetavam por sua riqueza, mas não por suas participações nos altos postos do governo do Império. Títulos mais elevados, como os de Conde e Marquês, estavam destinados aos que compunham a elite política imperial.

Havia a possibilidade de um rico cafeicultor também ser um ministro do Império, o que não foi muito frequente. Um exemplo é esclarecedor: três ricas famílias cafeicultoras do município de Vassouras, da província do Rio de Janeiro, os Leite Ribeiro, os Werneck e os Avellar, tiveram, no total, 19 barões e cinco viscondes entre seus membros. Somente um foi ministro do Império. A nobreza era emblema do sucesso, mas a atuação política dos barões e seus familiares se restringia ao nível local. A participação em cargos administrativos, como os de juízes, vereadores, delegados de polícia etc., nenhum deles remunerado, trazia vantagens importantes, seja na votação de leis municipais e no estabelecimento de preços, ou na resolução de problemas legais e criminais das parentelas.

Foi no século dos barões do café que, vagarosamente, a escolaridade se tornou motivo de orgulho. Qualquer um que se formasse em faculdade, como as de medicina e direito, únicas existentes no Brasil, passava a ser "doutor". Mas a profissão ficava restrita ao título. O rapaz, sendo de família rica, em geral não exercia os conhecimentos adquiridos. O prestígio estava relacionado ao fato de que o próprio trabalho não era necessário para o sustento, mas, sim, o trabalho dos escravos. Os pioneiros da expansão cafeeira, que montaram suas fortunas ainda na metade do século XIX e puderam arcar com as despesas escolares de um filho, muitas vezes não sabiam nem ler nem escrever.

Um personagem em especial ilustra o papel dos barões do café no Império brasileiro. Luciano de Almeida teve uma trajetória de sucesso espantosa. Em 1817, ainda solteiro, com 21 anos, morava sozinho e tinha 12 escravos na cidade de Bananal, no Vale do Paraíba paulista. Em 1854, data de seu falecimento, era proprietário de 812 escravos, das fazendas Boa Vista, Cachoeira, Córrego Fundo, Fazendinha, Bocaina e mais inúmeros sítios. Apesar de rico, não pôde ser juiz ordinário, como queria. Motivo: não sabia escrever. Sabia, no entanto, cuidar muito bem de seus negócios e orientar os filhos, que foram alfabetizados, cursaram faculdade, transformando-se em "doutores", conforme as expectativas da época. Um deles, Laurindo José de Almeida, alfabetizou-se na cidade de Bananal, fez os estudos mais avançados no Colégio Marinho, no Rio de Janeiro, cursou por quatro anos a Academia de Direito de São Paulo e acabou se formando numa universidade da Alemanha.

As viagens à Europa, em particular à França, também representavam distinção. Para fazer os estudos ou completá-los, os abastados da época excursionavam às vezes durante anos por países europeus, gastando fortunas, pois não tinham compromisso algum com o trabalho. Voltavam, entretanto, com mais prestígio, com um "banho de civilização" – expresso no conhecimento e no modo de vestir –, que se estendia a toda família. Valia a pena o investimento familiar. Laurindo, por exemplo, chegado da Alemanha, foi deputado provincial, vereador, chefe do Partido Conservador de Bananal, tendo recebido ainda o título de Visconde de São Laurindo. Nunca exerceu a advocacia. Seus biógrafos afirmam que ele foi "jornalista, orador e conferencista", mas tirava seu sustento e riqueza exclusivamente do café, das fazendas das Antinhas, São Geraldo, Laranjeiras e da Barra. Tornou-se o que se esperava dele: um político local influente reconhecido pelo imperador D. Pedro II, que lhe concedeu o título de visconde.

O século XIX foi um período de grandes transformações no Brasil. A abertura do comércio brasileiro a outros países, em 1808, com o decreto de abertura dos portos às nações amigas, a entrada cada vez mais frequente de estrangeiros, a enorme quantidade de mercadorias oferecidas e a liberação da imprensa (que divulgava as novas "modas") eram sinais da tentativa do Império de "civilizar-se", o que significava viver segundo moldes europeus, seguindo, principalmente, o estilo requintado dos franceses. Nesse caminho, diversas mudanças foram efetuadas no país, seja no âmbito da arquitetura, nos hábitos ligados ao vestuário e à alimentação, ou na organização de festas cívicas e privadas.

A Fazenda Resgate, em Bananal (São Paulo), de Manoel de Aguiar Vallim, é exemplo claro da forma como o ideal aristocrático deveria ser demonstrado no Brasil. O sobrado colonial, com paredes feitas de taipa, foi construído na primeira metade do século XIX e reformado a partir de 1850, recebendo, nos acréscimos, paredes de adobe (bloco de argila seca, secado ao sol), uma nova fachada, escadaria, ampla sala de jantar, jardins, pomares, hortas, tanques com peixes coloridos e um terreiro de café deslocado para o lado esquerdo, murado e trancado por um portão de ferro. A localização do terreiro de café demarcou a separação entre a casa principal e os demais edifícios de trabalho, inclusive as senzalas dos escravos. A família proprietária pretendia ficar cada vez mais distante dos olhares de escravos e trabalhadores da fazenda, de acordo com as noções de individualidade e privacidade burguesas que se disseminavam no momento.

O andar térreo era usado para funções variadas e dormitório de alguns escravos, provavelmente os do serviço doméstico: cinco caseiros, treze cozinheiras, cinco pajens, sete costureiros, um alfaiate, duas amas, oito mucamas, um copeiro, um sapateiro, um barbeiro, duas lavadeiras, uma rendeira, um hortelão, totalizando 49 escravos só para servir à casa do senhor. A parte da frente da casa, no segundo andar, era reservada para visitantes, com sala de entrada, escritório, três alcovas (dormitórios) para viajantes ou comerciantes e uma sala de visitas, utilizada também como salão de festas. Ainda havia uma sala de jantar, os seis quartos da família e uma sala de costura.

Uma peça que se tornou comum a partir de meados do século XIX, resultado da criação da "sala de jantar", inexistente nas moradias coloniais, foi a mesa para refeições, sempre muito comprida. A de Vallim tinha mais de três metros de comprimento, com dezoito cadeiras de madeira branca. Os muitos convidados presentes às refeições e o novo hábito de festas e jantares comemorativos também motivaram as reuniões à mesa, fazendo-a aumentar de tamanho.

As paredes internas e as portas da casa receberam pinturas de José Maria Villaronga, pintor espanhol, que também elaborou painéis em outras várias fazendas do Vale do Paraíba. As pinturas da Resgate, em especial, tinham significados importantes para o proprietário, principalmente a da nova sala de jantar, que retratava cafeeiros correndo em direção a uma caixa cheia de cédulas monetárias.

De todos os objetos presentes nas residências da época, fossem rurais ou urbanas, um não poderia faltar: o piano, símbolo de distinção e refinamento. O instrumento compunha o cenário de quase todas as casas dos cafeicultores do século XIX, tanto nas sedes das fazendas como nos solares das cidades, ao lado de partituras musicais importadas e revistas especializadas.

As casas que os barões mantinham nas vilas ou cidades onde tinham sua propriedade rural, em forma de solares ou palacetes, eram reflexo de uma nova forma de se relacionar, também influenciada por costumes europeus. Era preciso conviver socialmente nas áreas urbanas, trocar, conhecer. Mesmo morando próximos ao Rio de Janeiro, poucos tinham casas na capital do Império. Quando iam à Corte, se instalavam em casas de parentes ou alugadas.

Em seus palacetes urbanos, os barões promoviam suas maiores festas em dias religiosos – principalmente no de São João – e em homenagem a personalidades importantes. A família Vallim homenageou o Barão de Bela Vista, Manoel de Aguiar, sobrinho de Vallim, em ocasião do recebimento de um título mais elevado: o de Visconde de Aguiar e Toledo. Manoel era o único da família a ter um palacete na Corte do Rio de Janeiro. Além de cafeicultor, o visconde era dono de uma casa comissária no Rio. Seus negócios, entretanto, não foram bem. Endividado, pediu empréstimo a seu tio e o palacete do Rio acabou nas mãos de Vallim.

A festa, denominada "sarau", em homenagem ao visconde, em agosto de 1877, começou com um espetáculo de fogos de artifício. Um conjunto, formado por cinco escravos regidos por um maestro europeu, tocava música europeia para receber os convidados. Era denominado Banda do Tio Antoniquinho, isso porque os músicos eram de propriedade de Antônio Luiz de Almeida, cunhado e genro do anfitrião.

Manoel de Aguiar Vallim foi um dos homens mais ricos de seu tempo. Mas não se tornou nobre. Em meados do século XIX, tinha mais de 650 escravos. Em 1859, época em que concluía as obras de melhoramento da sede da Fazenda Resgate, solicitou ao imperador D. Pedro II o título de Barão do Bananal, prometendo dar em troca um donativo de quinze contos de réis (uma grande quantia na época, equivalente ao preço de cerca de trinta escravos jovens) ao Hospício (hospital) Pedro II.

Desde 1850, com a promulgação da Lei Eusébio de Queirós, o tráfico atlântico de escravos ficou proibido no país. Em 1853, no entanto, foram encontrados negros recém-chegados da África nas terras de Vallim e de alguns de seus parentes. Esses africanos faziam parte de um grande carregamento desembarcado clandestinamente no porto do Bracuhy, em Angra dos Reis, na província do Rio de Janeiro. Vallim e outro poderoso cafeicultor, coronel Joaquim José de Souza Breves, foram acusados de burlar a lei. Ao que tudo indica, comerciavam escravos havia muito, ainda quando o tráfico era permitido, prática que dera origem a parte de suas fortunas. Aparentemente não acreditavam na força da lei de 1850 e, através de alguns expedientes e de grande influência, os dois acusados conseguiram que a queixa contra eles fosse retirada. Mas para os planos de nobreza de Vallim, o envolvimento no episódio foi fatal.

Para conseguir títulos do Império, era necessário o intermédio de pessoas influentes na política, capazes de interceder junto ao imperador. Vallim pediu ao Marquês de Abrantes, ministro do Império, para ajudá-lo. Como resposta, recebeu o seguinte comunicado: "Não posso encarregar-me da pretensão da pessoa de que trata o memorial junto. À vista dos papéis existentes na Secretaria, relativos à questão Negreira do Bracuhy, e examinados por ocasião da pretensão idêntica d'outra pessoa, foi-me insinuado que não propusesse indivíduo algum que tinha [sic] sido pronunciado naquela questão, embora despronunciado ou absolvido depois. Rio, 6 de março de 1859."

Provavelmente o poderoso cafeicultor se precipitara. O caso do Bracuhy ainda era muito recente. Pedro Ramos Nogueira, cunhado de Vallim, por sua vez, foi mais paciente. Chegou a ir a julgamento, no mesmo caso Bracuhy, acusado de comprar escravos, e não de importá-los. Foi absolvido. Em 1874, recebeu o título de Barão da Joatinga. Vallim nem pôde ver dois de seus filhos transformados em barões, na década de 1880. Morreu antes disso, em 1878.

As pretensões aristocráticas dos brasileiros do século XIX estavam diretamente vinculadas à escravidão. O escravo era a sustentação de todos os pontos da modernidade que se queria instaurar. Foi através do comércio de mão de obra africana e da exploração de seu trabalho que se acumularam as maiores fortunas do Brasil. Eram eles "as mãos e os pés" dos senhores. Apesar de idealizada por arquitetos estrangeiros, a construção propriamente dita das casas das famílias ricas era trabalho de escravo. Era pela força física dos escravos que se recheavam as residências de objetos "civilizados", inclusive do pesadíssimo piano. Escravos tocavam música e serviam os convidados em banquetes, bailes e saraus. A abolição da escravidão, em 1888, foi o fim de muitos barões do café.

Mas não foi apenas esse o motivo da decadência da produção cafeeira do Vale. É possível destacar outras duas razões decisivas. A primeira delas, o solo bastante desgastado da região. O cafeeiro é um arbusto que suga muito dos nutrientes da terra, leva cerca de quatro anos para crescer e, entre quatro e vinte anos, está em sua fase madura, produzindo muito bem. Depois de vinte anos, no entanto, fica velho e a colheita de seus grãos deixa de ser rentável. No Vale do Paraíba, com muitas terras propícias para o seu cultivo, quando um cafezal ficava velho, optava-se por aprontar outra terra para novo plantio. Com o tempo, as melhores terras foram acabando e o que restou foi uma grande extensão cheia de cafezais envelhecidos.

A segunda razão para a crise do café no país foi o grande aumento do preço do escravo, causado pelas leis abolicionistas. Após a abolição definitiva do tráfico, em 1850, cessou de vez o abastecimento de mão de obra vinda da África. Cafeicultores tiveram de contar com escravos de outras províncias do Brasil, o que era extremamente caro, além de não ser suficiente. D. Pedro II tentou sanar o problema estimulando a vinda de trabalhadores europeus. A iniciativa não resolveu a crise.

No livro de crônicas *Cidades mortas*, o escritor Monteiro Lobato descreve o destino de ricas cidades cafeicultoras do Vale do Paraíba. Bananal, que chegou a ser a maior produtora de café da província de São Paulo, tornou-se uma "cidade morta", que vive do esplendor do passado: transformou-se em estância turístico-histórica, mantendo poucas sedes majestosas conservadas, como a da Fazenda Resgate. A maioria, entretanto, está em ruínas. O fim da escravidão foi o fim dos barões. E também o fim do Império.

Nova ordem, velhos pactos

•

Além do café com leite

Ao contrário do que se diz, São Paulo e Minas não estiveram sempre de acordo nem controlaram sozinhos a política na Primeira República.

CLÁUDIA M. R. VISCARDI

Análises recentes das sucessões presidenciais na Primeira República (1889-1930) mostram que a famosa aliança entre Minas Gerais e São Paulo, chamada de política do "café com leite", não controlou de forma exclusiva o regime republicano. Havia outros quatro estados, pelo menos, com acentuada importância no cenário político: Rio Grande do Sul, Rio de Janeiro, Bahia e Pernambuco. Os seis, para garantirem sua hegemonia, possuíam uma forte economia e (ou) uma elite política compacta e bem representada no Parlamento. E, juntos ou separados, participaram ativamente de todas as sucessões presidenciais ocorridas no período.

Além desses estados, havia dois coadjuvantes respeitáveis: o Exército e o Executivo. Os militares se destacaram no regime em seus primeiros anos – durante a presidência dos marechais Deodoro da Fonseca (1889-1891) e Floriano Peixoto (1891-1894) –, retornando ao poder em 1910, quando o país foi presidido pelo marechal Hermes da Fonseca (1910-1914). Também provocaram impacto na República nos anos 1920, através do movimento de seus tenentes em prol de mudanças como a instituição do voto secreto, o fim das fraudes eleitorais etc. Já o Executivo Federal conseguiu manter o privilégio de intervir sobre as oligarquias mais frágeis, impondo seu controle sobre elas quando julgasse oportuno, além de exercer atuação marcante na sua própria sucessão e de ser o principal gestor da política monetária e cambial do país - importante num contexto em que o fluxo de capitais externos, tal como hoje, era responsável pela saúde da economia.

O poder de Minas Gerais nesse período é explicado não pela força econômica do gado de leite, mas pela sua projeção política garantida pela bancada de 37 deputados, a maior do país. E a influência de Minas também derivava da forte cafeicultura, já que foi o segundo maior produtor de café do Brasil até o final da década de 1920, sendo responsável por 20%, em média, da produção nacional - a cafeicultura paulista representava cerca de 55% e a fluminense 20%. A expressão mais adequada para a pressuposta aliança Minas Gerais-São Paulo seria, então, "café com café".

Mas a coincidência de interesses entre dois estados cafeicultores já não seria suficiente para que dominassem, de forma exclusiva, a Primeira República? Parece que não. Em que pese sua importância na economia nacional, não foram os produtores de café os únicos controladores do regime republicano.

Costuma-se ver nos livros didáticos os cafeicultores como uma categoria sem diferenças internas. Mas eles divergiam muitas vezes em relação às políticas governamentais sobre o produto e nem sempre conseguiam atuar de forma compacta na defesa de seus interesses. Além disso, questões envolvendo modelos de cafeicultura nos dois estados os afastavam. O café produzido por Minas Gerais era, em geral, de qualidade inferior ao de São Paulo e exigia investimentos específicos. O sistema de transporte, as tarifas públicas, o tamanho das propriedades e o regime de trabalho eram distintos. Tamanha diversidade dificultava acordos. A exemplo dos obstáculos impostos pelo presidente mineiro Afonso Pena para viabilizar o Convênio de Taubaté (1906-1913) - primeira política de proteção ao café, pactuada pelos três estados cafeicultores, com o objetivo de amenizar a crise do setor -, que só foi posto em prática após os interesses mineiros e fluminenses estarem assegurados, isto é, quase três anos depois de ter sido assinado.

Acreditar que o sustentáculo da "política do café com leite" se encontrava na coincidência de interesses cafeeiros dos dois estados significa diminuir, em muito, a complexidade das relações que se estabeleceram entre os estados após 1889. E a análise minuciosa das sucessões presidenciais não sustenta essa afirmação. Em geral, apenas duas sucessões são apontadas como rupturas do acordo entre Minas e São Paulo: a de Afonso Pena/Nilo Peçanha, em 1910, que opôs paulistas (a favor de Rui Barbosa) a mineiros (pró-Hermes da Fonseca); e a de Washington Luiz, em 1930, quando os mineiros deram apoio a Vargas e os paulistas a Júlio Prestes. Mas é possível verificar que a primeira sucessão a colocar em lados opostos paulistas e mineiros foi a de Rodrigues Alves, em 1906. Antes disso, a participação de Minas foi bem restrita em razão de suas dissidências internas. Como nos demais estados, a Proclamação dividiu as elites mineiras entre republicanos e monarquistas (restauradores). E mais adiante, estiveram divididos entre partidários de Deodoro e de Floriano e, depois, entre florianistas e prudentistas.

Já a participação de São Paulo na primeira década republicana foi significativa em função de sua coesão interna. Vários setores da elite política estiveram à frente do movimento republicano, reunidos no Partido Republicano Paulista (PRP), e assumiram, ao lado dos militares, o controle sobre os primeiros anos da República. Quando os paulistas se articularam em torno de uma quarta presidência, em 1906, os mineiros uniram-se e, aliados a gaúchos, baianos e fluminenses, formaram uma coligação conhecida como "Bloco", impondo a São Paulo a retirada do nome de sua preferência, a do paulista Bernardino de Campos.

Derrotados em suas prerrogativas, os paulistas estiveram fora das articulações presidenciais até 1914, quando foi eleito o mineiro Wenceslau Braz (1914-1918). E, durante a sucessão do mesmo Wenceslau, novos problemas voltaram a acontecer: Minas Gerais aderiu imediatamente ao nome de Epitácio Pessoa, proposto pelos gaúchos, enquanto os paulistas se dividiam em torno de pelo menos duas outras candidaturas, a de Altino Arantes e a de Rui Barbosa.

Entre idas e vindas, os dois estados conseguiram finalmente realizar alianças em torno da candidatura de Arthur Bernardes (1922-1926) e de Washington Luiz (1926-1930), mas voltaram a se separar em 1930. E mesmo durante esse breve período como aliados, as relações foram marcadas por conflitos. A exemplo do governo de Bernardes, quando houve oposição dos mineiros à política de proteção ao café comandada pelos paulistas. Além da conhecida hostilidade do presidente da República Washington Luiz às ações de Antônio Carlos, governador de Minas Gerais no mesmo período.

Diante da contínua fraude eleitoral e do baixo comparecimento às urnas, a disputa pelo voto dos eleitores perdia importância em relação à escolha prévia do candidato. O estado que conseguisse lançar uma candidatura aceita pelas bancadas mais proeminentes teria a eleição garantida. E mesmo quando havia competição eleitoral, o apoio ao escolhido era quase unânime. Como um candidato poderia obter 97,9% dos votos? Foi o que aconteceu com o mineiro Afonso Pena, presidente entre 1906 e 1909. Esse índice tão pequeno de rejeição só é possível em eleições não confiáveis. O mais difícil, portanto, em uma eleição na Primeira República, era sagrar-se candidato com o apoio das oligarquias dominantes.

Para isso, as negociações tinham que ser longas e as regras, nunca escritas, mas sempre compartilhadas, tinham que ser respeitadas. Primeira regra: o poder dos estados era desigual e hierarquizado. Segunda: a cada eleição havia uma renovação parcial de poder entre eles, rejeitando-se assim atitudes monopolizadoras. Terceira: a manutenção do regime dependia do cumprimento dos princípios anteriores.

Com base nessas normas, as alianças foram sendo feitas e desfeitas e em cada sucessão o jogo político era reiniciado. As regras eram as mesmas, os acordos, porém, mudavam. Daí a conclusão que a estabilidade do regime republicano não foi garantida por uma aliança de caráter exclusivista entre dois de seus maiores estados. Ao contrário, quando se aliaram e excluíram os demais parceiros, nos anos finais da Primeira República, abalaram o modelo político em vigor.

A instabilidade das alianças entre os estados mais proeminentes – aliados a seus respectivos "satélites" – surge, portanto, como garantia da continuidade do regime. Cada estado sabia seu potencial de intervenção (reconhecido pelos demais) e estava livre para construir, ou não, alianças a partir de seus interesses específicos.

Mas como explicar a expressão "café com leite" se, de fato, a aliança entre Minas e São Paulo teve caráter apenas conjuntural, como as demais? Uma hipótese, ou melhor, uma especulação: é possível que a expressão tenha sido criada pela imprensa, ao final da década de 1920 - pois não foram encontrados registros anteriores -, numa referência à aliança entre paulistas e mineiros em torno da indicação de Arthur Bernardes e Washington Luiz. E reforçada pelo longo governo Vargas (1930-1945) para desqualificar o processo político da velha república que ele pretendia superar. Essa questão, porém, permanece em aberto para quem se dispuser a desvendá-la.

O que querem os tenentes?

A trajetória do movimento que chacoalhou a política nos anos 1920 defendendo mudanças no país desembocou na Revolução de 1930 e em um governo autoritário.

MARIETA DE MORAES FERREIRA

Década de 1920. Novos ventos sopravam no Brasil. O ano de 1922, em especial, foi cenário de uma sucessão de acontecimentos que mudaram de forma significativa o panorama político e cultural do país. A crise do pacto oligárquico era evidente diante da demanda por maior participação política dos setores urbanos, da insatisfação dos militares e do descontentamento crescente de diversos grupos dominantes. Neste ano ocorreu uma disputada sucessão presidencial, que explicitou divergências sérias entre as oligarquias. Foi também o ano da criação do Partido Comunista do Brasil, e do início do movimento tenentista, além da Semana de Arte Moderna e das comemorações do centenário da Independência.

Até então, a política dos governadores, ou política do "café com leite" – acordo entre o presidente da República e governadores estaduais que assegurava o domínio político das oligarquias de Minas e São Paulo –, havia neutralizado as oposições, garantindo que as forças da situação fossem sempre vitoriosas. As eleições presidenciais não eram muito disputadas, com exceção das sucessões de 1910 e de 1919, quando Rui Barbosa, candidato de oposição, foi derrotado, respectivamente, pelo marechal Hermes da Fonseca e por Epitácio Pessoa. Em 1922 foi diferente. Pela primeira vez o confronto entre os estados de primeira e segunda grandeza se apresentou claramente numa disputa pela Presidência da República, revelando o acirramento dos problemas do federalismo desigual brasileiro. O confronto assumiu sua forma plena com o movimento da Reação Republicana, que lançou a candidatura do fluminense Nilo Peçanha em oposição à candidatura oficial do mineiro Arthur Bernardes. Enquanto Bernardes contava com o apoio de Minas Gerais, São Paulo e de vários pequenos estados, em torno da Reação Republicana uniram-se Rio de Janeiro, Rio Grande do Sul, Bahia, Pernambuco e Distrito Federal, que tentavam estabelecer um eixo alternativo de poder.

A plataforma da Reação Republicana defendia a regeneração dos princípios republicanos e a formação de partidos políticos nacionais. Ela criticava a forma como se desenvolvia o federalismo no Brasil, acusando-o de beneficiar apenas os grandes estados. Para enfrentar a ameaça permanente de derrota que rondava toda candidatura de oposição, a Reação Republicana desencadeou uma propaganda eleitoral, coisa pouco comum nas eleições da Primeira República. E, o que é importante, buscou apoio militar.

Apesar do clima de intensa agitação que marcou os primeiros meses de campanha política, as eleições se realizaram na data prevista: no dia 1º de março de 1922. Os resultados eleitorais, controlados pela máquina oficial, deram a vitória a Arthur Bernardes, com 466 mil votos, contra 317 mil de Nilo Peçanha. Mais uma vez, o esquema eleitoral vigente na República funcionou para garantir a vitória do candidato da situação, embora o número de votos conseguido pela oposição materializasse a gravidade da disputa em curso.

Diferentemente das eleições anteriores, a oposição não aceitou a derrota. A Reação Republicana desencadeou uma campanha para manter a mobilização de seus aliados e alimentar a insatisfação militar. A falta de prestígio e poder que os militares enfrentavam – praticamente desde a montagem do pacto oligárquico – era responsável por essa insatisfação. A força que tiveram na primeira década republicana, de 1889 a 1899, havia decrescido consideravelmente. O fechamento da Escola Militar da Praia

Vermelha, em 1904, e a posterior criação da Escola Militar do Realengo alteraram profundamente a formação da oficialidade do Exército. O propósito da nova escola era formar soldados profissionais, afastados das questões políticas e dedicados ao fortalecimento da instituição militar.

Uma série de incidentes ocorridos no início dos anos 1920 iria recolocar na ordem do dia a participação dos militares na política. O episódio das chamadas "cartas falsas" foi um deles. Em outubro de 1921, o jornal carioca *Correio da Manhã* publicou duas cartas que atribuíam a Bernardes críticas ao Exército e ao presidente do Clube Militar, o ex-presidente da República Hermes da Fonseca, criando uma indisposição completa entre o candidato da situação e segmentos militares. Ainda que Bernardes tenha vencido a eleição, estava preparado o caminho para a eclosão da primeira revolta de "tenentes", em julho de 1922. O incidente permitiu que dois movimentos de origens distintas - a rebeldia militar e a Reação Republicana - se articulassem para contestar as estruturas políticas da Primeira República.

O tenentismo foi um conjunto de movimentos militares que se desenvolveu ao longo da década de 1920, prosseguindo até meados dos anos 1930. Liderados pela jovem oficialidade das Forças Armadas, os chamados tenentes tinham como principais bandeiras o fortalecimento da instituição militar, a moralização dos costumes políticos e a construção de um Estado centralizado que pudesse modernizar o país. A primeira revolta tenentista, conhecida como o levante do Forte de Copacabana, foi derrotada, bem como as iniciativas de contestação eleitoral da Reação Republicana.

O movimento não obteve a adesão de segmentos militares expressivos, e as oligarquias dissidentes, que tanto haviam contribuído para acirrar os ânimos militares, não se dispuseram a um engajamento mais efetivo. Epitácio pediu imediatamente a decretação do estado de sítio no Rio e no Distrito Federal, e grande número de deputados dissidentes votaram a favor da medida, demonstrando um recuo das oligarquias e a desarticulação completa da Reação Republicana. Em novembro de 1922, Bernardes tomou posse como presidente da República sob estado de sítio, desencadeando forte repressão contra todos aqueles que se haviam oposto à sua candidatura.

Os levantes tenentistas continuaram por algum tempo. Em julho de 1924, eclodiu uma segunda revolta em São Paulo. Os rebeldes ocuparam a capital por três semanas, e só depois de muita resistência a abandonaram, deslocando-se para o interior. Em abril de 1925, esse mesmo grupo uniu-se a outro contingente revolucionário, que havia sublevado unidades no Rio Grande do Sul. Essa união foi a origem da Coluna Miguel Costa-Prestes, que percorreu a pé 13 estados e cerca de 30 mil quilômetros com o objetivo de levar uma mensagem revolucionária a todo o país. Expressão mais radical dos movimentos militares da década de 1920, a chamada Coluna Prestes foi combatida por diferentes adversários arregimentados pelo governo federal, conseguindo vencer grande parte dos combates. Finalmente, em 1927, contando com poucos remanescentes, refugiou-se na Bolívia e depôs as armas.

A crítica ao governo e a divulgação de propostas políticas integravam o rol de objetivos da Coluna. A peregrinação dos tenentes pelo território brasileiro tinha o propósito de divulgar o ideário que pregava: voto secreto; liberdade de imprensa; equilíbrio na divisão real de poder entre Executivo, Legislativo e Judiciário; combate à fraude eleitoral e à corrupção. Este programa, embora não tenha provocado uma mobilização social relevante, conquistou a simpatia de parte da população urbana.

Três diferentes correntes tentam explicar o movimento tenentista. A primeira, mais tradicional e amplamente difundida, explica o tenentismo como um movimento que, a partir de suas origens sociais nas camadas médias urbanas, representaria os anseios destes setores por uma maior participação na vida nacional e nas instituições políticas. A segunda corrente, formulada a partir de trabalhos produzidos nos anos 1960 e 1970, tenta contestar a absolutização da origem social na definição do conteúdo do tenentismo, privilegiando aspectos organizacionais do movimento, ou seja, entende este movimento como produto da instituição militar. A terceira corrente defende uma análise mais global, levando em conta tanto a situação institucional dos tenentes como membros do aparelho militar, quanto a sua composição social como membros das camadas médias.

Em 1929, iniciou-se novo processo de sucessão presidencial. Tudo indicava que as regras que norteavam o funcionamento da política até então seriam mais uma vez cumpridas: as forças da situação, por meio do presidente da República, indicariam um candidato oficial, que deveria ser apoiado por todos os grupos dominantes nos estados. Dessa vez, contudo, houve uma cisão no cerne do próprio grupo dominante. Washington Luís, resolvido a fazer seu sucessor, indicou como candidato oficial Júlio Prestes, paulista como ele e então presidente do estado. Com isso, rompia-se o acordo tácito com Minas, que esperava ocupar a Presidência da República.

Essa divergência entre Minas e São Paulo abriu espaço para que outras disputas e pretensões, sufocadas no passado, pudessem ressurgir. Nesse contexto, em julho de 1929, com o apoio mineiro, foi lançada a candidatura de Getulio Vargas, o presidente do estado do Rio Grande do Sul, tendo como vice o presidente da Paraíba, João Pessoa. Estava formada a Aliança Liberal, uma coligação de forças políticas e partidárias pró-Vargas. Sua plataforma estava voltada para conquistar a simpatia das classes médias e de setores operários, e seu programa propunha reformas políticas (voto secreto, justiça eleitoral e anistia aos presos políticos) e medidas de proteção ao trabalho (aplicação de lei de férias, regulamentação do trabalho do menor e da mulher).

A acirrada disputa eleitoral foi agravada pela profunda crise econômica mundial provocada pela quebra, em outubro de 1929, da Bolsa de Nova York. No final desse ano já havia centenas de fábricas falidas no Rio e em São Paulo, e mais de um milhão de desempregados em todo o país. A crise atingiu também as atividades agrícolas, especialmente a cafeicultura paulista, produzindo uma violenta queda dos preços do café e liquidando o programa de estabilização do governo que vinha sendo implementado. As eleições se realizaram em março de 1930, e a vitória coube a Júlio Prestes, que recebeu cerca de um milhão de votos, contra 737 mil dados a Getulio Vargas. Mas já estava em marcha um movimento conspiratório para depor Washington Luís pela força das armas e liquidar o pacto oligárquico vigente.

Um acontecimento inesperado deu força à conspiração revolucionária. Em 26 de julho de 1930, o candidato a vice da Aliança Liberal, João Pessoa, foi assassinado em Recife. Embora as razões do crime tenham sido passionais e não políticas, ele foi transformado em mártir do movimento que se articulava. Nos meses seguintes, esse movimento cresceu, com a adesão de importantes quadros do Exército. A articulação entre os setores oligárquicos dissidentes e os tenentes avançou lentamente, sobretudo porque a mais importante liderança tenentista – Luís Carlos Prestes – lançara no exílio, em maio de 1930, um manifesto no qual condenava o apoio às oligarquias.

A posição de Prestes encontrou fortes resistências junto a outras lideranças tenentistas, como Juarez Távora, que acreditava que a articulação com a Aliança Liberal era uma possibilidade que devia ser considerada pelos tenentes – o que de fato acabou se concretizando com o prosseguimento das atividades conspiratórias. Um grupo advindo do movimento tenentista liderado por Távora participou ativamente do movimento revolucionário. A conspiração estourou em Minas Gerais e no Rio Grande do Sul, no dia 3 de outubro de 1930. Em seguida, ela se alastrou para vários estados do Nordeste. Em todos esses locais, após algumas resistências, a situação pendeu para os revolucionários. Em 24 de outubro, o presidente Washington Luís foi deposto e os militares constituíram uma Junta Provisória de governo. Essa Junta tentou permanecer no poder, mas a pressão das forças revolucionárias vindas do Sul e das manifestações populares obrigaram-na a entregar o governo do país a Getulio Vargas, empossado na Presidência da República em 3 de novembro de 1930.

A chegada de Vargas ao poder deu início a uma nova fase da história política brasileira. O significado da Revolução de 1930 tem sido objeto de interesse de inúmeros estudiosos, que têm produzido diferentes interpretações. Para uns, em 1930 teria ocorrido uma revolução liderada por setores urbano-industriais. Para outros, o movimento foi conduzido pelos interesses da classe média, através da ação dos tenentes. Há os que afirmam que o que ocorreu foi apenas um golpe militar para deter o avanço das camadas populares. E há os que enfatizam a ação dos grupos oligárquicos dissidentes. Mais recentemente, considera-se que o movimento não foi resultado da ação de nenhuma classe ou grupo social em particular, mas que combinou diferentes interesses de atores políticos insatisfeitos com a situação vigente.

Essa última interpretação, que vê os vitoriosos de 1930 como um grupo heterogêneo tanto do ponto de vista socioeconômico, quanto do ponto de vista político, vem se consolidando. Mesmo entendendo que o movimento militar de 1930 não pode ser definido como uma revolução, no sentido de alterar profundamente as relações sociais existentes, admite-se que ele inaugurou uma nova fase na História do país, abrindo espaço para profundas transformações.

O tempo transformou o ideário inicial do tenentismo, e o programa político do grupo que aderiu à Revolução de 1930 passou a se caracterizar principalmente pelo estatismo, autoritarismo e elitismo. A presença dos tenentes como interventores (substituindo os governadores) foi marcante no cenário imediatamente posterior à revolução. No entanto, as antigas oligarquias estaduais ofereceram resistência aos tenentes, e as várias tentativas de conciliação acabaram falhando. Assim, nas eleições de 1933 os tenentes perderam espaço na política nacional, mas é certo que não se pode falar sobre mudanças políticas ocorridas a partir da década de 1920 sem se propor a entender este movimento e o seu significado para a história política brasileira.

Mudança de comando

A Revolução de 1930 transformou o Brasil e fez com que um regime ditatorial acabasse tendo apoio popular.

MARLY DE ALMEIDA GOMES VIANNA

Como entender a Revolução de 1930 oitenta anos depois? O movimento abarcou vários períodos, foi seriamente contestado, reprimiu brutalmente seus opositores, ganhou o apoio da classe operária e transformou a economia e o modo de se fazer política no país. Aparentemente contraditório, assim como seu principal protagonista, Getulio Vargas (1882-1954), ele abriu um período da História do Brasil sobre o qual ainda há muita coisa no ar.

Cansada da política ultrapassada da velha República – período que vai da Proclamação da República à chegada de Vargas ao poder (1889-1930) –, a Revolução concretizou a vontade de transformação que a população brasileira tanto queria. Com exceção da oligarquia cafeeira paulista e das outras que dependiam do governo central, a sociedade apoiou com entusiasmo o movimento, que abriu espaço para outras lutas políticas: partidárias, parlamentares, sindicais, estudantis e militares. A classe operária, os novos grupos burgueses e os setores médios urbanos queriam apresentar suas plataformas políticas ou reivindicações.

Embora não tenha modificado profundamente o país – o capitalismo e o clientelismo permaneceram e a reforma agrária não aconteceu –, a Revolução de 1930 representou um marco em nossa História. Isso porque antes, durante a Primeira República, a economia era essencialmente agrária e girava em torno da exportação do café, enquanto o poder político estava centralizado nas mãos dos grandes cafeicultores.

Nos anos 1920, a chamada política do "café com leite" – revezamento de mineiros e paulistas na Presidência do país – estava com os dias contados. A produção cafeeira entrou numa crise sem volta, que acabou sendo agravada pela quebra da Bolsa de Nova York em outubro de 1929. Com isso, setores da economia não vinculados ao café, como aqueles ligados à produção e à exportação de carne no Rio Grande do Sul, ficaram fortalecidos.

O fato de Washington Luís (1869-1957), presidente da República de 1926 a 1930, não abrir mão de um candidato paulista para a sua sucessão ajudou a organizar a oposição à oligarquia cafeicultora paulista. Como era a vez de um presidente mineiro no rodízio, a insistência de Washington Luís no nome do paulista Júlio Prestes (1882-1946) levou ao lançamento de um candidato de oposição. O rompimento de Minas Gerais com São Paulo foi decisivo para os acontecimentos políticos que se seguiram, assim como a organização da Aliança Liberal, que, além dos mineiros, também contava com o Rio Grande do Sul, a Paraíba, o Partido Democrata Paulista e os tenentes.

O candidato do governo acabou saindo vitorioso nas eleições nada secretas e evidentemente fraudulentas de março de 1930, fato reconhecido pelo governador do Rio Grande do Sul, Borges de Medeiros (1863-1961), na edição de 19 de março do jornal *A Noite*: "Fraudes houve em todo lugar, inclusive aqui." Getulio Vargas havia obtido quase 100% dos votos do estado, resultado que levou o bloco da Aliança Liberal a se articular para chegar ao poder por outros meios.

Os tenentes – que gozavam de grande prestígio desde a revolta do Forte de Copacabana (1922), a revolução paulista (1924) e a coluna Prestes-Miguel Costa – achavam que havia chegado a hora de pegar nas armas e tomar o poder, enquanto Borges de Medeiros pregava a conciliação. Pensando em levar adiante o plano dos militares, Vargas se encontrou com o então líder tenentista Luís Carlos Prestes (1898-1990) em duas ocasiões – novembro de 1929 e janeiro de 1930 –, e lhe entregou 800 mil dólares para comprar armamentos. Em maio de 1930, Prestes rompeu com os tenentes e ficou com a maior parte do dinheiro para fazer "a verdadeira revolução": a comunista. Rompeu sozinho. Todos os tenentes ficaram do lado de Vargas.

O assassinato do presidente do estado da Paraíba, João Pessoa, vice na chapa de Getulio, em julho de 1930, embora não tivesse motivos políticos, foi usado para acirrar os ânimos e convencer o futuro presidente e seus aliados civis de que a revolução armada era uma necessidade. Com isso, teve início, no dia 3 de outubro de 1930, um movimento encabeçado pelos tenentes que tomou os quartéis de todo o país, até com certa facilidade. Ao perceberem que a revolução havia sido vitoriosa, os generais Tasso Fragoso (1869-1945), João de Deus Mena Barreto (1874-1933) e o almirante Isaías de Noronha (1874-1963) depuseram Washington Luís e instalaram uma junta governativa que entregou o poder a Getulio Vargas na madrugada de 31 de outubro, quando este chegou ao Rio. Três dias depois, o ex-candidato derrotado tomou posse como Chefe do Governo Provisório. Era o fim da "velha" República e o começo da "Era Vargas".

A vitória da Revolução reforçou uma ideologia positivista que pregava a crença na importância da indústria, em um governo centralizador e autoritário e no paternalismo com os trabalhadores. Vargas acreditava – talvez com razão – que seria possível, naquela época, proclamar a independência econômica do Brasil, cortando os laços de dependência com o exterior. Se realmente existiu, tal possibilidade foi frustrada pela Segunda Guerra Mundial (1939-1945). Em relação à classe operária, o novo governo foi, ao mesmo tempo, condescendente e altamente repressivo. Os trabalhadores urbanos obtiveram ganhos significativos: salário mínimo, jornada de trabalho de oito horas e regulamentação do trabalho de menores e das mulheres. Mas, ao mesmo tempo, a estrutura sindical ficou totalmente atrelada ao Ministério do Trabalho.

Não se pode falar da Revolução de 1930 sem considerar tudo o que ocorreu nos anos seguintes. Em julho de 1932, teve início uma rebelião em São Paulo que pretendia cobrar do presidente a convocação de uma Assembleia Constituinte. Debelada a revolta, uma segunda Constituição acabou sendo promulgada no dia 17 de julho de 1934, e resultou na eleição indireta de Vargas como presidente. Por tudo isso, ele enfrentava uma forte oposição: parte dos tenentes que o haviam apoiado em 1930, desiludida com o governo, que consideravam não ter cumprido as promessas de campanha, criou, em março de 1935, a Aliança Nacional Libertadora.

Getulio ainda perdeu boa parte dos aliados gaúchos, que deixaram de apoiá-lo por causa de disputas de poder nas eleições estaduais de outubro de 1935. O governador do Rio Grande do Sul, Flores da Cunha (1880-1959), que intervinha na política fluminense, fez com que toda a bancada do estado se opusesse a Getulio no Congresso, reforçou ostensivamente o Corpo de Provisórios e a Brigada Militar, e tentou jogar Santa Catarina, Paraná, São Paulo, Mato Grosso e Rio de Janeiro contra Vargas.

Com grande inteligência política, Getulio uniu o país em torno do combate ao comunismo – pois sabia melhor do que ninguém que os comunistas, que na época estavam desarticulados ou presos, não ofereciam perigo algum –, conseguiu neutralizar seus opositores e até ganhou o apoio destes. Sabia, contudo, que deixaria seu cargo em 1938, quando haveria novas eleições. Mas o presidente não queria que os paulistas retomassem o poder com Armando de Salles Oliveira (1887-1945).

No dia 10 de novembro de 1937, Getulio deu o golpe que estabeleceu o Estado Novo. Sem poder contar totalmente com seus antigos aliados – e prevendo a vitória dos paulistas nas eleições de 1938 –, ele passou a se apoiar cada vez mais nos generais e coronéis simpatizantes do fascismo, que garantiram a permanência de Vargas no poder.

Eram poucos os que, nessa época, defendiam um governo liberal. A direita, representada pelos integralistas, tinha simpatia pelo fascismo. A esquerda, dos tenentes, não descartava um regime repressor para impor suas propostas nacionalistas, antilatifundiárias e liberais. E os comunistas, que se uniram aos tenentes na Aliança Nacional Libertadora, acreditavam numa ditadura de classe para acabar com a exploração do homem pelo homem. Os mesmos generais que apoiaram Getulio o depuseram em 29 de outubro de 1945. Mas o voto direto o levou, em 1950, outra vez à Presidência, que ele deixou definitivamente quando se suicidou no dia 24 de agosto de 1954, momento em que vinha sofrendo ataques constantes de seus opositores.

Afinal, por que não foi possível enfrentar os desafios econômicos sem recorrer à ditadura? Por que os direitos humanos foram tão desrespeitados durante o Estado Novo, ao mesmo tempo em que se tomaram medidas de proteção aos trabalhadores? Pelo visto, essa fase marcante da História do Brasil deixa até hoje muitas questões em aberto.

Fascismo verde-amarelo

•

Segurança nacional

A política imigratória do Estado Novo representou uma cruel barreira para os refugiados judeus.

MARIA LUIZA TUCCI CARNEIRO

Desde a instauração do Estado Novo, em novembro de 1937, o governo brasileiro procurou impedir a imigração dos judeus refugiados do nazismo e dos sobreviventes do Holocausto. Indiferentes ao drama vivenciado pelos judeus na Europa, as autoridades brasileiras optaram pela adoção de uma política imigratória seletiva e restritiva. Valendo-se de velhos argumentos antissemitas, interpretaram essa imigração como uma ameaça à integridade étnica e religiosa da população, idealizada como branca e católica. Representantes do governo argumentavam que a pobreza e a exploração do homem trabalhador poderiam ser evitadas desde que o Estado selecionasse o emigrante interessado em ingressar no país.

Critérios para a concessão de vistos de entrada no Brasil foram então adotados com base em doutrinas racialistas em voga na Europa desde o século XIX, como o arianismo, o darwinismo social, o evolucionismo social e a eugenia. Somou-se a este ideário racista a tradicional crença na pureza de sangue herdada do Império Ibérico, então aplicada à sociedade do Brasil colonial. Nas décadas de 1930-1940, seduzidos pelo progresso alcançado pelos países de regime totalitário, alguns setores do mundo político e diplomático brasileiro apresentaram-se como partidários das teorias e práticas antissemitas que mobilizavam os nazistas em prol da edificação de uma raça pura.

Ligadas ao poder, essas autoridades acreditavam que, proibindo a entrada de judeus no Brasil, estariam impedindo a proliferação de doutrinas perigosas à segurança nacional, como o comunismo e o socialismo, e também o ingresso no país de representantes de uma raça que consideravam inferior. A lógica era de que o equilíbrio social, racial e político somente poderia ser alcançado por meio da intervenção direta do Estado que, sob a liderança de Getulio Vargas (1882-1954), se apresentava como capacitado a transformar o Brasil numa nação forte e gerar um "novo homem" brasileiro. Este foi um dos lemas políticos e racistas que conduziram a política do Estado Novo (1937-1945).

Por meio de ações preventivas e punitivas, o governo Vargas sustentou uma política imigratória antissemita com o objetivo de garantir uma imigração saudável e civilizada. O discurso intolerante adotado pelos nacional-socialistas alemães foi adaptado à realidade brasileira, servindo como argumento político para impedir a entrada de imigrantes tidos como indesejáveis, entre estes os judeus, os negros e os japoneses. É importante lembrar que os refugiados judeus eram, em grande parte, profissionais liberais, comerciantes, intelectuais, artistas e ativistas políticos excluídos da sociedade alemã e dos países ameaçados de ocupação pelos nazistas desde 1933.

Diante da Liga das Nações, o Brasil devia sustentar a imagem de nação identificada com os ideais democráticos e de defensor dos direitos humanos. Não convinha a divulgação de notícias de que o governo brasileiro era contrário à entrada e à presença de judeus no país. Qualquer prática antissemita por parte do Estado Novo poderia identificá-lo com o ideário do governo de Adolf Hitler, que desde 1933 executava um plano de exclusão dos judeus da sociedade alemã, posteriormente transformado em plano de extermínio ou "Solução Final da Questão Judaica".

Coube ao Ministério das Relações Exteriores do Brasil emitir circulares secretas que regulassem a entrada dos judeus indesejáveis por sua "raça". A primeira delas (nº 1.127, de 7 de junho de 1937) foi redigida na gestão do ministro Mário de Pimentel Brandão (1889-1959), das Relações Exteriores, com o objetivo de combater o caráter "desordenado" e "tumultuado" desta imigração, que, para o governo brasileiro, deveria ser interrompida imediatamente. Ao assumir a chefia do Itamaraty em março de 1938, Oswaldo Aranha (1894-1960) deu continuidade a esta política de intolerância: emitiu a "circular secreta" nº 1.249 (de 27 de setembro de 1938), com o objetivo de "disciplinar" o fluxo dos judeus indesejáveis.

Este controle, segundo o chanceler, era necessário, pois o Brasil havia sustentado, entre 1934-1937, "uma política francamente liberal no que diz respeito à entrada de semitas, dando lugar a que entrassem, de acordo com os cálculos fornecidos pelos próprios comitês israelitas, cerca de 200 mil semitas" - número incorreto, pois na década de 1930 a comunidade judaica brasileira não ultrapassava 50 mil pessoas. Preocupado com o "perigo judaico", Aranha copiou estes números de um memorando de 15 de fevereiro de 1939 assinado por João Carlos Muniz - então diretor do Conselho de Imigração e Colonização (CIC), órgão governamental criado em 1938 para opinar sobre os casos de imigração coletiva -, segundo o qual "a raça de Israel ameaçava entrar em volumosas proporções" no território brasileiro.

Existem pelo menos 24 circulares secretas antissemitas emitidas pelo Itamaraty entre 1937 e 1948, além da primeira "ordem permanente de serviço", que antecipava o teor racista da já citada circular nº 1.127. Este conjunto de proibições tinha consequências imediatas na vida daqueles que procuravam fugir das perseguições nazistas que culminaram, em 1945, ao fim da Segunda Guerra Mundial, na morte de seis milhões de judeus, além de milhares de ciganos, testemunhas de Jeová, deficientes físicos e dissidentes políticos. Ao negar vistos aos judeus interessados em emigrar para o Brasil, o governo Vargas deixou de salvar milhares de vidas. Assim como o Brasil, outros países têm uma responsabilidade histórica diante da morte de milhares de judeus que, não conseguindo vistos para emigrar, acabaram seus dias nos campos de extermínio nazistas.

É importante lembrar que, além das questões de "raça", o CIC estava atento às posições políticas de judeus que, marcados pelo estigma racial, eram considerados perigosos para a segurança nacional por sua identificação com o comunismo ou com os movimentos antifascistas. Daí a consulta obrigatória ao Ministério da Justiça e Negócios Interiores, ao Estado-Maior do Exército e ao chefe da Polícia Política. Até 1941, coube ao Ministério das Relações Exteriores decidir sobre os pedidos individuais e coletivos; após esta data, a última palavra passou a ser dada pelo ministro da Justiça, Francisco Campos (1891-1968), antissemita e fascista convicto. Este fato, no entanto, não diminui a responsabilidade do Itamaraty, que continuou intermediando as concessões dos vistos com diplomatas em missão no exterior.

Apesar da postura antissemita do governo brasileiro, imigrantes conseguiam entrar no Brasil com a ajuda das associações judaicas nacionais e internacionais. Por intermédio de líderes comunitários, essas entidades se valiam das brechas na Constituição de 1934, que instituíra no Brasil o regime de cotas para a imigração, estabelecendo determinado percentual de vistos para cada nacionalidade. Por esse sistema, mantido pela Constituição de 1937, os judeus poderiam obter vistos de entrada pelas cotas de várias nacionalidades, já que tinham diferentes origens: franceses, alemães, ingleses, tchecos, austríacos etc. O fato dos judeus serem avaliados como "raça", ainda que cadastrados por sua religião (israelita), criava sérios embaraços às autoridades da imigração. Estas perceberam que, apresentando nacionalidades distintas, os refugiados tinham múltiplas oportunidades de entrada.

Valendo-se de "cartas de chamadas", muitos refugiados ingressavam como falsos católicos, agricultores ou técnicos. Outros depositaram em conta do Banco do Brasil o capital mínimo exigido pelo governo, quinhentos contos de réis, para a obtenção de vistos desta categoria, que por se condicionarem a esse depósito ficaram conhecidos como "vistos capitalistas". No entanto, milhares não conseguiram obtê-los por não disporem da quantia necessária, dada a situação de penúria em que ficaram, decorrente do confisco de seus bens pelos nazistas.

É impossível contabilizar o número de judeus que entraram ilegalmente com a ajuda das associações judaicas internacionais envolvidas no processo de resgate dos refugiados do nazifascismo. Essas instituições providenciavam passaportes e atestados de batismo falsos, empréstimos para a compra de passagens e estada provisória no Brasil, além de intermediarem o trânsito pelos territórios dos países que se mantinham neutros durante a guerra, como Portugal e outros. Entre os raros diplomatas brasileiros que ajudaram a salvar centenas de judeus está o embaixador Luiz Martins de Souza Dantas, aliás aposentado "a bem do serviço público" por desafiar as regras impostas pelas circulares. Dantas foi reconhecido como um dos "Justos entre as Nações" pelo Instituto Yad Vaschem, memorial oficial de Israel para lembrar as vítimas do Holocausto.

A partir de 1938, ao ficar sob a responsabilidade do CIC, a questão, que até então era racial e social, assumiu status de problema político. A intensificação do movimento imigratório exigia também uma reinterpretação da questão judaica, assunto que estava em pauta nos Comitês Pró-Refugiados Políticos e nas assembleias da Liga das Nações. Apesar da pressão internacional, a maioria dos diplomatas brasileiros continuou a avaliar os refugiados judeus como "raças estanques, psicopatas incubados, parasitas do asfalto e das boates, propagandistas ocultos de ideologias reacionárias, indivíduos perigosos à segurança nacional, inaptos física e mentalmente".

Salvo poucas e honrosas exceções, diplomatas clamavam por medidas de profilaxia no expurgo dos cidadãos judeus – preocupação que marcou as ações de Jorge Latour, em missão nas cidades de Varsóvia (1936) e Roma (1938). Colhendo fragmentos de uma realidade deteriorada por onde transitavam velhos judeus, vagabundos e ambulantes, Latour procurou comprovar, por meio de fotografias e de relatórios antissemitas, que não interessava ao Brasil receber aquele "tipo de gente" – ou seja, "judeus inúteis".

Entre 1938 e 1940, a situação internacional mostrava-se ainda mais tensa, em decorrência do avanço nazista na Europa. O Brasil, por sua falsa neutralidade, se apresentava ao mundo como uma incógnita, porém passível de ser manipulado pelos Estados Unidos, que tinham no chanceler Oswaldo Aranha seu principal aliado. Entre 1940 e 1941, o ministro da Justiça, Francisco Campos, criou novas leis imigratórias restringindo ainda mais a imigração judaica, que estava em declínio desde 1939.

Em janeiro de 1941, o decreto nº 3.175 suspendeu toda e qualquer emissão de vistos, permitindo apenas a entrada de portugueses e americanos, com especial atenção aos artistas e capitalistas que pudessem depositar quatrocentos contos de réis no Banco do Brasil. Vistos temporários seriam concedidos somente àqueles que, provenientes da América, comprovassem que poderiam retornar ao seu país de origem, regra nem sempre obedecida. No ano seguinte, a imigração judaica estava praticamente suspensa, apesar dos pedidos de socorro por parte de associações e comitês judaicos internacionais.

Ainda que ligado aos países aliados, o governo Vargas não ajudou a salvar os judeus perseguidos pelo nazismo. A criação de um Lar Nacional Judaico – o futuro Estado de Israel, fundado em 1948 – foi considerada por Oswaldo Aranha (ainda enquanto relator da comissão preparatória para a II Assembleia na ONU), uma fórmula adequada para desviar as correntes dos judeus deslocados por guerras e sobreviventes do Holocausto para a Palestina. Ao mesmo tempo, não convinha ao Brasil conviver com as várias comunidades judaicas da diáspora, organizadas e articuladas politicamente contra os regimes fascistas. As elites políticas brasileiras acreditavam na efetivação de um possível complô internacional comunista-judaico, o que explica a censura postal à comunidade israelita entre 1934 e 1948, a vigilância policial das associações judaicas brasileiras e a manutenção de circulares antissemitas até 1948, portanto durante o governo Dutra.

Quando distante das pressões dos Estados Unidos e da Grã-Bretanha, assim como dos grupos de socorro internacional, o governo Vargas, portanto, adotou princípios antissemitas em prol da "higienização" da raça brasileira. Neste contexto, duas palavras servem para classificar a atitude de dirigentes políticos diretamente ligados ao então ditador Getulio Vargas: omissão e insensibilidade quanto ao destino de milhões de pessoas que tiveram por um momento histórico todos os seus direitos suprimidos. O indeferimento de vistos a milhares de judeus foi um sinal evidente do distanciamento do Brasil em relação à causa dos refugiados, cujo drama clamava, então, por soluções imediatas e humanas.

Hoje, transcorridos mais de setenta anos desde a emissão da primeira circular secreta do Estado Novo, consideramos que a concentração de várias comunidades judaicas no território brasileiro representa conquistas coletivas, e exclusivas, do povo judeu no exílio. Afinal, para o governo brasileiro, o que estava em jogo eram as "situações de poder", e não a vida de milhares de israelitas. O antissemitismo não se fez por acaso: foi fruto da persistência de uma mentalidade racista sedimentada havia séculos no país e que, naquele momento, aflorou da maneira mais desumana possível.

Nazismo tropical

No Sul do Brasil a Ação Integralista fez sucesso entre alemães e italianos mas estava longe da adesão às ideias de Mussolini e Hitler.

RENÉ E. GERTZ

Nos anos 1920-1930, com a ascensão do fascismo na Itália e do nazismo na Alemanha, movimentos congêneres surgiram em várias partes do mundo. No Brasil, o escritor Plínio Salgado criou a Ação Integralista Brasileira (AIB), que apresentava semelhanças com o fascismo europeu. Tinha organização militarizada e seus adeptos usavam uniforme com camisa verde e uma braçadeira com a letra grega sigma, ao estilo da suástica nazista. A AIB conservava, no entanto, algumas diferenças em relação ao nazismo. Num país de mestiços, não insistia, por exemplo, na pureza racial, o que não impediu que o segundo homem na cúpula do partido depois de Salgado, Gustavo Barroso, fosse um fervoroso antissemita.

Os próprios integralistas diziam ter um milhão de adeptos, achando-se o maior número de filiados em São Paulo, seguido de Bahia e Santa Catarina. Mesmo que não se saiba quem eram os integralistas de São Paulo, e mesmo que os da Bahia provavelmente não fossem de origem alemã ou italiana, não há dúvida de que em Santa Catarina o integralismo era claramente mais forte nas regiões de colonização alemã e italiana. As eleições municipais de março de 1936 provaram que a maioria dos que votaram na Ação

Integralista Brasileira se concentrava no Vale do Itajaí, tendo escolhido oito prefeitos e 72 vereadores integralistas na região.

Também no Rio Grande do Sul, os maiores percentuais de integralistas estavam em municípios típicos de colonização alemã e italiana, mesmo que em número menor. Das escassas quatro cadeiras conquistadas em câmaras municipais nas eleições de novembro de 1935, três foram em Caxias do Sul e uma em Novo Hamburgo, cidades de colonização italiana e alemã, respectivamente.

Para o público da época, e para muita gente até hoje, esse fato não requeria explicação, pois, sobretudo no que tange a alemães e descendentes, estava muito difundido o mito de que não se haviam integrado à nossa realidade e, mesmo sendo cidadãos brasileiros, nenhum deles tinha qualquer interesse pelo país. Ouvia-se dizer que quando falavam em "pátria", eles se referiam à Alemanha. Comentava-se que conheciam o nome de todas as autoridades alemãs, mas que não teriam a menor ideia de quem fosse o presidente do Brasil e muito menos de quem eram seus ministros ou o governador de seu estado.

Teriam formado "quistos étnicos", à margem da sociedade e do Estado brasileiros. Com isso, teriam sido integralmente assimilados pelo nazismo. Com o apoio entusiástico desses leais "cidadãos no exterior", a Alemanha teria tramado a divisão do Brasil, e os integralistas se associado a esse projeto imperialista alemão. No livro *O punhal nazista no coração do Brasil*, publicado por autoridades policiais de Santa Catarina em 1943, lê-se: "Do estudo da documentação apresentada, é de concluir: nazismo e integralismo são unos" (p. 178).

Parece lógico. Além disso, há indícios de que é verdade. Em Santa Catarina, um jornal em língua alemã (a *Blumenauer Zeitung*) fez propaganda para o integralismo e o nazismo; o livro das autoridades policiais catarinenses traz uma foto com sedes embandeiradas de diretórios integralista e nazista no mesmo prédio. No Rio Grande do Sul, o almanaque *Der Heimatbote* [O mensageiro da Pátria], de Santa Cruz do Sul, fez propaganda para ambos.

No entanto, quem lê com atenção aquilo que se escreveu sobre esse tema acaba detectando problemas sempre que se tenta generalizar a lógica da identidade absoluta dos dois movimentos. Num outro livro da época, *The nazi octopus in South America* [O polvo nazista na América do

Sul] (1943), do uruguaio Hugo Fernández Artucio, é dito que a "arrogância das autoridades alemãs em Santa Catarina [evidentemente, consideradas nazistas] ia a ponto de tentar proibir que a Ação Integralista Brasileira se organizasse naquele estado". Passagens deste tipo têm sido utilizadas de forma totalmente acrítica por autores contemporâneos. É notório que o integralismo teve uma expansão muito significativa no estado, fato que mostraria "uma dicotomia entre a cúpula dirigente germânica e os membros da colônia".

Diante de constatações desse tipo, o pesquisador é obrigado a perguntar se a Alemanha efetivamente tinha controle absoluto sobre alemães e descendentes, como prega a tese do "perigo alemão", difundida no Brasil desde, pelo menos, 1870, pois se as "autoridades alemãs" tentaram agir contra o integralismo em Santa Catarina e mesmo assim ele floresceu, a propalada manipulação absoluta da população por parte dessas "autoridades alemãs" não existia. Mesmo tentativas mais sofisticadas, que recorrem a traços culturais, também não vão longe antes de caírem em contradição. No seu livro *Nacionalismo e identidade étnica*, a antropóloga Giralda Seyferth afirma: "É muito difícil pensar em centenas de pessoas identificadas com um nacionalismo essencialmente antibrasileiro [germanismo/nazismo], filiadas a um partido nacionalista brasileiro [integralismo]."

Na verdade, só se consegue entender o que houve nas regiões de colonização alemã do sul do Brasil naquela época quando se descartam alguns mitos. É evidente que uma narrativa com espetaculares trombadas entre superespiões rivais, em meio a uma população exótica e alienada, com suspeitíssimos mapas contendo diabólicos planos de dilaceração do Brasil desenrolando-se pelo chão, é muito mais empolgante do que uma história em que não apareccm evidências da estocagem de milhares de mortíferas armas marcadas com o sigma e a suástica; ou uma história que não consegue confirmar que cidadãos brasileiros loiros escalavam as escarpas do litoral na calada da noite para, com lamparininhas de querosene, guiar submarinos nazistas ao destino certeiro para garrotear o Brasil.

Isso não significa que não tenha havido intensa espionagem nazista no Brasil. Ela está descrita no livro *A guerra secreta de Hitler no Brasil*, do historiador Stanley Hilton. Fato, porém, é que a população de origem alemã do sul do Brasil não teve nada a ver com isso. Um dos espiões citados nesse livro se hospedou num hotel do Rio de Janeiro dizendo que era "catarina", mas era espião profissional, vindo de fora. O que está mais próximo da verdade histórica?

Primeiro, a alienação política da população de origem alemã do sul do Brasil, um pressuposto das versões "fascinantes" dessa história, é uma lenda. No Rio Grande do Sul, o controle dos governadores Júlio de Castilhos e Borges de Medeiros sobre as regiões de colonização alemã e italiana, com prefeitos e vereadores impostos, pode ter dado a impressão de desinteresse e alienação. Mas logo que o poder quase absoluto de Borges foi quebrado pelo Pacto de Pedras Altas, que pôs fim à revolução de 1923, isso mudou. O acordo proibiu Borges e os prefeitos de serem reeleitos, além de conceder anistia geral aos revoltosos, o que permitiu que nas "colônias" se instituíssem práticas republicanas, como "prévias eleitorais". Isto propiciou uma intensa mobilização política nos municípios coloniais. Se nas eleições municipais de 1928 em Porto Alegre, por exemplo, compareceram míseros 4% da população, em muitos desses municípios perto de 40% da população votou.

É a partir de dados assim que se pode entender por que cerca de 20% dos eleitores de Novo Hamburgo, uma das "colônias alemãs" mais típicas do Rio Grande do Sul, tenham votado no integralismo nas eleições municipais de 1935. Esses dados mostram que é a situação política local que explica o relativo sucesso do integralismo nesse município, e não uma ordem de Hitler, transmitida em código pela Rádio de Berlim.

Em Santa Catarina, o sucesso da AIB se explica de forma muito racional, e sem qualquer mistério, pela tradicional rivalidade entre as famílias Ramos e Konder, e a influência desta última no Vale do Itajaí. Os Konder dominavam a política catarinense pelo menos desde 1914. Na Revolução de 1930, apostaram no candidato do governo, Júlio Prestes, e os Ramos, em Getulio Vargas. Com a vitória, os Ramos começaram a desforra contra os Konder, que se manifestou numa brutal perseguição a toda a população, com cenas de guerra civil desde o primeiro dia. Assim, as duas famílias acabaram perdendo seu eleitorado, abrindo espaço para os candidatos integralistas. Também ali, não foi uma ordem de Berlim que levou os eleitores a votar nos "camisas-verdes".

E a relação nazismo e integralismo? Mais uma vez, é preciso deletar mitos. Apesar de eventuais exceções, nem a diplomacia alemã nem as principais instâncias do Partido Nazista apostaram cegamente no integralismo. Alguns integralistas, por sua vez, destacavam que nada tinham a ver com o nazismo. Segundo o professor Luís Edmundo de Souza Moraes, da Universidade Federal Rural do Rio de Janeiro, o número de nazistas em todo o Brasil não chegava a três mil. Cerca de quinhentos estavam registrados no Rio Grande do Sul, e mais ou menos o mesmo número em Santa Catarina. Com muita frequência, brigavam com as lideranças tradicionais das "colônias" e, nesses casos, se aliavam, por vingança, aos integralistas, que tinham um discurso nacionalista. Isso explica o fato de que um mesmo jornal fizesse propaganda integralista e nazista.

Há mais uma questão: o mito da total homogeneidade político-cultural das regiões de colonização alemã leva à conclusão de que nazistas e integralistas eram "tudo a mesma coisa", só porque tinham sobrenomes alemães. Essa visão levou a alguns absurdos. Depois da implantação da ditadura de Vargas, em 1937, o prefeito "integralista" de Blumenau, por exemplo, foi ruidosamente derrubado, e em seu lugar colocou-se o vereador "integralista" mais votado do município. A diferença entre ambos foi que o primeiro se chamava Alberto *Stein*, o segundo José *Ferreira da Silva*.

Golpe militar, violência e exclusão

•

Nos porões do Estado Novo

A ditadura de Getulio Vargas tratou com encarceramento e torturas quem ousasse se opor ao seu governo e planos. A comissão de inquérito criada para investigar deu em nada.

JOSÉ MURILO DE CARVALHO

Assassinatos com motivação política não foram raros durante a ditadura do Estado Novo (1937-1945). O caso mais gritante foi o fuzilamento de oito participantes do assalto ao Palácio Guanabara em 1938, organizado por militares e militantes da Ação Integralista Brasileira. Os oito tinham sido capturados e desarmados quando foram mortos nos fundos do palácio, como admitiu em suas memórias o general Góis Monteiro (1889-1956). Não houve qualquer investigação sobre o crime. Há referências a assassinatos nas revoltas comunistas de Natal e Recife em 1935 e nas delegacias de polícia, sobretudo na sede da Polícia Central, na rua da Relação, na então capital da República, e nas casas de Detenção e Correção. Um médico da Polícia Militar, Nilo Rodrigues, por exemplo, disse ao jornalista Vítor do Espírito Santo ter presenciado fatos de alarmar: "espancamentos horrorosos, vários assassinatos dentro da Polícia Especial." Mas, graças à censura à imprensa, poucos desses crimes vieram a conhecimento público. Quase todos foram abafados nos porões das delegacias.

A tortura de presos foi investigada e descrita pelo jornalista David Nasser (1917-1980), inicialmente em seis reportagens publicadas na revista *O Cruzeiro* - a primeira delas em 29 de outubro de 1946 - e, depois, em livro de 1947. As publicações foram intituladas *Falta alguém em Nuremberg*. Esse alguém era o capitão do Exército Filinto Müller (1900-1973), chefe de polícia da capital de 1933 e 1942. Os principais instrumentos de tortura mencionados em depoimentos no Congresso e registrados por David Nasser eram: o maçarico, que queimava e arrancava pedaços de carne; os "adelfis", estiletes de madeira que eram enfiados por baixo das unhas; os "anjinhos", espécie de alicate para apertar e esmagar testículos e pontas de seios; a "cadeira americana", que não permitia que o preso dormisse; e a máscara de couro.

Era também prática comum queimar os presos com pontas de cigarros ou de charutos e espancá-los com canos de borracha. Em alguns casos, o requinte era maior. O ex-sargento José Alves dos Santos, por exemplo, teve um arame enfiado na uretra ficando uma ponta de fora, que foi, a seguir, aquecida com um maçarico. Para que os gritos dos torturados não fossem ouvidos fora do prédio da Polícia Especial, um rádio era ligado a todo o volume. Poucos torturados resistiam. Houve quem se suicidasse pulando do terceiro andar da sede da Polícia Central; outros enlouqueciam, como foi o caso de Harry Berger, membro do Partido Comunista Alemão, torturado durante anos juntamente com sua mulher, Sabo. Quase todos guardavam sequelas para o resto da vida no corpo e na mente.

Os acusados eram processados e julgados pelo Tribunal de Segurança Nacional, criado logo depois do levante comunista de 1935, ainda antes do Estado Novo. Após a revolta integralista de 1938, já no regime de exceção, o regulamento do Tribunal foi alterado para apressar os julgamentos e reduzi-los quase a rito sumário, ou seja, sem processo formal. Recebido o inquérito, o juiz dava imediatamente vista ao procurador e citava o réu. O procurador tinha 24 horas para a denúncia. Findo o prazo, era marcada audiência para instrução e julgamento dentro de 24 horas, tempo que tinha também a defesa para se preparar. Em cinco dias, tudo se resolvia. Recurso só era admitido para o próprio Tribunal pleno, cuja sentença era irrecorrível. O Tribunal processou mais de 10 mil pessoas e condenou 4.099.

Apesar da anistia concedida por Vargas em 1945, houve na Constituinte de 1946 tentativas de investigar e punir os crimes cometidos pela polícia política do Estado Novo. O esforço foi liderado pelo general Euclides de Oliveira Figueiredo (1883-1963), deputado eleito pela União Democrática Nacional (UDN) do Distrito Federal e pai do futuro presidente João Batista de Oliveira Figueiredo (1918-1999). Quando coronel, Euclides fora acusado de participação nos planos do fracassado assalto ao Palácio Guanabara em 1938. Julgado pelo Tribunal de Segurança Nacional, foi condenado a cinco anos e quatro meses de prisão, pena reduzida posteriormente para quatro anos e quatro meses.

O general apresentou, em 30 de abril de 1946, um requerimento em que pedia "profundas e severas" investigações no então Departamento de Segurança Pública para "conhecer e denunciar à Nação os responsáveis pelo tratamento dado a presos políticos". O requerimento foi aprovado, e em maio foi criada a "Comissão encarregada de examinar os serviços do Departamento Federal de Segurança Pública", presidida pelo senador Dario Cardoso (1899-1987). O general não foi incluído entre seus membros, provavelmente por ser incômodo aos que tinham alguma vinculação com o regime deposto.

A Comissão deu em nada. Raramente havia quórum para as reuniões. As denúncias de crimes foram parar no arquivo da Casa. A Constituinte encerrou as atividades em setembro de 1946 sem que chegasse a conclusões concretas. Em 7 de novembro, já em sessão ordinária da Câmara, o general, inconformado, requereu a instalação de nova comissão. Argumentou, segundo os *Anais da Câmara*, que a matéria não era "daquelas que podem ser esquecidas. Trata-se de fazer justiça, descobrir e apontar os responsáveis por crimes inomináveis, praticados com a responsabilidade do governo". Acrescentou ainda: "As grandes nações democráticas que fizeram a guerra ao totalitarismo já julgaram e executaram os responsáveis pelos horrendos crimes contra a humanidade. Nós também tivemos criminosos, não de guerra, mas de paz, de plena paz, e contra brasileiros. Talvez fossem eles os precursores dos nazistas. Convém não perdoá-los [sic] de plano. Importa, igualmente, que os julguemos. Para julgá-los, importa conhecê-los." Euclides mencionou a reportagem de Nasser publicada na revista *O Cruzeiro*. Terminou o discurso com um apelo aos deputados: "Ao menos se conheçam os responsáveis pelas barbaridades [...] a fim de que outros, que possam vir mais tarde, tenham receio de ver ao menos seus nomes citados, como desejo que sejam conhecidos os daqueles bárbaros que tanto maltrataram o povo do Rio de Janeiro, da capital da República, de todo o Brasil!"

Foi instalada a nova comissão, agora chamada "Comissão de inquérito sobre os atos delituosos da ditadura", presidida pelo deputado Plínio Barreto (1882-1958). Novamente, Euclides Figueiredo não foi indicado para integrá-la. Mas, tendo desistido o deputado Aliomar Baleeiro (1905-1978), passou a fazer parte dela e foi um de seus membros mais atuantes. As atas atestam sua assiduidade nas reuniões. Várias pessoas foram chamadas a depor, umas como vítimas de tortura – como o então senador Luiz Carlos Prestes (1898-1990) e o próprio David Nasser –, outras por terem sido acusadas de torturadoras. Quase todas as denúncias se referiam a maus-tratos sofridos na Polícia Central, na Polícia Especial, na Delegacia de Ordem Política e Social e na Casa de Detenção. Os principais acusados eram Serafim Braga, chefe da Dops, o tenente Emílio Romano, chefe do Departamento de Segurança Pública, o tenente Euzébio de Queiroz, chefe da Polícia Especial, e o policial Alencar Filho, da Seção de Explosivos da polícia.

Um dos depoimentos mais dramáticos foi o de Carlos Marighela (1911-1969), deputado pela Bahia do Partido Comunista do Brasil, dado em 25 de agosto de 1947. Ele descreveu várias torturas que sofreu ou que presenciou. Entre elas, espancamento com canos de borracha, aplicado na sola dos pés e nos rins, queimaduras com pontas de cigarro, introdução de alfinetes por baixo das unhas, arrancamento das solas dos pés ou de pedaços das nádegas com maçaricos. Em se tratando de presas, costumava-se introduzir esponjas embebidas em mostarda em suas vaginas. O general Figueiredo, que fora companheiro de prisão de Marighela, considerou a declaração o ponto culminante dos trabalhos da Comissão. Em seu depoimento, o jornalista Vítor do Espírito Santo disse ter ouvido do médico Nilo Rodrigues que nunca tinha visto "tanta resistência a maus-tratos e tanta bravura" como as demonstradas por Marighela.

Aos poucos, esta segunda Comissão também começou a ratear. O fenômeno acentuou-se após o depoimento do capitão Emílio Romano, em junho de 1948. A partir dessa data, não há mais referência a suas reuniões no *Diário do Congresso*. Em 24 de setembro, ela deixa de ser relacionada. Aparentemente, encerrou as atividades sem apresentar relatório. Uma das razões para o fato pode ter sido o depoimento do jornalista Vítor do Espírito Santo. Segundo ele, o médico Nilo Rodrigues dissera-lhe que não faria denúncias porque "as pessoas que se encontram no poder são as mesmas que praticaram as mencionadas violências". Ao que o general Euclides Figueiredo acrescentou: "E as que fazem parte da Polícia Especial também ainda são as mesmas."

1964: golpe militar ou civil?

A ditadura militar no Brasil contou com forte apoio da sociedade civil para se manter no poder por tão longo período.

DANIEL AARÃO REIS

Tornou-se lugar-comum denominar o regime político que existiu de 1964 a 1979 de "ditadura militar". Trata-se de um exercício de memória, em contradição com numerosas evidências, e que só se mantém graças a poderosos e diferentes interesses, e também a hábitos adquiridos e à preguiça intelectual. O problema é que esta memória em nada contribui para a compreensão da História recente do país e da ditadura em particular.

É inútil esconder a participação de amplos segmentos da população no movimento que levou à instauração da ditadura em 1964. É como tapar o sol com a peneira. As Marchas da Família com Deus pela Liberdade mobilizaram dezenas de milhões de pessoas, de todas as classes sociais, contra o governo João Goulart. A primeira marcha realizou-se em São Paulo, em 19 de março de 1964, reunindo cerca de meio milhão de pessoas. Foi convocada em reação ao Comício pelas Reformas que teve lugar uma semana antes, no Rio de Janeiro, com 350 mil pessoas. Depois da de São Paulo, houve a chamada Marcha da Vitória, para comemorar o triunfo do golpe, no Rio de Janeiro, em 2 de abril. Narra a lenda que um milhão de pessoas compareceram. Um exagero. No entanto, esteve ali, no mínimo, a mesma quantidade de pessoas que em São Paulo. Em seguida, sucederam-se marchas em todas as capitais dos estados, sem falar em outras, incontáveis, em cidades médias e pequenas. Até setembro de 1964, marchou-se sem descanso no país. Mesmo descontada a tendência humana de aderir aos vencedores, ou, simplesmente, à ordem, tratava-se de um impressionante movimento de massas de apoio ao golpe.

Nas marchas desaguaram sentimentos disseminados na sociedade, entre os quais, e principalmente, "o medo, um grande medo". De que as gentes que marcharam tinham medo? Tinham medo das anunciadas reformas. O que estas preconizavam? Entre outras coisas, prometiam acabar com o latifúndio e a presença dos capitais estrangeiros, conceder o voto aos analfabetos (então, quase 45% dos adultos) e aos soldados, proteger os assalariados e os inquilinos, mudar radicalmente os padrões de ensino e aprendizado, alterar o sistema bancário e estimular a chamada cultura nacional. Se aplicadas, as reformas revolucionariam o país. Por isso entusiasmavam tanta gente. Mas metiam medo em outras tantas. Iriam abalar e subverter tradições consagradas, questionar hierarquias de saber e de poder. E se o país mergulhasse no caos, na negação da religião? O Brasil viraria uma grande Cuba? Viria o comunismo? É certo que poucos sabiam o que significava esta palavra, mas a associavam a tudo o que de mal existia - doença, miséria, destruição da família e dos valores éticos.

É preciso recuperar a atmosfera da época, os tempos da Guerra Fria, de radical polarização. De um lado, os EUA e os grandes países capitalistas, o chamado mundo "livre, ocidental e cristão". De outro, a União Soviética, Estados e partidos socialistas e comunistas, os movimentos de libertação nacional na Ásia e na África, que reivindicavam igualdade e justiça sociais. Demonizavam-se mutuamente, e não havia espaço ali para meios-termos ou posições intermediárias. A luta do Bem contra o Mal. Para muitos, Jango era o Mal; a ditadura, um Bem.

No Brasil, estiveram com as Marchas a maioria dos partidos, lideranças empresariais, políticas e religiosas, e tradicionais entidades da sociedade civil, como a Ordem dos Advogados do Brasil (OAB) e a Conferência Nacional dos Bispos do Brasil (CNBB), "as direitas". A favor das reformas, uma parte ponderável das entidades sindicais de trabalhadores urbanos e rurais, alguns partidos e movimentos, "as esquerdas". Difícil dizer quem tinha a maioria. Mas é impossível não ver as multidões - civis - que apoiaram ativamente a instauração da ditadura.

A ampla frente política e social que apoiou o golpe era bastante heterogênea. Muitos que dela participaram queriam apenas uma intervenção rápida. Que fosse brutal, mas rápida. Lideranças civis como Carlos Lacerda, Magalhães Pinto, Ademar de Barros, Ulysses Guimarães, Juscelino Kubitschek, entre tantos outros, aceitavam ou queriam mesmo que os militares fizessem o "trabalho sujo" de prender e cassar, e depois, logo depois, fosse retomado o jogo político tradicional, marginalizadas as forças de esquerda mais radicais. Não foi isto que aconteceu.

Para surpresa de muitos, os "milicos" vieram para ficar. E ficaram por longo tempo. Assumiram um protagonismo insuspeitado - e inesperado. Como se sabe, o país conheceu cinco generais-presidentes. Ditadores. Eleitos indiretamente por Congressos ameaçados, mas não menos participativos. Passou-se a dizer que os três poderes republicanos eram o Exército, a Marinha e a Aeronáutica. Os militares mandavam e desmandavam. Ocupavam postos estratégicos em toda parte. No aparelho de segurança e nas empresas estatais. Choviam verbas. Os soldos em alta e toda sorte de mordomias e créditos. Nunca fora tão fácil "sacrificar-se pela pátria".

E os civis? O que fizeram os civis no período da ditadura? Apenas se encolheram? Reprimidos? A resposta é positiva para os que rejeitaram a ditadura. Também aqui houve muita heterogeneidade. Mas todos os oposicionistas - fossem moderados ou radicais, reformistas ou revolucionários - sofreram o peso da repressão. Entretanto, expressivos segmentos apoiaram a ditadura. Houve, é claro, zigue-zagues, metamorfoses, indecisões, ambiguidades, ambivalências. Gente que apoiou desde o início e até o fim. Outros aplaudiram a vitória e depois migraram para as oposições. Outros, ainda, foram e voltaram. Vaiaram ou aplaudiram, segundo as circunstâncias. A favor e contra. Sem falar nos que não eram contra nem a favor - muito pelo contrário.

Na história da ditadura, como sempre acontece, a coisa não foi linear, sucedendo-se conjunturas mais e menos favoráveis. Houve um momento de apoio forte - entre 1969 e 1974. Paradoxalmente, os chamados "anos de chumbo". Porque foram também, e ao mesmo tempo, "anos de ouro" para não poucos. O Brasil festejou então a conquista do tricampeonato mundial em 1970 e os 150 anos da Independência em 1972. Quem se importava que as comemorações fossem regidas pela ditadura? É elucidativa a trajetória da Aliança Renovadora Nacional – a Arena, partido criado em 1965 para apoiar o regime. A quantidade e a qualidade das lideranças civis aí presentes, disseminadas em todos os rincões deste vasto país, atestam a articulação dos civis no apoio à ditadura. Em certo momento, um dos presidentes da Arena se referiu à agremiação como "o maior partido do Ocidente". Caiu em merecido ridículo. Mas era, realmente, um grande partido, um partidão. Enquanto existiu, ganhou quase todas as eleições.

Também seria interessante pesquisar melhor as empresas estatais, os ministérios, as comissões e os conselhos de assessoramento, os cursos de pós-graduação, as universidades, as academias científicas e literárias, os meios de comunicação, a diplomacia, os tribunais. Estiveram ali, contribuindo construtivamente, eminentes personalidades, homens de Bem; alguns seriam mesmo tentados a dizer que estavam acima do Bem e do Mal. E o mais triste, e mais ilustrativo: enquanto a tortura comia solta nas cadeias, como produto de uma política de Estado, o general Médici era ovacionado nos estádios de futebol.

Na segunda metade dos anos 1970, a partir do governo Geisel (1974-1979), acentuou-se a migração de políticos e instituições, antes favoráveis à ditadura, no sentido da restauração do regime democrático. Em 1979, os Atos Institucionais foram, afinal, revogados. Deu-se início a um processo de "transição democrática" que durou até 1988, quando uma nova Constituição foi aprovada por representantes eleitos pela sociedade. Entre 1979 e 1988, ainda não havia uma democracia plenamente constituída, mas é muito claro que já não existia uma ditadura. E que fique registrado que os "milicos" saíram do governo sem levar uma pedrada – assim como tinham entrado nele sem precisar dar um tiro. Entretanto, a obsessão em caracterizar a ditadura apenas como militar levou, e leva até hoje, muitos a assinalarem o ano de 1985 como o que marcou o fim do regime, porque ali se encerrou o mandato do último general-presidente. A ironia é que ele foi sucedido por um político – José Sarney – que desde o início apoiou a ditadura, tornando-se, ao longo do tempo, um de seus principais dirigentes... civis. Mas nada tem impedido a incongruência de estender a ditadura até 1985. O adjetivo "militar" o requer.

Ora, desde o início de 1979, "o estado de exceção", que existe enquanto os governantes podem editar, revogar ou ignorar as leis pelo exercício livre – e arbitrário – de sua vontade, estava encerrado. Não existiam mais presos políticos. O Poder Judiciário recuperara a autonomia. Havia pluralismo político-partidário e sindical. Liberdade de expressão e de imprensa. Grandes movimentos sociais e políticos livres de repressão, como, para citar o mais emblemático, a Campanha das Diretas Já, que mobilizou milhões de pessoas entre 1983 e 1984. Como sustentar que tudo isso podia ocorrer no contexto de uma ditadura? Um equívoco?

Não, não se trata de um equívoco a ser "esclarecido", mas de desvendar uma interessada memória e suas bases de sustentação. São interessadas na memória atual as lideranças e entidades civis que apoiaram a ditadura. Se ela foi "apenas" militar, todas elas, automática e sub-repticiamente, passam para o campo das oposições. Desde sempre. Desaparecem do radar os civis que se beneficiaram do regime ditatorial. Os que financiaram a máquina repressiva. Os que celebraram os atos de exceção. O mesmo se pode dizer dos expressivos segmentos sociais que em algum momento apoiaram a ditadura, direta ou indiretamente. E mesmo muitas forças de esquerda, porque de suas concepções míticas fazia e ainda faz parte a ideia não demonstrada, mas assumida como verdade inquestionável, de que a maioria das pessoas sempre fora – e foi – contra a ditadura.

Por estas razões, é injusto dizer outro lugar-comum: que o povo não tem memória. Ao contrário, a História atual está saturada de memória. Seletiva e conveniente, como quase toda memória. No exercício desta, absolve-se a sociedade de qualquer tipo de participação neste triste – e sinistro – processo. Apagam-se as pontes existentes entre esta ditadura e o passado próximo e distante, assim como os desdobramentos dela na atual democracia, emblematicamente traduzidos na recente decisão do Supremo Tribunal Federal impedindo a revisão da Lei da Anistia. Varridos para debaixo do tapete os fundamentos sociais e históricos da construção da ditadura.

Enquanto tudo isso prevalecer, serão escassas as chances de a História deixar de ser uma simples refém da memória, e mais escassas ainda as possibilidades de compreensão das complexas relações entre sociedade e ditadura.

1968: um ano-chave

A edição do AI-5, em dezembro de 1968, sepultou sonhos de redemocratização e fez o Brasil mergulhar num dos períodos mais dramáticos de sua história.

LUCILIA DE ALMEIDA NEVES DELGADO

Nunca se sonhou tanto com a liberdade como em 1968. No Brasil e no mundo, padrões conservadores de comportamento e sistemas políticos autoritários eram denunciados com vigor por uma juventude ávida por mudanças. Na França, estudantes montavam barricadas nas ruas, num cenário de guerra civil. Nos Estados Unidos, os hippies e outros segmentos pacifistas marchavam pelo fim da guerra no Vietnã. Aqui, clamava-se por democracia. Mas o governo militar que se instalara no poder em março de 1964, enfrentando a insatisfação crescente da juventude universitária, da classe operária e de importantes inconformados políticos civis, decidiu fechar ainda mais o regime. Em dezembro, lançou a pá de cal sobre a utopia da redemocratização. A edição do Ato Institucional n° 5, pelo general-presidente Artur da Costa e Silva e seus ministros, suprimiu as liberdades políticas que ainda restavam e fez o país mergulhar num dos períodos mais sombrios da sua história.

O ano fora especialmente tenso. Passeatas e greves levaram milhares de pessoas às ruas. Um estudante morrera num confronto com a polícia. O Congresso Nacional, através da atuação dos jovens políticos do Movimento

Democrático Brasileiro (MDB), o partido de oposição, tornara-se um espelho da crescente inquietação da sociedade civil, que testemunhava, impotente, o avanço do autoritarismo e do arbítrio instalados havia quatro anos no país. Já em abril de 1964, logo após a tomada do poder pela coalizão civil-militar que arquitetara o golpe, o novo governo, comandado pelo marechal Humberto de Alencar Castelo Branco, dera início a "uma operação limpeza" que atingiu principalmente políticos ligados ao ex-presidente João Goulart, derrubado pelo golpe, e ao Partido Trabalhista Brasileiro (PTB), de tendência esquerdista.

A primeira leva de cassações atingiu 50 parlamentares, além dos governadores Miguel Arraes, de Pernambuco, Seixas Dória, de Sergipe, e Leonel Brizola, do Rio Grande do Sul. No final daquele ano também o governador de Goiás, Mauro Borges, seria atingido pela cassação. Dentro das Forças Armadas, um expressivo número de militares também não foi poupado. Muitos foram processados e transferidos compulsoriamente para a reserva.

Calcula-se que esse primeiro expurgo atingiu 1.228 militares de várias patentes. No Poder Judiciário, 49 juízes foram aposentados. Mas o movimento sindical foi o principal alvo dos novos governantes, juntamente com as Ligas Camponesas, precursoras do MST que atuavam na zona rural de Pernambuco sob o comando do político Francisco Julião.

Quatrocentos e cinquenta e dois sindicatos, 43 federações e seis confederações sindicais sofreram intervenção, sendo as lideranças mais expressivas do setor presas e processadas. Tudo isso anunciava o endurecimento do regime, agora em desassossego com outra novidade surgida nas hostes da oposição. Tratava-se da Frente Única, que reuniu três políticos derrotados pelo golpe de 1964: Carlos Lacerda, ex-governador do Rio de Janeiro, o presidente deposto, João Goulart, e o ex-presidente Juscelino Kubitschek.

Antigos inimigos políticos, agora eles se uniam, num encontro realizado em Portugal, para combater a ditadura. Tendo participado da articulação do golpe de 1964, Lacerda acabou engolido pelo regime autoritário que ajudara a criar. Cassado, teve de sepultar seus planos de concorrer à Presidência da República. Em resposta à punição que lhe foi imposta, rompeu com os velhos aliados e fundou a Frente Única, cuja existência seria logo depois proibida pelo regime.

Apesar do esforço governamental para expurgar o movimento operário e sindical do cotidiano da política nacional, o Brasil não ficou indiferente ao que se passava no mundo. Em 1968, como que respondendo ao eco das grandes manifestações populares ocorridas em outros países, duas cidades brasileiras, apesar da repressão em alta, seriam palco de greves operárias importantes: Contagem, em Minas Gerais, e Osasco, em São Paulo.

Isso demonstrava que nem os expurgos e punições e nem a política de renovação o governo implementou junto às classes operárias, buscando "sanear" o sindicalismo brasileiro, alcançaram os resultados esperados. O governo entendeu que urgia agir com mais contundência, e o AI-5 surgiria como a melhor solução numa estratégia radical de controle.

Já amadurecida àquela altura, mesmo que formada por segmentos sociais diferentes, a oposição parecia unida como nunca, organizando inúmeras manifestações de protesto contra o regime. Realizaram-se comícios, passeatas e greves. O movimento estudantil, que desde 1964 vinha também resistindo ao fechamento do regime, protestava por sua vez contra a reforma universitária promovida por um acordo entre o Ministério da Educação e a United Agency for International Development (USAID), o fechamento da União Nacional dos Estudantes (UNE) e o número restrito de vagas nas universidades públicas.

Em março de 1968, em meio a toda essa efervescência política, um acontecimento grave radicalizou ainda mais as relações entre o governo e seus opositores. Um grupo de jovens se reuniu para protestar contra a má qualidade da comida servida no restaurante do Calabouço, no Rio de Janeiro, frequentado principalmente por estudantes pobres, quando apareceu a polícia reprimindo a manifestação a tiros de metralhadora. O secundarista Edson Luís, atingido por uma bala, teve morte instantânea.

O trágico episódio deflagrou manifestações de rua que iriam adquirir dimensões espetaculares. O enterro do estudante se transformou num veemente ato político, com uma multidão acompanhando o féretro do Palácio Pedro Ernesto, onde o jovem foi velado, até o Cemitério São João Batista. "Ao baixar o caixão, mais de cinquenta mil pessoas ouviram o juramento prestado por milhares de jovens: neste luto a luta começou", escreveu o repórter do Correio da Manhã, que fazia oposição ao governo.

Sete dias depois, realizou-se uma missa em sua memória, na igreja da Candelária, em memória do estudante. À saída do culto, que reuniu cerca de 30 mil pessoas, os presentes se surpreenderam com as investidas de

140 cavalarianos da Polícia Militar armados de espadas e bombas de gás lacrimogêneo. Por pouco não aconteceu um grande massacre, só evitado pela pronta intervenção dos padres que celebraram a missa.

Os clérigos deixaram a igreja acompanhando os estudantes e os populares, na tentativa de protegê-los contra o ímpeto da polícia. A Igreja Católica, até então silenciosa frente à atuação do governo autoritário, manifestou seu descontentamento pela violência cometida contra padres e fiéis desarmados.

O clímax do movimento popular oposicionista deu-se no mês de junho, com a famosa passeata dos 100 mil, no centro do Rio de Janeiro. A manifestação, que teve grande impacto na opinião pública, agregou estudantes, músicos, artistas, políticos do MDB e segmentos do clero. Da tribuna do Congresso Nacional, jovens políticos do MDB, eleitos em 1966, continuavam a fazer frequentes denúncias contra o arbítrio. Um desses parlamentares, Márcio Moreira Alves, denunciou num contundente pronunciamento os abusos das autoridades militares, inclusive a prática de tortura contra presos políticos pelos órgãos de segurança. O deputado convocou a população a se vestir de luto no 7 de setembro, Dia da Independência, e sugeriu às jovens brasileiras que se recusassem a namorar militares que se acumpliciassem à repressão ou se silenciassem diante das violências cometidas pelo governo.

Para o poder militar, tratava-se, mais do que audácia, de uma ofensa intolerável às Forças Armadas. Como resposta, o governo solicitou à Câmara a suspensão provisória do instituto da imunidade parlamentar, para poder processar Márcio Moreira Alves junto ao Supremo Tribunal Federal. Em tumultuada sessão, acompanhada por mais de mil pessoas que lotaram as galerias daquela casa legislativa, os parlamentares, embora a maioria fosse governista, não acataram o pleito do Poder Executivo. A crise política estava instalada.

Em outubro, quando o clima político estava ainda mais tenso, estudantes universitários de todo o Brasil tentaram se reunir num congresso, que deveria se realizar na cidade de Ibiúna, no interior de São Paulo. O objetivo dos participantes era reestruturar a UNE, que tinha sido colocada na ilegalidade em 1964, mas o projeto resultou num desastre. Todos os participantes foram detidos e as principais lideranças estudantis presas e processadas.

No decorrer do ano, o governo militar já havia se definido pelo aprofundamento autoritário como forma de cercear as crescentes manifestações da oposição. O AI-5, editado no dia 13 de dezembro, aumentaria de forma desmedida a força coercitiva do governo. Por sua causa, as utopias libertárias foram rasgadas. O arbítrio, na sua forma mais extrema, passou a dominar o Brasil.

O AI-5 não estipulava o prazo de sua vigência. Seu conteúdo era extremamente discricionário a ponto de institucionalizar, informalmente, a tortura a presos políticos. Entre outras prerrogativas que atribuía ao Executivo estavam o poder de fechar o Congresso Nacional, de suspender por dez anos os direitos políticos de qualquer cidadão brasileiro, de demitir, pôr em disponibilidade, transferir e aposentar servidores públicos civis e militares, inclusive membros do Poder Judiciário. O *habeas corpus* também foi suspenso para os detidos por suspeita de atentarem contra a ordem pública.

Num golpe de caneta, os brasileiros perderam assim todos os direitos políticos. Milhares de jovens estudantes, sem ter condições de participar da vida política nacional pelas vias institucionais, rumaram então para a clandestinidade e para a luta armada. A censura recrudesceu, atingindo jornais, emissoras de rádio e TV, livros e manifestações artísticas. Toda liberdade de expressão, enfim, foi cerceada de forma eficaz pelos agentes da ditadura.

O desdobramento mais grave do AI-5, no entanto, foi a estrada que abriu para a atuação absolutamente descontrolada do aparato repressivo. Em nome da segurança nacional, prisões eram feitas sem qualquer acusação formal ou mandado judicial. Com a suspensão do *habeas corpus* os presos políticos ficavam à mercê dos carcereiros, que os submetiam à tortura. Muitos foram dados por desaparecidos ou marcados, de forma permanente, por sequelas físicas e psicológicas. Um céu de chumbo desabou sobre o Brasil, acabando de vez com os sonhos de liberdade e democracia.

A vigência do AI-5 estendeu-se até 1979, quando o último general-presidente, João Batista Figueiredo, num tempo em que a ditadura militar, corroída nos seus alicerces, já não se sustentava de pé, decretou a anistia política ampla e irrestrita. Foram precisos dez anos de espera para que a nação voltasse a respirar uma leve brisa de liberdade, que ao longo da década de 1980 se transformaria em vento transformador, trazendo de volta, aos poucos, a democracia ao país.

4

Povo

D. João de passagem • D. Pedro I, ardente e cortesão
D. Pedro II e a última Corte
O mau ladrão • Sexualidades mestiças
Humores e sabores

UM PRÍNCIPE, SENHOR de um reino ocupado e de províncias espalhadas pelos sete mares, desembarca no Rio de Janeiro. Vem atabalhoado. Nos primeiros dias os trópicos lhe parecem amargos, mas aos poucos toma gosto. Governa a gente, decide os destinos do Império, mas tropeça dentro de casa com Carlota, mulher forte que pretendia ser regente espanhola.

Seu filho, que fundaria uma nova pátria, tropeçaria também, mas fora de casa. Domitila conquistaria D. Pedro I em noites feéricas. Esperava-o sempre resignada Leopoldina, Princesa austríaca que tanto o apoiara nos dias turbulentos da independência.

Uma face da realeza olhava a rua, mergulhada nos costumes populares. As misturas eróticas e os jogos amorosos, perto da carne e longe do ideal da Sagrada Família, só não agradavam ao Santo Ofício, tribunal terrível que atuou na colônia. Farejava desviantes com a mesma sanha que perseguia hereges. Não evitou muita coisa, nem a corrupção, imoralidade maior e absoluta. Governadores e funcionários "unhavam" bens que deveriam servir a todos. Nem pela consciência foram um dia punidos.

Avesso a roubo da coisa pública parece que foi nosso último imperador. Gostava até da ideia de uma República. A filha de D. Pedro II, Isabel, enfrenta o cancro que destruía o Império e encerra a era da escravidão.

Inseparáveis são sempre os reis e vassalos, intrigante unidade. "Povo" são "os moradores de uma cidade, vila, ou lugar" conforme *Vocabulario Portuguez e Latino*, de 1732 de Raphael Bluteau, que arremata: "Ao costume, ou segundo o costume do povo. Nação. Gente".

D. João de passagem

•

Todos a bordo!

Momentos dramáticos marcam os preparativos da transferência em peso da Casa Real portuguesa para o Brasil.

LILIA MORITZ SCHWARCZ

Na madrugada de 25 de novembro de 1807, quando D. João encerrou a sessão do Conselho de Estado, a decisão estava tomada. A família real deveria embarcar para o Brasil daí a dois dias, antes que as tropas de Napoleão, que já tinham cruzado as fronteiras lusitanas, alcançassem Lisboa. Chegara enfim a hora de se executar um plano que já se conhecia de cor, e de traçar, rapidamente, o procedimento operacional de uma gigantesca tarefa: mudar, da terra para o mar, tudo e todos que significassem a sobrevivência e a sustentação do governo monárquico a ser instalado no Rio de Janeiro.

Fazer as malas, zarpar rumo ao Brasil e lá estabelecer um império não era uma ideia nova. O translado da Família Real para essa colônia pairava como uma possibilidade acalentada há tempos e sempre ventilada nos momentos em que a realeza portuguesa sentia-se ameaçada em sua soberania. Já em 1580, quando a Espanha invadiu Portugal, o pretendente ao trono português, o prior do Crato D. Antônio – filho ilegítimo do infante D. Luís – foi aconselhado a embarcar para o Brasil. Também o padre Vieira apontou o Brasil como refúgio natural para D. João IV – "ali lhe assinaria o lugar para um palácio que gozasse, ao mesmo tempo, as quatro estações do ano, fazendo nele o quinto império (...)". Em 1738, no reinado de D. João V, o conselho veio de D. Luís da Cunha, que via na mudança possibilidades de um melhor equilíbrio entre a metrópole e a colônia, então abarrotada de ouro. Em 1762, temendo uma invasão franco-espanhola, Pombal, ministro de D. José I, fez com que o rei tomasse "as medidas necessárias para a sua passagem para o Brasil, e defronte do seu Real Palácio se viram por muito tempo ancoradas as naus destinadas a conduzir com segurança um magnânimo soberano para outra parte de seu Império (...)".

Não é, pois, de estranhar que, no meio da convulsão europeia, os políticos que rodeavam o príncipe D. João trouxessem à tona a velha ideia. Mas o tempo era curto, a viagem longa e cheia de imprevistos. Era a primeira vez que uma casa real cruzava o Atlântico e tentava a sorte afastada do continente europeu. Longe dos tempos dos primeiros descobridores, que atravessaram o oceano para encontrar riqueza e glória em terras americanas, agora era a própria dinastia de Bragança que fugia (na visão de alguns), evitava sua dissolução (na visão de outros), ou empreendia uma política audaciosa, escapando da posição humilhante a que Napoleão vinha relegando as demais monarquias.

O plano era mais complexo do que se podia imaginar. Afinal, seguiriam viagem, acompanhando a Família Real, não apenas alguns poucos funcionários selecionados. Já em relativa prontidão e expectativa, encontravam-se outras inúmeras famílias – as dos conselheiros e ministros de Estado, da nobreza, da corte e dos servidores da Casa Real. Não eram, porém, indivíduos isolados que fugiam, carregando os seus objetos pessoais, suas indecisões e receios. Era, sim, a sede do Estado português que mudava temporariamente de endereço, com seu aparelho administrativo e burocrático, seu tesouro, suas repartições, secretarias, tribunais, seus arquivos e funcionários. Seguiam junto com a rainha e o príncipe regente tudo e todos que representassem a monarquia. As personagens, os paramentos necessários para os costumeiros rituais de corte e cerimoniais religiosos, as instituições, o erário... enfim, o arsenal necessário para sustentar e dar continuidade à dinastia e aos negócios do governo de Portugal. Como disse Joaquim José de Azevedo, futuro Visconde do Rio Seco, o que atravessaria os mares era aquela "amplidão que tinha exaurido sete séculos para se organizar em Lisboa", e todo esse aparato devia tomar o rumo do cais.

No cais de Belém, de um momento a outro, acorreram milhares de pessoas, com suas bagagens e caixotes, isso sem esquecer de toda burocracia do Estado e das riquezas que viajavam com o rei. Não havia tempo a perder, e imediatamente deliberou-se que os ministros de Estado e empregados do Paço viajassem com a Família Real. Outra ordem deixou claro que todos os súditos que pretendessem seguir viagem estavam livres para tanto e, não havendo lugar nas embarcações, poderiam preparar navios particulares e acompanhar a Real Esquadra.

Já era meia-noite, mas, apesar do horário avançado, Joaquim José de Azevedo foi chamado ao Palácio da Ajuda e nomeado superintendente geral do embarque. Além dele, foram convocados o Marquês de Vagos, chefe da câmara real, e o Conde do Redondo, responsável pela ucharia – setor equivalente à despensa, onde se abrigavam todos os pertences da casa real, tanto os alimentos, como os utensílios domésticos. Já o almirante Manoel da Cunha Souto Maior, comandante geral da esquadra portuguesa, ficou encarregado de apresentar mapas das disposições dos navios. Em seguida, o superintendente tratou dos procedimentos para o traslado dos tesouros reais do Palácio das Necessidades e o da Igreja Patriarcal. Foi depois para o cais de Belém, onde, munido dos mapas entregues pelo almirante, mandou armar uma barraca "para dali repartir as famílias pelas embarcações, segundo a escala de seus cômodos, assim como para enviar todos os volumes do Tesouro que chegavam. Tal lida continuou até o momento de embarque de D. João". Havia uma ordem de que ninguém poderia embarcar se não tivesse em mãos uma "guia" fornecida por ele.

Quem também não perdeu tempo foi D. Antonio de Araújo e Azevedo, famoso representante do grupo francês. Naquela mesma madrugada, mandou que seu funcionário, Cristiano Müller, encaixotasse os papéis de Estado que estivessem sob seus cuidados e nesse lote incluiu também sua livraria particular: 34 grandes caixotes foram acomodados na nau Medusa. Foram eles que embarcaram no lugar da Real Biblioteca, que ficou esquecida no cais.

A pressa impedia que os procedimentos se dessem de maneira organizada. As autorizações, licenças, nomeações e ordens de embarque vinham de variadas fontes. Bom exemplo é o caso do mestre de equitação do palácio real, Bernardo José Farto Pacheco que, para poder embarcar, recebeu ordens do estribeiro-mor, do intendente das reais cavalariças e ainda do Conde de Belmonte. Detalhe: Bernardo não conseguiu viajar, pois apesar do alvará, o comandante da fragata não o aceitou a bordo, pela falta da guia necessária.

A despeito do estado de alerta e do fato de que a frota, ou parte dela, estivesse sendo armada desde fins de agosto, o ambiente era caótico. No começo de novembro, antes da partida da Família Real, um rico mercador de Lisboa escrevia ao sogro que ainda não conseguira passagem porque muitos queriam partir e eram poucos os navios. Porém, desconfiado, parecia decidido a deixar a capital, pois "os preparativos nos navios continuam a toda pressa e tudo indica que se trate de embarque".

Mesmo assim, nenhum expediente realizado previamente e nem as prontas providências coordenadas por Joaquim José de Azevedo foram suficientes para impedir que o caos se estabelecesse na hora do embarque. Pior é que Lisboa vinha sendo castigada por um forte vento sul; chovia torrencialmente e as ruas e caminhos se transformaram em passarelas de lama, dificultando as idas e vindas até o cais de Belém. E não era tarefa simples reunir, distribuir e embarcar os ilustres viajantes, dividir os marinheiros e oficiais da Marinha e ainda abastecer os porões dos navios com uma quantidade suficiente de víveres e água potável. No registro de uma testemunha, arregimentou-se "muita gente para dar a 17 navios de guerra um bastante número de marujos e finalmente procurou-se pôr neles os mantimentos necessários, que contudo alguns navios não puderam haver como precisavam na confusão causada pela urgência do caso".

Os casos e incidentes se multiplicavam. Foi durante esses dias de corre-corre, ainda antes do embarque, que o núncio apostólico de Lisboa, D. Lourenço de Caleppi, compareceu ao Palácio da Ajuda, em visita de solidariedade. Frequentador da Corte, foi convidado por D. João a acompanhá-lo na viagem. Apesar de seus 67 anos, o núncio aceitou a proposta e, conforme as instruções recebidas, foi imediatamente procurar o ministro da Marinha, Visconde de Anadia, que lhe destinou a nau Martim de Freitas, ou a Medusa, onde, junto com seu secretário, Camilo Luis Rossi, teria lugar garantido. Mas a confusão era tamanha que de nada adiantaram as referências de Caleppi, que não conseguiu lugar em nenhuma das naus que lhe haviam sido reservadas. O tenente irlandês Thomas O'Neill, que estava em um dos navios da esquadra inglesa, consultou a descrição feita a ele por um oficial a serviço de D. João. Ainda que evidentemente exagerado, o relato não deixa de passar uma ideia do ambiente naqueles dias, quando o "pânico e o desespero tomaram conta da população e muitos homens, mulheres e crianças tentaram embarcar nas galeotas até algum navio". Foi o irlandês quem registrou que "muitas senhoras de distinção meteram-se na água, na esperança de alcançar algum bote, pagando algumas com a própria vida".

Agravando ainda mais a situação, famílias de camponeses, assustadas com as notícias de que os franceses estariam se aproximando, haviam abandonado tudo – "o trigo nos celeiros, o milho um nas eiras, outro nas terras, a fruta nas árvores, a uva nas vinhas, os gados dispersos (...) e cheias de aflição se refugiaram na capital, onde se acham receando não terem com que subsistir. Mas neste caso o remédio é recorrer aos amigos; estes são os Santos, e mais que todos o Santo dos Santos, Jesus Cristo. (...)"

Nas praias e cais do Tejo, até Belém, espalhavam-se pacotes, caixas e baús largados na última hora. No meio da bagunça e por descuido, a prataria da Igreja Patriarcal, trazida por quatorze carros, foi esquecida na beira do rio e só alguns dias depois voltou para a igreja. Carros de luxo foram deixados, muitos sem terem sido descarregados. Alguns até optaram por largar a mala, embarcando de mãos vazias, apenas com a roupa do corpo. O Marquês de Vagos percebeu um pouco tarde que as carruagens e arreios da casa real tinham sido esquecidos, e ali mesmo, do convés do navio onde se acomodara e que já partia, teve tempo de expedir um aviso, "em linguagem rude", para que fretassem um "iate" para transportar todo aquele equipamento para o Brasil.

O tom geral era de nervosismo e destempero. "A desgraça, a desordem e o espanto existiam por toda a parte em Lisboa, quer em terra quer no mar (...). Copiosas e tristes algumas lágrimas derramaram-se por esta ocasião, uns choravam a separação de pais, maridos, filhos e mais pessoas queridas, outros a criticar posição da pátria invadida por exército inimigo e ao recordarem-se dos males que iriam sofrer ficando sem protetores e no meio dos terríveis franceses." De fato, a reação dos lisboetas oscilava do espanto à revolta. Joaquim José de Azevedo, que, como vimos, tinha armado uma barraca no cais para organizar o embarque, assim interpretou o sentimento do povo: "vagando pelas praças e ruas, sem acreditar no que via, desafogava em lágrimas e imprecações a opressão dolorosa que lhe abafava na arca do peito, o coração inchado de suspiros: tudo para ele era horror; tudo mágoa; tudo saudade; e aquele nobre caráter de sofrimento, em que tanto tem realçado acima de outros povos, quase degenerava em desesperação!"

As descrições de época sobre o embarque de D. João são em geral tão dramáticas quanto contraditórias. Numa das versões, ele teria chegado ao cais vestido de mulher; em outra teria partido durante a noite a fim de evitar maior reação popular. Em outra, ainda, teria entrado no porto acompanhado apenas por seu sobrinho e ninguém o aguardava. Dois cabos de polícia que estavam ali por acaso, ajudados por gente do povo e debaixo de forte chuva, colocaram algumas tábuas sobre a lama para que pudessem caminhar até o coche e de lá tirar D. João, que foi acomodado na galeota que o conduziria ao navio Príncipe Real, atracado na barra do Tejo. Outros relatos, ainda, insistem na insensatez do embarque, ridicularizando a atitude da família com a única frase lúcida emitida pela rainha, a esta altura, demente: "Não corram tanto ou pensarão que estamos fugindo." Não é o caso de multiplicar as narrativas desse momento, carregadas de adjetivações e muita imaginação. No entanto, em tempos de rachadura do absolutismo, a representação parecia anunciar o fim de uma era: foi com muita discrição e sem nenhuma pompa que o príncipe regente deixou Portugal e embarcou rumo ao Brasil.

Concluídos os trâmites para a partida e com todos a bordo, só faltava o tempo melhorar para que se desse a ordem de zarpar. O dia 29 amanheceu claro e a esquadra saiu do Tejo, alcançando o mar. Nas portas do oceano, os navios ingleses estavam de prontidão. O encontro das frotas foi anunciado, reciprocamente, por uma salva de vinte e um tiros, como que a selar o pacto pacientemente aguardado pela Grã-Bretanha. Enquanto isso, o almirante inglês Sidney Smith destacou as quatro naus que acompanhariam a esquadra portuguesa até o Rio de Janeiro. Em seguida, foi a bordo do Príncipe Real cumprimentar o regente e recebeu, do vice-almirante português, a lista das quinze embarcações que compunham a real esquadra: oito naus de linha, quatro fragatas, dois brigues e uma escuna. Este número varia nos registros das testemunhas e também em estudos posteriores, mas a diferença não altera a visão de conjunto. Além da frota real, havia número expressivo de navios mercantes particulares que saíram em seu rastro. Seriam cerca de trinta, mas podem ter sido muitos mais. O navio inglês Hibernia avistou cinquenta e seis navios, ao anoitecer do primeiro dia de viagem. O próprio comandante Smith mal fez as contas, o que ele via era "uma multidão de grandes navios mercantes armados". De toda a forma, a esquadra real compunha uma respeitável unidade de combate. Os oito navios de guerra eram equipados com baterias de canhões que variavam entre 64 e 84 peças, a maioria com calibre 74. As fragatas estavam armadas, cada uma, com 32 ou 44 canhões, os brigues tinham 22 peças cada um e a charrua, que transportava mantimentos, 26 canhões.

A Família Real – Dona Maria, o príncipe regente e sua mulher, seus oito filhos, a irmã da rainha, a viúva do irmão mais velho de D. João e um sobrinho espanhol de Carlota Joaquina – foi distribuída pelos navios de maior calibre. No Príncipe Real estavam a rainha Dona Maria, com 73 anos; o príncipe regente D. João, com seus 40 anos; o príncipe da Beira, infante D. Pedro, de 9 anos; seu irmão infante D. Miguel, com 5 anos; e o sobrinho D. Pedro Carlos. No Afonso de Albuquerque iam a Princesa, mulher do regente, Dona Carlota Joaquina, 32 anos, com suas filhas: a Princesa da Beira Maria Teresa, 14 anos, e as infantas Maria Izabel, Maria d'Assumpção e Anna de Jesus Maria, de 10, 2, e 1 ano, respectivamente. No Rainha de Portugal viajavam a viúva do irmão mais velho do regente, Dona Maria Benedita, com 61 anos; a irmã da rainha, Dona Maria Ana, de 71; e ainda as outras filhas de D. João e Carlota Joaquina, as infantas Maria Francisca de Assis e Isabel Maria, de 7 e 6 anos.

Há muitas dúvidas sobre o número de embarcados. O secretário do bispo Caleppi, que a tudo assistiu de perto, avaliou que dez mil pessoas faziam parte da esquadra real. Já Pereira da Silva incluiu em seus cálculos os muitos negociantes e proprietários que haviam fretado navios para seguir a esquadra e não demonstrou dúvidas: "cerca de quinze mil pessoas, de todos os sexos e idades, abandonaram neste dia as terras de Portugal". Uma minuciosa listagem relaciona, nominalmente, cerca de 536 passageiros – nobres, ministros de estado, conselheiros e oficiais maiores e menores, médicos, padres, desembargadores. Isso sem contar os termos imprecisos que surgiam ao lado do nome dos passageiros, tais como: "Visconde de Barbacena com sua família"; "o Conde de Belmonte, sua mulher e o conde seu filho com criados e criadas"; "José Egídio Alves de Almeida com sua mulher e família"; "e mais sessenta pessoas, entre homens e mulheres, sem contar as famílias que os acompanhavam" ou mesmo o indefinido "e outros". Para se ter uma ideia, junto com o Duque de Cadaval embarcaram a mulher francesa, quatro filhos, um irmão, e mais onze criados, incluindo um "homem pardo criado para varrer" e algumas famílias aditadas à mesma casa. O Marquês de Belas levou um séquito de 24 pessoas. O mesmo documento listou os oficiais da casa real, que não eram poucos. Apenas a ucharia empregava 23 "moços", sendo que cada um deles vinha acompanhado de sua família, o mesmo se dando com os 14 moços da cozinha real. Um outro documento, redigido no calor da hora, pretendia registrar todos os passageiros, mas depois de relacionar alguns dos mais conhecidos nomes da nobreza, a escrita foi encerrada bruscamente com uma informação taxativa: "E mais 5.000 pessoas."

Se levarmos em conta a população dos navios mercantes, a figura será ainda outra, pois o número de marinheiros e oficiais era elevado. Uma série de manuscritos existentes na Biblioteca Nacional revela que ao atingir o litoral brasileiro, em janeiro de 1808, alguns dos capitães elaboraram uma listagem informando ao Conde dos Arcos, vice-rei do Brasil, a situação de suas guarnições. O comandante do Martins Freitas, além de fazer um mapa minucioso da tripulação, relatou que também estavam a bordo as famílias pertencentes aos oficiais da guarnição e parte da família do Duque de Cadaval. O fato é que cada navio carregava uma pequena multidão. A acreditar-se que parte significativa dos oficiais e de suas famílias teriam permanecido na colônia, não estranharia chegar-se a mais de 10 mil emigrados. A cifra, porém, continua e continuará controversa.

De toda maneira, o número de embarcados era bem elevado e, com certeza, superior às primeiras estimativas e provisões. Esse era o drama da nau Minerva, que não havia sido preparada com antecedência e apresentou problemas na hora do embarque. Conta o capitão que, até o dia 26 de novembro, esta fragata esteve "de banda por não ser possível apronta-se". Apesar de só ter a bordo "algum biscoito e aguada" e das "tristes circunstâncias em que se achava o Real Arsenal da Marinha, pela confusão e falta de expediente nas diferentes repartições", o capitão não perdeu tempo para atender ao príncipe e partir no dia 29. Quando atracou na Bahia, em 10 de janeiro de 1808, a Minerva estava a zero.

A viagem não seria fácil, ainda que não se tenha notícia de acidentes graves ou algum óbito. Famílias desmembradas e alojadas em diferentes navios, bagagens desviadas ou largadas no cais, racionamento de comida e água, excesso de passageiros e falta de higiene – que obrigou as mulheres a cortar os cabelos para evitar a ação dos piolhos – foram alguns dos problemas decorrentes da emergência do embarque. E pela frente, cerca de dois meses de viagem. Para complicar, uma tormenta se armou logo no início da jornada, e outra, em meados de dezembro, lá pela altura da Ilha da Madeira, provocando a dispersão de alguns navios e uma mudança de planos: apesar de parte da frota já ter tomado a direção do Rio de Janeiro, o Príncipe Real e as embarcações que o acompanhavam alteraram o rumo, em direção à Bahia.

Excluindo esses momentos mais inseguros, a viagem correu tranquila, no que diz respeito aos humores da natureza e à estrutura das embarcações, que, apesar das avarias, alcançaram seu objetivo. O cronista Luiz Edmundo descreve os transtornos que se deram pelo excesso de passageiros: "muitos sem cama onde dormir, cadeira, banco para sentar, deitando-se ao relento, sobre as tábuas nuas dos conveses, sem prato certo onde comer, disputando em sórdidas gamelas, nas cozinhas, o alimento frugal". E a travessia arrastava-se monótona. Além de acompanhar a evolução dos veleiros da frota, cantava-se ao som da viola ao poente e, nas noites de luar, jogava-se cartas: o faraó, o espenifre, o pacau e o chincalhão.

Depois de 54 dias no mar, em 22 de janeiro de 1808, o Príncipe Real atracou em Salvador – onde se quedaria por um mês, seguindo depois para o Rio de Janeiro. Atrás dele e aos poucos, foram chegando os outros navios. A situação era inesperada, assim como imprevisível era a novidade de uma corte migrada e aportada em sua colônia. Mas a História não é mesmo um exercício do certo. Ainda em alto-mar, D. João recebeu um belo presente do governador de Pernambuco: o brigue Três Corações foi ao seu encontro, carregado de mantimentos e muitas frutas tropicais. Entre cajus e pitangas, a colônia americana abria as portas para um evento inusitado: receber o seu príncipe português.

Que rei sou eu?

Alvo preferido dos humoristas, D. João VI revelou, em uma época dramática, grande habilidade política para não deixar o Império de Portugal e o Brasil desaparecerem.

LÚCIA MARIA BASTOS P. NEVES
E GUILHERME PEREIRA DAS NEVES

Foi no filme *Carlota Joaquina, Princesa do Brasil* (1995), de Carla Camurati, que a imagem de D. João VI ganhou o país. Nas telas, o monarca foi encarnado em um Marco Nanini balofo e tolo, mais preocupado com os franguinhos que devorava sem cessar do que com os negócios de Estado. Muito difundida, essa imagem tendeu a ser favorecida pelo físico ingrato do personagem, pouco condizente com a figura de um soberano. D. João era baixo e gordo, de coxas roliças, sem qualquer distinção no rosto ou no olhar. Além disso, o lábio inferior acentuava uma expressão desgraciosa. Tendo ascendido à condição de herdeiro da Coroa portuguesa somente por força da morte do irmão primogênito, não se beneficiara da educação esmerada que ele recebera, nem tinha inclinação para tal. No entanto, como o filho Pedro, futuro imperador do Brasil, não era o ignorante que se costuma julgar. Embora fosse avesso aos feitos militares e às festas brilhantes da Corte, na juventude apreciava cavalgar e, durante a vida toda, amou a música, como a maioria dos Bragança. Espírito retraído, indeciso por natureza, seu reinado ocorreu num período de intensa turbulência econômica, política e social, que deu origem ao mundo contemporâneo, obrigando-o a tomar decisões importantes e evitar consideráveis obstáculos.

D. João nasceu em 1767. Em 1785, casou-se com uma infanta espanhola, a turbulenta Carlota Joaquina, dez anos mais moça, de cuja união vieram à luz nove filhos, ainda que provavelmente não fosse o pai dos últimos. Seu relacionamento conflituoso com Carlota Joaquina levou-o eventualmente à separação de corpos e a um antagonismo crescente, sobretudo após a chegada ao Brasil. Aos 25 anos, em 1792, a doença mental de sua mãe, Dona Maria I, exigiu que D. João assumisse a regência.

Portugal, como toda a Europa, vivia então o impacto causado pela Revolução Francesa (1789), logo ampliado, em janeiro de 1793, pela execução do rei Luís XVI. Como resultado, assumiram maior visibilidade os setores conservadores, que se opunham às reformas iniciadas pelo Marquês de Pombal (1750-1777) e que, bem ou mal, tinham prosseguido no reinado de Dona Maria I, favorecendo a difusão das novas ideias características do século XVIII, as *Luzes*. Em termos internacionais, obcecado pelo fantasma da União Ibérica (1580-1640), ainda que longínquo, Portugal, tradicional aliado da Inglaterra, temia sobretudo que uma aproximação da Espanha com a França pudesse colocar sua existência em cheque.

Diante dessa situação, as atitudes de D. João até 1807 mostraram-se ambivalentes. No plano interno, manteve o gabinete herdado de sua mãe, recusou a convocação de cortes para referendarem sua regência, oficializada em 1799, e, diante da conjuntura revolucionária, reforçou a censura e a repressão, mas não deixou de apontar na direção das reformas. Realizou melhorias urbanas em Lisboa, inaugurou a Biblioteca Pública e, em 1796, indicou Rodrigo de Souza Coutinho, que servira vinte anos como representante em Turim e estava a par de todas as novidades do pensamento da época, para seu secretário da Marinha e Ultramar.

Cercado por auxiliares naturais da América portuguesa, D. Rodrigo considerava que a existência de Portugal dependia de seu império ultramarino e sobretudo do Brasil. Para evitar que o Brasil seguisse o caminho apontado pela independência das antigas colônias inglesas que em 1776 tornaram-se os Estados Unidos da América, achava indispensável a adoção de medidas racionalizadoras, que aliviassem as obrigações entre colonos e estreitassem seus laços com Portugal, de acordo com a concepção de um grande império luso-brasileiro unindo a colônia à metrópole. Contudo, D. João foi incapaz de sustentar as iniciativas de seu brilhante ministro D. Rodrigo, em grande parte tolhidas pela enferrujada máquina administrativa lusa e pela oposição dos setores mais conservadores, temerosos de qualquer ideia nova.

No plano externo, embora Portugal, carente de recursos militares adequados, procurasse manter a posição de neutralidade, as guerras do continente europeu geraram um dilema. Conservar a aliança britânica implicava a possibilidade de se ver envolvido no conflito e acabar invadido pela Espanha, como se esboçou em 1801 com a chamada Guerra das Laranjas, em que foi perdida a Praça de Olivença. Aproximar-se da França, por outro lado, significava correr o risco de a Inglaterra, com sua esquadra, cortar as relações com o Brasil e até mesmo invadi-lo. Em função dessa situação, formaram-se na Corte dois *partidos*. Inicialmente predominaram os *anglófilos*, liderados por D. Rodrigo. Com a ascensão de Napoleão Bonaparte a partir de 1799 e suas campanhas militares vitoriosas, Antonio de Araújo de Azevedo, futuro Conde da Barca, o chefe dos *francófilos*, assumiu um papel cada vez mais preponderante, vindo a substituir D. Rodrigo em 1803.

Desse momento em diante, o príncipe regente passou a andar numa espécie de corda bamba. No ambiente da Corte, multiplicaram-se as intrigas palacianas, promovidas em parte por sua própria esposa, valendo-se de seus contatos espanhóis e de suas ligações com os setores mais retrógrados do reino. Motins na tropa em 1803 e uma conspiração fracassada, em 1805, para remover D. João da regência, colocando Carlota Joaquina em seu lugar, indicam o grau de tensão a que se chegou. Na diplomacia, as seguidas concessões à França tornavam cada vez mais delicada a aliança com a Inglaterra. Em 1806, a decretação do bloqueio continental por Napoleão deixou Portugal ainda mais vulnerável.

Esquivando-se, como era seu costume, D. João adiou uma decisão até o último momento. No entanto, a assinatura em outubro de 1807 do Tratado de Fontainebleau entre a França e a Espanha em um ultimato de Bonaparte, seguido pela concentração de tropas francesas na fronteira espanhola, obrigaram-no a escolher uma saída há muito aventada pelo padre Antônio Vieira, nos tempos difíceis da Restauração de 1640, e agora defendida por D. Rodrigo, o anglófilo, que voltava a ter grande influência: a retirada da Corte para o Brasil. Embora forçada pelo avanço dos soldados napoleônicos sobre Lisboa, a decisão não foi assim imprevista. No dia 29 de novembro de 1807, a esquadra portuguesa, com 36 navios abrigando o corpo burocrático, arquivos, móveis e utensílios, um prelo tipográfico e cerca de quize mil pessoas, zarpou, sob escolta inglesa, rumo ao Rio de Janeiro. As consequências seriam de longo alcance para as regiões portuguesas de ambos os lados do Atlântico.

No Rio de Janeiro, os contemporâneos saudaram a chegada de D. João como um "dia memorável", em que começava a brilhar em toda a América portuguesa "a aurora da felicidade, prosperidade e grandeza", pois o "bondoso soberano" viera criar um "grande Império". De fato, a presença de D. João, o primeiro rei europeu a pisar no Novo Mundo, emprestava, no imaginário da época, uma outra dimensão ao projeto de império luso-brasileiro de D. Rodrigo, que voltara a integrar o gabinete, nele permanecendo até sua morte em 1812. Ao tornar-se o Brasil sede da monarquia e cabeça do Império, Portugal ficava reduzido à condição de simples domínio e sem o monopólio do comércio entre as duas regiões por efeito da abertura dos portos às nações amigas, decretada em 1808, durante a curta escala da Corte na Bahia, e dos tratados em 1810 com a Inglaterra.

Do outro lado do Atlântico foi difícil avaliar a situação até 1811, quando as tropas francesas abandonaram definitivamente o reino. Não obstante, a *orfandade* ocasionada pela partida do príncipe, se motivou em alguns segmentos anseios sebastianistas (isto é, de júbilo pela volta do rei, tal como no passado se esperava o retorno de D. Sebastião, morto numa batalha em 1578), em outros reavivou antigas insatisfações, levando membros da alta nobreza a compactuar com os franceses e a propor que a Coroa fosse assumida por Junot, o general invasor, antigo ajudante de ordens de Napoleão. Contidas pelas autoridades britânicas, que assumiram nos anos seguintes o virtual controle do país, essas tendências revelam a posição delicada de D. João em seu refúgio americano.

Com a derrota de Napoleão e a paz na Europa, a reunião do Congresso de Viena para reorganizar o mapa do continente, em 1815, inaugurou uma nova conjuntura. Do Rio de Janeiro, a política adotada por D. João continuou assumindo um caráter oscilante ou *bifronte*, na expressão do historiador português Valentim Alexandre. De um lado tratava-se de preservar a posição de Portugal no concerto das nações europeias e recuperar a Praça de Olivença, tomada pela Espanha; mas, de outra, cabia atender aos interesses americanos, intervindo militarmente na Cisplatina (atual Uruguai), em 1816, para forçar as negociações na Europa, resistindo às pressões inglesas para abolir o tráfico de escravos e assegurando a manutenção da fronteira norte do Brasil contra as pretensões francesas no Amapá, para o que servia de moeda de troca a Guiana ocupada desde 1808. Nesse tabuleiro de xadrez, jogado a distância por D. João e seus ministros, a maioria dos objetivos foi alcançada, mas não foi possível evitar que as tensões aumentassem.

Com a finalidade de reforçar a posição portuguesa das negociações em Viena, o Brasil fora elevado a Reino Unido a Portugal e Algarves, em 16 de dezembro de 1815. Somado esse fato à recusa de D. João de retornar à Europa, motivada por sua notória aversão a tomar uma decisão e pela opinião corrente nos círculos de poder no Rio de Janeiro de que era preferível conservar-se como uma potência no Novo Mundo a sujeitar-se à condição de satélite de terceira ordem da Inglaterra, ficava evidente que a Corte enraizava-se na América. No Brasil, porém, a revolta de Pernambuco em 1817 revelou que o processo gerava crescentes tensões entre as províncias e o Rio de Janeiro, enquanto, em Portugal, uma reação fez-se sentir, no mesmo ano, com a conspiração de cunho liberal liderada por Gomes Freire de Andrada.

Contra esse pano de fundo, após o falecimento de Dona Maria I em 1816 ocorreu a aclamação de D. João como rei de Portugal, Brasil e Algarves, no início de 1818. Tratava-se de uma cerimônia inédita na América, que reforçava o peso político da parte brasileira do império português e a ascendência do Rio de Janeiro sobre o restante do reino brasileiro. Melindrado, o jornal *O Português* passou a denominar a Corte no Brasil de "governo Tupinambá". Seguiram-se medidas paliativas para tirar Portugal do abatimento econômico em que jazia. Sem resultado. Em 24 de agosto de 1820, um movimento conhecido como Regeneração Vintista propunha, a partir do Porto, mas logo ganhando Lisboa e o restante do território português, o fim do Antigo Regime, a convocação de cortes para a elaboração de uma Constituição e o restabelecimento do lugar que Portugal julgava merecer no interior do império.

Como sempre indeciso, D. João VI ainda não hesitou em retornar a Portugal (onde era convocado), e aventou a possibilidade de enviar o filho à Lisboa e permanecer na América, de modo a preservar as instituições do

Antigo Regime. Também pesava o gosto pelo Brasil que adquirira nos 13 anos passados no Rio de Janeiro. Mas acabou cedendo. Embarcou em abril de 1821, quando o movimento constitucional já alcançara o Brasil, dando início ao processo de independência, que seria conduzido, em grande parte, por seu filho D. Pedro, conforme D. João desejara. Em Lisboa, passou a enfrentar a oposição das cortes, que, embora o reconhecessem como monarca, o queriam submisso, já que agora eram elas as detentoras da plena soberania. Em maio de 1823, contudo, um movimento militar chamado de Vila Francada restabeleceu o absolutismo em Portugal e, novamente, D. João VI se viu às voltas com as intrigas de Carlota Joaquina e do filho caçula, D. Miguel, preferido da mãe, absolutista empedernido, que promoveram um outro golpe, em 1824. Desgastado, após reconhecer a independência do Brasil no ano seguinte, faleceu em 1826, aos 59 anos, deixando o reino à beira de uma guerra civil, que colocaria em campos opostos os dois irmãos, D. Pedro e D. Miguel, e contribuiria para a abdicação do primeiro imperador do Brasil e para a crise das regências.

Essa trajetória não faz de D. João VI, certamente, um estadista de larga visão e profundas iniciativas. Mas, apesar disso, como observou Oliveira Lima, o historiador que melhor compreendeu, se não foi um grande soberano, de quem se podem exaltar "brilhantes proezas militares ou golpes audaciosos de administração", revelou-se um rei que soube combinar dois predicados: "um de caráter, a bondade; o outro de inteligência, o senso prático de governar". Sua seriedade e aplicação na rotina burocrática da administração política joanina, e também as transformações que promoveu no Rio de Janeiro com a mudança da fisionomia urbana, o incremento do comércio, os inícios de uma vida cultural, a introdução da imprensa e de novos hábitos, como os banhos de mar a duzentos réis em balsas flutuantes fundeadas na Baía de Guanabara defronte ao Paço talvez tenham sido os fatores responsáveis pelo lugar que sua figura veio a ocupar no imaginário dos brasileiros, como salientou o antropólogo Roberto DaMatta. Por isso, torna-se preocupante que o filme *Carlota Joaquina, Princesa do Brasil* torne D. João VI, sem qualquer fundamento, um objeto de chacota, desprezando as muitas facetas positivas desse personagem enredado em um período decisivo da nossa História.

Sempre Carlota

Culta, esquentada e à frente de seu tempo, Carlota Joaquina foi peça fundamental na mediação de crises e na articulação de movimentos políticos.

FRANCISCA NOGUEIRA DE AZEVEDO

Carlota Joaquina de Bourbon e Bragança é uma das mais controvertidas personagens da historiografia brasileira. Casada com D. João VI, rei de Portugal, viveu um dos períodos mais turbulentos da História ibérica, que resultou na fuga de toda a Família Real portuguesa para o Brasil. De temperamento forte e altivo, a Princesa do Brasil criou vários desafetos, mas também muitos admiradores. Entretanto, sua memória social tem a marca de uma espécie de "lenda negra".

Nascida no Palácio de Aranjuez, em 1775, deixou a Corte espanhola aos dez anos para casar-se com o infante português D. João. Seu nascimento trouxe certo alívio à Corte, preocupada com a sucessão, uma vez que sua mãe Maria Luísa de Parma passara por diversos abortos. Talvez por isso, e, provavelmente, por causa de sua reconhecida vivacidade e inteligência, Carlota Joaquina tenha sido a neta predileta do avô, o rei Carlos III, responsável por um dos mais brilhantes períodos da História espanhola. Considerado pela historiografia como "o rei sábio", Carlos III se cercou dos principais pensadores da Ilustração e implementou transformações profundas, tanto no país quanto na administração das colônias. Carlota foi educada nos moldes clássicos das donzelas da alta nobreza europeia.

Sua educação foi posta à prova na época dos exames públicos para o acordo matrimonial entre ela e o infante português D. João. Durante quatro dias, por cerca de uma hora, Carlota Joaquina respondeu a perguntas sobre religião, geografia, história, gramática, línguas portuguesa, espanhola e francesa.

Ao deixar Madri para se casar, a infanta não se separou apenas da família, mas também de seu estilo de vida. Na Corte de Carlos III, reinava o fausto comparável às monarquias mais importantes da Europa. Em Portugal, ao contrário, a tradição religiosa e o conservadorismo que marcaram a Corte de Dona Maria tornavam a vida social, particularmente das mulheres, muito restritas, uma vez que a Igreja impôs normas proibindo todo tipo de divertimento. A chegada de Carlota Joaquina trouxe um pouco de alegria à Corte bragantina, pois seu temperamento extrovertido quebrava a rigidez da vida do palácio.

A Princesa bem cedo se destacou como protagonista política da Corte lusa, articulando negociações diplomáticas, trabalhando pela defesa da paz na península. No final do século XVIII, os incidentes que culminavam na Guerra das Laranjas (1801) – quando a Espanha apoiou a invasão francesa em Portugal – causaram estremecimento entre as duas famílias. Carlota Joaquina saiu em defesa do marido e de Portugal. Em carta, que se revelou profética, ao pai, alertou-o para o perigo de se envolver com Napoleão. Tinha razão, pois em 1808 toda a família real espanhola tornou-se prisioneira de Napoleão Bonaparte. Essa sensibilidade e astúcia por negócios e pela política levaram Carlota por caminhos perigosos e proibidos às princesas consortes na Corte dos Bragança. Gostava, entretanto, de agir e atuar politicamente.

Quando queria, podia ser uma interlocutora brilhante, capaz de impressionar e pressionar as pessoas com a força de sua argumentação. Em 1804, fechou um acordo com o general Junot – posteriormente comandante das tropas francesas que invadiram Portugal –, ratificando o tratado de neutralidade entre Portugal, Espanha e França, adiando assim a invasão francesa e mantendo a Inglaterra afastada, momentaneamente, da política portuguesa.

O ano de 1806 foi desastroso para ela. A participação na Conspiração de Alfeite deixou marca profunda em sua vida privada e política, e talvez explique parte da "lenda negra" construída sobre ela. Com apoio de um seguimento da fidalguia portuguesa, que alegava estar D. João enfermo, Carlota Joaquina liderou um movimento para sua ascensão ao poder. O grupo que participou da Conspiração de Alfeite declarou que apoiava a regência da Princesa porque "ela soubera fazer-se estimada não só da aristocracia como da plebe". Carlota Joaquina foi acusada de trair o marido e colocada numa espécie de cárcere privado.

A Conspiração de Alfeite nunca ficou bem explicada. O grupo que participou dela assegurava que D. João estava realmente doente, num momento em que a grande crise política que aquietava a Europa exigia sua presença. Desde 1805 D. João vinha sofrendo de crises periódicas de depressão. Os fidalgos que a apoiavam argumentavam que situação semelhante ocorrera quando o rei D. José adoeceu, em 1776, e sua mulher, Dona Mariana Victória, assumiu a regência.

A partida para o Brasil com a Corte dos Bragança, em 1807, sob a proteção da esquerda britânica, significou profunda derrota para Carlota Joaquina e seus aliados. Sabia que a vinda para a América implicaria o afastamento definitivo dos amigos e da família. Os pais não podiam ajudá-la, pois no Antigo Regime os compromissos políticos e diplomáticos eram mais importantes do que as relações entre pais e filhos.

Mal desembarcou em seu exílio tropical, recebeu a notícia de que Napoleão usurpara a coroa de seus pais, e que eles, juntamente com seus irmãos, eram prisioneiros na cidade francesa de Bayonne. A notícia da traição de Napoleão à monarquia espanhola tomou a Corte portuguesa de surpresa. Carlota Joaquina tornou-se a única herdeira direta de Carlos IV em liberdade. A Inglaterra, mais do que qualquer outra nação europeia, tinha a noção exata do significado do controle de Napoleão sobre a Península Ibérica. Ninguém na época duvidava que o próximo passo do imperador dos franceses seria a América.

Imediatamente o governo britânico contra-atacou em duas frentes: na península e nas colônias americanas. Na península, os embaixadores ingleses fecharam um acordo com a resistência espanhola e o Exército e a Marinha inglesa entraram em território espanhol. Na América, o almirante inglês Sidney

Smith, responsável pela segurança da Família Real, articulou-se com refugiados portenhos que se encontravam no Rio de Janeiro, desde a frustrada invasão inglesa à região, e negociou um projeto semelhante ao que foi imposto a D. João, quando se decidiu o embarque para a América. O trabalho diplomático para o reconhecimento da regência de Carlota Joaquina ao trono da Espanha ocorreu pela popularidade que ela começou a ter na Espanha, e o Gabinete de D. João usou esta estratégia como etapa para chegar à União Ibérica.

Em outra ocasião, quando se articulou o casamento da filha primogênita, Maria Teresa, com o primo, Pedro Carlos, infante espanhol, Dona Carlota se opôs ao plano, pois considerava o sobrinho "um príncipe ignorante, malcriado, sem conhecimentos de nenhuma espécie... e inimigo dos espanhóis". Mas as bodas se efetivaram.

Depois de sua chegada ao Rio de Janeiro, necessitando conseguir uma impressora para publicar panfletos a favor da resistência realista em Montevidéu, Dona Carlota burlou o cerco que a impedia de chegar ao marido e fez seu pedido diretamente ao regente. Em outro episódio, precisando de dinheiro para enviar a Montevidéu e, diante da negativa do Gabinete de D. João, tomou uma drástica decisão: vendeu grande parte de suas joias e enviou o dinheiro para a resistência no Rio da Prata.

A popularidade de Carlota Joaquina cresceu, tanto na Espanha quanto na América. Da península chegou a informação, pelo embaixador português, de que a Junta Central que governava a Espanha na ocasião não tardaria em reconhecer seus direitos à regência. Ela recebeu o apoio de vários intelectuais, entre eles o portenho Manuel Belgrano, que se tornou um dos mais ilustres líderes da independência da Argentina.

A oposição ao *carlotismo*, entretanto, foi mais eficaz e conseguiu retardar a concretização de sua indicação a regente do império espanhol. Enfim, o Congresso de Viena e o retorno ao trono da Espanha do irmão de Carlota Joaquina, Fernando VII, colocaram um ponto final no projeto, mas não às suas interferências nas decisões políticas da Casa de Bragança.

Em 1821, o movimento constitucional exigiu a volta de D. João a Portugal. No dia do desembarque, vários membros do Partido Liberal esperavam os soberanos no porto, e, ao proferir a frase "Nem nos meus sapatos quero, como lembrança, a terra do maldito Brasil. Uf!", Carlota foi efusivamente aplaudida pelos deputados constitucionalistas.

Um ano depois, ela provocou gravíssima crise no governo ao se negar a jurar a Constituição da Monarquia, apesar de D. João já ter feito seu juramento. As Cortes enviaram notificação à rainha, alertando que se ela não cumprisse a ordem do rei teria como sanção a perda de cidadania e das dignidades de rainha, e a expulsão do reino.

Diante da inflexibilidade de Carlota Joaquina e, por outro lado, seu precário estado de saúde, o Conselho de Estado decidiu adiar a decisão sobre a pena, até receber o relatório de uma junta médica. Os médicos confirmaram o avanço da doença pulmonar e dos problemas no fígado, considerando que ela corria "perigo eminente de vida". Diante disto, D. João VI desaconselhou qualquer viagem ao exterior, mas confirmou a perda de seus direitos e dignidades de rainha, obrigando-a a retirar-se para o palácio de Ramalhão, em Sintra. Sua solidão não durou muito, pois o movimento Vila-Francada (1823) a levou de volta a Queluz.

Com o restabelecimento do absolutismo monárquico em Portugal, D. João assinou o "Decreto de Reintegração da Rainha Carlota Joaquina nos seus Direitos". Em 30 de abril de 1824, estourou o movimento da Abrilada, que previa a abdicação de D. João VI em favor de D. Miguel, mas a intervenção do corpo diplomático, especialmente o britânico, em defesa dos direitos de D. João, impôs um desfecho desfavorável para o chamado partido apostólico, comprometendo seriamente a ela e seu filho. A solução encontrada para o afastamento de D. Miguel da mãe e da Corte foi enviá-lo em viagem ao estrangeiro durante um período, para que se distraísse das más companhias". Ela mais uma vez ficou confinada sob vigilância serrada no Palácio de Queluz. Durante quatro anos (1824-1828) quase não se ouviu falar da rainha. Em 1826, morreu D. João. Porém, a situação de Dona Carlota Joaquina continuava a mesma.

Somente em 1828, com o retorno de D. Miguel e sua proclamação como rei de Portugal, ela voltou ao poder. Não há dúvida da importância de Carlota Joaquina para a política portuguesa ao longo de sua vida. Embora doente e vigiada, ela influenciou e apoiou a ascensão de D. Miguel ao trono. Durante o miguelismo, foi a "eminência parda" do regime. A derrota de D. Miguel em 1834 ocorreu, em parte, pela ausência de Dona Carlota, pois o filho não tinha nem a força de caráter nem o carisma da mãe.

Carlota Joaquina morreu na tarde do dia 7 de janeiro de 1830. Seu envolvimento no projeto contrarrevolucionário português tornou-a uma das figuras mais representativas do absolutismo monárquico em Portugal. Teve uma vida tumultuada sem jamais se render à cultura feminina do seu tempo. Talvez tenha aprendido isso com Benito Feijo, intelectual espanhol, amigo íntimo de seu avô, que no século XVIII defendia a dignificação da mulher pela educação e cultura. Carlota Joaquina gostava de ser plena, de atuar; nunca se negou às grandes emoções nem que viessem acompanhadas de dor e sofrimento. Por sorte, toda a tragédia de sua vida foi recompensada na época da morte, pois viveu os últimos anos cercada de poder e glória.

D. Pedro I, ardente e cortesão

•

O indiscreto "Demonão"

D. Pedro I era um imperador impulsivo, louco por mulheres e que não escondia suas traições.

MARY DEL PRIORE

No céu do século XIX brilhou uma estrela: a do adultério. A história de amantes, que antes estava relacionada à dominação entre senhor e escravas, agora dava lugar a uma relação venal. Às vezes, esses casos eram até apimentados com sentimentos. E o exemplo vinha de cima.

O período começou com a chegada da Corte portuguesa ao Rio de Janeiro, em 1808. Entre os membros da Família Real, a Princesa Carlota Joaquina Teresa Caetana de Bourbon y Bourbon já vinha malfalada por viver na Quinta do Ramalhão, palácio localizado em Sintra, distante da residência do marido, D. João, que vivia em Lisboa. À boca pequena, havia rumores de um envolvimento de Carlota com o comandante das tropas navais britânicas, Sydney Smith. A ele, ela ofereceu de presente uma espada e um anel de brilhantes. Temperamental e senhora de um projeto político pessoal – queria ser regente da Espanha –, a Princesa teve, sim, amores. Todos encobertos pela capa da etiqueta e por cartas trocadas com o marido, nas quais ele era chamado de "meu amor".

No Brasil, a nora Leopoldina (1797-1826), recém-chegada da Áustria – uma das mais sofisticadas Cortes europeias –, não deixou de escrever aos familiares, chocada com o comportamento de Carlota Joaquina: "Sua conduta é vergonhosa, e desgraçadamente já se percebem as consequências tristes nas suas filhas mais novas, que têm uma educação péssima e sabem aos 10 anos tanto como as outras que são casadas."

Os casos amorosos de Carlota eram conhecidos, e o mais rumoroso deles resultou no assassinato a facadas, a mando da própria Carlota, de uma rival, a mulher de um funcionário do Banco do Brasil. Enquanto isso, comentava-se sobre a solidão de D. João, atenuada graças aos cuidados de seu valete de quarto.

Já o filho D. Pedro não escondeu seus casos de ninguém. Tampouco se preocupava em ser discreto com a própria esposa, a Princesa Leopoldina, com quem se casou em 1817. Segundo biógrafos, "seu apetite sexual" era insaciável. Para ele, não importava a condição social: mucamas, estrangeiras, criadas ou damas da Corte. Nessa época, ser libertino não significava apenas seduzir todas. Mas, sobretudo, não se deixar seduzir. Nenhuma se negava a D. Pedro I, por ser rei e por ser fogoso.

O cônsul espanhol Delavat, no Rio, em 1826, acusava-o de ser "variável em suas conexões com o belo sexo". E não hesitava em manter relações com várias mulheres de uma mesma família, como fez com a dançarina Noémi Thierry e sua irmã. O mesmo Delavat escreveu que D. Pedro tinha "um objeto distinto para cada semana, nenhuma conseguia fixar sua inclinação". Nenhuma até ir a São Paulo, em setembro de 1822, quando proclamou a Independência. Lá encontrou Domitila de Castro Canto e Mello, de 25 anos, um a mais que ele. Belíssima? Não exatamente. Certo pendor para a gordura, três partos, cicatrizes, um rosto fino e comprido, aceso pelo olhar moreno. Domitila era mãe de três filhos e acusada de adultério. Ela levara uma facada do marido certa manhã em que voltava, às escondidas, para casa. O fato manchava o nome da família.

Uma aventura romanesca teve início no dia 29 ou 30 de agosto de 1822. Este *affair* extravasou a alcova e se refletiu mais tarde na vida política e familiar do príncipe, dentro e fora do país. Logo após tornar-se imperador, D. Pedro deixa de lado a discrição, transformando Titília, como a chamava, numa "teúda e manteúda" que é apresentada à Corte e instalada em uma casa, atual Museu do Primeiro Reinado, ao lado do Palácio de São Cristóvão, no Rio de Janeiro.

Em 1824, veio ao mundo Isabel Maria de Alcântara Brasileira, a "Belinha", primeira filha do casal de amantes. Em 12 de outubro de 1825, D. Pedro, já imperador, contemplou Domitila com o título de Viscondessa, no mesmo ano em que nascia mais um filho da concubina, Pedro de Alcântara Brasileiro. Em 1826, no dia do imperial aniversário, Domitila se tornou a Marquesa de Santos. Aconteceu então um fato documentado: tendo os diretores do Teatro da Constituição proibido a entrada da Marquesa, alegando que não era digna da boa sociedade, baixou-se ordem para que fossem fechadas as portas e presos aqueles diretores. O imperador era um amante zeloso...

Amante, sim, e quanta paixão! Suas cartas são recheadas de suspiros e voluptuosidade: "Meu amor, meu tudo", "meu benzinho... vou aos seus pés", "aceite o coração deste que é seu verdadeiro, fiel, constante, desvelado e agradecido amigo e amante". E mais incisivo: "Forte gosto foi o de ontem à noite que tivemos. Ainda me parece que estou na obra. Que prazer!! Que consolação!!!". E terminava "com votos de amor do coração deste seu amante constante e verdadeiro que se derrete de gosto quando (...) com mecê". Ou mandava "um beijo para a minha coisa", ou ainda "abraços e beijos e Fo (...)". E depois, mortificado de ciúmes e suspeitas, perguntava: "será possível que estimes mais a alguém do que a mim?". E assinava-se "seu Imperador", "seu fogo foguinho", "o Demonão", quando não acrescia eroticamente, como se vê em carta no Museu Imperial, o desenho do real pênis ejaculando em louvor da amante. Tudo cheirando – como disse um biógrafo – a lençóis molhados e em desalinho.

O amor adúltero se desenvolvia na frente de todos e dividia a Corte. Os irmãos Andrada, em particular José Bonifácio, consideravam a atitude do jovem imperador comprometedora para a imagem do novo Império no exterior. Ainda como viscondessa, o imperador chegou ao cúmulo de elevar Domitila a dama camarista de sua esposa, Dona Leopoldina. A amante acompanhou o casal numa viagem de dois meses à Bahia. O secretário da imperatriz escreveu, em fevereiro de 1826, ao chanceler austríaco Klemens Wenzel von Metternich para reprovar a "fatal publicidade da ligação" com a Marquesa de Santos, debitando-a à "resignação e introspecção" da Princesa austríaca.

A possibilidade de D. Pedro I se casar com a "Pompadour tropical" horrorizou a aristocracia europeia. A morte de Dona Leopoldina no final de 1826, aos 29 anos, obrigou D. Pedro a tomar certos cuidados, pois não faltaram manifestações acusando Domitila de ter envenenado a imperatriz. A própria Leopoldina se queixara, em carta ao pai, de que o marido a maltratava "na presença daquela que é causa de todas as minhas desgraças". Os moradores reagiam à presença da concubina disparando insultos, ameaças e até mesmo houve uma tentativa de linchamento.

Multiplicavam-se as murmurações contra Domitila, que reunia em São Cristóvão uma família bastante característica destes tempos: filhos legítimos e ilegítimos, seus sete irmãos, sobrinhos e cunhadas, o tio materno Manuel Alves, a tia-avó dona Flávia e as primas Santana Lopes. O Barão de Maréchall anotava em relatório enviado à Áustria: "A família aflui de todos os cantos; uma avó, uma irmã e uns primos acabam de chegar."

Em 1827, já gozando de todas as prerrogativas de marquesa, Domitila recebe ainda a condecoração da Real Ordem de Santa Isabel de Portugal, além de conseguir títulos de nobreza para o restante de sua família. Tanto agrado aguçou desafetos, dando munição aos que se batiam pelo fim das honrarias. Perigo havia, mas quando se alastraram notícias da busca de uma noiva para o imperador viúvo, as cartas de amor que Domitila recebia mudaram de tom. Agora, D. Pedro falava em "gratidão e afeto particular", chamando-a de "minha amiga". Grávida do imperador pela quarta vez – a filha Maria Isabel de Alcântara Brasileira nasceu no dia 13 de agosto –, ela percebeu suas intenções quando ele pediu que se distanciasse da Corte, com a promessa de uma pensão generosa.

A concubina foi afastada antes da chegada da nova noiva. Assinado em 1829, o contrato de casamento com a Princesa alemã Amélia de Leuchtemberg, segunda esposa de D. Pedro, pôs fim ao caso.

Leopoldina, a austríaca que amou o Brasil

A esposa austríaca de D. Pedro I foi figura fundamental para a Independência, apaixonada pelo marido e pelo Brasil até sua morte.

CLÓVIS BULCÃO

No início do ano de 2013, a imprensa brasileira noticiou com grande ênfase os primeiros resultados da pesquisa da antropóloga e historiadora Valdirene do Carmo Ambiel. Com o apoio da Faculdade de Medicina da Universidade de São Paulo (USP) os restos mortais de D. Pedro I, primeiro imperador do Brasil, e de suas duas esposas, Dona Leopoldina e Dona Amélia, haviam sido exumados. Os três corpos fòram examinados por tomografias e ressonâncias magnéticas. A mídia repercutiu as principais descobertas: Dona Amélia de Leuchtenberg estava mumificada; o imperador, vestido não como monarca mas como general português, tinha quatro costelas quebradas. No caso de Leopoldina houve certa decepção, pois havia a expectativa, que não se confirmou, de que ela tivesse uma fratura na perna. Afinal, ainda hoje, mesmo após a exumação de seu corpo, não se sabe ao certo os detalhes dos últimos dias de vida de Leopoldina.

A arquiduquesa Leopoldina nasceu em Viena, Áustria, em 1797. Era filha do imperador Francisco I, sobrinha neta de Maria Antonieta e após o casamento de sua irmã Maria Luisa tornou-se cunhada de Napoleão

Bonaparte. Sua família, os Habsburgo Lorena, na virada do século XVIII para o XIX, era uma das mais poderosas da Europa. Foram responsáveis, diretos ou indiretos, pela sua formação o príncipe de Metternich, o compositor Haydn e o poeta Goethe. Sua educação foi tão boa que, aos 18 anos, Leopoldina acompanhou atenta o Congresso de Viena, em 1815.

A jovem expressou opinião sobre os dias que agitaram a capital da Áustria. Achou engraçada a pronúncia inglesa da língua francesa de Lorde Castelreagh (ministro Britânico dos Negócios Estrangeiros), criticou o comportamento do rei de Wurtemberg, não gostou das críticas feitas ao cunhado Napoleão e perguntou se Talleyrand (diplomata francês) não era o 'próprio Lucifer em pessoa'. Com tantos predicados, como Leopoldina acabou em uma das regiões mais pestilentas e remotas do mundo, o Brasil do início do século XIX? Que interesse teria o poderoso imperador da Áustria de casar sua filha com o herdeiro de um império decadente como o português.

Desde a vinda da Corte lusa para o Brasil, em 1808, D. João vivia acossado pelos ingleses. Tanto que, em 1810, eles arrancaram do príncipe regente um lesivo tratado comercial, os produtos britânicos manufaturados passaram a ter privilégios monopolísticos. Na sequência, os 'velhos aliados' exigiram o seu retorno imediato ao Velho Mundo. Durante as supracitadas negociações de paz em Viena, os ingleses tentaram tirar dos portugueses todo tipo de vantagem: condenação do tráfico de escravos, devolução da Guiana Francesa e apoio aos seus interesses na bacia do Prata. Encurralada, a diplomacia lusa instalada no Brasil buscava formas de minimizar o poderio da Inglaterra.

Coincidentemente, no Rio de Janeiro, o herdeiro do trono de Portugal, D. Pedro, começava a ter os problemas típicos de um jovem adolescente dos trópicos. Pouco preocupado com a própria educação, o rapaz gastava mais tempo nas cocheiras da Real Quinta da Boa Vista do que com os estudos. Portanto, essa escolha acabou refletindo de forma insofismável em sua formação. Não era uma pessoa polida. Do ponto de vista sexual puxou pela mãe, Dona Carlota Joaquina, que dizia: 'adoro Deus e tenho medo do diabo, mas se Deus ou o diabo se puserem na minha frente quando o amor me preocupe, eu os porei na rua a pontapés'. Foi exatamente por conta de seu duplo *affaire* com uma bela loira, a atriz francesa Noemi Thierry, e com a irmã dela, que ficou decidido que era hora de procurar uma esposa para D. Pedro.

Um casamento bem contratado resolveria os problemas criados pelo herdeiro do trono e pelos ingleses. Foi com esse objetivo que o diplomata Rodrigo de Navarro de Andrade, o Barão de Vila Seca, correu o Velho Mundo atrás de uma noiva. Graças a sua amizade com um dos Conselheiros de Estado austríaco foi recebido por Metternich. A união com os Habsburgo atendia plenamente os interesses da diplomacia lusa. Mas havia um impedimento, Leopoldina já estava com casamento contratado com a Casa de Saxônia. Outro agravante, os austríacos sabiam que D. Pedro era epilético. Foi o próprio imperador Francisco, que apesar dos pesares, decidiu pelo casamento 'brasileiro'.

Mandar a filha para local tão exótico demandou alguns aborrecimentos diplomáticos. O mais fácil foi renegociar o contrato de matrimonio com a Casa de Saxônia. Surpreendente foi o comportamento de Carlota Joaquina, futura sogra de Leopoldina, que tentou através de seu pai Fernando VII, rei de Espanha, colocar um aditivo no contrato nupcial: obrigar o retorno imediato dos Braganças ao Velho Mundo. Assim como os interesses ingleses tudo foi ignorado por Metternich.

A jovem arquiduquesa fora educada sabendo que seu casamento atenderia aos interesses da Áustria e não colocou nenhum empecilho, muito pelo contrário. Ela conhecera na cidade de Baden, em 1815, na casa de uma família portuguesa 'nativos do Brasil'. Eram escravos poliglotas que conversaram com a futura imperatriz falando em francês. Leopoldina ficou tão encantada com o encontro que escreveu ao pai frisando com os 'brasileiros' eram 'gentis e espirituosos'. Antes da travessia histórica do Atlântico, Leopoldina recebeu conselhos providenciais do pai: não se deixar contaminar pelo espírito revolucionário que pairava sobre o Novo Mundo, 'pois uma princesa nunca pode agir como quer' e, não menos importante, ficar atenta ao comportamento de sua sogra.

O casamento dos Bragança com os Habsburgo deixou D. João eufórico. Na Corte lusa, instalada no Rio de Janeiro, surgiu um sentimento de que era a ressurreição dos bons tempos. O feito era realmente extraordinário e quem mais acusou o golpe foram os ingleses. Fizeram de tudo, em 1817, para impedir a viagem de Leopoldina. Através de seu embaixador em Viena, Mr. Chamberlain, foram feitas a seguintes alegações: havia um foco revolucionário em Pernambuco, ou seja, Leopoldina corria os mesmos riscos que sua tia avó, Maria Antonieta. Tensão! Apesar de tudo, Leopoldina parecia firme em sua decisão de conhecer seu marido. Em cartas aos parentes ela expressava seus verdadeiros desejos: 'não faço nada senão pensar e sonhar com ele [o noivo]', 'guiada por Amor e Zéfiro, e nada no mundo me pode impedir'.

Então, em 15 de agosto de 1817, às seis e meia da manhã a frota portuguesa partiu do porto italiano de Livorno levando a austríaca. Leopoldina logo estaria nos braços de seu Adônis. Após uma viagem de 85 dias, ela chegou ao Rio de Janeiro. Sua emoção foi assim relatada ao pai em carta de novembro do mesmo ano:

'A entrada do porto é sem par, e acho que a primeira impressão que o paradisíaco Brasil faz a todos os estrangeiros é impossível de descrever com qualquer pena ou pincel: basta que lhe diga: a Suíça unida ao mais belo e ameno céu'.

Novo país, nova cidade e nova família. Sobre D. João ela contou ao pai: 'Amo e estimo o meu sogro como a um segundo pai, e acho que ele se parece muito com o Senhor, caríssimo papai, no que toca à bondade de coração e ao amor ao seu povo'. Sobre Carlota, ' a minha sogra sempre respeitarei como mãe de meu esposo, a sua conduta, porem, é vergonhosa e desgraçadamente já se percebem as consequências tristes nas suas filhas mais novas que tem uma educação péssima e sabem aos dez anos de idade tanto quanto as outras que já são casadas'. A irmã de seu marido, 'minha cunhada Maria Teresa é uma verdadeira amiga e eu gosto muito dela. Deus sabe por que, mas meu marido de modo algum permite que a procure; a sua sorte desgraçada, seu filho tão engraçado, sua boa educação, tudo contribui para que a aprecie e que ela me seria estimável e cara; sua amizade e confiança para comigo me lembram a minha situação feliz na minha cara pátria'.

Os relatos de Leopoldina sobre o marido revelam de forma bem íntima o comportamento de Pedro. Dois dias após a sua chegada, e de ter cumprido um extenso cerimonial, ela revelou ao pai ' alem disso o meu muito querido esposo não me deixou dormir'. Um mês mais tarde o relato seguia encharcado de felicidade: 'De minha felicidade não duvide'. Mas aos poucos, ela começou a contar outras características do marido. A irmã Maria Luisa recebeu no início de 1818 a seguinte informação:

'Quero descrevê-lo a você com poucas palavras e com toda a franqueza, convencida de que esta carta não chegará a outras mãos senão às suas, minha querida. Com toda franqueza, diz ele tudo o que pensa, e isso com alguma brutalidade: habituado a executar a sua vontade, todos devem acomodar-se a ele; até eu sou obrigada a admitir alguns azedumes. Vendo, entretanto que me chocou, chora comigo: apesar de toda a sua violência e de seu modo próprio de pensar estou convencida de que me ama ternamente: apesar do retraimento resultante de numerosos acontecimentos infelizes na sua família'.

Um desses acontecimentos infelizes deve estar ligado à amante do marido, Noemy. Pedro levava a esposa aos encontros com ela, pois a francesa estava grávida. Leopoldina foi salva pelo sogro que despachou a mãe de seu futuro neto para o Recife. A criança faleceu com poucos meses e, embalsamada, foi enviado ao Rio de Janeiro. Bizaramente, Pedro escondeu o caixão de seu filho em um dos armários da Real Quinta da Boa Vista. A criança só foi enterrada anos mais tarde, já no período regencial.

Mesmo assim, Leopoldina e Pedro conseguiram manter uma relação estável ao longo de algum tempo. Em abril de 1819, nasceu a primeira filha do casal, Maria da Glória. Durante a gravidez da esposa, Pedro se tornou mais infiel. Tudo mudaria ainda mais após a revolução do Porto de 1820, o novo quadro político alterou a rotina da Corte no Rio de Janeiro. D. João, e o filho Pedro, foram obrigados a jurar, em público, fidelidade à nova ordem jurídica em Portugal. O próximo passo seria o retorno ao reino.

A crise política quando se instalou Leopoldina estava novamente grávida, portanto, não teria condições físicas de encarar uma travessia do Atlântico. A volta apenas de seu marido representaria na prática a separação do casal, algo que ela não admitia. E, apesar dos pesares, fez de tudo para que o marido ficasse ao seu lado até o nascimento da criança. O parto se deu antes da partida de D. João, mas ninguém mais admitia imediato retorno de Pedro e sua esposa para Portugal. Para Leopoldina não foi a solução ideal, pois ela pretendia voltar para Europa.

O clima político seguia tenso, mas o casal retomou a rotina. Pedro, como príncipe regente, atendia ao longo do dia os súditos. O casal jantava às duas da tarde, passeio de cavalo às dezesseis e de noitinha tocavam juntos, ele flauta e ela piano. Às nove iam dormir. Foi nesse momento que Leopoldina foi tocada pelo amor aos brasileiros. Em meados de 1821 fala ao pai:

'Aqui reina verdadeira miséria; todos os dias novas cenas sediciosas. Os verdadeiros brasileiros são cabeças boas e calmas, as tropas portuguesas, porem, estão animadas do pior espírito [...] Deus sabe o que acontecer ainda conosco'.

As tropas estavam animadas no firme propósito de acatar as ordens de recolonizar o Brasil, acabar com todas as conquistas conseguidas com a chegada da Corte em 1808. Eram tempos sombrios! Aos poucos, ela foi sendo envolvida pelo clima político cada vez mais tenso. Em fins de 1821, avisa ao imperador da Áustria:

'A publicação dos decretos fez um choque mui grande nos brasileiros e em muitos estrangeiros'.

Ao contrário da esposa, D. Pedro hesitava. Já Leopoldina tinha claro que a única chance dos Bragança de manter o Brasil longe de uma hipotética 'revolução democrática e republicana' seria a separação. Ela acreditava que o marido deveria liderar a 'força popular'. Portanto, quando chegou a ordem de que ele retornasse imediatamente ao reino, ela, ao contrário do esposo, já tinha opinião formada. Mais uma vez ela estava grávida, o caso só reforçou suas convicções. Do outro lado da balança as tropas portuguesas pressionavam D. Pedro. Para acalmar os ânimos, ele mandou organizar os preparativos para a viagem. Ate que em 9 de janeiro de 1822, ele enfim decidiu ficar.

Após o Dia do Fico, ficou evidente de que lado estava Leopoldina. Em carta a uma tia, pouco após a tomada de decisão do marido:

'É preciso fazer o sacrifício de ficar na América o que estou pronta a fazer para o sossego e felicidade de minha nova família'.

A chegada de José Bonifácio ao ministério representou um novo rumo na vida política do Brasil. Não de uma ruptura, mas de um governo autônomo. Do ponto de vista pessoal a presença de Bonifácio foi um alívio para Leopoldina. Além de culto e bonito ele falava alemão. Mas a questão política seguia obscura, em julho de 1822, o Rio de Janeiro foi tomado por boatos do envio de mais tropas portuguesas. A cada decisão dos portugueses mais a colônia era espremida na direção à emancipação. D. Pedro passou a usar um lenço verde, símbolo da luta pela autonomia, e ela distribuía fitas verdes aos adeptos da causa. O ápice do processo da independência, o 7 de setembro de 1822, teve um efeito ambíguo na vida de Leopoldina.

Do ponto de vista político uma vitória pessoal, do ponto de vista pessoal uma derrota. Pouco antes, viajando pela Província de São Paulo, D. Pedro conheceu Domitila de Castro, a futura Marquesa de Santos. Leopoldina dizia que a nova amante do marido era um 'mostro sedutor'. O certo é que D. Pedro foi atacado por uma paixão avassaladora. Num piscar de olhos trouxe-a para o Rio de Janeiro. Inicialmente, ela foi morar em Mata Porcos (atual bairro do Estácio). Num segundo momento, foi instalada nas vizinhanças da Real Quinta da Boa Vista. Sem contar que os parentes da concubina, Titila, na intimidade do imperador, foram beneficiados com títulos; o pai dela virou visconde, os irmãos e cunhados barões e viscondes.

A casa de Domitila virou o principal endereço político do império. Passaram pelos salões de sua bela residência o embaixador da Inglaterra, Sir Charles Stuart, Gabriac o representante da França, o militar alemão Carl Schlichhorst entre outros. Na mesma proporção em que Domitila ficava poderosa, Leopoldina se afundava. Até os empregados do palácio se voltaram contra ela. Homens da confiança do imperador - Plácido de Abreu (varredor do Paço), João da Rocha Pinto (ex moço da cozinha), Chalaça - faziam de tudo contra a imperatriz. O pesquisador Laurentino Gomes diz que ela era uma mulher feia, cabelos desgrenhados, gorda que não se cuidava, efeitos de uma possível depressão. Leopoldina chegou a suspeitar que fora vítima de algum tipo de feitiçaria.

D. Pedro nunca poupou a esposa. Foram muitos os momentos desagradáveis que Leopoldina teve que aturar. Em 1826, sem nenhum constrangimento o Imperador embarcou com a esposa, a amante e filhos; Titila também tivera uma menina, em uma viagem até Salvador. Para agravar o quadro, D. Pedro só fazia as refeições com Domitila. O pior ainda estava por acontecer.

Em outubro de 1826, apesar de tudo, Leopoldina voltou a engravidar. Mesmo assim, D. Pedro nem dormia mais no palácio. Após um mês de ausência, ela perdeu a paciência e pensou em voltar para a Áustria. A prolongada ausência do imperador foi notada até mesmo pela população da cidade. O herói da independência perdera muito do prestígio pois levara longe demais seu romance com Titila. Alertado, D. Pedro resolveu ir para o campo de guerra, uma decisão estratégica que visava muito mais recuperar o crédito do que resolver a questão militar na província Cisplatina. Como sempre acontecia quando o imperador saía da cidade haveria uma cerimônia de despedida, um beija mão.

A sequência da história de Leopoldina e D. Pedro é confusa e faltam informações mais precisas. Ela teria se recusado a participar do evento pois não queria mais ser humilhada com a presença da amante do marido. Algumas fontes falam que ele teria dado um ponta pé no ventre da esposa grávida (ele já fizera o mesmo com Domitila), que ela recebera pancadas e, em outras, até fora espancada. Nem mesmo Leopoldina foi capaz de revelar os acontecimentos. Segundo seu biógrafo, Carlos Oberacker Jr., em seu leito de morte ela teria revelado apenas:

'Ultimamente o meu esposo acabou de dar-me a última prova de seu total esquecimento a meu respeito mal tratando-me na presença daquela mesmo que he a causada de todas as minhas desgraças [...] mas me faltão as forças para me lembrar de tão orrorozo attentado que será sem dúvida a cauza da minha morte'.

Sobre os efeitos das violências de D. Pedro as fontes são confusas. No início de dezembro de 1826, ela perdeu o filho homem que esperava, dias antes sofrera delírios e um espasmo na região gástrica. Dois dias mais tarde, estremecimento geral e muita tosse. Talvez uma febre biliosa. Nada sobre os problemas em sua perna? Segundo relato do médico, Barão de Inhomirim, havia uma *inchação erisipelatosa* de toda coxa, perna e pé. Logo, nunca existiu a esperada fratura. A morte de Leopoldina pode ser creditada a diversos fatores; precariedade da medicina de seu tempo, estresse emocional e o aborto dias antes de sua morte.

A comoção de sua morte demonstrou claramente o respeito que os moradores do Rio sentiam por ela. Ao longo de sua agonia a cidade acompanhou de perto o desenrolar dos acontecimentos. A temporada de teatro foi suspensa. As ruas foram tomadas por um numero maior de procissões. Para agravar o quadro os boatos se multiplicaram: ela teria sido envenenada, que se vingaria do imperador pelo seu descaminho etc. No dia 11 de dezembro de 1826, às dez horas e um quarto, ela morreu. Seus filhos,

Maria da Glória de 7 anos, Januária de 4, Paula de 3 e Pedro com apenas um ano foram os primeiros a entrar em seu quarto para chorar a sua morte. D. Pedro estava fora da cidade.

Algumas mulheres da família Habsburgo são muito conhecidas. A mais popular, sem nenhum favor, é Maria Antonieta. Sua notoriedade vem muito mais pelo fato dela ter tido o azar de estar no lugar certo na hora errada, ou vice versa. Apesar da fama, seu nome não evoca nada de positivo. Graças aos revolucionários franceses de 1789 ela saiu das luxuosas instalações do palácio de Versalhes para o lixo da História. Outra Habsburgo famosa foi Elizabeth da Baviera. Ela era cunhada de Leopoldina e é mais conhecida como Sissi da Áustria. Boa parte de sua fama ela deve à atriz Rommy Schneider que a representou em um filme. A verdadeira Sissi, nem devia ser bela pois sofria de bulimia, morreu assassinada e nunca fez nada de relevante, mas saiu do anonimato da História graças à Hollywood.

De todas as mulheres ilustres da casa dos Habsburgo, Leopoldina foi a única que atuou no campo político de forma vitoriosa. Quando o imperador da Áustria resolveu mandar sua jovem filha para o Novo Mundo havia a expectativa de fincar o pavilhão de sua família em um continente tomado pelo movimento republicano. Leopoldina foi capaz de entender qual era o seu papel estratégico. Lutou, ao lado de D. Pedro, muito mais preocupada na manutenção da monarquia do que qualquer outra coisa. Foi vitoriosa. Mesmo assim, sua fama nunca foi minimamente comparável a de sua tia avó e a de sua cunhada. O drama de nossa primeira imperatriz foi encoberto pela brejeirice de Domitila de Castro, pela visão machista de nossa sociedade e pelo pouco caso que temos com a nossa História.

D. Pedro II e a última Corte

•

A República de D. Pedro II

O monarca criou um governo guiado pelos bons valores republicanos, como o cumprimento das leis, o respeito pelo dinheiro público e a liberdade de expressão.

JOSÉ MURILO DE CARVALHO

Três frases a propósito da monarquia sempre me deram o que pensar. A primeira, ouvi do maior historiador argentino vivo, Tulio Halperin Donghi: "O império brasileiro foi um luxo." A segunda foi escrita por outro grande historiador, agora brasileiro, Sérgio Buarque de Holanda, no último volume da *História Geral da Civilização Brasileira*, por ele organizada: "O império dos fazendeiros (...) só começa no Brasil com a queda do Império." A terceira foram as várias declarações de norte-americanos quando da viagem do imperador aos Estados Unidos, exaltando seu republicanismo e seu ianquismo. A essas últimas poderiam ser acrescentadas as de outros estrangeiros, como o presidente da Venezuela Rojas Paúl e o poeta cubano Julian del Casal. O primeiro comentou ao ficar sabendo da queda do Império: "Foi-se a única República da América"; o segundo colocou na boca do imperador a frase "fui seu [do Brasil] primeiro republicano".

São afirmações de pessoas insuspeitas que contradizem boa parte da historiografia brasileira sobre o Império e o imperador. Para esta última, o Império era o governo dos fazendeiros e donos de escravos; o imperador ou era o déspota dos anos de 1860 ou o Pedro Banana da última década do século. Na contracorrente, Tulio Halperin Donghi fazia uma comparação entre o Brasil e os outros países latino-americanos no século XIX, pensando sobretudo na estabilidade política e no funcionamento regular das instituições representativas. Sérgio Buarque se referia ao não alinhamento do Estado imperial aos proprietários rurais. Os norte-americanos e outros, ao igualitarismo, ao despojamento, ao espírito público do imperador. Os que chamavam o Império de República pensavam, sobretudo, na liberdade de expressão existente no país.

Parte das características que distinguiam o Brasil dos vizinhos, como a unidade nacional e o grau mais atenuado de disputa pelo poder, dependia do parlamentarismo monárquico, por mais imperfeita que fosse sua execução, que D. Pedro II já encontrou a caminho da consolidação. Pode-se perguntar o que dependeu de sua ação e qual a consequência dela para o futuro do país.

O comportamento político do monarca foi marcado pelo escrupuloso cumprimento da Constituição e das leis, pelo respeito não menos escrupuloso ao dinheiro público, pela garantia da liberdade de expressão. Além de respeitar as leis, teve que levar em conta os grupos que controlavam a economia do país. Serviu como árbitro político entre esses grupos, intervindo em temas cruciais como a escravidão de maneira decidida, mas, para muitos, como Nabuco, demasiadamente lenta e cuidadosa. Não foi um absolutista, mas também não foi um político audacioso como o pai, apesar de governar sob uma Constituição presidencialista. Seu governo deixou uma tradição de valorização das instituições que, apesar de quebrada pelo golpe republicano, foi recuperada na Primeira República e talvez esteja viva até hoje, e legou um padrão de comportamento político que também sobreviveu nas primeiras décadas republicanas.

O que menos sobrevive hoje são os valores e atitudes republicanos. Na raiz deste retrocesso talvez esteja uma das falhas do sistema imperial, herdada pela Primeira República: a incapacidade de, depois de garantir a sobrevivência do Estado Nacional, promover a expansão da cidadania política. A elite política se manteve limitada e fechada, e o povo só foi entrar de fato no sistema político depois do Estado Novo. O caráter tardio e rápido da absorção do povo e da ampliação da elite, agravado pelos anos de ditadura, inviabilizou a transmissão de comportamentos e valores. O apelo à republicanização, feito várias vezes ao longo da história do regime, e essencial para garantir sua democratização, pode ter ainda hoje, como uma de suas referências, o exemplo de Pedro II. Republicanizando-se, o regime completará a herança imperial unindo República e democracia, e realizará, até onde isso é possível, a tarefa de construção nacional.

O reinado de Isabel

A devoção de ex-escravos à Princesa Isabel assombrava até mesmo monarquistas destronados e republicanos como Rui Barbosa.

ROBERT DAIBERT JUNIOR

No dia 13 de maio de 1891, na cidade de Mar de Espanha, em Minas Gerais, um grupo de ex-escravos foi preso por autoridades republicanas. Motivo: comemoravam o terceiro aniversário da Abolição. Eles ostentavam a bandeira do Império, ameaçavam queimar a da República, e davam vivas à monarquia e à Princesa Isabel. Esse episódio serve para mostrar a dificuldade do novo regime em apagar da memória coletiva a popularidade da monarquia, em especial, da Princesa Isabel. Curiosamente, celebrações como essa foram muito comuns e se multiplicaram por todo o país desde a assinatura da Lei Áurea, em 1888. Foi assim que a princesa se consagrou, no imaginário popular, como a "Redentora". Mas o que teria tornado possível esse tipo de "canonização"? Por que os escravos - muitos dos quais lutaram bravamente pelo fim do escravismo - dobravam seus joelhos, respeitosamente, diante da princesa branca? Teria sido esta uma prova de "alienação", como se diria hoje? Como eles interpretavam a atitude de Isabel?

Entre negros africanos e seus descendentes, a figura da Princesa se revestiu, por décadas, de um significado muitas vezes incompreendido até mesmo pelos monarquistas destronados. Meses antes da queda do Império, o republicano Rui Barbosa comentava indignado o fenômeno. Inconformado com as manifestações de gratidão que os negros devotavam à Princesa Isabel, ele só encontrava uma explicação para o fato: eles não sabiam como desfrutar da liberdade alcançada. Encarava essa devoção como mau uso da condição adquirida. Via essas atitudes e comemorações como expressão de servilismo e subserviência. Nas palavras do jurista e político, publicadas no *Diário de Notícias*, de 19 de março em 1889, "ao manipanso [ídolo africano] grotesco das senzalas, próprio para gente da África, sucedia o feiticismo da idolatria áulica, digna de uma nação de libertos inconscientes". De acordo com a apreciação de Rui, os negros estariam dando continuidade ao costume de adorar ídolos. Considerava-os inconscientes devido a sua herança e costumes selvagens. Se por um lado estava certo em considerar a atitude dos negros uma continuidade, por outro não se dava conta de que, ao comemorarem a Abolição saudando e enaltecendo a Princesa, estavam expressando sua concepção de realeza tal como a entendiam na África. Não se tratava de uma má assimilação da ideia de liberdade, mas de uma maneira diversa de compreender e comemorar essa conquista. Invertendo-se o olhar, a inconsciência não vinha dos negros, mas do próprio Rui, que não conhecia nem compreendia os meandros da cultura africana.

A realeza fazia parte da organização social de muitos povos africanos. Era assim que concebiam sua organização. Tal fato pode ser constatado na organização dos quilombos no Brasil. Quando fugiam, os escravos se organizavam em comunidades sob o governo de um rei e de uma rainha. Além da figura do rei-guerreiro, também era comum a presença do rei-sacerdote e divino, responsável por presidir as colheitas e mediar a relação da comunidade dos espíritos ancestrais.

Assim como os portugueses, os africanos, em sua terra natal, tinham o costume de assistir a cortejos reais, o que facilitou a reconstrução e adaptação de tais práticas em solo americano. Ao chegarem ao Brasil, não abandonavam completamente sua rotina. Mais ainda, passavam a prestar obediência aos reis e príncipes portugueses e, após a Independência, ao imperador do Brasil. À primeira vista, este fato poderia servir de argumento para aqueles que viam nos negros a incapacidade de tomar consciência de sua posição de dominados. Festejar tais aclamações significaria uma espécie de alienação quanto à exploração que lhes era imposta pelo domínio português. Mas a conclusão não é tão simples assim. A formação dos estados monárquicos do continente africano era muitas vezes fruto de uma conquista que permitia a um grupo forte (do ponto de vista do armamento militar) sobrepor-se a um povo militarmente mais fraco, que passava a ser explorado. Para muitos povos, a guerra era o principal modo de produção das organizações políticas. Não havia como sobreviver de outro modo. As comunidades se enfrentavam em guerras e os perdedores se transformavam em súditos de seus dominadores. Por meio da cerimônia da coroação, o rei, visto como conquistador e usurpador, passava a monarca, de natureza sacerdotal ou mesmo divina. Aquele que trouxe a morte, por meio da guerra, tornava-se portador da vida.

O mesmo ocorria com os africanos e seus descendentes no Brasil. Era familiar, aos seus olhos, participar da cerimônia e das festas de coroação de um novo rei. Não se consideravam vencidos. Impondo significados distintos, participavam dos festejos cívicos e das cerimônias promovidas pela monarquia. Nas cerimônias de coroação, nas festas cívicas e nos cortejos imperiais, o imperador era festejado com batuques e congadas. Ao participarem de tais eventos, davam prosseguimento, atualizavam e ao mesmo tempo revestiam suas concepções culturais de novos significados.

Segundo o historiador Robert Slenes, a maioria dos escravos importados para o Sudeste brasileiro, no final do século XVIII até 1850, veio das sociedades falantes das línguas bantos situadas na África Central, especialmente Angola e Congo-Norte. Seus valores estariam associados ao conceito de ventura-desventura, ou seja, "a ideia de que o universo é caracterizado em seu estado normal pela harmonia, o bem-estar e a saúde, e que o desequilíbrio, o infortúnio e a doença são causados pela ação malévola de espíritos ou pessoas, frequentemente através da feitiçaria". Considerando-se esse preceito banto, podemos acrescentar que nas coroações simbólicas dos reis e rainhas realizadas pelos negros em suas festas religiosas no século XIX, estavam em jogo um importante processo de construção da nacionalidade brasileira nos moldes africanos.

Nessas festas, a conversão de todos ao cristianismo era encabeçada por uma liderança africana. Curiosamente os negros eram vencedores por que contavam com a proteção de Nossa Senhora do Rosário, uma santa branca, que em determinadas ocasiões era pintada de preto pelos escravos. Brancos e negros eram assim integrados no ritual religioso. Nos sonhos e expectativas dos cativos, criava-se a possibilidade de construção de uma grande família, em que os conflitos e diferenças eram neutralizados e os estrangeirismos incorporados.

Os conflitos entre diferentes grupos eram resolvidos simbolicamente. Os negros expressavam nas congadas a expectativa de uma liberdade futura, quando sua felicidade seria restabelecida. Esta deveria ser alcançada após a resolução do conflito e coroada com a bênção de uma santa protetora, que, identificando-se com os anseios dos negros, promoveria a paz entre os grupos rivais. O caminho era a incorporação de novos valores aos já existentes. Ao final da guerra, os povos perdedores e vencedores, bem como seus referenciais culturais, seriam incorporados sob o manto do governante vencedor. Este, a partir de sua coroação, perderia o caráter usurpador para se transformar num promotor da justiça coletiva. Identificando-se com o povo reunido, reinaria de modo a ordenar e administrar as diferenças.

"Vencidos" na África, os negros eram escravizados e trazidos para o Brasil. Tornavam-se súditos de um novo rei, com quem deviam se identificar e prestar obediência. Aqui chegando, no entanto, eram submetidos a novos "governos". Dentro das fazendas, permaneciam sob o comando dos feitores e senhores de escravos que lhes presenteavam com um cotidiano recheado de violência e exploração. Sentiam na pele os sofrimentos decorrentes de seu infortúnio e desventura. Muitos reis, rainhas e príncipes africanos eram escravizados e vendidos, juntamente com seus súditos, como escravos comuns. Mas, como diz o ditado popular, "quem já foi rei, nunca perde a majestade". Em solo brasileiro, os negros continuavam a prestar obediência aos seus soberanos antigos, estivessem eles presentes fisicamente ou não. Ao mesmo tempo, D. Pedro II era visto como um benfeitor. Perdoava condenados à morte e, em suas viagens pelas províncias do Império, sempre alforriava escravos como demonstração de suas intenções abolicionistas.

Em sua guerra cotidiana contra a escravidão, os escravos viam nos senhores os inimigos de uma luta que se travava diariamente no convívio com seus opressores. Sua aproximação com o imperador, no entanto, dava-se somente em ocasiões especiais, geralmente festivas. Eram momentos em que podiam vivenciar seus sonhos de modo simbólico. Certamente as concepções africanas favoreceram não só a legitimidade do regime monárquico entre os negros, como também possibilitaram a neutralização de conflitos maiores. Em suas revoltas, os negros expressavam o descontentamento contra seus senhores, feitores ou policiais que os perseguiam. Mas não chegavam a pensar em derrubar a monarquia, embora esse temor estivesse presente no horizonte das elites imperiais.

Em uma entrevista coletada por Gilberto Freyre, Dona Maria Vicentina de Azevedo Pereira de Queirós, de origem aristocrática, nascida em São Paulo, no ano de 1868, relata: "Foi com grande alegria que recebi a notícia da Abolição e, em São Paulo, onde residia, assisti às grandes festas que fizeram na data de 13 de maio. Armaram grandes coretos nas ruas principais e ao som de bandas de música os escravos dançavam e cantavam, dando vivas e mais vivas à Princesa Isabel, a 'Redentora'."

Ao dançarem, os negros festejavam a concretização do sonho de liberdade que simbolicamente haviam vivenciado durante as festas no tempo do cativeiro. O que antes só era representado por meio de dramatizações, agora se tonara realidade. Nas festas em comemoração da Abolição, demonstravam grande satisfação, pois imaginavam estar retomando, e não apenas simbolicamente, a harmonia e o equilíbrio natural, que lhes havia sido retirado. No canto dos negros, este aspecto fica evidente. Com grande alegria entoavam: "Ei pisei na pedra, pedra balanceou/ Mundo tava torto, rainha endireitou." O estado de pureza, harmonia e bem-estar original estavam comprometidos. Seu "mundo estava torto". Acreditavam que a recriação deste estado de pureza por meio de rituais e festas, onde a figura do rei estava sempre presente, possibilitava agora o alcance de suas metas. Assim, a rainha teria corrigido a instabilidade e o desequilíbrio de seu mundo. A ação da regente se confunde com uma atitude divina. Como uma santa abençoa seu povo, livrando-o do estado de miséria. Na formação da imagem de Isabel são associados aspectos da religiosidade e da cultura africanas com a concepção cristã de salvação. A ideia de ruptura entre dois tempos – a escravatura e a abolição – tinha assim a intenção de apagar a lembrança de um passado marcado pela violência e pela exploração de brancos.

A Abolição foi carregada de um sentido especial para os negros, na medida em que possibilitou melhor expressão de seus valores culturais. Ao mesmo tempo, abriu as portas para o estreitamento dos laços de solidariedade entre eles. Por meio da exaltação da figura de Isabel, canalizavam-se lealdades distintas em torno de uma mãe protetora. Assim como Nossa Senhora do Rosário, Isabel se identificava como responsável pela vitória dos negros e pela incorporação dos demais grupos. Sob seu manto, brancos, negros e índios eram acobertados. A construção da nação se completava neste grande momento de patriotismo.

O modo pelo qual os negros vivenciaram a Abolição e interpretaram a ação da Princesa favoreceu a construção de uma imagem monarquista do fim do cativeiro. Valendo-se dos referenciais transplantados da África para o Brasil, a ideia da abolição como redenção dos negros ganhou grande visibilidade. Na luta entre "reinos" e domínios sua liberdade foi conquistada pelas mãos de uma princesa. Ao final da luta, Isabel foi coroada rainha e a paz se estabeleceu entre os grupos. No entanto, a Princesa não chegou efetivamente a reinar. Em outra "guerra", foi destronada por seus inimigos republicanos e exilada para um país distante. Experiência nada desconhecida pelos seus súditos. Ao perder o trono, completava a obra da redenção: sacrificava-se pelos seus, como Cristo no Calvário. Nas quadrinhas cantadas por crianças brasileiras era comum se ouvir os seguintes versos: "Princesa Dona Isabel/ Mamãe disse que a Senhora/ Perdeu seu trono na terra,/ Mas tem um mais lindo agora./ No céu está esse trono/ Que agora a senhora tem/ Que além de ser mais bonito/ Ninguém lho tira, ninguém."

A Princesa não foi esquecida nem abandonada. Mesmo não tendo chegado ao trono, foi coroada nas inúmeras festas que até hoje comemoram o fim da escravidão. As congadas ainda são realizadas em muitos cantos do Brasil e nelas os reinos prosseguem se enfrentando. Suas apresentações se dão nas festas de Nossa Senhora do Rosário, de São Benedito ou no dia 13 de maio, que também se tornou data importante no calendário do candomblé e da umbanda.

O mau ladrão

•

Ficha suja

Burocracia, favorecimentos, nepotismo, atividades escusas e outras heranças dos tempos coloniais no Brasil.

EDUARDO BUENO

Em dezembro de 1548, quase meio século depois de "descoberto" por Pedro Álvares Cabral, o Brasil ainda era um território remoto, quase despovoado (de europeus) e – o que mais importava, na ótica da metrópole – pouco lucrativo. Mas, apesar da grave crise financeira que desde 1537 se abatia sobre Portugal, o rei D. João III e seus conselheiros decidiram investir dinheiro do tesouro real para estabelecer um governo-geral na vasta colônia sul-americana. Muito dinheiro: 400 mil cruzados, quase um oitavo da receita régia e o equivalente a uma tonelada e meia de ouro.

É justo supor que muitas das circunstâncias que levaram à decisão de que o Brasil deveria ser imediatamente ocupado, colonizado e integrado ao reino estavam ligadas a uma política imperial global na qual o desfalecimento financeiro da Índia portuguesa, o avanço muçulmano no Marrocos e no Mediterrâneo e as sempre instáveis relações entre Portugal e as coroas vizinhas (Espanha e França) desempenharam papel preponderante. Mas, além dessas questões geopolíticas, o impulso que levou D. João III e seus assessores a lançar as bases do "Estado do Brasil" pode ser vislumbrado com mais clareza no novo quadro ideológico que então se desenhava. Uma profunda transformação político-administrativa estava-se desenrolando em Portugal e havia deflagrado o processo de crescente centralização de poder nas mãos da Coroa. Esse novo regime era inteiramente incompatível com a ampla liberdade de ação e a autonomia político-econômica que, 15 anos antes, fora concedida aos "capitães do Brasil", os donatários agraciados com capitanias hereditárias na América portuguesa.

Na Península Ibérica, como também em vários outros reinos europeus, transcorria o período que alguns investigadores chamam de "construção e consolidação do Estado moderno". Não era um processo inteiramente novo: em Portugal, por exemplo, ele havia-se iniciado com D. João II (rei de 1481 a 1495) e teve continuidade com D. Manuel (que ocupou o trono de 1495 a 1521). Foi, porém, na segunda metade do reinado de D. João III (que se prolongou de 1521 a 1557) que tal movimento adquiriu dimensões notáveis. A partir de 1540, o Estado português começou a estabelecer uma série de mecanismos que lhe permitiram aumentar o controle, a coerção e o domínio sobre seus súditos. Essas novas e eficientes formas de autoridade e exercício de poder incluíam a realização de recenseamentos populacionais (os "numeramentos"), alistamento militar obrigatório, uma definição mais rígida das fronteiras do reino e a criação de um sistema judicial mais poderoso e intrusivo, além, é claro, de formas de tributação mais amplas – associadas a métodos de cobrança mais eficazes.

Esse governo mais forte, mais centralizado e "racional" estabeleceu um outro tipo de relacionamento entre o Estado e seus cidadãos. E os novos mecanismos de controle iriam tornar-se mais presentes não apenas no cotidiano daqueles que viviam em Portugal, como logo seriam exportados para os territórios ultramarinos. O estabelecimento de um governo-geral – e a consequente submissão dos capitães donatários e seus colonos à autoridade central da Coroa portuguesa – desponta como a face mais visível desse processo no Brasil. Para cobrar e controlar, vigiar e punir, submeter e exigir dos súditos o cumprimento de uma série de novas obrigações civis, os Estados modernos emergentes se viram obrigados a criar vastos e complexos aparelhos burocráticos: um conjunto de órgãos e servidores responsáveis pelo funcionamento e manutenção do sistema judiciário, do poder fiscal e das Forças Armadas – ou seja, o corpo administrativo como um todo. Um paradoxo instaurou-se então no seio desses Estados progressivamente centralizados e autônomos: o rei e seus colaboradores mais próximos (no caso de Portugal, os homens que constituíam o Conselho Régio) tornaram-se quase reféns de uma burocracia estatal tentacular, que florescera à sombra de seu crescente poderio. Com o passar dos anos, desembargadores, juízes, ouvidores, escrivães, meirinhos, cobradores de impostos, almoxarifes, administradores e burocratas em geral – os chamados "letrados" – encontravam-se em posição sólida o suficiente para instituir uma espécie de poder paralelo, um "quase Estado", que, de certo modo, conseguiria arrebatar das mãos do rei as funções administrativas. Esse mesmo funcionalismo tratou de articular também determinadas fórmulas legais e informais que lhe permitiram transformar-se em um grupo autoperpetuador: os cargos em geral eram passados de pai para filho, ou então para parentes e amigos próximos.

As autoridades que, a partir de março de 1549, desembarcariam no Brasil com a missão de instalar o governo-geral se enquadravam neste perfil. O ouvidor-geral (espécie de ministro da Justiça), desembargador Pero Borges, e o provedor-mor (quase um ministro da Economia), Antônio Cardoso de Barros, além de ganharem bem e de terem obtido seus empregos graças a indicações da Corte, eram assessorados por um contingente de funcionários "em número sem dúvida desproporcionado para as coisas do governo", de acordo com a análise do historiador Édson Carneiro. Tanto Borges quanto Cardoso de Barros foram acusados de desviar dinheiro do Tesouro Régio. Os abusos e desmandos perpetrados durante os dois primeiros governos-gerais (de Tomé de Sousa, de 1549 a 1553, e de D. Duarte da Costa, de 1553 a 1556) vão desde o adiantamento dos salários mais altos (pagos com um ano de antecedência aos funcionários mais graduados) até o cancelamento puro e simples do pagamento aos trabalhadores menos qualificados (que precisavam labutar o ano todo antes de receber – no caso, de não receber). Além disso, o "mantimento" (ou a ração alimentar que deveria ser distribuída pelas autoridades aos funcionários e a alguns trabalhadores) era, segundo um contemporâneo, "pura burlaria", com pesos e medidas frequentemente fraudados. Muitas das empreitadas contratadas pelo Estado durante a construção da cidade de Salvador foram feitas com preços superfaturados após licitações fraudadas, de acordo com as análises do historiador Teodoro Sampaio. Deve-se ressaltar que o regime das capitanias hereditárias não tinha sido mais eficiente ou impoluto: até 1549, a Terra de Santa Cruz vivera sob o signo do arbítrio. O abuso, a corrupção e a incompetência foram regra e não exceção durante os 15 anos do regime das capitanias. Boa parte dos cargos judiciários era exercida por analfabetos ou degredados homens que "não os conhece a mãe que os pariu", que não "tinham livros de querelas, antes as tomavam em folhas de papel", não dispunham de "regimento por que se regerem" e jamais haviam estudado e muito menos prestado juramento. O quadro geral configurava "uma pública ladroíce e grande malícia", conforme diagnóstico de Pero Borges.

Quando os reis D. João II, D. Manuel e D. João III deflagraram o processo que iria impor o poder do Estado e estabelecer a monarquia centralizada, ficou evidente que o nascente sistema judiciário seria um aliado natural na obtenção desses propósitos. Racional e sistemática, a instituição oferecia à Coroa os mais amplos e eficientes mecanismos de controle sobre a população, o que incluía não apenas o Código Penal, mas também o processo burocrático de arquivamento de dados e informações, uma grande inovação da época. Mas o jogo de interesses que se estabeleceu a partir de então revelou-se uma via de mão dupla: à medida que a justiça real ia, rápida e quase imperceptivelmente, tornando-se o núcleo administrativo do reino (e, a seguir, do império como um todo), os magistrados - desembargadores, juízes, corregedores e escrivães - passavam a desfrutar de doses crescentes de poder, influência e riqueza. No topo do sistema judiciário português se encontrava o Desembargo do Paço. Criado em fins do século XV para dar assessoria ao rei em todos os assuntos ligados a questões legais e administrativas, o Desembargo do Paço acabaria tornando-se o órgão burocrático central do Império, especialmente depois da reforma promovida por D. João III em 1534, através da qual a instituição passou a exercer controle absoluto sobre todos os funcionários ligados ao aparelho judiciário. Tal controle iniciava-se com o exame dos "letrados" para o exercício da magistratura (a chamada "leitura dos bacharéis") e se estendia através dos pareceres requeridos para as suas promoções. Eram os desembargadores do Paço que autorizavam o exercício da advocacia, examinavam tabeliães e escrivães e ratificavam (ou não) seus provimentos (instruções ou determinações administrativas), além de confirmar as eleições dos novos juízes. Estavam autorizados também a conceder cartas de fiança e de seguro, bem como a despachar provisões, alvarás e licenças. Mas o que realmente transformava o Desembargo do Paço na "instituição nuclear do sistema político administrativo português" era o fato de arbitrar os conflitos de competência entre os demais tribunais e conselhos do reino. Além disso, seus decretos podiam ser "equiparados aos do próprio rei", uma vez que, como o monarca, "os desembargadores do Paço podiam dispensar as leis, ao contrário do que sucedia aos demais juízes e tribunais", conforme o historiador português José Maria Subtil. Natural, portanto, que os desembargadores fossem chamados de "sobrejuízes". A instituição, ainda assim, mantinha uma estrutura bastante simples: era composta apenas por um presidente, seis desembargadores, um porteiro (encarregado de apregoar a abertura e o encerramento das audiências), sete escrivães e um tesoureiro. Todas as sextas-feiras à tarde esses homens se reuniam com o rei "para discutir a formulação e a correção das leis, a designação de novos magistrados e a condição política e legal do reino". Os encontros se davam na Casa de Despacho dos Desembargadores do Paço, chamada de "casinha". Tornar-se desembargador do Paço representava o ápice da carreira judiciária em Portugal. Bacharéis, escrivães, juízes, provedores, ouvidores e corregedores lutavam para obter promoções que os aproximassem daquele cargo, ainda mais que cada promoção trazia consigo maior prestígio, maior salário e maiores privilégios. Tais privilégios, estabelecidos pelas Ordenações Manuelinas, incluíam isenções fiscais e imunidades jurídicas, além de admissões em ordens religiosas e militares (como a Ordem de Cristo e a Ordem de Santiago), complementadas pela concessão de títulos nobiliárquicos, "tenças" (pensões recebidas do Estado) e comendas.

Infelizmente para muitos candidatos essas promoções não dependiam de competência, idade ou grau universitário: estavam direta e quase que exclusivamente ligadas ao fato de "ter ou não o progenitor (do pretendente) servido à Coroa". Afinal, de acordo com o historiador norte-americano Stuart Schwartz, tão logo o Judiciário fortaleceu suas ligações com a Coroa, "os letrados começaram a assumir características de casta" e, através de "casamentos e ligações familiares, tornaram-se um grupo autoperpetuador", monopolizando os cargos administrativos do governo. Para manter intacta a rede de privilégios, os filhos seguiam as pegadas dos pais, saindo do curso de Lei Canônica ou Civil (geralmente realizado na Universidade de Salamanca, na Espanha, e, mais tarde, na Universidade de Coimbra, em Portugal) direto para o seio do funcionalismo público. Tornavam-se, assim, "filhos da folha", como então se dizia, por entrarem para a folha de pagamento da burocracia régia.

Ao decretar a instauração do governo-geral, em dezembro de 1548, a Coroa pretendia não apenas garantir a defesa da terra e a cobrança de impostos: queria assegurar também a aplicação da justiça real no Brasil. O homem escolhido para a árdua tarefa foi o desembargador Pero Borges, ex-corregedor de Justiça no Algarve. Alvará régio assinado em Almeirim, no dia 17 de dezembro de 1548, nomeou-o primeiro ouvidor-geral do Brasil, determinando que "todas as autoridades e moradores da Colônia lhe obedeçam, e cumpram inteiramente suas sentenças, juízos e mandados, em tudo o que ele (...) fizer e mandar". No mesmo dia e local, Borges recebeu o regimento que definia seus poderes e atribuições. Ao contrário dos regimentos concedidos ao governador-geral e ao provedor-mor, o do ouvidor-geral nunca foi encontrado. De todo modo, uma carta enviada ao rei por Pero Borges em fevereiro de 1550 permite recuperar as prerrogativas do cargo. Com isso, sabe-se que seus poderes se equiparavam aos dos desembargadores da Casa de Suplicação – que eram os magistrados de mais alto nível em Portugal, exceção feita aos desembargadores do Paço. Como suprema autoridade da Justiça na Colônia, o ouvidor-geral podia condenar à morte "sem apelação" indígenas, escravos e "peões cristãos livres" desde que o governador-geral concordasse com a pena. Em caso de discordância, o réu e os autos do processo deveriam ser enviados para um corregedor em Portugal. Nas "pessoas de mor qualidade", o ouvidor tinha "alçada até cinco anos de degredo" e, no cível, "alçada até 60 mil reais" – o triplo da alçada concedida aos donatários e o dobro da dos tribunais da Corte. Borges estava autorizado também "a entrar nas terras dos donatários por correição e ouvir nelas ações novas e velhas". Embora devesse permanecer "sempre na mesma capitania em que o governador se encontrar" ("salvo havendo ordem em contrário ou se o bem do serviço assim o exigir"), os poderes de Pero Borges eram independentes dos de

Tomé de Sousa – que, aliás, não tinha autorização para castigar ou anistiar, a não ser em comum acordo com o ouvidor-geral.

Mas o homem que chegou à Colônia com a missão de distribuir justiça não tinha ficha limpa. Em 1543, enquanto exercia o cargo de corregedor de Justiça em Elvas, no Alentejo, próximo à fronteira com a Espanha, Pero Borges foi encarregado pelo rei de supervisionar a construção de um aqueduto. Quando as verbas se esgotaram sem que o aqueduto estivesse pronto, "algum clamor de desconfiança se levantou no povo", conforme registrado por Vitorino de Almada, em *Elementos para um dicionário de geografia e história portuguesa*, editado em Elvas, em 1888. Os vereadores da Câmara de Elvas escreveram ao rei solicitando uma investigação. Em 30 de abril de 1543, D. João III autorizou a abertura de um inquérito. Uma comissão averiguou detidamente as contas e apurou que Borges "recebia indevidamente quantias de dinheiro que lhe eram levadas a casa, provenientes das obras do aqueduto, sem que fossem presentes nem o depositário nem o escrivão". O prosseguimento das investigações comprovou que Borges havia desviado 114.064 reais – cerca de 50% do total da verba e o equivalente a um ano de seu salário como corregedor. No dia 17 de maio de 1547, depois do julgamento ser adiado por três anos, Pero Borges foi condenado "a pagar à custa de sua fazenda o dinheiro extraviado". A mesma sentença suspendeu-o "por três anos do exercício de cargos públicos". O corregedor retornou a Lisboa "deixando atrás de si triste celebridade". A 17 de dezembro de 1548, um ano e sete meses após a sentença, o mesmo Pero Borges foi nomeado, pelo mesmo rei, ouvidor-geral do Brasil.

Em 15 de janeiro de 1549, duas semanas antes de partir para o Brasil, o ouvidor-geral ainda recebeu de D. João III a promessa de que, "se bem servisse", seria promovido a desembargador da Casa de Suplicação tão logo retornasse ao reino. Não foi o único agrado régio: em 17 de janeiro, o monarca concedeu a Simoa da Costa, mulher de Pero Borges, uma pensão anual de 40 mil reais, a ser paga enquanto o marido estivesse no Novo Mundo. Para servir no Brasil, Borges receberia 200 mil reais por ano – quase o salário de um desembargador do Paço (270 mil reais anuais). Sob a ordem direta do ouvidor-geral viriam mais de dez funcionários, entre eles o escrivão Brás Fernandes (com salário de 40 mil reais por ano) e o meirinho Manuel Gonçalves (20 mil reais por ano). Após uma série de reuniões na Corte, algumas com o próprio rei, os três principais servidores da Justiça no Brasil conseguiram embolsar os salários antes mesmo de partir de Portugal. Sorte deles: os que vieram para o Brasil sem antes ter recebido no reino foram pagos "em ferro-velho, igual ao que se vende na feira, em Lisboa", de acordo com o depoimento irado do arquiteto Luís Dias, o "mestre da pedraria" encarregado de construir Salvador, cidade que surgiu para abrigar a primeira leva de funcionários públicos a desembarcar nas costas do Brasil.

A arte da subtração

Escrito no século XVII, livro revela com ironia como no Brasil Colônia os grandes desvios podiam ser vistos como "arte" ou "ciência" e faziam parte da cultura.

RONALDO VAINFAS

Não resta dúvida de que a corrupção endêmica que marca o Estado brasileiro deita raízes em nosso passado colonial. Mas, naquele tempo, o que hoje chamamos de peculato – apropriação de dinheiro público em proveito próprio – não chegava a ser uma irregularidade. Pelo contrário, era coisa institucionalizada e derivava do que o historiador e cientista político Raymundo Faoro (1925-2003) chamou de Estado patrimonial, no qual as esferas pública e privada se confundem.

Era comum a Coroa arrendar a particulares o direito de cobrar impostos, assim como o direito de explorar produtos monopolizados pelo Estado. O regime de capitanias hereditárias foi um modelo desse esquema, no qual os donatários eram oficiais do rei recompensados com privilégios particulares, incluindo terras e parte da receita fiscal devida ao monarca. O que chamamos hoje de bem público era, então, propriedade do rei.

Naquela época, proibia-se, antes, a malversação em excesso. Se não chegava a configurar um crime de lesa-majestade, era delito passível de punição. O Livro V das *Ordenações Filipinas* (1603) estabelecia que "qualquer oficial nosso ou pessoa outra que alguma coisa por nós houver de receber, guardar ou arrendar nossas rendas, se alguma das ditas coisas furtar ou maliciosamente levar", ficava condenado a perder o ofício e ressarcir o Tesouro. Se o roubo fosse muito grande, aí sim, poderia ser tratado como simples ladrão.

Uma prova de que o Tesouro era lesado em escala maior do que a prevista encontra-se no livro *A arte de furtar*, escrito em 1652. Irônico, o autor abre o livro dizendo que o furto era mesmo algo nobre, e, à moda barroca, caracteriza dezenas de fórmulas desta arte. Dos que furtam com unhas reais, agudas, militares, disfarçadas, postiças, maliciosas e descuidadas. Dos que furtam com mão de gato. Além disso, expõe os princípios gerais da dita ciência. Exemplos: como tomando pouco se rouba mais; como os maiores ladrões são os que têm por ofício livrar-nos de outros ladrões; como se podem furtar a el-rei 20 mil cruzados e demandá-lo por outros tantos.

A obra foi, por muito tempo, atribuída ao padre Antônio Vieira (1608-1697), e mais tarde ao jesuíta Manoel da Costa e a Antônio de Sousa Macedo, um dos principais diplomatas de D. João IV. Em sua primeira edição, trazia subtítulos curiosos: "Espelho de enganos", "Teatro das verdades", "Gazua geral dos reinos de Portugal"... Não foi publicada no século XVII, mas somente em 1744. Foi desses livros escritos antes do tempo.

Basta de corrupção

No período republicano a ideia de corrupção variou e muitas foram as leis contra o delito. Afinal, por que ela permanece?

JOSÉ MURILO DE CARVALHO

Nas manchetes dos jornais, os escândalos de corrupção se repetem com uma regularidade quase monótona. Diante de uma aparente crise geral dos valores éticos e de impunidade institucionalizada, o risco que corremos, no Brasil de hoje, é entrar num torpor cívico que não nos permita ultrapassar a pergunta: "E agora?"

Para entendermos o agora, talvez um bom exercício seja aplicar nossa perplexidade a uma dimensão maior. A dimensão histórica. Será que a corrupção de hoje é a mesma que a de cem anos? Há mais corrupção hoje do que antes? Aumentou a corrupção ou aumentou a sua percepção e a postura diante dela?

Uma sequência de episódios reforça a impressão de que a corrupção sempre esteve entre nós. No século XIX, os republicanos acusavam o sistema imperial de corrupto e despótico. Em 1930, a Primeira República e seus políticos foram chamados de carcomidos. Getulio Vargas foi derrubado em 1954 sob acusação de ter criado um mar de lama no Catete. O golpe de 1964 foi dado em nome da luta contra a subversão e a corrupção. A ditadura militar chegou ao fim sob acusações de corrupção, despotismo, desrespeito pela coisa pública. Após a redemocratização, Fernando Collor foi eleito em 1989 com a promessa de combater a corrupção, e foi expulso do poder acusado de fazer o que condenou. Nos últimos anos, as denúncias proliferam, atingindo todos os poderes e instituições da República e a própria sociedade.

Mas antes de considerarmos estes fatos como indícios de um eterno retorno, convém lembrar que o sentido do termo mudou ao longo do tempo. Ao falar de corrupção no final do Império, nenhum republicano queria dizer que D. Pedro II era corrupto. Pelo contrário, se reconheciam nele uma virtude, era a da correção pessoal. Do mesmo modo, em 1930, quando os revoltosos qualificavam de carcomidos os políticos da "Velha" República, não queriam dizer que eram ladrões. Nos dois casos, a acusação era dirigida ao sistema, não às pessoas. Corruptos eram os sistemas, monárquico ou republicano, por serem, na visão dos acusadores, despóticos, oligárquicos, e não promoverem o bem público.

A partir de 1945, houve uma alteração no sentido que se dava à corrupção. Entrou em cena o udenismo. A oposição a Getulio Vargas, comandada pelos políticos da União Democrática Nacional (UDN), voltou suas baterias contra a corrupção individual, contra a falta de moralidade das pessoas. Corruptos passaram a ser os indivíduos – os políticos getulistas, o próprio Vargas. Foram também indivíduos que serviram de justificativa para o golpe de 1964 e mais tarde inspiraram o grito de guerra de Collor, personificados na figura dos marajás, a serem caçados.

O termo "corrupção" é, portanto, ambíguo. Podemos evitá-lo recorrendo à palavra "transgressão", que é menos escorregadia: transgredir é desrespeitar, violar, infringir. Quem transgride, transgride alguma coisa definível – uma lei, um valor, um costume. Além disso, a transgressão é valorativamente neutra. Não há boa corrupção, a não ser na visão de políticos como Ademar de Barros (1901-1969), que se vangloriava de fazer, mesmo que roubando. Há, no entanto, a boa transgressão. Toda corrupção é transgressão, mas nem toda transgressão é corrupção.

O Brasil sempre foi um país de leis e de legistas. Herdeiros, por Portugal, da tradição jurídica romano-germânica, somos um dos maiores produtores de leis. A mania de regulamentação foi introduzida e reforçada pela grande presença de juristas no Poder Legislativo e na administração do Estado. Juristas e advogados compuseram a quase totalidade da elite política durante todo o período de formação nacional no século XIX e continuam a representar parcela importante dela. A aspiração maior desses juristas é formular a legislação perfeita, que enquadre toda a realidade e evite qualquer brecha por onde possa escapar o transgressor. Nosso jurista se vê como um demiurgo, organizador do mundo, reformador universal. Feita a lei, o problema para ele está resolvido, não lhe interessando sua execução. Trata-se de postura oposta à da tradição da *Common Law* anglo-saxônica, segundo a qual a lei apenas regula o comportamento costumeiro.

Nosso cipoal de leis incita à transgressão e elitiza a justiça. A tentativa de fechar qualquer porta ao potencial transgressor, baseada no pressuposto de que todos são desonestos, acaba tornando impossível a vida do cidadão honesto. A saída que este tem é, naturalmente, buscar meios de fugir ao cerco. Cria-se um círculo vicioso: excesso de lei leva à transgressão, que leva a mais lei, que leva a mais transgressão.

Exemplos desse legalismo delirante se verificam até hoje. Tome-se o Código Nacional de Trânsito de 1997. Com seus 341 artigos, é exaustivo em definir regras e estabelecer punições, generoso em criar burocracias - Contran, Cetran, Contradife, Jarí, Renavan, Renach. Foi recebido com foguetório e aplauso geral. No entanto, era fácil prever seu fracasso, pois nada foi feito no sentido de sua aplicação. Passado um curto período em que houve alguma redução de acidentes, e durante o qual os motoristas avaliavam a ação da polícia, voltou-se aos mesmos índices de antes. A norma perfeita não se adequava às condições de trânsito, ao tipo de polícia, ao mau estado das estradas, às anistias de multas, à inoperância dos mecanismos de recurso, à própria cultura da transgressão.

A distância entre a lei e a realidade sempre esteve presente no cotidiano da maioria dos brasileiros. Até a metade do século XX, para quase toda a população rural, que era majoritária, a lei do Estado era algo distante e obscuro. O que esta população conhecia, e bem, era a lei do proprietário. Até mesmo autoridades públicas, como juízes e delegados, eram controladas pelas facções dominantes nos municípios. Havia o "juiz nosso", o "delegado nosso". O problema da transgressão da lei não se colocava para essa população. E se algum traço a caracterizava era a submissão, a acomodação, o fatalismo, a não ser por revoltas eventuais, em geral marcadas por misticismo religioso.

As revoltas populares do século XIX e de parte do século XX, tanto rurais como urbanas, se deram como consequência da expansão da lei, da capacidade reguladora do Estado. Quando a população pobre do século XIX se revoltou contra o recenseamento, o recrutamento, a mudança do sistema de pesos e medidas, o aumento de impostos, ou quando, no século XX, pegou em armas contra a vacina obrigatória, ela estava protestando contra uma lei considerada ilegítima por contrariar valores comunitários, religiosos ou mesmo políticos. A revolta de Antônio Conselheiro no arraial de Canudos foi, sem dúvida, o episódio mais trágico entre os confrontos da legalidade com valores tradicionais. O aspecto dramático nesses casos é que todos tinham razão: o Estado no esforço de racionalização e secularização, os rebeldes na defesa de seus valores, crenças e costumes.

Nas grandes cidades, sobretudo em suas periferias, o agente da lei próximo à população era, e ainda é, o policial militar ou civil, cujo arbítrio e violência são conhecidos. A garantia de direitos fundamentais para os migrantes do campo – propriedade, inviolabilidade do lar, ir e vir, integridade física – era, e em boa parte ainda é, pouco mais que inexistente. Essa massa, que logo passou a votar em grande número, adquiriu cidadania política, mas não cidadania civil. Mais recentemente, em trágico retrocesso, uma parcela dessa população urbana, ex-vítima dos coronéis, passou ao jugo de outro poder privado, muito mais violento: o poder dos traficantes.

Em vez de se pensar em transgressão, é mais adequado dizer dessa população que ela é estranha à lei, que está à margem da lei. Para ela, a lei é uma entidade hostil. A sociedade brasileira não lhe forneceu qualquer escola de civismo.

E que escola de civismo teve a gente da casa-grande? No velho mundo rural, herdeiro da tradição escravista, a lei detinha-se na porteira das fazendas. Os proprietários prendiam, julgavam, condenavam, puniam. Descendentes diretos desses senhores compõem hoje a bancada ruralista no Congresso. Muitos estão entre os que ainda hoje são acusados de manter trabalhadores em condições análogas à escravidão.

E os poderosos das cidades? A elite política, formada em sua maior parte por advogados e juristas, manteve por longo tempo certo respeito à lei, sem fugir de todo à tradição patrimonialista que estava na origem de nosso Estado. O bom comportamento se deveu, em boa parte, à intervenção pessoal do imperador, e se prolongou pela Primeira República, quando os exemplos de desprezo pela coisa pública estavam longe de ter a dimensão escandalosa de hoje. Dentro do próprio grupo dissidente que subiu ao poder em 1930, havia poucos exemplos de oportunistas e aproveitadores. Ironicamente, foi o fim dessa sociedade patrícia, iniciado em 1930 e acelerado após 1945 – e, mais ainda, durante os governos militares – que abriu as portas para a invasão da transgressão nas altas esferas.

A ditadura protegeu com o arbítrio a atuação dos governantes e interrompeu a formação de uma nova elite dentro de padrões republicanos. O crescimento da máquina estatal ampliou práticas clientelísticas e patrimoniais e aumentou o predomínio do Executivo sobre o Legislativo. Outro fator negativo foi a construção de Brasília, que libertou congressistas e executivos do controle das ruas, ampliando a sensação de impunidade. Brasília tornou-se uma corte corrupta e corruptora. Funcionasse o governo no Rio de Janeiro, os políticos envolvidos em falcatruas seriam vaiados dentro do Congresso e "ovacionados" nas ruas.

Há transgressão e há percepção da transgressão. A camada social em melhor posição para perceber a transgressão e reagir contra ela é a que chamamos de classe média. É ela que está mais cercada pela lei em função de sua inserção profissional, é sobre ela que recai grande parcela dos impostos, é ela que menos se beneficia de políticas sociais. Além disso, graças à alta escolaridade, ela tem condições de desenvolver uma visão crítica da política e de seus agentes, de formar a opinião pública do país. Pode-se dizer que a reação contra a transgressão varia na razão inversa do bem-estar da classe média urbana. Maior a classe média urbana e piores suas condições de vida, maior a grita por moralidade.

Gritar alivia, mas não conduz necessariamente a mudanças. Se não existe uma tradição de respeito à lei, não será com apelos moralistas que ela será criada. A famosa Constituição do historiador Capistrano de Abreu (1853-1927), que num único artigo obrigava todos os brasileiros a terem vergonha na cara, é um achado. Mas ela seria perfeitamente ineficaz. Como pedir ao povo que respeite a lei se ele toma conhecimento todos os dias de exemplos de políticos, empresários e ricos em geral burlando a lei impunemente?

Não há solução fácil. Mas não estamos condenados à corrupção e à transgressão. Elas são fenômenos históricos que, como todos os outros, estão em perpétua mutação. Medidas tópicas podem reduzi-las. O processo de votação já foi uma grande fraude, hoje é confiável. A impunidade tem que ser combatida em todas as camadas sociais, sobretudo entre as mais altas. Isso exige reformas na legislação penal e nas instituições, sobretudo nas polícias e no funcionamento do Judiciário. Imagine-se o efeito que teria entre os criminosos de colarinho branco o fim do foro privilegiado e da prisão especial para portadores de diplomas universitários. Sobretudo, a democracia política tem que ser usada para produzir a democracia civil da igualdade perante a lei. Inclusive porque, sem a última, a primeira não terá futuro promissor.

Terra de Santa Cruz que se lhe dera em 1500. Para o frei, fora tudo obra do Diabo, que, empenhado em remover o nome cristão da terra, trabalhou para que triunfasse outro nome, no caso o de um "pau de cor abrasada e vermelha" (o pau-brasil), mais adequado a seus propósitos.

Brasil, terra de pecados, que muitos cronistas e historiadores associaram, em tom moralista, à libertinagem sexual e à ausência quase completa de religião. Afinal nosso clero aqui sempre foi escasso, a Igreja desorganizada e muitos padres mal ligavam para seu ofício espiritual. Padres mal preparados e poucos, com exceção quase solitária dos jesuítas, vale insistir, que Gilberto Freyre chamou, com bom humor, de "donzelões intransigentes" – incansáveis no propósito de propagar a fé e moralizar os costumes.

Mas teria sido assim mesmo? Corria solto o pecado sem o menor vestígio de religião? Outro exagero é o que nos mostram os documentos da Inquisição que, por volta de 1591, mandou um visitador do Santo Ofício ao Brasil para averiguar a quantas andava a fé e o comportamento dos colonos. O que tais documentos revelam antes de tudo, é o sentimento de culpa que atormentava – ou podia atormentar – os próprios portugueses, sabedores do quanto pecavam na terra, sobretudo com as índias. Mas como é possível saber o que se passava na consciência daqueles portugueses há quinhentos anos? A resposta está num tipo de denúncia que a Inquisição recolheu, naquele tempo, contra os que diziam que fornicar não era pecado: muitos colonos acusavam os que diziam, sobretudo em conversas masculinas nas tavernas, engenhos e vilas, regadas a vinho, que fornicar não era pecado. Narrando suas aventuras sexuais, muitos riam, enquanto alguns polemizavam, dizendo que fornicar era pecado sim, e pecado mortal que condenava ao inferno.

Nessas polêmicas cotidianas é possível flagrar, sem dúvida, a evidência de que os portugueses viviam mesmo entre as índias, dando-lhes qualquer coisa em troca, um espelhinho, um pano, um mimo. Mas é possível flagrar algum escrúpulo e o medo que todos tinham do inferno. Só o fato de discutirem muito esse assunto, como era o caso, já dá mostra de quanto Deus e o Diabo impregnavam o cotidiano desses homens. As reações dos fornicários mais presunçosos não deixam de ter interesse. Uns diziam que fornicar era pecado venal, mas não mortal. Outros diziam que dormir uma ou duas vezes com índia – que chamavam de *negra da terra* – não era pecado mortal, nem condenava ao inferno. Mas se dormisse sete vezes, aí sim, o inferno era certo. Alguns diziam que tinham mesmo que fornicar neste mundo, pois o Diabo haveria certamente de fornicá-los no Além, sendo necessário compensar de antemão.

O mais significativo, porém, é que quase todos que diziam não haver pecado tão grave assim na tal fornicação alegavam que só fornicavam com índias, pois eram elas "mulheres públicas", mulheres de má vida, prostitutas. Se fosse com virgens - diziam -, com mulheres casadas ou, principalmente, com mulheres brancas, aí sim o pecado era grave. Machismo e racismo, com algum verniz de moralismo cristão, eis o que se pode extrair, em doses variadas, dessas conversas masculinas no primeiro século do Brasil. Mais do que isto, mistura forte de libidinagem com religião, mesmo entre homens que se vangloriavam de sua virilidade, useiros a dormir com as índias nas redes, nos matos, onde fosse.

Religião e sexo andaram juntos, pois, durante muito tempo no Brasil colonial. Não é só neste caso de fornicários que encontramos a prova disso. Os documentos da Inquisição nos revelam inúmeras outras situações semelhantes, uma vez que o Santo Ofício estava mesmo empenhado em policiar os costumes da população colonial. Entre denúncias e confissões há casos interessantíssimos de mistura entre as coisas da fé e as pulsões do desejo. A começar pela sexualização das figuras divinas, isto é, do próprio Cristo e da Virgem Maria. Tais documentos nos contam histórias como a de certa mulher que, flagelada por um temporal na Bahia, gritou que "Deus mijava sobre ela e que a queria afogar", e outra, de língua espanhola, na mesma situação bradou: "Bendito sea el carajo de mi señor Jesu Christo que agora mija sobre mi." Acusadas de blasfêmia, ouviram do visitador que "Deus não mija, que é coisa pertencente ao homem e não a Deus". O mais importante disso é menos a evidente blasfêmia, mas a sexualização do Cristo, a figura do Cristo fálico que povoava a imaginação dos homens e mulheres daquele tempo. O mesmo vale para Maria, Nossa Senhora, cuja virgindade perpétua era matéria de discussão cotidiana. Maria fora sempre virgem - *Virgo semper* - antes, durante e depois do parto? Polemizava-se. Para uns, sempre virgem, para outros nem sempre, para alguns jamais. Houve muitos que a chamaram diretamente de *puta* - usando mesmo este palavrão para dizê-lo. E um grande poeta daquele tempo, homem dado a deboches, não hesitou certa vez em jurar "pelo pentelho da Virgem!" Blasfêmias dos colonos? Sem dúvida, mas também prova cabal de que o sagrado podia conviver com desejo e sexo.

Os moradores do Brasil colonial sexualizavam o divino, portanto. Não é de admirar que divinizassem o sexo que faziam na prática. Uns punham o crucifixo debaixo da cama, outros diziam as palavras da missa em pleno ato sexual. Aliás, era bem difundida a crença de que dizer as palavras da consagração da hóstia na boca de maridos, esposas ou amantes, de preferência durante a relação sexual, era coisa que dava excelentes resultados. Acreditava-se que tais palavras encantadas prendiam o ser amado, ou amansavam maridos violentos, e talvez por isso as mulheres usassem muito este artifício nas suas lides conjugais. Havia, porém, um detalhe precioso: as palavras tinham que ser ditas em latim! *Hoc est enim corpus meum*, ou seja, *Isto é o meu corpo*. Era isto, portanto, o que se dizia nas noites e dias das "cidades e povoações do Brasil": nada menos que as palavras sagradas de eucaristia, entre sussurros e gemidos.

A linguagem de sedução seguia, assim, a sina de religião, entre o Cristo fálico e a Virgem fêmea, ou por meio das sacralidades que temperavam os ardores sexuais. Embebida de religião, a linguagem do amor e da sedução era povoada por diversos santos, por Deus, e decerto, pelo Diabo, ou por vários deles, todos eventualmente irmanados para levar os enredos amorosos a bom termo.

Um expediente corriqueiro estava no uso de certo amuleto amoroso, as chamadas *cartas de tocar*, magia ibérica que consistia em encostar na pessoa desejada um objeto gravado com seu nome e outras palavras próprias para seduzir. No Brasil usavam-se papéis, às vezes papeizinhos miúdos contidos em "bolsas de mandinga", para "fechar o corpo". Na visitação do Santo Ofício que mencionamos, várias bruxas, pois assim foram chamadas, viram-se acusadas de vender as tais "cartas" e divulgar outras magias eróticas. Uma dessas bruxas era conhecida pelo sugestivo nome de "Maria Arde-lhe o Rabo". Outra, de nome Isabel, possuía alcunha menos sensual: a "Boca Torta". No século XVIII mineiro, uma certa Águeda Maria tinha um papel com algumas palavras e cruzes, "carta" que servia para as mulheres tocarem em homens desejados sexualmente. No Recife, era um certo Antônio Barreto quem levava um papel com signo salmão e credo escrito às avessas, que servia para fechar o corpo e facilitar mulheres: "Qualquer mulher que tocasse a sujeitaria à sua vontade."

Além das *cartas de tocar*, recorria-se, com idênticos propósitos, às orações amatórias, práticas muito comuns na Colônia e universalmente conhecida, segundo a historiadora Laura de Mello e Souza, essas orações eram um ramo da magia ritual em que era irresistível o poder de determinadas palavras e, sobretudo, o nome de Deus, mas que não dispensava o conjunto dos demônios. Tudo com o fim, ao mesmo tempo, de conquistar, seduzir e apaixonar. Uma das bruxas baianas do século XVI mandava rezar junto ao amado: "João, eu te encanto e recanto com o lenho da vera cruz, e com os anjos filósofos que são 36, e com o mouro encantador, que tu te não apartes de mim, e me digas quanto souberes e me dês quanto tiveres, e me ames mais que todas as mulheres." Não tão melodiosa como esta era a oração que, no século XVII no Pará, fazia Maria Joana, cruzando os dedos: "Fulano, com dois te vejo, com cinco te mando, com dez te amarro, o sangue te bebo, o coração te parto. Fulano, juro-te por esta cruz de Deus que tu andarás atrás de mim assim como a alma anda atrás da luz, que tu para baixo vires, em cada estares, e vires por onde quer que estiveres, não poderás comer, nem beber, nem dormir, nem sossegar sem comigo vires estar a falar."

Eram inúmeras as rezas com fins eróticos que aludiam às almas, ao leite da Virgem, às estrelas, a Cristo, aos santos, aos anjos e demônios. Mas como as orações nem sempre bastavam, as empreitadas eróticas vinham também acompanhadas do uso de poções, filtros amorosos, como se dizia, que misturavam com um cristianismo popular com crenças pagãs, o que aqui se viu adensado pelos ingredientes culturais indígenas e africanos. Poções e filtros para "fazer querer bem", seduzir, reter a pessoa amada. E neles, diferentemente das cartas de tocar ou das orações amatórias, sobressaía o baixo corporal, as partes genitais, o líquido seminal. Ao ensinar a uma de suas clientes um modo de viver bem com seu marido, uma das bruxas do século XVI mandou que ela furtasse três avelãs, enchesse os buracos abertos com pelos de todo o corpo, unhas, raspaduras das solas dos pés, acrescentasse uma unha do dedo mínimo da própria bruxa e, feita a mistura, engolisse tudo. Ao "lançá-los por baixo" – imagine-se de que modo! – pusesse tudo no vinho do marido. No entender da bruxa, para as coisas correrem bem, bastava fazer isto. Outro artifício ensinado pela bruxa envolvia o sêmen do homem amado. Ao terminar o ato sexual, a mulher devia retirar de sua própria vagina o sêmen do homem e colocá-lo no copo de vinho do parceiro. A bruxa garantia: beber sêmen "fazia querer grande bem, sendo do próprio a quem se quer".

Uma característica importante deste autêntico mercado de linguagens eróticas, onde se trocavam ou vendiam saberes e magias sexuais, era a quase absoluta separação entre o mundo masculino e o feminino. Nos documentos da Inquisição, em que são descritas as circunstâncias de cada fato denunciado, vê-se bem que as mulheres protagonizavam o vaivém de poções, cartas de tocar, rezas sedutoras. Já nas conversas desabridas sobre fornicações, quando surgia a polêmica se fornicar era ou não pecado mortal, só homens estavam presentes, tudo na base do "erotismo grosso" que Gilberto Freyre viu nos costumes masculinos portugueses. Não havia também a cumplicidade ou solidariedade entre os envolvidos, pois as mulheres eram acusadas, por suas próprias clientes, de ensinar ou vender poções, enquanto os homens eram acusados de celebrar seus feitos de macho pelos amigos de ontem, que com eles beberam vinho e contaram aventuras sexuais. A Inquisição vivia da desunião entre amigos, parentes, amantes.

O certo, porém, é que o pecado no Brasil Colônia não corria livre como muitos pensaram. Os jesuítas estavam sempre a reprovar os excessos. Os inquisidores a perseguir os mais afoitos. E todos, a bem dizer, viviam mais ou menos atormentados, temendo os castigos do céu e da terra. De mais a mais, era tudo muito exposto naquele tempo, pois os espaços das casas não eram claramente definidos e, quando o eram, nas casas-grandes, por exemplo, mal havia portas separando cômodos. De maneira que era frequente, mesmo entre casais unidos pelo matrimônio, que muitos vissem as relações sexuais dos vizinhos, parentes ou moradores da casa.

Um caso exemplar – conforme registrou literalmente o escrivão no manuscrito número 6.366 da Inquisição de Lisboa – foi o de certa moça chamada Maria Grega, mameluca casada com um alfaiate, na Bahia quinhentista, que correu para acusar o marido ao inquisidor de que ele só a possuía pelo ânus, nunca pelo "vaso natural". Perguntada pelo inquisidor se alguém podia testemunhar sobre o caso, disse sem nenhuma cerimônia que a irmã dela sempre viu tudo, pois dormia numa rede ao lado... Outro caso espantoso diz respeito a um certo Baltazar da Lomba, morador em Pernambuco, homem já dos seus 60 anos, que gostava de dormir com índios. Numa dessas foi pego em flagrante por um rapaz curioso, que por uma abertura da porta, pôs a orelha e aplicou o sentido", ouvindo Baltazar da Lomba e um índio ofegarem na rede, acrescentando que um deles gritava "ui, ui, ui".

Os lugares para fazer sexo no Brasil Colônia eram mesmo devassados. Não admira que o mato fosse lugar de certa privacidade ou que as pessoas mal tirassem as roupas quando mantinham relações sexuais. Os documentos da Inquisição – indiscretíssimos – também nos contam que o mais comum era os homens arriarem seus "calções", como então se dizia, ou levantarem as "camisolas", as mulheres suas saias, e pronto: cópula consumada. Nem as Igrejas escapavam do sexo, como nos conta a historiadora Mary del Priore em delicioso texto intitulado "Deus dá licença ao Diabo". Nelas brotavam romances, em meio às missas, o entoando palavras eucarísticas que muitas mulheres repetiriam depois na boca dos maridos. E nas igrejas, muitas vezes, se abrigavam os amantes. Não por acaso, um manual português de 1681, escrito por D. Christóvam de Aguirre, continha as perguntas: "A cópula tida entre os casais na igreja tem especial malícia de sacrilégio? Ainda que se faça ocultamente?" Por aí se pode ter uma ideia de como a igreja poderia funcionar depois do culto.

Sexo na igreja é algo que nos leva de volta aos padres e de como religião e desejo se mesclavam no cotidiano do Brasil antigo. Muitos padres, por sinal, eram useiros em flertar com mulheres casadas ou solteiras, fazendo-o, inclusive, no próprio ato da confissão. Aproveitavam o fato da confissão ser secreta e, portanto, um dos raros espaços de privacidade naquele tempo, e seduziam as moças. A Inquisição, sempre ela, não dormiu no ponto, especialmente porque, neste caso, não se tratava apenas de incontinência clerical, mas do uso libidinoso de um sacramento. Por isso eram os tais padres chamados de *solicitantes ad turpia*, isto é, solicitavam penitentes com propósitos torpes. O Santo Ofício prendeu e processou vários deles, produzindo com isso documentos formidáveis sobre como os homens seduziam as mulheres em tempos idos. Era comum esses padres falarem mal dos maridos, prometendo às mulheres vida melhor, ofertando presentes, ou recitando poeminhas. Um deles mandou à penitente, *doublé* de mulher desejada, uma florzinha entre os dentes, fazendo-a passar pelas grades do confessionário. Mas esses padres solicitantes pareciam usar de códigos diferentes, conforme a posição social das mulheres que desejavam seduzir. Se fossem brancas, cortejavam, diziam versos, ofereciam mimos. Se negras, iam logo pondo as mãos nos peitos, ou por debaixo das saias, usando de linguagem chulíssima. Pelo visto, não só de religião o sexo estava embebido naquele tempo, mas também da lógica da escravidão. Seduzir brancas era coisa que merecia poemas e flores. Seduzir negras, cativas ou forras, dispensava tais delicadezas: os padres iam logo apalpando seios, apertando coxas ou mesmo tocando nas ditas "partes vergonhosas" por meio de palavreado lascivo.

De um modo ou de outro, é claro que os padres usavam do poder que o cargo lhe conferia para assediar moças incautas. Era o caso, por exemplo, de um certo frei Luís de Nazaré, carmelita da Bahia que viveu no século XVIII. Dizia ter poderes de exorcista, no que muitos acreditavam, e "curava" mulheres doentes através de cópulas, ou por vezes espalhando sêmen no corpo das moças, dizendo, com a Bíblia na mão, que aquilo era remédio bom e vinha de Deus. Ao se defender do processo que depois lhe moveu a Inquisição, frei Luís não hesitou em dizer que fazia aquilo não por ser herege, mas porque tinha desejos irrefreáveis e as mulheres do Brasil "eram rudes e simples". "Facilmente se enganavam", disse o frei, "com qualquer cousa que lhes dizem..."

As sexualidades brasílicas de outrora nem eram tão livres, nem estavam isentas de preconceitos, constrangimentos de todo tipo e, sobretudo, de religião, que irrigava a sociedade inteira. Muita coisa nos soaria estranha, nos dias de hoje, como casais se amando vestidos ou dizendo as palavras sagradas em pleno gozo. Alguns costumes de outrora parecem até bizarros, como um tal "namoro do bufarinheiro", descrito por Júlio Dantas, muito comum em Portugal na primeira metade do século XVIII: homens a distribuir piscadelas d'olhos e a fazer gestos sutis com as mãos ou boca para as mulheres que se postavam à janela, suspirantes, em dias de procissão religiosa, como se fossem eles bufarinheiros a vender suas bugigangas. Ou um tal "namoro do escarrinho", costume luso-brasileiro dos séculos XVII e XVIII, em que o "enamorado" punha-se embaixo da janela da pretendida sem dizer nada, limitando-se a fungar, como se estivesse resfriado, ou mesmo tossir, assoar o nariz e escarrar no chão, à vista da moça.

Costumes estranhos, alguns. Outros nem tanto, em especial os que envolviam constrangimento, preconceito, assédio. Os documentos da Inquisição estão cheios deles. O Brasil era mesmo terra de pecados, mas nem de longe de liberdade sexual. Liberdade nunca houve por ali - ou por aqui -, e entre os casais unidos pelo santo matrimônio poucas vezes se encontra o amor que o século XIX celebraria na literatura romântica. Amor e sexo juntos era coisa rara na Colônia, ao menos nos documentos daquele tempo, mais empenhados em flagrar delitos do que sentimentos amorosos. Salvam-se alguns poemas líricos, aqui e ali, como os dos árcades mineiros, no século XVIII, por vezes muito amorosos, mas pouco eróticos. Eróticos e amorosos ao mesmo tempo só os poemas satíricos - pouquíssimos -, como os do célebre Gregório de Matos Guerra, que viveu na Bahia, século XVII, de que vale citar uns versos:

"O Amor é finalmente
um embaraço de pernas,
união de barrigas,
um breve tremor de artérias.
Uma confusão de bocas,
uma batalha de veias,
um rebuliço de ancas,
quem diz outra coisa é besta"

Não por acaso, celebrando o amor deste modo, entre pernas, veias e ancas, Gregório de Matos seria afamado ou infamado na Bahia como o "Boca do Inferno". Mas o poema tem lá seu valor. Informa, no mínimo, que alguns podiam ficar totalmente nus no encontro dos corpos, entre gemidos e palavras encantadas, o que não era pouca coisa naquele tempo. A bem da verdade, de "boca do inferno", ao menos nesse poema, nosso Gregório não tinha nada. Estava mesmo é com o coração na boca.

Santo ofício da homofobia

A dura perseguição aos homossexuais e o culto ao machismo no Brasil são práticas reveladas desde os processos da Inquisição.

LUIZ MOTT

Quando os portugueses chegaram ao Brasil, escandalizaram-se ao encontrar tantos índios praticantes da homossexualidade, na época chamada "nefando pecado de sodomia". Os nativos amantes do homoerotismo eram chamados na língua tupinambá de *tibiras*, enquanto o padre francês André Thevet (1575) intitulou-os de *berdache*, termo de origem persa, generalizado pelos povos islâmicos, que passou a ser utilizado por viajantes e depois por antropólogos para descrever os nativos homossexuais e/ou travestis de diversas partes do mundo, sobretudo os da América do Norte. Também muitas mulheres indígenas entregavam-se umas às outras em relações lésbicas. Segundo os cronistas da época, havia muitas *cunhãs* que eram completamente "invertidas", assumindo radicalmente o papel de gênero masculino na aparência, trabalho e lazer, preferindo a morte a serem chamadas de mulheres ou a manter relações com o sexo oposto. Eram chamadas de çacoaimbeguira, e provavelmente teriam sido elas as inspiradoras do mito das amazonas sul-americanas.

Também os negros contribuíram para o alastramento do amor unissexual na "Terra dos Papagaios": o primeiro travesti registrado na nossa

História foi o negro Francisco, da etnia manicongo, morador à Misericórdia, no centro de Salvador, denunciado em 1591 perante o visitador do Santo Ofício da Inquisição na Bahia, por recusar-se "vestir roupa de homem". Era membro de uma "confraria" a que chamavam *quimbanda*, composta por temidos feiticeiros praticantes do homoerotismo, muito respeitados nos reinos do Congo e de Angola. Dois criteriosos cronistas do século XVII, o padre Cavazzi da Montecucculo e o capitão Cadornega, confirmam a associação entre os quimbanda e a prática do "vício dos gregos".

Malgrado a presença aterradora do Tribunal da Inquisição (1536-1821), o homoerotismo também percorreu incontrolado toda a História lusitana, envolvendo quando menos três soberanos e inúmeras celebridades deste país ibérico. Foi aí merecidamente referido como "vício dos clérigos", tantos foram os frades, cônegos, sacristãos e até membros do alto clero a praticarem o "amor que não ousava dizer o nome". Um terço dos sodomitas presos e queimados pelo Santo Ofício pertencia à Igreja.

O primeiro degredado da Inquisição portuguesa a aportar no Brasil foi o *sodomita* Estêvão Redondo, criado do governador de Lisboa, que desembarcou em Pernambuco, então chamado Nova Lusitânia, em fevereiro de 1549. Seu nome foi assentado no *Livro dos degredados* com o selo do próprio governador Duarte d'Albuquerque Coelho. Contra si tinha quase uma dezena de acusações de atos sodomíticos. Nem a enorme vergonha de ter sido sentenciado publicamente num auto-de-fé, nem os doloridos ferros que o acorrentaram na interminável travessia do Atlântico, nem mesmo o degredo "para sempre" nesta terra de índios bravos e africanos boçais, foram suficientemente fortes para desviá-lo de sua orientação homossexual. Estêvão Redondo foi o primeiro gay a ter seu nome e sobrenome registrados na História do Novo Mundo.

Por ocasião da visita do Santo Ofício em Pernambuco, em setembro de 1593, pelo menos cinco homens e rapazes foram publicamente acusados de sodomia e mais trinta mantinham em segredo que eram "fanchonos". Entre eles, André Lessa, um sapateiro que vivia em Olinda e viu-se obrigado a assumir sua prática perante o inquisidor. Em seu currículo homoerótico constavam nada menos que 31 rapazes, com os quais praticara mais de uma centena de ajuntamentos sodomíticos.

"O Lessa", como era chamado, invalida o mito que estereotipa o homossexual como um ser delicado, franzino, uma espécie de "terceiro sexo", conforme definiu, no século XIX, o doutor Karl Ulrichs, pai dos estudos sobre a homossexualidade. Em seu processo, arquivado na Torre do Tombo, em Lisboa, André Lessa foi descrito como "homem alto, um homenzarrão, com bigodes grandes e valente". Era cristão velho, natural de Guimarães, no bispado de Braga. Não consta no processo desde quando vivia nos Brasis, mas já lá ia 12 para 13 anos que "tem pecado na sensualidade torpe com muitos moços, sendo sempre autor e provocador, tendo ajuntamento por diante com os membros viris e com as mãos, solicitando e efetuando polução [*ejaculação*] um a outro".

Os parceiros de Lessa tinham entre 15 e 18 anos e eram todos brancos, com exceção de um mameluco, mestiço de branco e índio. Entre eles, dois filhos de mercadores e de um fazendeiro; três alfaiates, dois sapateiros e nove criados. As centenas de práticas libidinosas referidas por Lessa revelam grande versatilidade homoerótica incluindo "ajuntamentos nefandos alternados", "acometimentos nefandos por detrás", "ajuntamento dos membros viris pela frente", derramamento de semente entre as pernas", "punhetas recíprocas", "polução na mão alheia", "coxetas", exibição fálica, conversações torpes e maliciosas etc. Todas expressões colhidas pelos piedosos ouvidos do escrivão inquisitorial que se não teve vergonha de escrever, quem somos nós para censurá-los! A propósito: "o Lessa" foi castigado com relativa brandura pelo visitador: sofreu quatro seções de açoites, sendo degredado por cinco anos para Angola.

Não fora a confissão de Lessa, jamais teríamos notícia da existência desta numerosa e diversificada rede de *cripto-sodomitas* - conhecidos na época como "fanchonos encobertos" e hoje como "gays enrustidos" - que somente graças à visitação inquisitorial tornou-se conhecida para a posteridade. A criminalização da prática homossexual forçou os amantes do mesmo sexo a viver na clandestinidade - dando origem a uma subcultura de dissimulações. Certamente, a quase totalidade deles manteve seu homoerotismo secreto, "no armário", não deixando traços documentais que permitam a reconstituição da história dessa minoria sexual.

Os processos de sodomia das Inquisições constituem, por causa disso, riquíssimo filão para o estudo da homossexualidade antiga. Se compararmos Portugal e sua colônia ao sul do equador com os demais países europeus e do Novo Mundo à época da Renascença, inclusive com a Inglaterra e Holanda protestantes, a abundante e fantástica documentação dos arquivos inquisitoriais nos obrigam a concluir que Lisboa e as principais cidades da América portuguesa, Salvador, Olinda e Rio de Janeiro, possuíram uma frenética e ao mesmo tempo clandestina subcultura gay, que competia com a descrita para outras sociedades do Velho Mundo. Curiosamente, malgrado o espectro da fogueira inquisitorial, no dia a dia, os gays luso-brasileiros eram tratados com maior tolerância e aceitação social do que seus semelhantes de outros países.

As legislações inquisitorial e real eram rigorosíssimas, mas, na prática, a punição era rara e indulgente. Não obstante, dos mais de quatro mil denunciados ao Santo Ofício pelo "abominável pecado de sodomia", aproximadamente 450 foram efetivamente presos e sentenciados, e, destes, trinta *sodomitas* morreram queimados durante os quase três séculos em que vigorou a ditadura deste *monstrum horribilem*. Nenhum gay do Brasil foi queimado pela Inquisição, embora ultrapasse uma centena os "fanchonos" e lésbicas da América portuguesa denunciados de praticarem o "mau pecado", uma dezena dos quais sendo aprisionados nos cárceres secretos da "Casa Negra" do Rossio, em Portugal.

Há documentos comprobatórios de que, desde os primórdios de nossa história, os pais ensinavam a seus filhos adolescentes a reagir violentamente contra qualquer tentativa de sedução por parte de um homossexual, registrando-se no século XVII a cruel execução de dois sodomitas no Nordeste brasileiro, cujos nomes desgraçadamente os cronistas deixaram de anotar: em 1613, em São Luís do Maranhão, um índio tupinambá, publicamente reconhecido como *tibira*, foi amarrado por ordem dos frades capuchinhos franceses na boca de um canhão, tendo seu corpo estraçalhado com o estourar da bala "para purificar a terra de suas maldades".

O segundo mártir homossexual no período colonial foi um moleque escravo negro, executado na capitania de Sergipe, em 1678: "foi morto de açoites por ter cometido o pecado de sodomia". Entre as lésbicas, a mais "incorrigível" de todas foi a portuguesa Felipa de Souza, açoitada em praça pública, em Salvador, e degradada em 1593. Seu nome passou a identificar o prêmio anual que a International Gay and Lesbian Human

Rights Comission (de São Francisco, EUA) outorga entidades e personagens gays e lésbicos que mais se destacaram na defesa dos direitos humanos.

Há raízes etno-históricas que explicam a maior agressividade contra homossexuais nos países escravistas da América Latina e no Brasil em particular: aqui, o machismo, o patriarcalismo e a homofobia assumiram características mais violentas do que as metrópoles ibéricas, pois um homem delicado, efeminado ou homossexual, no Novo Mundo, era considerado como grave traição à supremacia do sexo forte e uma perigosa ameaça à elite dominante.

Nesta colônia de dimensões continentais, os brancos donos do poder representavam frágil minoria demográfica, numa proporção de um branco para três ou quatro negros, índios, escravos e forros, além dos mestiços de todos os matizes. População esfomeada, exaurida com jornadas de 15 ou mais horas de trabalho forçado, humilhada e castigada a ferro e fogo. Como manter essa *gentalha* submissa? Chicote ou bengala na mão, punhal e espada na cintura, postura ultraviril e autoritária, eram elementos indispensáveis para todo senhor vivendo no meio da *negrada* e *tapuiada* - termos correntes naquela sociedade.

Nas colônias escravistas não havia lugar para efeminados, fracos, pusilânimes, "donzelões", como dizia Gilberto Freyre. Nesta frente pioneira de brava gente, *dar as costas para outro homem* ameaçava a própria permanência e hegemonia do conquistador branco no Novo Mundo - pois pelas costas é que os índios flechavam os descuidados que ousavam penetrar a floresta e por detrás e que os cativos revoltosos tiravam a vida de seus opressores.

Um caldeirão de amores

Em nome da procriação ou mesmo para prevenir pecados, o uso de afrodisíacos e anafrodisíacos se espalhou por toda a Europa e também no Brasil.

"Que tens, caralho, que pesar te oprime
que assim te vejo murcho e cabisbaixo
sumido entre essa basta pentelheira,
mole, caindo perna baixo".

MARY DEL PRIORE

Assim começa "Elixir do Pajé", poema de Bernardo Guimarães publicado clandestinamente em 1875. Ele trata de um assunto que assombrava a sociedade patriarcal: a impotência sexual masculina. Considerada verdadeira maldição, ela provocava profundo sofrimento e situações de humilhação entre os homens. Ao longo de séculos, não faltam indicações do sonho de ereções permanentes e infatigáveis, mostrando que a obrigação da virilidade habita há tempos a nossa cultura.

Mas por que tanta ansiedade? Está na Bíblia: "Crescei e multiplicai-vos." E era papel do homem garantir esta operação. Um breve papal de 1587 definia a impotência masculina como um impedimento ao sacramento do matrimônio. Os processos contra "maridos frígidos" se espalharam pela Europa entre os séculos XVI e XVIII. Não faltaram julgamentos públicos nos quais os homens tinham que fazer, seminus, "exames de elasticidade" ou ereção.

Com as grandes navegações europeias, os poderes das substâncias afrodisíacas correram o mundo. Portugal era a porta de entrada desses produtos. O pequeno reino se constituiu em ponto de distribuição das especiarias de luxo vindas do Oriente. Perfumes da China e do subcontinente asiático e saberes fitoterápicos da América se uniam para a fabricação de filtros capazes de resolver casos de impotência.

Um dos mais notáveis cronistas a perceber a importância dos afrodisíacos foi o português Garcia da Orta, estudioso da farmacopeia oriental que viveu no século XVI. Entre suas prescrições estavam a *cannabis sativa* (banguê ou maconha) e o ópio. Fundamentado em sua convivência com os indianos, Orta sabia que o ópio era usado para agilizar a "virtude imaginativa" e a retardar a "virtude expulsiva", ou seja: controlar o orgasmo e a ejaculação. Além destes dois produtos, Orta menciona o betel, uma piperácea cuja folha se masca em muitas regiões do oceano Índico. Sobre seu uso, lembra que "a mulher que há de tratar amores nunca fala com o homem sem que o traga mastigado na boca primeiro".

Muitas especiarias eram consideradas afrodisíacas, como o açafrão, o cardamomo, a pimenta negra, o gengibre, o gergelim, o pistache e a noz-moscada. Outras substâncias com a mesma e poderosa reputação eram o âmbar e o almíscar, produtos que a Europa só foi conhecer no século XVI. A colonização da Ásia, da África e da América fez aumentar a variedade dos afrodisíacos utilizados. E não só entre plantas e alimentos. O rinoceronte proveniente da Guiné tinha raspas do chifre comercializadas devido a essa reputação, o que, aliás, ocorre até hoje.

Primeiro observador encarregado de fazer um relatório de história natural do Brasil, o holandês Guilherme Piso (1611-1678) registrou também, embora mais discretamente, algumas plantas afrodisíacas. Segundo ele, tanto "a pacoba quanto a banana são consideradas plantas que excitam o venéreo adormecido. Os portugueses as vendem diariamente o ano todo, afirmando que podem tornar o homem mais forte e mais capaz para os deveres conjugais". As propagadas virtudes do amendoim também chamaram sua atenção.

Em obras publicadas na Europa, plantas vindas dos novos mundos eram divididas de acordo com suas propriedades, em rubricas como "amor, para incitá-lo", "jogos de amor" e "para fortificação da semente" (ou seja, do sêmen). Em 1697, um desses livros menciona 19 substâncias úteis para o sexo, extraídas dos reinos animal (genital de galo, cérebro de leopardo, formigas voadoras) e vegetal (jaca, orquídeas, pinhões).

O contato com os índios na América portuguesa levou ao emprego do fogo nos procedimentos de cura da impotência. Homens untavam o escroto e a região púbica com sebo de bode, "sentando-se sobre brasas vivas". Provavelmente nasceu de tal prática a expressão "estar sentado em brasas". Garrafadas à base de catuaba, largamente utilizadas até os dias de hoje, também decorrem dos conhecimentos fitoterápicos dos tupis-guaranis.

Na culinária, havia receitas específicas para "engendrar e facilitar a ereção e o coito". Ingredientes como as ostras, o chocolate e a cebola eram apreciadíssimos, assim como a alcachofra, a pera, os cogumelos e as trufas. O médico do rei D. João V, Francisco da Fonseca Henriques, em seu livro *Âncora Medicinal* (1731), cita pelo menos cinco plantas – a menta, o rabanete, a cenoura, o pinhão e o cravo –, atribuindo-lhes o dom de "provocar atos libidinosos e incitar a natureza para os serviços de Vênus". Segundo ele, uma dieta casta devia evitar alimentos quentes, fortes e condimentados, aliando-se a tal cardápio outras terapias, como banhos frios e aplicações tópicas de metais.

Este era o outro lado da moeda: embora os afrodisíacos tivessem nobre função social, num tempo em que a Igreja controlava corações e mentes, os excessos sexuais eram considerados pecado ou doença. Como antídoto, eram receitados anafrodisíacos, definidos como "aqueles remédios que ou moderam os ardores venéreos ou mesmo os extinguem". No sumário de alguns herbários constavam plantas com finalidades variadas: ao lado daquelas que podiam "induzir a fazer amor", outras evitavam "sonhos venéreos quando se polui sonhando" ou eram capazes de "fazer perder o apetite para jogos de amores".

A mais eficaz das plantas antieróticas revelava seu efeito no próprio nome: o *agnus castus* tornava o homem "casto como um cordeiro porque ele reprime o desejo de luxúria". Havia anafrodisíacos que agiam "espessando a semente" e tornando-a, portanto, mais difícil de escorrer. Nessa categoria estavam as sementes de alface, melancia e melão. Outra opção era utilizar metais como chumbo, mármore e pórfiro - aplicados sobre o períneo ou sobre os testículos, essas "frígidas" substâncias faziam diminuir o ardor.

Alguns produtos mudaram de finalidade com o tempo. O chocolate, antes usado até durante o jejum católico, passou a ser condenado por provocar excesso de calor. Em seu lugar, surgiu a louvação antierótica do café, que só mais tarde seria visto como excitante.

O uso excessivo de afrodisíacos provocava o aparecimento de "doenças" de origem sexual, como a erotomania. Esta "febre amorosa" atingia homens e mulheres, provocando inchação no rosto, aumento dos batimentos cardíacos, sufocações, raivas, furores uterinos, satiríases e outros "perniciosos sintomas". A cura demandava sangrias abundantes - nos braços, pés e atrás das orelhas -, dietas que excluíam tudo o que fosse "quente", banhos gelados ou dormir sobre tábua dura.

Tanto em Portugal quanto na América portuguesa, vivia-se a crença de que poderes demoníacos atuavam sobre o corpo e a sexualidade. Neste caso, pouco importavam as explicações médicas, mais valendo a simbologia dos rituais mágicos. Defumar as partes vergonhosas com os dentes de uma caveira, pendurar galhos de artemísia na porta de casa ou passar esterco da pessoa amada no sapato direito eram formas de expulsar o demônio que causava a impotência. Comer uma pega, ave corvídea também conhecida por pica-pica, como ajudava! "Urinar num cemitério pela argola da campa [*sineta*] de uma sepultura" tinha que funcionar! Untar o membro com "água que cair da boca de qualquer cavalo" era eficácia garantida! Para os casais que desejassem apenas se prevenir deste mal, recomendava-se ao marido "trazer consigo o coração da gralha macho e à mulher, o da gralha fêmea".

Aos nossos olhos, esse parece outro mundo: a obrigação de procriar, o medo do maligno, o preconceito, a opressão da Igreja, os feitiços, as simpatias e crendices. Atualmente, a impotência é tratada como uma especialidade médica como outra qualquer. Será? O entusiasmo com que foi recebida uma certa pílula azul talvez demonstre que ainda estão bem vivos entre nós alguns traços daquela antiga maneira de pensar.

Humores e sabores

•

Pinga da boa

Usada com finalidades surpreendentes, a cachaça na época colonial venceu o vinho, a cerveja e outros destilados graças ao tráfico negreiro.

LUCIANO FIGUEIREDO

Destiladas ou fermentadas, e com base em diferenças de gêneros – a mandioca, a cana-de-açúcar, a uva, o trigo ou o milho –, as bebidas alcoólicas são exemplos da notável engenhosidade das gentes, por vezes alegres, que habitavam estes trópicos. Mas possuíam significados estranhos no tempo dos colonizadores. Longe de representar simplesmente uma forma de alegria e divertimento humanos, serviam como gênero medicinal, como era o caso da aguardente e do vinho. A primeira era recomendada especialmente para dores, inflamações, feridas e ainda para os olhos, a surdez e até para o tratamento de varíola e de sarampo. Já o vinho se prestava para cauterizações e fricções, além de servir na preparação de bebidas à base de ervas. Um pouco de vinho oferecido às crianças ajudava a evitar que urinassem na cama.

Aos poucos, conforme avançava o verde dos canaviais na *terra brasilis*, a capacidade de produzir bebidas tropicais em larga escala vai firmando novos rumos à economia do Brasil Colônia. Considerada "filha da cana e neta do canavial", como lembram os estudiosos do folclore, a aguardente mereceu também um parentesco ainda mais decisivo com o tráfico negreiro africano. Afinal, a *jeribita*, como era chamada a cachaça brasileira no interior daquele continente, foi o principal produto de troca por escravos nas feiras e portos da África central desde o século XVII. Esta comercialização em escala internacional acompanhava o que se passava na Europa do norte com diversos tipos de destilados enquanto nas Américas certas bebidas como o *pisco* e o *chinguirito*, ao contrário, estavam circunscritas ao consumo doméstico e a produção ficava limitada ao mercado regional.

Ao lado da produção da "aguardente da terra", os lucros do comércio de bebidas importadas de Portugal, como o vinho e a "aguardente de reino" (um tipo de bagaceira feita à base de uva destilada), muito consumida nas tabernas das vilas brasileiras, rendiam recursos fiscais preciosos para financiar a proteção da costa contra piratas e corsários que atacavam frotas e cidades. Criava-se assim aqui, curiosamente, uma estreita dependência de bebidas alcoólicas: a obtenção de mão de obra escrava para o plantio de cana-de-açúcar e para a mineração estava vinculada à troca pela cachaça; e a defesa do território contra invasores e piratas dependia do vinho que se bebia aqui.

Mas aguardente combinava mesmo com escravidão. E isso ocorria desde a perseguição e o comércio de escravos na África, sobretudo em Angola, onde a predileção pela aguardente substituiu o apreço às cervejas africanas e ao *malafo* – bebida fermentada, muito utilizada em cerimônias, extraída de diversos tipos de palmeiras e chamadas pelos portugueses de "vinho-de-palma". Quando os *sobas* (chefes nativos) e grupos mercantis africanos experimentaram a aguardente brasileira, com seu elevado teor de álcool em comparação com as bebidas que conheciam, nunca mais deixaram de exigi-la como moeda de troca. Para a frustração de comerciantes da metrópole, e a felicidade de produtores do Brasil Colônia, os africanos rejeitavam o vinho português, a "aguardente do reino", a cidra, os vinhos espanhóis e a cerveja europeia que os traficantes portugueses tentavam negociar sem sucesso. A preferência pela cachaça, ao lado do tabaco baiano, assegurou grande destaque aos comerciantes brasileiros na África.

Considerada eficaz contra a depressão em longas travessias e, acima de tudo, como fortificante, antes mesmo de chegar ao Brasil os negros conheceram a bebida que iriam consumir em larga escala na América, já que os próprios traficantes recomendavam que a *jeribita* fosse fornecida de manhã e à noite aos escravos a bordo. Um hábito que se repetiu aqui: os fazendeiros ofereciam cachaça a seus cativos quando eles saíam de manhã para a penosa jornada de trabalho, e seu consumo funcionava como complemento dietético diante da fraca alimentação oferecida pelos senhores. A pinga então animava e enganava a sensação de dor e fome.

A produção de bebidas pelos engenhos na época guardava algumas peculiaridades, a começar pelas técnicas de produção e as designações que surgiam para cada espécie. No interior dos engenhos ou fora deles, a aguardente era destilada em alambiques que podiam ser de cobre ou até de pedra-sabão, e que separavam o álcool do restante do líquido. Também ali se produzia a garapa e a cachaça, bebidas com mais baixo teor alcoólico consumidas pelos escravos, e obtidas a partir da espuma retirada da fervura do caldo de cana ou do melaço que escorria das formas antes de ser transformado em açúcar.

Ainda que aguardente e cachaça apareçam como distintas para alguns autores, muitos costumam não diferenciar uma da outra. Certo é que a produção da aguardente e da cachaça nos engenhos serviu muitas vezes como a "salvação da lavoura" para os seus proprietários, e não apenas como fonte mais barata de calorias para a mão de obra. Ao contrário do mercado da aguardente, sempre crescente, o comércio do açúcar era caprichoso, com flutuações de preços que tornavam a produção instável e onerosa. Qualquer retração no mercado internacional e queda nos preços abalavam os rendimentos de toda a safra. Por isso muitos senhores investiam de maneira complementar na produção e comércio da cachaça, chegando mesmo a defender – em uma inversão curiosa – que esse era o principal comércio para assegurar o lucro dos engenhos, uma vez que a venda do açúcar apenas pagava suas despesas.

Antes, porém, do sucesso da aguardente, os colonos portugueses no Brasil se esforçaram para recriar no além-mar o padrão de consumo do reino e, nos primeiros tempos, o vinho integrava a dieta básica deles, embora com moderação. Não dispensavam "um copinho de vinho de Portugal", segundo o testemunho do padre jesuíta Fernão Cardim (1549-1625). Perseguindo certo conforto no Novo Mundo, os primeiros colonizadores logo cuidaram de transplantar mudas de videira para a produção de vinho. Na

Bahia chegou a produzir uva em abundância a partir da terceira década do século XVI, e logo depois se tem notícia de vinho tirado de cepas baianas. O mesmo se passa em São Paulo, onde se fazia vinho desde o século XVII. Os esforços, no entanto, seriam em vão: mais do que a voracidade das formigas que destruíam plantações inteiras, os colonos não conseguiram aguentar a pressão das empresas monopolistas do comércio de Portugal, responsáveis pela importação para o mercado do Brasil dos vinhos do reino e da Ilha da Madeira.

Mas nem só de vinho de aguardente da cana-de-açúcar vivia o morador do Brasil Colônia. Muitos cronistas que travaram os primeiros contatos com os índios tupi, que habitavam o litoral, descreveram o consumo, durante celebrações, do *cauim* - bebida fermentada, produzida a partir de tubérculos, como a mandioca, ou de cereais, como milho, e ainda de frutas, como o abacaxi. O mel, eventualmente adicionado, elevava seu teor alcoólico.

Variações regionais de bebidas se multiplicaram à margem da cana-de-açúcar, formando verdadeiras sínteses de trocas culturais e das características da produção local. No Maranhão, desenvolveu-se uma aguardente nativa, a *tiquira*, feita de mandioca, e muito apreciada pela população pobre. Em Minas Gerais, surge o *aluá* ou "vinho de milho", bebida fermentada criada pelos africanos chegados da Costa da Mina. Na Vila de São Paulo, a aguardente de milho e a de trigo, feitas a partir destes cereais fermentados e destilados, se tornaram um sucesso. Mais ao sul aparece a de beiju, produzida pela fermentação e destilação da mandioca ralada.

Apesar da diversidade de bebidas que as culturas dos povos na América puderam fermentar e destilar, teria sido elevado o consumo de álcool nesta época? A princípio, considerando a legislação que insistentemente condenava o consumo pelos escravos, sim. Em diversos momentos, os administradores do Brasil desenharam imagens de violência praticadas por escravos inebriados pelo álcool, cometendo roubos, morte, fugas e todo o tipo de desordem social. Ainda que isto tenha ocorrido, a argumentação contra os efeitos sociais e políticos da *jeribita* muitas vezes escondiam interesses dos negociantes de Portugal, que pretendiam justificar assim a supressão da concorrência que a aguardente brasileira oferecia aos vinhos e às bebidas importadas do reino, tanto no mercado local quanto na África. Outras vezes, a guerra contra a "aguardente da terra", como sucedeu em Minas Gerais na época da mineração de ouro e diamantes, quando se proibiu engenhos de cachaça, traduzia o desejo de eliminar a produção de bebidas que desviava a preciosa mão de obra da mineração.

Considerando-se ou não tais imagens de consumo desenfreado pelos negros, inegavelmente elas colaboraram para construir uma visão negativa sobre os efeitos sociais da aguardente. Por outro lado, se não é possível por hora saber a quantidade de consumo, há indícios de que no Brasil Colônia se bebia bem menos do que se pensa. Até porque diversos agentes se dedicavam a policiar o consumo excessivo de álcool. Os jesuítas, por exemplo, orientavam os senhores a evitar a embriaguez dos cativos pela aguardente, sugerindo que ela fosse substituída pela "garapa doce", bebida fermentada a partir das escumas do caldo de cana, com mais baixo teor etílico. As irmandades religiosas em diversas capitanias, como Bahia e Minas Gerais, vetavam o ingresso a e permanência de irmãos que bebessem imoderadamente. A visita dos inquisidores de Portugal e dos bispos que atuavam no Brasil às vilas e arraiais vigiavam atentamente aqueles que praticavam o vício da "bebedice", e casos frequentes de blasfêmia por parte de homens e mulheres embriagados de vinho chegavam à Inquisição.

Ao menos nos meios sociais mais elevados, os portugueses pareciam praticar certa temperança em relação às bebidas alcoólicas: a embriaguez era grave falta social e motivo de desprezo na comunidade. Alguns viajantes no século XVIII afirmam que os portugueses seriam o povo europeu menos afeito ao consumo do álcool. Muitos confirmam esse padrão para o Brasil, como os missionários católicos que passaram pelo Nordeste no século XVII. Eles ficaram admirados com os habitantes de origem portuguesa que bebiam principalmente água fresca, refrescos e suco de frutas; e se escandalizavam – talvez sensibilizados pelo ódio àqueles protestantes – com o alarmante consumo de álcool por parte dos holandeses durante a ocupação da região.

Visitantes europeus que percorreram o território brasileiro a partir do século XIX expressam opiniões diferentes a respeito do tema, embora predominem os testemunhos sobre a moderação dos brasileiros, exceto em relação a escravos e marinheiros, consumidores de muita aguardente. John Mawe registra que em São Paulo se consumia com parcimônia o vinho nas refeições comuns, a mesma opinião de Saint-Hilaire, Gardner e Tollenare. Há, para esses viajantes, certa unanimidade de que as elites das fazendas ou dos sobrados urbanos não recorriam à bebida, só alguns cálices de vinho do Porto ou Madeira, vinhos de laranja e licores, isso nas celebrações e com sobriedade. Esta visão suavizada do consumo nos trópicos não está presente, porém, na narrativa de Burton em suas andanças por Minas Gerais, a ponto de afirmar que ali, o "consumo de bebidas alcoólicas ultrapassa, eu acredito, o da Escócia".

De todo modo, soluções no mínimo inusitadas para reduzir o consumo de álcool também acompanharam o hábito de beber no Brasil de então. João Curvo Semedo, por exemplo, reúne em seu livro *Observações médicas doutrinais de cem casos gravíssimos*, de 1727, algumas medidas "contra a bebedice', recomendadas a qualquer um interessado em abandonar o vício: servir ao ébrio "vinho em que se afogaram duas enguias vivas" ou "vinho em que se misturou um pouco de esterco de homem". Outra alternativa sugeria recolher o "suor dos companhões [testículos] de um cavalo, quando estiver suado" e servir ao beberrão, que também poderia escolher entre um copo de "vinho em que deitaram uma fatia de pão que estivesse duas horas no sovaco de um agonizante" ou ainda o "vinho que se deitou por meia hora dentro dos sapatos do mesmo bêbado, quando os descalçar, estando ainda quentes".

Sabores da Colônia

Como as limitações e as dificuldades dos portugueses no Brasil criaram uma das mais saborosas e originais culinárias.

PAULA PINTO E SILVA

Uma terra que "em que se plantando tudo dá". Tal é a máxima das crônicas e dos relatos dos viajantes estrangeiros, que apresentam as novas terras como sendo deliciosamente ricas em espécies alimentares, plantadas, cultivadas, ou mesmo as nativas, nascidas ao léu, ao sabor do vento, da terra farta e do clima propício. Por estar de certo modo descomprometido com a sociedade que o acolhia, o olhar do viajante se tornava único no sentido de estranhar e captar as diferenças, buscando nelas alguma semelhança com o que já era conhecido e fornecendo uma versão dos fatos.

Assim é que se tem uma terra cheia de pomares, recheados de abacates, açaís, ananases, cajás, ingás, jacas e marmelos, para não falar dos diversos tipos de bananas, laranjas e das mangas espalhadas por todo o território. Hortas repletas de cheiros e temperos, como alho, cebola, cebolinha, salsa, coentro, louro, noz-moscada. As pimentas, amarelas, vermelhas, verdes, pimenta-castanha, pimenta-cumarim, pimenta-malagueta, pimenta-fidalga. Verduras e legumes, como abóboras, aspargos, maxixes, nabos, palmitos, pepinos, quiabos, além das raízes e tubérculos nativos, como mandioca, batata doce, cará, inhame, e dos deliciosos mangaritos que alegravam os olhos dos viajantes e deixavam, nos relatos, uma sensação de água na boca. Uma variedade enorme de peixes, mariscos, crustáceos, carnes de todos os tipos, insetos comestíveis, aves em profusão, porcos criados no quintal.

Mas, se as possibilidades eram tantas, como explicar as constantes queixas – em cartas coletadas por Capistrano de Abreu e Sérgio Buarque de Holanda –, por parte dos moradores que tentavam se acostumar às novas terras, da falta de alimentos, da carência e da escassez de comida nesse período?

A investigação dos alimentos e práticas alimentares na América portuguesa segue os quatro caminhos de colonização e povoamento que podem ser definidos como: a colonização costeira, de Pernambuco e Bahia, principalmente, caracterizada pela monocultura de cana-de-açúcar; as frentes de expansão e reconhecimento de território, em direção ao norte, acentuando a corrida pelas chamadas "drogas do sertão"; a colonização para dentro, partindo da Vila de Piratininga, São Paulo, chegando à região das Minas; e, finalmente, o surgimento da pecuária no interior do Brasil.

Desde a década de 1530, o litoral das chamadas terras novas é motivo de briga e disputas. A região que vai desde a capitania de Pernambuco até a de São Vicente recebeu as primeira mudas de cana e os peritos na fabricação do açúcar. A despeito das particularidades desse sistema de produção, marcado pela escravidão, foi nas cozinhas da casa-grande e no seu entorno – as hortas, pomares e quintais – que as senhoras portuguesas se viram obrigadas a transformar e adequar seus hábitos mais íntimos, jogando fora os fogões e chaminés de estilo francês e servindo-se das possibilidades indígenas e negras de cozinhar fora da casa, sobre o "puxado", limpando e cortando a carne no jirau (armação de madeira), e utilizando os métodos de assá-las ou defumá-las no moquém (grelha de varas). Pelos documentos, enxerga-se a utilização de muitos espaços como cozinha, e que mudavam conforme o tempo e o cardápio, permanecendo, em geral, a "suja", do lado de fora, onde se cortava e limpava as carnes e onde se preparavam os doces demorados, como a goiabada e a marmelada, e a de dentro ou "limpa", onde se fazia toda sorte de doces finos.

Com toda a força de trabalho voltada para a produção do açúcar, não é difícil confirmar as constantes queixas de escassez de alimentos, pelo menos os seus conhecidos, como o sal, a farinha-do-reino, o azeite doce e o vinho, e verificar que a comida cotidiana dos engenhos era mais simples, monótona e menos saborosa do que pintavam os viajantes. Uma dieta baseada em produtos "da terra", sustentada pela farinha de mandioca, por peixes e carnes de caça quase sempre secos, com exceção da carne de porco, cozida ou assada, feijões de caldo ralo e tubérculos comidos cozidos.

Apesar da enorme quantidade de árvores na região, naturais ou cultivadas, o consumo de frutas frescas não era mesmo comum entre a "gente de bem". A mistura do produto mais precioso – o açúcar branco – com abacaxis, abóboras, laranjas e mamões, em forma de compotas, doces secos ou em calda, revela uma maneira original de conservar as frutas em clima tropical, assim como introduzir, de modo adocicado, novos sabores a um paladar ainda saudoso dos seus doces feitos à base de ovos, farinha de trigo, canela e castanhas. A rapadura, doce rústico feito de açúcar mascavo, duro como um tijolo, constituía excelente substituto ao doce de açúcar e sobrepunha-se a eles como boa "munição de boca", fácil de produzir, fácil de carregar e fácil de conservar. O melaço – como era conhecido o mel extraído da cana – misturado à farinha de mandioca, ou de milho, podia tanto servir para tirar o sal da boca dos senhores brancos quanto ser o prato principal dos negros escravos, que tinham como base de sua alimentação o enorme consumo de mandioca cozida ou como farinha, o milho pilado, socado, quebrado ou feito farinha, feijões e alguns tubérculos nativos, além das bananas e laranjas.

O consumo dos alimentos nas propriedades de monocultura de cana-de-açúcar estava, portanto, baseado no que se podia produzir nas brechas de um grande sistema subordinado ao mercado externo, resultando em uma grande quantidade de farinha de mandioca, feijões de diversos tipos, batata-doce, milho e cará comidos com pouco rigor, além de uma cultura do doce, cristalizada na mistura das frutas com açúcar refinado e simbolizada, popularmente, pela rapadura.

Já na região fronteiriça do território, situada ao norte, no chamado Grão-Pará, teve um destino pouco diferente. Com o mesmo intuito de defender suas terras, colonos portugueses se infiltraram na região Amazônica, aproveitando a ausência dos jesuítas expulsos por Pombal e usufruindo, inclusive, da infraestrutura dos antigos aldeamentos. Isso implicava a exploração do trabalho indígena na busca pelas "drogas do sertão", organizada em expedições à procura de cravo, canela, castanhas, salsaparrilha e anis. Também o acesso à floresta e aos seus produtos dependia, exclusivamente, do conhecimento indígena. Foi desse modo que os colonos, mais do que em outros lugares, se viram às voltas com um tipo de alimentação baseada na caça e na pesca de espécies pouco conhecidas além do consumo de frutas silvestres.

Foi a região Amazônica que proporcionou a uma pequena parcela da população colonial gosto aderente da gordura de tartaruga, o sabor do peixe-boi, assado em folhas, do jacaré moqueado, das verduras cozidas e das pimentas entorpecentes.

O caso da Vila de Piratininga também é muito singular, já que, ao contrário das regiões litorâneas, voltou-se às formas de abastecimento interno e teve nos produtos agrícolas de subsistência a alavanca econômica de seu progresso. A impossibilidade de uma grande lavoura se deu em primeiro lugar devido ao solo, com muitos mangues e pântanos. Como que voltando as costas para o litoral, o núcleo humano que daria início ao desenvolvimento da Vila foi empurrado para o planalto, na busca de ouro, índios e pedras preciosas. Ao mesmo tempo, desenvolvia uma lavoura de subsistência, até então ignorada pelos grandes proprietários de terra do local. Coube a esse tipo de agricultura o papel de desbravar e povoar a terra, estabelecendo-se em regiões menos férteis e mais interiores do território, tendendo a constante mobilidade. Nesse cenário de espaços improvisados e precários, os estrangeiros adotaram hábitos particulares das populações indígenas, seus escravos e com as quais conviviam a maior parte do tempo. Pelos sertões, a caça e a pesca assadas na brasa ou socadas em farinha guarneciam os exploradores e seus escravos. Para que a subsistência estivesse garantida, eram plantadas nos caminhos de algumas roças de milho, feijão, mandioca, banana, batata-doce e cará, criando assim uma "despensa" própria do sertão, baseada nas lavouras indígenas dos povos de língua tupi-guarani encontrados no planalto. Assim, comia-se com as mãos uma mistura constante de farinha de milho, feijão sem caldo e, eventualmente, um pedaço de carne ou peixes secos.

Por último, na qualidade de gênero de subsistência, está também a carne de gado. A inserção do homem branco e do mestiço no território do sertão para o desenvolvimento da atividade de pecuária contribuiu para formação geográfica do território como para seu extenso povoamento. As péssimas condições de criação, assim como as piores situações a que o gado era submetido nos longos trajetos percorridos, contribuíam para que o consumidor final encontrasse uma carne fresca magra e dura, já quase apodrecida. Secar a carne ao ar e ao sol em finas mantas, ação facilitada também pela falta de umidade natural do sertão, fazia com que ela se prestasse mais ao consumo ou mesmo ao armazenamento. Assim como as compotas doces, que conservavam as frutas no açúcar, assim como a transformação dos cereais e raízes em farinha, a carne-seca se firmava como um excelente alimento adaptado ao clima e à necessidade de mantimentos, numa terra ainda precária em comércio e em excedente de produtos básicos.

Deste farto panorama, salta aos olhos, porém, a recorrência de um tipo de alimentação permeável aos diferentes contextos estudados. Trata-se de comida retirada de um modo de produção de subsistência, ajustada ao meio, ao mesmo tempo em que adaptada a um paladar mais úmido, como era o português, acostumado às comidas cozidas e com caldo.

Uma comida sem requinte, nem cerimônia, nem ritual, feita para se comer sozinho ou em grupos formados ao acaso. Um cardápio ordinário e comum, composto por farinha de milho, de mandioca, de peixe, um pedaço de carne-seca e a mistura toda molhada pelo caldo de feijão, das favas ou das verduras, constituindo um tripé culinário no Brasil colonial.

Há, pois, por trás desse sistema um modo particular de se fazer comida e de se comer, que fala, mais do que do alimento em si, sobre as maneiras originais de conservação nos trópicos, sobre os ajustes à subsistência e à sobrevivência, sobre a negociação entre valores como hierarquia, desigualdade e fome.

5

Guerra

Opressão colonial • Sangue nas Províncias
Abolição e a República desigual
Guerras na América e na Europa

À MAIS SUAVE AGITAÇÃO a suposta cordialidade do país se desmancha. Explode em trincheiras em que lutaram os pracinhas da FEB na Itália devastada na Segunda Guerra Mundial, nos pântanos do Paraguai durante a Guerra da Tríplice Aliança ou de Pernambuco, em meio às escaramuças dos luso-brasileiros com suas táticas de guerrilha contra os holandeses que invadiram o nordeste açucareiro.

Por dentro, uma sociedade dilacerada vive ajustando contas com desequilíbrios e desigualdades seculares. Por tudo aqui se brigou sempre. Elites regionais, algumas com a faca na bota, se estranhavam com a prepotência do poder centralizado da Corte. Ou eram atacadas pela plebe furiosa, como fazem em Pernambuco os Praieiros. Até o Rio de Janeiro foi virado de cabeça para baixo em 1904 com motins populares contra a vacina cuja aplicação agredia os costumes. Logo depois, outra onda semelhante se forma com os marinheiros resistindo violentamente aos castigos físicos que eram aplicados. Pouco tempo antes, um beato no sertão agreste da Bahia atrairia 25 mil pessoas para rezas e uma vida comunitária. O arraial de Canudos seria arrasado com um banho de sangue no nascimento de um regime republicano desconfiado.

Tensão maior, tensão de sempre, a luta dos escravos não daria sossego às elites. Quilombos sumiam nos grotões da colônia, outros mocambos apareciam ao lado das estradas envolvidos em trocas mercantis com as vilas. Das plantações cultivadas nesses estranhos refúgios por vezes populações dependiam para se alimentar. Até flores, exuberantes camélias, ali brotavam. E por isso tornaram-se símbolo da luta pela liberdade quando o processo de abolição incendiou o país.

Naquele tempo o largo arco em que se pratica a arte da guerra. Em uma palavra: "Guerra. Deriva-se do alemão *Guerre*, que quer dizer *Discórdia, inimizade*. É uma execução de vontades discordes, entre Príncipes, Estados ou Repúblicas, que não admitindo razões, só com armas se decide." (Raphael Bluteau, *Vocabulario Portuguez & Latino*).

Opressão colonial

•

Índios, hereges e rebeldes

Na Bahia do século XVI índios sob a proteção de um senhor de engenho formam uma santidade que atrai brancos e negros.

RONALDO VAINFAS

Bahia, 1585. O capitão Bernaldim da Grã, à frente de pequena tropa, invadiu a fazenda do principal senhor de Jaguaripe, Fernão Cabral, que não lhe opôs resistência. Sabia ele o que Bernaldim pretendia fazer e ainda lhe indicou o lugar que procurava, distante meia légua ou três quilômetros da casa-grande. Ali ficava uma grande maloca, onde cabiam centenas de pessoas, chefiadas por uma índia conhecida por Santa Maria Mãe de Deus e auxiliada por índios, também chamados por nomes de santos – um deles, Santíssimo. Faziam orações cristãs, rezavam por rosários, confessavam suas culpas numa cadeira grande de pau e houve quem visse ali umas tabuinhas com riscos, que pareciam ser os breviários da seita. À porta da maloca, havia uma cruz de madeira fincada, indicando com nitidez a identidade católica do grupo.

Catolicismo à moda tupi, é claro, que não excluía ritos e crenças tupis no dia a dia do culto. Bailavam à moda indígena da mesma maneira como Jean de Léry, quase vinte anos antes, descrevera o baile tupinambá na Guanabara, abrindo uma fresta indiscreta na maloca principal da aldeia. Dançavam unidos, embora de mãos soltas e fixos no lugar, formando roda e se curvando para a frente. Moviam somente a perna e o pé direito, cada qual com a mão direita na cintura e o braço esquerdo pendente. Fumavam desbragadamente o tabaco – *petim*, na língua nativa – que os portugueses chamaram de erva-santa. Por meio do fumo, os índios se comunicavam com seus mortos, falavam com os ancestrais, recordavam seus heróis, como Tamandaré, que, segundo o mito, se refugiara no topo da palmeira mais alta da terra para escapar de um dilúvio lendário. Os índios de Jaguaripe fumavam e bailavam em torno de um ídolo de pedra, com jeito de figura humana, nariz, olhos, cabelos, e ainda vestido com uns trapos que o senhor do lugar, Fernão Cabral, lhe havia ofertado, para agradar aos índios. Media um côvado de altura – 66 centímetros – e tinha nome pomposo: *Tupanasu*, deus grande.

Bernaldim da Grã invadiu a fazenda para destruir aquela "abusão", como diziam, a mando do governador Teles Barreto. Mas, a bem da verdade, fora enviado menos por causa das festas gentílicas do que pelas rebeliões que se alastravam pelo Recôncavo havia pelo menos seis meses, estimuladas pelo que acontecia na fazenda de Jaguaripe. Emissários da seita percorriam engenhos e lavouras, incitando os índios escravizados a fugir. Faziam o mesmo nos aldeamentos da Companhia de Jesus. Chegaram a incendiar um engenho e destruíram a Igreja de Santo Antônio. Escravistas de toda a capitania protestavam contra o governador. Os jesuítas, desesperados, exigiam providências. Os moradores, em geral, viviam apavorados. A Bahia vivia atormentada por esta que foi, sem dúvida, a maior rebelião indígena do século XVI.

Mas a rebelião ocorrida na Bahia, em 1585, não foi senão o auge de uma série de movimentos que, dotados de forte cunho milenarista, pipocavam desde meados dos quinhentos em todo o litoral. Deles informam diversos cronistas, a exemplo de Jean de Léry, e vários jesuítas, como Anchieta e Nóbrega. Todos acentuavam os aspectos religiosos desta inquietação indígena, na qual "feiticeiros" percorriam as aldeias do litoral incitando os índios a largar o trabalho, porque era chegado o tempo em que os frutos cresceriam da terra sem que ninguém os plantasse, e as flechas caçariam sozinhas nos matos. As mulheres, se velhas, recobrariam a juventude e todos se tornariam imortais. Pregavam, pois, a chegada de um autêntico paraíso tupi. E pregavam em transe, depois de se embriagar da fumaça que baforavam em meio aos bailes, chacoalhando maracás ornados com penas.

Alguns cronistas carregavam nas tintas para descrever o frenesi indígena, dizendo, como Léry, que "as mulheres urravam, saltavam com violência, agitavam os seios e espumejavam pela boca até desmaiar".

Os tais "feiticeiros", que os jesuítas descreviam como diabólicos, eram, na verdade, grandes pajés: os chamados *pajés-açú*. Diferiam do comum dos pajés, simples curandeiros, porque tinham este dom de tratar com os mortos. Eram quase deuses. Homens-deuses. Percorriam aldeias, depois engenhos e missões cristãs, para pregar aos índios. Pregavam a busca da *Terra sem males*, antiga crença dos tupis que, segundo os etnólogos, teria mesmo estimulado a migração dos diversos grupos desta língua para o litoral do futuro Brasil.

Com o início da colonização, a migração mudou de rota. Tomou uma rota de fuga, do litoral para os sertões, e a pregação tupi se transformou cada vez mais numa profecia anticolonialista. Os tais pajés passaram a anunciar que, com o triunfo que se avizinhava, todos os portugueses seriam mortos ou se tornariam escravos dos índios; e também os índios que não aderissem teriam destino atroz: virariam paus, pedras ou caça para ser comida. O mito indígena da *Terra sem males* sofreu, assim, verdadeira metamorfose, incorporando, para extirpá-la, a nova realidade colonial. Os pajés pregavam, os índios fugiam, todos lutavam. E tanto mais o faziam quanto mais avançava a colonização, a economia açucareira, com suas lavouras e engenhos, a missionação da Companhia de Jesus, com sua disciplina, badalar dos sinos, repressão dos pecados. O quadro se agravou de vez na altura dos anos 1560, com a peste das bexigas – a varíola – que ceifou a vida de milhares de índios, em especial na Bahia. Os 40 mil índios contabilizados pelos jesuítas na capitania em 1564, mal passavam de 10 mil em 1585.

A vida das aldeias consumidas pela peste tornou-se dantesca. Os infectados – e febris – se diziam tomados de um "fogo no coração", segundo contou um padre, e depois rebentavam as purulências pelas faces, mãos, pés, "tão asquerosas e hediondas que não havia quem as pudesse suportar com a fetidez que delas saía". Outro padre não ficou atrás na descrição: "bexigas tão nojosas e de tão grandes fedores que punham espanto." O quadro era infernal: gritos dos doentes, cadáveres mal enterrados, porcos devorando defuntos. Os jesuítas se esforçavam em vão para cuidar dos doentes, que morriam como moscas. Incapazes de curar os índios, tentavam ao menos salvá-los em espírito, ministrando batismos *in extremis*. Não admira que os pajés, para desafiarem os padres, dissessem que o batismo cristão matava. Não admira que os índios que ingressavam na seita rebelde fossem rebatizados, ganhando outros nomes, às vezes nomes de santos.

Por esta e outras razões, as rebeliões indígenas do século XVI ficaram conhecidas como *Santidades*. Nóbrega foi quem primeiro chamou deste modo a cerimônia, em 1549, ao ver um pajé pregar em transe aos índios de uma aldeia baiana. E o nome acabou pegando, pelo verniz católico de muitos movimentos, pela adoção de nomes santos, pelo tom profético das pregações.

A Santidade de Jaguaripe foi a mais importante de todas, ao mesmo tempo em que o último suspiro da resistência tupinambá na Bahia. Antes de se refugiar na fazenda de Fernão Cabral, se organizou nos sertões de Jaguaripe, chefiada por um índio fugido de Tinharé, aldeia de Ilhéus. Nascido em missão inaciana, batizado cristão com o nome de Antônio, instruído na doutrina de Cristo, era por vocação um tremendo pajé. Tornou-se grande pregador da Santidade e dizia encarnar ninguém menos que Tamandaré, o ancestral-mor dos tupinambás. No entanto, formado nas missões, Antônio também dizia ser o "verdadeiro papa" da Igreja, ordenava bispos e distribuía nomes de santos. Uma verdadeira corte celeste, com suas hierarquias clericais, fumando *petim*, bailando em torno de *Tupanasu*, e incendiando a Bahia. Detalhe importante: este pontífice tupinambá era casado. Sua esposa era ninguém menos que a Santa Maria Mãe de Deus, que chefiaria o culto na fazenda de Fernão Cabral.

Dessa forma, na Santidade de Jaguaripe, catolicismo e mitologia tupinambá se mesclavam de maneira formidável: o papa era Tamandaré, a Virgem Maria era casada com o papa, a cruz e o ídolo se revezavam na devoção dos índios, rosários eram desfiados, maracás chacoalhados. Os membros da Santidade canibalizaram o catolicismo para revigorar suas tradições. Apegaram-se a seus mitos, devidamente cristianizados, para enfrentar a história trágica que lhes reservava a colonização. Na luta entre mito e história, venceu a história.

E começou a vencer quando o governador cedeu aos argumentos do senhor de Jaguaripe, para quem a melhor maneira de vencer aquela "abusão" rebelde era atrair os índios com promessas de liberdade de culto, direito de terem os homens quantas mulheres quisessem, de que bailassem à vontade, bebessem cauim e fumassem *petim* até a exaustão. Teles Barreto cedeu à estratégia de Fernão Cabral, que mandou grupo numeroso de mamelucos, seguidos de índios flecheiros, no encalço da Santidade, de preferência do papa Tamandaré, para tentar convencê-lo de que o melhor era partir com seus fiéis para a fazenda de Jaguaripe.

Chefiava a tropa um certo Domingos Fernandes, mameluco de alcunha Tomacaúna, homenzarrão espadaúdo, experimentado nas lides dos sertões, 40 anos de idade e largo currículo de negócios com índios para resgatar cativos, vender facas e arcabuzes, trocar pólvora por escravos. Nesta missão que lhe confiou Fernão Cabral, saiu-se muito bem. Depois de muita andança pelos matos, Tomacaúna se aproximou do papa, caiu de joelhos e pôs-se a chorar, fazendo a "saudação lacrimosa" tupinambá e aproveitando para tratar do assunto particular: a transferência do grupo para o litoral. Acabaram fazendo um acordo em que cerca de trezentos índios, chefiados pela tal Santa Maria, seguiriam para a fazenda de Fernão Cabral. Tomacaúna ficou, talvez como refém, com certo grupo de mamelucos. O papa Antônio preferiu acautelar-se e também ficou com outra banda de seguidores. E assim partiram os trezentos índios, carregando o ídolo para o engenho de Jaguaripe, enquanto Tomacaúna e outros bailavam, bebiam e fumavam "ao modo gentílico".

Uma vez na fazenda de Jaguaripe, a "abusão só fez crescer". Fernão Cabral nada fez para destruí-la, gerando ódio mortal dos demais senhores da Bahia, bem como dos padres. Os índios corriam para a maloca santa a cada dia. Mamelucos e brancos passaram a frequentar o culto, e até alguns "negros da Guiné" aderiram ao culto de *Tupanasu*. O próprio Fernão Cabral vez por outra ia à "igreja dos índios", e se ajoelhava diante do ídolo, tirando o chapéu como reverência.

Por seis meses este imbróglio não se desfez. A razão que motivou um senhor escravista a proteger por meses uma seita que prometia morte e escravidão para os portugueses é, aparentemente, um mistério. Mas nem tanto, se considerarmos que este homem, natural do Algarve, era conhecido por sua ambição escravista, roubara índios de aldeias, prestara serviços militares ao governo contra os aimorés e certa vez perpetrou uma das maiores brutalidades da História do Brasil. Era do conhecimento público que, irritado com uma índia que o intrigara com a esposa, Dona Margarida, contando-lhe sobre certa "fornicação simples" que cometera com outra negra da terra, Fernão mandou queimar a moça na fornalha de seu engenho. Pena atroz, agravadíssima pelo fato de que a vítima estava grávida. Fernão mandou queimá-la viva e ainda ameaçou a quem tentasse ajudá-la com o mesmo castigo medonho. Contou uma testemunha que "lançada no fogo, a índia arrebentou pelas ilhargas e apareceu a criança". Chamava-se Isabel e, no seu martírio, começou a gritar por Deus e terminou chamando pelos "diabos do inferno". Numa sociedade acostumada, seja na colônia ou na metrópole, com a banalidade da violência atroz, este fato ultrapassou as medidas e calou fundo na memória local. Pois este era Fernão Cabral. Fez o que fez por ambição, quem sabe motivado a acrescentar *ad infinitum* sua escravaria, quem sabe esperando melhor ocasião para destruir a igreja indígena. Mas que perdeu o controle da situação, disto não há dúvida.

Voltamos, assim, ao início da narrativa. Bernaldim da Grã, enviado pelo governador, pôs fogo à maloca, confiscou o ídolo, reenviou os índios para seus donos, os escravos aos senhores, os aldeados aos jesuítas, e desterrou três "principais", inclusive a Santa Maria. Para onde foram os desterrados não se sabe. Também o papa índio fugiu sem deixar rastro. E o governador fez as pazes com Fernão Cabral, passando-lhe uma certidão fantasiosa de que ajudara na destruição da "abusão".

Assim terminou a Santidade da Bahia. E ficaria esquecida, senão desconhecida, não fosse a chegada da Visitação do Santo Ofício, em 1591. Tudo o que se conhece desta história provém dos papéis da Inquisição, confissões, denúncias, processos, inclusive contra Fernão Cabral, que passou um ano preso por ter "protegido" a Santidade. Mas até a Inquisição pactuou com a escravidão colonial. Fernão Cabral foi punido, é certo, com dois anos de desterro para fora da capitania e uma pesada multa. Nada além disto. E tudo voltou à monotonia de sempre na Bahia de Todos os Santos.

Fim de jogo em Guararapes

Em Pernambuco, as batalhas dos Guararapes expulsam os holandeses e surpreendem o mundo com as novas formas de guerra que surgiam no Brasil.

RÔMULO LUIZ XAVIER DO NASCIMENTO

Não seria inadequado afirmar que, entre os episódios mais debatidos da História do Brasil, as batalhas dos Guararapes ocupam um lugar especial. De acordo com o que escreveu Diogo Lopes Santiago na época, no momento em que as caixas e as trombetas anunciaram a segunda batalha, "parecia que o ar e o vento paravam e se suspendiam". Mas fatos ainda mais extraordinários estiveram por trás dos embates que colocaram as tropas neerlandesas contra as luso-brasileiras na antiga capitania de Pernambuco. Nelas, uma milícia basicamente local – e não nacional – derrotou um dos exércitos mais bem treinados do mundo ocidental.

Tudo começou quando os holandeses desembarcaram em Pernambuco no ano de 1630, em nome da Companhia das Índias Ocidentais, e foram aos poucos ocupando a costa que ia da foz do rio São Francisco ao Maranhão, no atual Nordeste brasileiro. Eles chegaram ao ponto de destruir Olinda, antiga sede da capitania de Duarte Coelho, para erguer no Recife uma pequena Amsterdã.

O sonho urbano holandês no Brasil encontrou sua expressão máxima na construção da Cidade Maurícia (*Mauritsstad*) durante o governo de

Maurício de Nassau (1637-1644). No entanto, mesmo com o aumento da produção de açúcar e do comércio de escravos, a população católica sob o domínio batavo guardava muito ressentimento, endividava-se com a Companhia e, mais do que isso, via sua terra ser "profanada" com práticas judaizantes e calvinistas.

Depois que Maurício de Nassau voltou para os Países Baixos, a situação começou a ficar insustentável. Ainda que envolvido por problemas em sua administração, ele tinha, pelo menos, um espírito conciliador. Sua figura de nobre da Casa de Orange-Nassau caía como uma luva no imaginário luso-brasileiro, cuja carência de rei durava desde que D. Sebastião morrera nas areias do deserto norte-africano no século XVI. Mas o Alto Conselho que sucedeu a Nassau na administração do Brasil não tinha o mesmo brilho. Seus membros não passavam de comerciantes sem nobreza que só faziam alimentar o desafeto da população local.

Foi nessa conjuntura que nasceu a resistência pernambucana que culminou com a saída dos holandeses do Brasil em fevereiro de 1654. Às vésperas da primeira batalha dos Guararapes, em 1648, os exércitos luso-brasileiros, comandados por João Fernandes Vieira, Vidal de Negreiros, Henrique Dias e o índio Filipe Camarão, já contavam com um bom suprimento de carne bovina vindo da região do Jaguaribe (Ceará), do sertão do São Francisco e do Rio Grande do Norte. Os holandeses, ao contrário, viviam uma situação de penúria dentro dos limites do Recife.

O cronista Diogo Lopes Santiago foi um dos primeiros a mitificar o local dos combates ao afirmar que "é para notar que este nome Guararapes, no idioma e língua dos índios, quer dizer tambor ou atabaque, que parece que foi o nome e etimologia que lhe foi posto, como presságio dos muitos tambores e caixas, e instrumentos militares que neles se tocaram nestas batalhas, que quase quer dizer monte guerreiro e nós lhe podemos chamar vitorioso".

A primeira batalha que pôs os luso-brasileiros – cujo "mestre de campo" era o general Barreto de Menezes – contra os holandeses de Sigismundo van Sckoppe, ocorreu no dia 19 de abril de 1648. Espremidas entre os pântanos e os montes Guararapes, ao sul do Recife, as tropas comandadas por Vieira, Camarão, Henrique Dias e Vidal conseguiram derrotar exércitos chefiados por alguns oficiais como Van Elst e Hous, que, a essa altura, já eram bem conhecidos dos portugueses. As forças luso-brasileiras tinham aproximadamente 2.200 combatentes divididos em três flancos. No final, devido a uma manobra de astúcia e bravura de Vidal de Negreiros, atacando o inimigo pela retaguarda, os holandeses tiveram mais de quinhentos mortos e um número semelhante de feridos. Nesse momento da guerra, muitos soldados da Companhia das Índias Ocidentais desertaram, fugiram para o mato e abandonaram o sonho ingênuo de recomeçar uma vida nos trópicos.

A segunda batalha dos Guararapes, travada em 19 de fevereiro de 1649, acabou de vez com o moral das tropas invasoras, cinco anos antes do fim definitivo do domínio holandês. Mesmo enfrentando seis mil oponentes, os luso-brasileiros, talvez em número de dois mil, saíram novamente vitoriosos, matando centenas e ferindo gravemente mais de setecentos soldados e oficiais a serviço da Companhia.

A própria natureza do terreno favoreceu a guerra aberta. No entanto, em algumas matas e nas proximidades dos montes Guararapes, a tática de guerrilha fora bastante utilizada. Vencer o inimigo não foi tão fácil porque os holandeses já haviam aprendido esta forma de lutar quase vinte anos antes, no Brasil. Além disso, desde 1630 eles estavam acompanhados dos nativos em qualquer escaramuça. Neste segundo enfrentamento, os holandeses ocuparam o alto dos montes e os desfiladeiros. Do lado luso-brasileiro, o mestre de campo Barreto de Menezes marchou com suas tropas para o local e procurou cercar as tropas batavas ocupando as várzeas dos canaviais ao redor. Na noite que antecedeu o combate, as tropas neerlandesas mal haviam descansado, enquanto os da terra haviam repousado sob a proteção dos manguezais. Nesse ponto, souberam tirar proveito do terreno.

As batalhas dos Guararapes tiveram uma importância capital não só para a História de Pernambuco, mas também para a das Forças Armadas, pelo simples fato de nelas terem combatido, lado a lado, índios, negros e brancos, ainda que numa relação muito bem definida de hierarquia. Nesses enfrentamentos, forjou-se um certo espírito corporativo, elemento indispensável a qualquer grupamento militar.

Pobres, rudes e ameaçadores

Além da opulência, o ouro em Minas Gerais criou uma massa de transgressores e vadios à margem da sociedade. Mas às vezes foram úteis.

LAURA DE MELLO E SOUZA

Quase duzentos anos depois do Descobrimento, os habitantes de São Paulo comunicavam à Coroa portuguesa que tinham achado ouro nos sertões setentrionais da capitania. Por certo, já sabiam, havia tempos, que ali se encontrava o metal precioso com facilidade, misturado ao cascalho dos regatos, mas não lhe interessara, antes do final do século XVII, explorar sistematicamente aquele *ouro de aluvião*. Talvez porque a prata contasse mais, como meio de troca, na economia da época. Talvez, ainda, porque o apresamento dos índios – o *ouro vermelho* – fosse mais interessante e absorvesse a maior parte das energias sertanistas. Na situação difícil em que se encontrava Portugal, recém-saído de uma guerra destinada a arrancar da Espanha o reconhecimento da independência restaurada após 1640; na escassez de metal amoedável que então amordaçava a economia europeia, o ouro do Brasil veio a calhar. Em 1706, subiu ao trono de Portugal um novo rei, D. João V, e para ele, como disse um contemporâneo, as Minas do Brasil foram uma utilíssima "vaca de leite". Para o rei, para o reino, para o império, que se estendia por três continentes, o século XVIII raiou, portanto, sob o impacto da importância crescente da América, onde o ouro começava a ofuscar os demais produtos.

Os sertões onde havia ouro faziam parte da velha capitania de São Paulo, povoada por mamelucos independentes e rudes: homens acostumados a andar no mato e destemidos - pra dizer o mínimo - quando chegava a hora de enfrentar os índios. Os *paulistas*, como começavam a ser chamados, acreditavam ter direitos especiais sobre a região aurífera, as Minas Gerais, mas a Coroa logo cuidou de controlá-la de modo mais firme, enviando autoridades, fundando, no local, as primeiras vilas e acabando por criar uma circunscrição administrativa específica, separada tanto de São Paulo quanto do Rio de Janeiro. Era inevitável, entretanto, que a possibilidade da riqueza fácil atraísse gente de todas as partes do Império: as levas humanas foram chegando, os conflitos explodindo, o controle, quase sempre, se esgarçando. Portugal teve que jogar duro nas Minas desde os primeiros tempos, muitas vezes sem êxito, e no decorrer do século XVIII, Estado e sociedade estiveram, várias vezes, em lados opostos. Mais ainda: a própria sociedade mal teve tempo de se acomodar e já se viu às voltas com brigas intestinas em que se opunham paulistas e colonos de outras procedências, como baianos, para não falar dos reinóis, isto é, os nascidos em Portugal.

No Nordeste, a elite da terra invocava o sangue e o patrimônio despendidos para expulsar os holandeses e fazer com que Pernambuco voltasse a ser português. Em São Paulo, a ferocidade mameluca, quando advertida por conta dos desmandos cometidos contra os índios, apresentava a fatura dos serviços prestados desde os primórdios da colonização, quando colonos semilendários, como João Ramalho e o bacharel de Cananeia, haviam intermediado os contatos e os interesses dos portugueses com os habitantes locais, maciçamente indígenas. No tempo de D. João V, nas zonas de colonização antiga, os habitantes já se tinham sedimentado em sociedades bem estratificadas, afeitas à honra e à tradição - mesmo se inventada. Em Minas não houve tempo para nada disso: do dia para a noite, os fundos dos vales se cobriram de arraiais e os homens iam chegando em caudais, que serpenteavam pelas encostas de morros cada vez mais escalavrados. De onde vinham e quem eram pouco importava. O dinheiro vinha através da honra e da tradição, e o comércio dava tanto quanto a extração de ouro. Minas surgiu, portanto, diferente e corrosiva, muito rica e muito pobre.

Nos primeiros tempos, faltaram gêneros para alimentar a gente que despencava sobre as lavras. Mesmo que logo se organizassem roças, se tangessem boiadas e se erguessem moendas e monjolos, não chegava para tantos. Com a escassez veio a inflação, e uma testemunha contemporânea não deve ter exagerado muito quando disse que vários morreram com um punhado de ouro na mão sem ter espiga de milho para matar a fome. Fortunas se fizeram no controle do abastecimento alimentício, e o açambarcamento de carne esteve na origem de um dos primeiros conflitos, e dos mais graves, que marcaram o nascimento das Minas: a Guerra dos Emboabas (1707-1709).

Para separar as pepitas de ouro do cascalho dos rios ou arrancá-las da terra das encostas era preciso mão de obra, e as minas se tornaram um sorvedouro voraz de escravos africanos: engoliram não só os que se buscavam na costa africana como os ocupados nos engenhos do Nordeste, capazes de alcançar preço bem mais alto nas serras distantes do litoral, encravadas no coração da América do Sul. Antes de terminar o primeiro quartel do século XVIII, a população mineira era majoritariamente negra, os quilombos se multiplicavam e os homens brancos, apavorados, adivinhavam em cada escravo um inimigo potencial, rezando para que um maior número de soldados portugueses chegasse à capitania e fosse capaz de fazer o impossível: garantir o controle da minoria branca sobre a massa cativa. Os governadores aderiram ao pânico e alimentaram a paranoia, havendo quem, antes dos anos 1720, defendesse a prática de cortar o tendão de Aquiles dos negros fujões para impedi-los de reincidir - o que era comum, ao que parece, na possessão francesa da Luisiânia. Em meados do século, os mocambos de escravos fugidos ultrapassavam a centena, impondo a organização de expedições oficiais de quinhentos e até mais homens, com canhões, índios mateiros e a oferta de patentes, terras e outras honrarias a quem prendesse ou matasse mais negros.

Fosse pelo caráter urbano mais acentuado que em outras regiões da América portuguesa: fosse porque a estrutura da posse de escravos era ali distinta, havendo um maior número de senhores com pequenos plantéis - três, quatro, cinco escravos -, as alforrias mostraram-se comuns em Minas, vigorando inclusive uma forma bastante específica e rara no contexto do império português: a quartação. Nessa modalidade, o escravo comprava a sua liberdade em prestações, definindo-se um prazo para que a dívida fosse saldada. Das duas partes, ocorriam manipulações: o senhor dizia que o escravo não havia pago o quanto devia, ou que alegava uma negociação que não ocorrera; o escravo acusava o senhor de voltar atrás no combinado, fazendo-se de desentendido e reescravizando-o após o término do pagamento parcelado. O que interessa destacar é o fato de a quartação ter constituído uma espécie de metáfora das contradições que se antepunham à obtenção da liberdade, evidenciando as dificuldades e os limites dos homens forros – por mais numerosos que fossem – num mundo em que os negros eram sempre associados aos cativeiros.

Apesar de recente, constituídas às pressas, mal sedimentada, a sociedade das Minas era, como no resto da América portuguesa, escravista: assentava-se no trabalho escravo, e tinha na escravidão o elemento que a organizava e lhe conferia a estrutura.

Como a sociedade do reino e as dos núcleos mais antigos de povoamento – a de Pernambuco, Bahia ou São Paulo –, seguia os princípios estamentais de estratificação, ou seja, pautava-se pela honra, pela estima, pela preeminência social, pelo privilégio, pelo nascimento. A grande diferença é que, em Minas, o dinheiro podia comprar tanto quanto o nascimento, ou "corrigi-lo", bem como a outros "defeitos": o sangue impuro – mouro, negro ou judeu –, a origem mecânica – advinda das atividades artesanais ou ligadas ao pequeno comércio –, a ilegitimidade ou infâmia – a dos bastardos, a dos criminosos – esfumaçavam-se ou se dissolviam sob o peso do metal dourado. Como rezava um ditado na época, "quem dinheiro tiver, fará o que quiser".

Quem não tinha dinheiro, nascimento, tradição, fortuna, ou quem, no polo oposto, não contasse entre os que eram escravos e carregavam a produção nas costas, sofria na carne, mais do que ninguém, as contradições de uma sociedade esquartejada entre princípios ordenadores distintos entre si e, não raro, contraditórios. Eram os que não tinham posição definida na estrutura social, não podiam ser identificados pela cor da pele ou pela ocupação, vivendo como cavaleiros de dois mundos, descartáveis a qualquer volta do caminho. Entre eles estavam os forros: negros como escravos, mas livres como os brancos ou como os ricos, e difíceis de classificar, sobretudo do ponto de vista dos europeus, que não conseguiam entender sua ambiguidade.

Eram também os que hoje seriam chamados de "minorias": os ciganos, eternos enxotados por onde quer que andassem, pois a origem misteriosa e desconhecida os colocava no rol das criaturas ameaçadoras da ordem; os vagabundos, sempre a perambular sem rumo certo pelos arraiais e pelos caminhos, buscando "bicos" que lhes rendessem uns trocados, garantindo alimento e agasalho por algum tempo, mas importunando, com a itinerância, o ideal de uma sociedade sedentária e organizada; os vadios, que recusavam o trabalho sistemático ou o trabalho em geral, desencantados após sucessivas experiências malsucedidas ou simplesmente refratários a uma ordem que enaltecia o pão ganho com o suor do rosto.

Eram ainda os que, tomando emprestado da letra de Raul Seixas, pareciam ser "metamorfoses ambulantes": o índio, quase sempre designado ao *carijó*, recrutado para caçar outros índios tidos por bravos, selvagens ou antropófagos - como dizia-se na época, eram os botocudos das matas cortadas pelo rio Doce; o forro ou mulato que, egresso da escravidão ou descendendo de cativos, aceitava de bom grado a tarefa de capturar os quilombolas, tornando-se assim um capitão do mato, ou de vigiar com rigidez os escravos, fazendo-se um feitor; o garimpeiro, sabedor dos lugares de onde se tiravam os melhores diamantes, capaz de servir às autoridades enviadas da metrópole - como o contratador e, mais tarde, o intendente - para, dias depois, descuidando do fato de diamantes serem monopólio régio, aderir aos bandos infratores que assolavam as montanhas do Distrito Diamantino e enfrentar, de rosto pintado, as tropas oficiais com o intuito de defender a mineração clandestina.

Eram, por fim, os que se haviam talhado para defender a ordem dominante e acabaram descambando para a infração: padres que, descuidando da administração dos sacramentos ou das alfaias e paramentos da missa, viviam amasiados, com prole numerosa, ou irrequietos, em meio a arruaças e desacatos, desobedecendo a ordens de prisão, saltando cercas com trabuco e terçado na cinta, varando noites em casas de tavolagem, às voltas com bebedeiras e mulheres-damas; soldados desertores, evadidos dos presídios, ou fortificações, fronteiriços, para onde tinham sido enviados como apoio a novas frentes de colonização e de onde cederam ao apelo do contrabando ou do assalto aos comboios que transportavam ouro para os portos da costa.

Eram eles os "desclassificados sociais": indivíduos que ficavam sem razão de ser num mundo ainda afeito a parâmetros rígidos, mediante os quais se procurava conter uma sociedade convulsionada. As vozes e escritos oficiais vociferavam contra eles por todo o século: "canalha indômita", "peso inútil da terra", "peste da sociedade". A desqualificação sistemática que incidiu sobre eles estendia-se, com frequência, sobre agentes com os quais tinham contato estreito, bem como sobre os espaços onde atuavam. Categorias mais bem definidas, mais ainda assim portadoras de certa ambiguidade, tornaram-se companheiras suas: as vendedoras ambulantes, chamadas de "negras quitandeiras", que tiravam o sustento do comércio de gêneros comestíveis; as mulheres independentes ou sozinhas que comandavam tabernas e estalagens, acobertando encontros furtivos e amores ilícitos ou, como se dizia na época, "dando alcouce"; os capangas de poderosos, coniventes eventuais ou em potência.

Algumas autoridades, mais para o fim do século, se deram conta da condição visceralmente contraditória que os desclassificados sociais assumiam na ordem escravagista. Num mundo em que o capitalismo crescente ia mostrando sua face pragmática e desumana, a utilidade e o seu reverso, a inutilidade, tornavam-se referências centrais. Vadios, dizia um jurista francês no século XVII, são o peso inútil da terra.

Em Minas, atalhava D. Antônio de Noronha, que governou a capitania entre 1775 e 1780, poderiam, contudo, tornarem-se úteis, bastando, para tanto, que desempenhassem as funções que os escravos não podiam preencher: polícia política, supervisão de serviços, desmatamento, patrulha, povoamento de terras distantes e insalubres. Escravo era investimento custoso que demorava tempo para se pagar, não devendo, portanto, ser empregado em tarefas que lhes possibilitasse a fuga ou consumisse a saúde rapidamente. Já vadios, os vagabundos, os desocupados, o peso inútil da terra serviam era para isso mesmo, e assim justificavam uma existência mesquinha e obscura. Desclassificados sociais foram, portanto, parte constitutiva da sociedade das Minas no século XVIII, pondo a nu a sua natureza iníqua. O ouro que dali se extraiu em grandes quantidades gerou mais riqueza na Europa do que em Portugal, e mais em Portugal do que nas Minas, onde a fortuna que ficou concentrou-se nas mãos de poucos, seguindo a fórmula ainda hoje cara às nossas elites. Como disse um autor, "em meio a tanta riqueza, começamos a ser pobres".

Os desclassificados permaneceram ao longo dos tempos, e contra eles vociferavam governantes, dos quais destacaram-se aqueles que buscaram medidas para minorar o ônus dos que não tinham lugar na sociedade. Quase no final do século XIX, um viajante francês, perplexo ante o que via e incapaz de encontrar qualquer equivalência com a situação que lhe era familiar – a europeia –, reformulou, já em termos nacionais, o desencanto que outrora tinha recaído também sobre os desclassificados das Minas. E concluiu: "O Brasil não tem povo."

Mais de cem anos depois, muitos dos nascidos entre nós continuam a pensar da mesma maneira, não se reconhecendo na cara exibida pelo Brasil.

Quilombos de um novo tipo

Enquanto existiu escravidão houve feroz resistência. Os mocambos de negros fugidos nem sempre eram isolados ou queriam destruir a escravidão.

JOÃO JOSÉ REIS

A formação de grupos de escravos fugitivos se deu em toda parte do Novo Mundo onde houve escravidão. No Brasil, estes grupos foram chamados de quilombos ou mocambos. Alguns conseguiram reunir centenas de pessoas. O grande quilombo dos Palmares, na verdade uma federação de vários agrupamentos, tinha uma população de alguns milhares de almas, embora, provavelmente, não os 15, 20 e até 30 mil habitantes que alguns contemporâneos afirmavam que tivesse.

Depois de Palmares os escravos não conseguiram reproduzir no Brasil qualquer coisa parecida. Os senhores e governantes coloniais cuidariam para que o estrago não se repetisse. Foi criado o posto de capitão do mato (também conhecido como capitão de entrada e assalto e por outros termos), instituição disseminada por toda a Colônia como milícia especializada na caça a escravos fugidos e na destruição de quilombos.

Assombrada com as dimensões de Palmares, a metrópole lusitana procurou combater os quilombos no nascedouro. No século XVIII, quilombo já era definido como ajuntamento de cinco ou mais negros fugidos arranchados em local despovoado. Essa definição, concebida para melhor controlar as fugas, terminou por agigantar o fenômeno aos olhos de seus contemporâneos e, posteriormente, de historiadores. Contado a partir de cinco pessoas, o número de quilombos foi inflacionado nos documentos oficiais. Mas se, em geral, não figuravam como ameaça efetiva à escravidão, eles passariam a representar uma ameaça simbólica importante. Os quilombolas povoaram pesadelos de senhores e funcionários coloniais, além de conseguirem fustigar com insistência desconcertante o regime escravista.

Para senhores e governo, o problema maior estava em que, na sua maioria, os quilombos não existiam isolados, perdidos no alto das serras, distantes da sociedade escravista. Embora em lugares protegidos, os quilombolas amiúde viviam próximos a engenhos, fazendas, lavras, vilas e cidades. Mantinham redes de apoio e de interesses que envolviam escravos, negros livres e mesmo brancos, de quem recebiam informações sobre movimentos de tropas e outros assuntos estratégicos. Com essa gente eles trabalhavam, se acoitavam, negociavam alimentos, armas, munição e outros produtos; com escravos e libertos, podiam manter laços afetivos, de parentesco, de amizade.

É claro que houve muitos casos de quilombos isolados, às vezes encontrados por expedições que se deparavam com eles por acaso. Mas as evidências do próprio Palmares, e mais ainda dos quilombos que lhe sucederam Brasil afora, indicam uma relação muito mais intensa entre quilombolas e outros grupos sociais. Quilombos como os que cercavam Vila Rica (atual Ouro Preto) no século XVIII, ou o do Catucá, que se desenvolveu nos arredores de Recife e Olinda entre 1817 e 1840, aqueles instalados em redor de Salvador e de São Paulo nas primeiras décadas do século XIX, o quilombo do Piolho, nas vizinhanças de Cuiabá, na década de 1860, os fluminenses da bacia do Iguaçu e da periferia da Corte, assim como os da periferia de Porto Alegre, ao longo do século XIX, todos mantinham redes de comércio, relações de trabalho, de amizade, de parentesco, envolvendo escravos, negros livres e libertos, comerciantes mestiços e brancos. A essa complexa trama de relações Flavio Gomes chamou de "campo negro", um espaço social, econômico e geográfico através do qual circulavam os quilombolas e que incluía senzalas, tabernas, roças, plantações, caminhos fluviais e pântanos, alcançando tanto vilas menores quanto cidades do porte do Rio de Janeiro, quando já era a mais populosa do Brasil, em meados do século XIX.

Essas relações de alto risco atormentavam senhores e governantes coloniais e imperiais. Os amocambados também assaltavam viajantes nas estradas, às vezes tornando-as intransitáveis, e atacavam povoados e fazendas, onde roubavam dinheiro e outros bens, recrutavam ou sequestravam escravos. Mas além de assaltar, roubar e sequestrar, eles também plantavam, colhiam, caçavam, constituíam família.

São numerosos os relatos que dão conta da destruição de roças de milho, frutas, algodão, cana e outros produtos cultivados pelos quilombolas. Cultivavam, sobretudo, a mandioca, com que faziam farinha. Quando atacados, as roças eram arrasadas para "não tornarem a servir de Criminozo azilo", como escreveu o capitão-mor que destruiu os quilombos do Orobó e Andaraí, na Bahia, em 1796.

Nas áreas de mineração, os fugitivos se dedicavam à prospecção de pedras e metais preciosos, que trocavam clandestinamente com taberneiros por produtos necessários à sobrevivência, além de armas e munição. Em alguns casos, conseguiam o suficiente para comprar a alforria, passando de negros fugidos a negros libertos.

Segundo a historiadora norte-americana Mary Karasch, os quilombolas de Goiás descobriram numerosas lavras auríferas, que eram posteriormente apropriadas pelos caçadores de escravos. A caça ao quilombola e a procura do ouro caminhavam juntas nas expedições feitas ao interior. A entrada realizada em 1769, a partir de Minas Gerais, pelo mestre de campo Inácio Correia Pamplona, foi saudada por um sertanejo versejador, que entre loas ao comandante arrematava:

> Tudo feito nesta maneira
> pólvora, chumbo e patrona,
> espingardas à bandoleira,
> entrando duas bandeiras
> Procurando Negros e ouro,
> Deus nos depare um tesouro
> para garrochiar neste touro.

O historiador e etnólogo Edison Carneiro, a propósito, escreveu que "o quilombo [...] serviu ao desbravamento das florestas além da zona de penetração dos brancos e à descoberta de novas fontes de riquezas".

No Rio de Janeiro oitocentista, os quilombolas de Iguaçu mantinham intenso comércio de madeiras com a Corte e também se empregavam nas fazendas de proprietários que sabiam estar contratando negros fugidos. No Maranhão, em 1867, um juiz de direito denunciava "a ambição desregrada de certos indivíduos, ambição que os leva a seduzir escravos para fugir, tendo em vista tirar vantagens com as colheitas destes, que as vendem por módicos preços". Esta era, aliás, uma prática comum. Os donos de escravos frequentemente publicavam anúncios em jornais ameaçando de processo e exigindo indenização dos coiteiros. No sul da Bahia, na vila de Barra do Rio de Contas (atual Itacaré), em 1806, dezenas de escravos se aquilombaram numa comunidade de lavradores, que os empregavam no cultivo da mandioca. Quando este quilombo, chamado Oitizeiro, foi disperso, descobriu-se que os próprios escravos dos lavradores eram prósperos produtores de mandioca e ativos coiteiros de quilombolas.

Isolados ou integrados, dados à predação ou à produção, o objetivo da maioria dos quilombolas não era demolir a escravidão, mas sobreviver em suas fronteiras, e se possível, viver bem. A maioria dos quilombos abolicionistas existiu nos últimos anos da escravidão. São exemplos destes os quilombos do Jabaquara e do Pai Felipe, nas cercanias de Santos, reunindo, particularmente o primeiro, milhares de fugitivos das plantações de café às vésperas da abolição. Abolicionistas e outros homens livres estiveram envolvidos na mobilização e organização desses quilombos, o que confirma uma história de aliança entre quilombolas e outros grupos que vinha de longe.

Não procede, exceto talvez em poucos casos, a ideia de que os quilombolas fugiam para recriar a África no interior do Brasil, com o projeto de construir uma sociedade alternativa à escravocrata. Claro que os quilombos formados por africanos natos aproveitaram tradições e instituições originárias da África. Mas este não era um movimento privativo dos quilombos. Apesar da vigilância senhorial, o mesmo acontecia nas senzalas. Contudo, tanto nestas como nos quilombos, pelo pouco que se conhece realmente da dinâmica interna de ambos, predominaram a reinvenção, a mistura de valores e instituições várias, a escolha de uns e o descarte de outros recursos culturais trazidos por diferentes grupos étnicos africanos ou aqui encontrados entre os brancos e índios. Mesmo entre os palmarinos parece ter sido assim. Sobre a religião deles, Johan Nieuhoff, que visitou o Brasil na década de 1640, escreveu: "Eles retêm algo do culto religioso dos portugueses, mas têm seus peculiares sacerdotes e juízes." Mais de dois séculos depois, em 1877, no quilombo do Limoeiro, Maranhão, foram encontradas pela expedição repressora, segundo seu comandante, "duas casas de santos; sendo uma com imagens de Santos, e outra onde encontramos figuras extravagantes de madeira, cabaças com ervas podres e uma porção de pedras de que em tempos remotos os indígenas se serviam como machados, as quais a maior parte dos mocambeiros venera como a invocação de Santa Bárbara".

Essa disponibilidade para mesclar culturas era um imperativo de sobrevivência, exercício de sabedoria. Refletia a habilidade dos quilombolas para compor alianças sociais. Estas, inevitavelmente, se traduziam em transformações e interpenetrações culturais. É óbvio que escravos e quilombolas foram forçados a mudar coisas que não mudariam se não estivessem submetidos à pressão escravocrata e colonial. Mas foi deles a direção de muitas dessas mudanças.

Da perspectiva da classe senhorial, os quilombolas constituíam um péssimo exemplo para os escravos. Daí o cuidado com que foram reprimidos. Em Minas Gerais, durante a primeira metade do século XVIII, autoridades locais e os próprios governadores, atormentados com a proliferação dos mocambos, conceberam punições bárbaras, como cortar uma das pernas ou o tendão de Aquiles dos quilombolas. Coube à Metrópole controlar a sanha dos mineiros, recomendando a barbaridade menor de imprimir com ferro em brasa a letra "F" sobre a espádua e o corte de uma orelha no caso de reincidência. A lei também previa o corte de um braço do quilombola que cometesse "delito capital", e a pena de morte se reincidisse. Na Bahia, cinco quilombolas que atuavam perto da capital foram capturados, julgados sumariamente, enforcados e esquartejados no início do século XVIII.

Mas nada detinha a fuga e a formação de quilombos. Ambas faziam parte inevitável de relações sociais fundadas na força. Por isso os capitães do mato não bastaram para dar conta dos quilombos, e periodicamente expedições especiais foram organizadas para assaltá-los, agrupando milícias locais (ordenanças), aventureiros e índios. Estes últimos se encontravam dos dois lados do conflito. Como os quilombolas, eles eram caçados no interior da Colônia. Os paulistas que venceram Palmares, antes fizeram guerra a populações indígenas no Ceará e no Rio Grande do Norte. Em 1723, o Conselho Ultramarino mandou que se organizasse uma expedição ao sul da Bahia para extinguir índios hostis e destruir um mocambo com cerca de quatrocentos habitantes. Como nesta correspondência dos conselheiros do rei, os verbos "extinguir" e "destruir" foram os mais usados para se referir a índios e negros rebeldes.

Mas os índios também se destacaram, em todo o Brasil e em várias épocas, como tropa antiquilombo. Centenas, talvez milhares, foram usadas no assalto final a Palmares, em 1694. Na Bahia colonial, índios atuaram nesse ofício sistematicamente, sendo responsáveis, por exemplo, pela destruição do Buraco do Tatu, mocambo próximo a Itapoã, em 1763, e do Oitizeiro, no sul da Bahia, em 1806. Neste último caso, a tropa repressora de cinquenta soldados era formada exclusivamente por índios cariris.

A pressão militar era constante. Daí terem sido poucos os quilombos que sobreviveram por longo tempo. Na sua maioria, eram móveis. Além de formados, em parte, por escravos que circulavam por eles periodicamente sem fixar residência, os assaltos resultavam em mortes, prisões, tortura, e na dispersão dos que conseguiam, uma vez mais, escapar. Sobretudo os quilombos suburbanos eram obrigatoriamente móveis, já que a proximidade de cidades e vilas facilitava a repressão.

Também se temia que o quilombo de hoje se transformasse na revolta de amanhã. Nas Minas Gerais pós-Palmares, essa possibilidade constou na agenda de vários governadores. Beirou a histeria por ocasião de uma suposta conspiração escrava, em 1756, que seria liderada por líderes quilombolas. A integração entre quilombos e levantes escravos se efetivou em várias ocasiões durante o ciclo de rebeldia escrava na Bahia da primeira metade do século XIX. Na revolta de fevereiro de 1814, quilombolas se uniram a escravos pescadores empregados nas armações pesqueiras vizinhas a Itapoã. A mais famosa das revoltas baianas iniciada por um quilombo ocorreu em 1826, de novo nas imediações da capital. O plano previa a concentração de escravos fugidos no quilombo do Urubu, de onde desceriam para ocupar a capital. O plano foi abortado por capitães do mato e tropas regulares. No ano seguinte, em São Mateus, na província do Espírito Santo, quilombolas ameaçaram levantar escravos das fazendas para invadir a vila, mas, como na Bahia, as autoridades se anteciparam e sufocaram o movimento no nascedouro.

Acontecia também o inverso: revoltas que se transformavam em quilombos. Palmares teve início numa revolta de escravos de engenho. No final do século XVIII, em Ilhéus, escravos se levantaram no engenho Santana e se aquilombaram nas suas matas. Mais tarde apresentaram ao senhor um documento, a que chamaram "Tratado de Paz", estabelecendo as condições sob as quais retornariam ao trabalho.

Esses episódios sugerem que senhores e autoridades estavam certos quando imaginavam que uma grande rebelião escrava pudesse ter início num quilombo. Paradoxalmente, alguns historiadores sugerem, com razão, que a existência de quilombos pode ter funcionado como uma válvula de escape para tensões escravistas que, de outra forma, explodiriam nas senzalas. Mas pode-se ver a questão por outro ângulo. Talvez o temor de que seus escravos fugissem para os quilombos fizesse com que muitos senhores os tratassem melhor. Neste sentido, além de refúgio de escravizados, os quilombos tiveram um papel importante na melhoria de vida daqueles que permaneceram nas senzalas.

Sangue nas Províncias

•

A Bahia pela liberdade

Na Bahia, a sangrenta guerra pela independência contou com a força dos escravos interessados na conquista de suas alforrias.

HENDRIK KRAAY

A maioria das batalhas não se resume a um só propósito. E, às vezes, um mesmo lado da disputa abriga diferentes objetivos. Na Bahia, os escravos foram recrutados para lutar a favor da Independência. Mas esses soldados buscavam mais do que livrar o Brasil do domínio de Portugal. Empunharam armas na esperança de usar seus serviços de guerra como moeda de troca para obterem a alforria.

A sangrenta Guerra da Independência na Bahia iniciou-se em fevereiro de 1822, quando Portugal nomeou o brigadeiro português Inácio Luís Madeira de Melo (1775-1835) para o comando das tropas baianas no lugar de um oficial baiano. A substituição desencadeou a revolta da população, da Câmara e de muitos dos militares baianos, que foram derrotados durante três dias de lutas (de 19 a 21 de fevereiro) e obrigados a fugir. Aos poucos, a partir da articulação dos grandes senhores de engenho do Recôncavo, constituiu-se o Exército Pacificador, composto de soldados e milicianos que haviam deixado Salvador após a derrota, milicianos locais e batalhões provisórios organizados por baianos patriotas, que lutavam contra os portugueses e a favor da Independência.

Quando veio a emancipação do Brasil, Salvador continuava controlada pelos portugueses. Ao ser aclamado imperador no Rio de Janeiro, em 12 de outubro de 1822, D. Pedro declarou seu apoio aos patriotas baianos. Enviou material bélico, tropas e o oficial francês Pedro Labatut (1768-1849), um militar de carreira com experiência nas guerras napoleônicas e hispano-americanas. Tropas de Pernambuco e da Paraíba também vieram reforçar o Exército Pacificador.

A guerra foi longa e cruenta. As tropas portuguesas, entrincheiradas em Salvador, recebiam reforços e suprimentos por mar, apesar do bloqueio decretado por D. Pedro. Com pouco material bélico e sem superioridade numérica suficiente, os patriotas não tinham como tomar a cidade de assalto. Logo depois da chegada de Labatut, Madeira de Melo, comandante dos destacamentos portugueses, atacou o acampamento baiano em Pirajá. A vitória, no dia 8 de novembro, coube aos patriotas, mas a batalha de Pirajá não mudou o quadro estratégico da luta.

Labatut tratou de organizar um exército bem treinado. Mesmo tendo sido indicado pelo novo imperador, o estrangeiro que mal falava português não era visto com bons olhos pelos senhores de engenho patriotas do Recôncavo. Principalmente quando os desafiou ao propor o recrutamento de escravos, prática inexistente nas tropas imperiais. Os senhores temiam que seus escravos aproveitassem a ocasião para lutar por liberdade ou por novos direitos. Em novembro, depois da batalha de Pirajá, Labatut mandou recrutar "pardos e pretos forros" para criar um batalhão de libertos. Também confiscou escravos pertencentes a portugueses ausentes (presumidos inimigos) para servirem nesse batalhão. O Conselho Interino de Governo, sediado em Cachoeira e formado por poderosos senhores de engenho, julgou a medida perigosa. Queixou-se da criação de um "batalhão de negros cativos, crioulos e africanos", preocupado com os boatos de que qualquer escravo que se oferecesse seria liberto.

Em abril de 1823, Labatut propôs aos senhores que contribuíssem voluntariamente com escravos para a guerra. Foi a gota d'água: ele acabou destituído em maio e enviado ao Rio de Janeiro. Foi julgado por diversos crimes – como prepotência e corrupção –, mas seus opositores não conseguiram acusá-lo de prometer a liberdade a escravos que servissem no Exército Pacificador. No máximo, a liberdade estaria implícita nas propostas do general, ou era a conclusão (lógica) dos próprios escravos, que certamente sabiam que havia uma grande distinção entre a sua condição e a dos soldados (sempre homens livres).

Mas a saída de cena do general francês não acabou com o batalhão de libertos. O brigadeiro José Joaquim de Lima e Silva, futuro Visconde de Magé (1787-1855), que o substituiu no comando do Exército Pacificador, não hesitou em tomar o partido dos escravos-soldados recrutados. Logo depois da guerra, recomendou ao governo imperial que se tratasse de libertar o "grande número de cativos" que serviam nas forças baianas. "Sempre lhes observei provas de valor e intrepidez, e um decidido entusiasmo pela causa da Independência do Brasil", declarou.

Estava aberto um novo campo para a resistência escrava, e confirmado o receio dos senhores de engenho. Contou um dono de escravos que certo Alexandre, "pardinho, fugiu no tempo da guerra para o Recôncavo, e foi para Pernambuco com a tropa dali". Maria Rita, crioula, simplesmente "fugiu quando as tropas de Portugal se retiravam", após serem vencidas. Muitos escravos dirigiam-se ao acampamento baiano e eram empregados como criados ou para cavar trincheiras. Um número significativo deles – foragidos ou recrutados para o batalhão de libertos – estava no Exército Pacificador no dia 2 de julho de 1823, quando se comemorou a vitória dos patriotas. Desde então, a Independência na Bahia é celebrada nessa data, considerada mais importante pelos baianos que o próprio 7 de Setembro.

No dia 30 de julho veio a ordem da capital do Império: o governo baiano deveria tratar de conseguir a liberdade dos escravos-soldados. Os senhores que não se dispusessem a fazê-lo gratuitamente poderiam receber uma compensação. Assim, mantinha-se o direito de propriedade e o princípio importante de que a alforria era privilégio exclusivo do dono do escravo. Outro decreto da mesma data ordenou que os escravos-soldados fossem logo enviados ao Rio de Janeiro. Temia-se que a permanência deles na Bahia ameaçasse a ordem escravista que os senhores tentavam reconstituir. Segundo o cônsul britânico, 360 "soldados negros (escravos)" embarcaram em setembro.

Não se sabe quantos donos libertaram seus escravos gratuitamente, nem quantos insistiram em ser recompensados. As negociações se estenderam pelos anos seguintes. Em 1825, por exemplo, José Lino Coutinho

(1784-1836), médico e deputado das Cortes portuguesas, aceitou 600 mil-réis para libertar dois irmãos, os soldados Francisco Anastácio e João Gualberto.

Já o angolano Caetano Pereira aproveitou a chance à sua maneira. Ele havia se alistado voluntariamente no dia 9 de junho de 1823 e dado baixa no dia 7 de agosto. Mas, assim que soube do decreto imperial, procurou seu ex-comandante e o convenceu a alistá-lo novamente - tanto para protegê-lo do seu dono, um português, quanto para facilitar sua alforria. Com a ajuda do oficial (que talvez nutrisse ódio ao português), Caetano provavelmente conquistou a liberdade.

Alguns casos eram mais complicados. Joaquim de Melo Castro, conhecido como Joaquim Sapateiro, declarou ter sido alforriado quando seu senhor morreu, depois servindo na guerra a Joaquim Pires de Carvalho e Albuquerque, futuro Visconde de Pirajá (1801-1848). O problema é que, conquistada a independência, Pirajá o entregou aos herdeiros de seu antigo dono. Estes o venderam a um comerciante que se mudou para o Rio de Janeiro. Na capital do Império, Joaquim fugiu e alistou-se na artilharia. O comerciante requereu a sua baixa, mas a insistência do soldado na sua condição liberta convenceu as autoridades militares a investigar o caso. Durante esse tempo, Joaquim participou da campanha contra a Confederação do Equador - movimento de oposição ao governo de D. Pedro deflagrado em Pernambuco em 1824. Enfim, o governo concluiu que ele havia prestado serviços suficientes e compensou o comerciante, que sem dúvida ficou aliviado ao se livrar de um escravo tão difícil de controlar.

A voz dos próprios escravos quase não aparece na vasta documentação sobre o recrutamento e a libertação pós-guerra. Mas eles certamente viam as lutas, e também a Independência, como meios para conquistar a liberdade. No serviço militar eles podiam melhorar sua condição de vida e pegar em armas, às vezes até mesmo contra seus proprietários.

Quando o lavrador Gonçalo Alves de Almeida foi instado a ceder um homem para integrar as forças patriotas, replicou: "Que interesse tem um escravo para lutar pela Independência do Brasil?" Pode-se arriscar uma resposta: a promessa de liberdade.

Farrapos com a faca na bota

Como a Revolução Farroupilha forjou a identidade do Rio Grande do Sul na luta contra o Império.

SANDRA JATAHY PESAVENTO

"Como aurora precursora
Do farol da divindade
Foi o 20 de setembro
O precursor da liberdade."
Hino do Rio Grande do Sul

Que acontecimento foi este, que os versos iniciais do hino rio-grandense evocam de forma tão heroica? Uma guerra contra um império. Uma revolução que proclamou a república no sul do país. Trabalhada e retrabalhada pela memória local, a Revolução Farroupilha forjou, acima de tudo, a identidade gaúcha. Segundo os livros, foi o acontecimento que trouxe o Sul, efetivamente, para a História do país. Foram dez anos de conflito – de 1835 a 1845 –, mas suas origens remontam às primeiras décadas do século XIX, quando se agravaram os desentendimentos entre o poder gaúcho e a Corte.

Após a Independência e a promulgação da Constituição de 1824, e sobretudo com a instalação da Regência – o governo de regentes entre a abdicação de D. Pedro I, em 1831, e a coroação de D. Pedro II, em 1840 –, a centralização político-administrativa no país afetou de forma particular as relações políticas do Sul com o poder central. No plano econômico, o Rio Grande se considerava injustiçado. A Constituição de 1824 estabeleceu que cabia ao poder central determinar a parte dos impostos arrecadados que devia permanecer nas províncias e o quanto deveria ser remetido à Corte. Os senhores do Sul entendiam que já arcavam com pesada carga fiscal – impostos sobre o gado, a terra, o sal – e que com a medida estavam sendo, por mais que produzissem, espoliados de suas riquezas. "Somos a estalagem do Império", bradaria indignado o general Bento Gonçalves da Silva, estancieiro e deputado eleito para a primeira Assembleia Provincial (equivalente às modernas Assembleias Legislativas), e futuro líder maior da revolução.

No processo que levou à conflagração há que se ter em vista, ainda, as relações dos líderes locais com os caudilhos platinos – chefes militares de bandos armados com poder político. Com interesses no Uruguai, tendo muitas vezes propriedades que iam de um lado a outro da fronteira, parte da elite local tinha uma relação ambivalente com os vizinhos. De um lado, a guerra, e de outro os negócios, afinidades ou mesmo relações de parentesco e amizade. Por causa destas relações com os castelhanos, Bento Gonçalves da Silva, então comandante da Fronteira Sul, e Bento Manuel Ribeiro, comandante da Fronteira Oeste, foram chamados à Corte em 1834 para explicarem o envolvimento com os caudilhos. Por ocasião da abertura dos trabalhos da Assembleia Legislativa Provincial, em 20 de abril de 1835, o presidente provincial Antonio Rodrigues Fernandes Braga acusou os sócios do Gabinete Continentino (o Gabinete de Leitura que reunia a intelectualidade local) de agirem contra o Império, realizando acordos com os uruguaios e tramando uma rebelião.

A situação se revelava insustentável e os insurgentes acorreram com as suas tropas para as cercanias da capital. Na madrugada do dia 20 de setembro, concentrados num lugar conhecido como Lomba do Cemitério, desceram para o ataque à cidade de Porto Alegre. Ia começar a "ímpia e injusta guerra" de que fala o hino rio-grandense.

A Regência iria enfrentar uma série de rebeliões nas províncias, marcadas pela reação das elites locais contra o centralismo monárquico levado a efeito pelos interesses dos setores ligados ao café da Corte, como a Cabanagem, no Pará, a Balaiada, no Maranhão, e a Sabinada, na Bahia. Mas, de todas elas, a Revolução Farroupilha era aquela que mais preocuparia, não só pela sua longa duração como pela sua situação fronteiriça da província do Rio Grande, tradicionalmente a garantidora dos limites e dos interesses antes lusitanos e agora nacionais do Prata. Um delicado equilíbrio estava em jogo.

Por estas alturas, os rebeldes já eram chamados pelos legalistas, pejorativamente, de farroupilhas. Esta era a maneira de designar os liberais exaltados em todo o Brasil, que se aproximavam, em suas ações, das camadas mais populares, estas vestidas com *farrapos* ou *farroupas*, como também se dizia. Se para os opositores era uma designação depreciativa, para os revoltosos logo se tornou motivo de orgulho, identificando-se como os explorados, que lutavam pela *boa* causa de *toda* a província.

Nas páginas do jornal *Recopilador Liberal*, Bento Gonçalves, chefe dos revoltosos, explicava o movimento como de defesa em face das liberdades ameaçadas, reafirmando sua lealdade à ordem monárquica: "Conheça o Brasil que o dia 20 de setembro de 1835 foi a consequência inevitável de uma má e odiosa administração. E que não tivemos outro objeto, e não nos propusemos outro fim que restaurar o Império da Lei, afastando de nós um administrador inepto e faccioso, sustentando o trono do nosso Jovem Monarca e a integridade do Império."

Ao longo dos dez anos de guerra, os farroupilhas ganharam e perderam batalhas, tendo de enfrentar ainda as defecções de Bento Manuel Ribeiro, que por mais de uma vez trocou de lado, passando a dar apoio às forças imperiais. Em 1836, à grande derrota dos farroupilhas, na batalha de Passo do Rosário, seguiu-se a retomada da cidade de Porto Alegre pelos partidários do Império. Com este feito, a cidade passou a usar no seu brasão o dístico de "mui leal e valerosa", concedido pelo Império em 1841. Mas os farroupilhas ganhariam a importante batalha do Seival, onde, em menor número do que os adversários, comandados pelo coronel Antonio de Souza Netto, derrotaram as forças de João da Silva Tavares.

Em 11 de setembro de 1836, no Campo dos Menezes, Antonio de Souza Netto proclamou a República Rio-Grandense, a que se seguiu o ato de 5 de novembro, quando os farrapos ratificaram a medida na Câmara Municipal de Piratini, declarando a independência do Rio Grande do Sul, sob a forma republicana, e se prontificando a ligar-se, por laços federativos, a todas as províncias que se dispusessem a assumir igual forma de governo. Piratini foi escolhida como a capital da nova República Rio-Grandense, e Bento Gonçalves, por aclamação geral, seu presidente. Assim, a proclamação da república marcou uma inflexão do movimento, que na sua eclosão, em 20 de setembro, se declarava fiel à monarquia. A constituição republicana criada anos mais tarde pelos farrapos seria, no entanto, marcada pelo conservadorismo, confirmando o sistema censitário, que exigia uma determinada renda para votar e ser votado, e a escravidão.

Recém-proclamada a república, os farrapos sofreriam outra derrota, no combate naval da ilha do Fanfa, onde, cercados pelos barcos legalistas, renderam-se para evitar maiores baixas. Remetidos os presos para a Corte, seguiram-se alguns incidentes que contribuíram para construir o mito de Bento Gonçalves. No Rio de Janeiro, na Fortaleza da Laje, Bento e Pedro Boticário escavaram um buraco na cela para fugir, mas, sendo Boticário muito gordo, não conseguiu passar pela abertura. Em solidariedade ao amigo, Bento Gonçalves desistiu da fuga. Mas o incidente mais memorável foi a espetacular escapada deste líder, a nado, do Forte do Mar, na Bahia, para onde fora remetido depois da tentativa de fuga no Rio de Janeiro. Bento Gonçalves burlou a vigilância da guarda e nadou desde o Forte do Mar até um barco que o esperava ao largo, em plano articulado com a maçonaria.

Nos anos que se seguiram, avanços e recuos marcaram o palco da guerra, que contou com a ação, também rocambolesca, de Giuseppe Garibaldi, o "Herói dos Dois Mundos". São famosas suas proezas no combate aos inimigos, na Lagoa dos Patos, a bordo dos lanchões *Rio Pardo* e *O Republicano*, junto ao aventureiro norte-americano John Griggs. Foi Garibaldi responsável pela construção dos navios *Seival* e *Farroupilha*, que, arrastados por terra sobre rodas, desde a foz do rio Capivari, na Lagoa dos Patos, até a barra do Tramandaí, deram margem à expansão do movimento para a província de Santa Catarina, com a tomada de Laguna e a fundação da República Juliana. Em Laguna, Garibaldi conheceria Anita, formando com ela uma dupla amorosa e revolucionária a lutar pela causa farroupilha.

Por conta dessa expansão à província vizinha, em 1839 os farrapos estavam dando seguimento à intenção de converter o Brasil em uma coalizão de repúblicas federadas, através da ação de Davi Canabarro e

Garibaldi, em iniciativa que não foi mantida por muito tempo. A partir de 1840, pacificadas as demais rebeliões regenciais, o Império brasileiro pôde concentrar as suas forças no Sul, para o combate aos farroupilhas. Todavia, ainda se passariam cinco anos para que a guerra acabasse, pois os contendores não se acertavam com relação às condições de paz. Assim os combates se sucediam em meio a cisões entre os chefes farroupilhas e frustradas negociações de paz. A paz viria finalmente pela ação do Barão de Caxias, que já tinha a alcunha de "Pacificador" pelas suas habilidades na negociação de conflitos. Nomeado presidente da província de São Pedro (atual Rio Grande do Sul), ele começou a articular a paz com o chefe farroupilha Davi Canabarro.

O conflito finalmente se encerrou em 28 de fevereiro de 1845, com a assinatura da Paz de Ponche Verde, na localidade de Dom Pedrito. Foi o que se chamou de "paz honrosa". Os farrapos viram atendidas, pelas suas cláusulas, uma série de antigas reivindicações, como a faculdade de escolher o presidente de província que quisessem. A dívida contraída com capitalistas da praça, mesmo de Montevidéu, pelo governo republicano seria paga pelo Império, e os oficiais do exército farroupilha passariam para o exército imperial com os mesmos postos que ocupavam. Concedia-se também liberdade aos escravos que combateram na revolução.

Finda a Revolução Farroupilha, iniciava-se, no Rio Grande do Sul, o cultivo da memória daquele acontecimento. A longa duração da guerra contra o Império mostrava a bravura local. A paz honrosa reconhecia o valor dos gaúchos, pois a tropa farroupilha não fora vencida no campo de batalha. Além disso, ao proclamarem a república sem se separar do Brasil, os gaúchos mostravam que eram brasileiros por vontade própria. Forjava-se, assim, a identidade regional.

Insurreição praieira

A grande revolta em Pernambuco nasceu dos conflitos entre as elites mas abriu chances para a plebe atuar e ameaçou a unidade territorial.

MARCUS DE CARVALHO

Era 1848, conhecido como "o ano das revoluções". A multidão corria pelas ruas centrais da cidade. Desordem geral. Aflita, a polícia apreendia panfletos que defendiam o direito ao trabalho e melhores condições de vida. Chamada às pressas, investiu contra a multidão espalhada pelo principal bairro da cidade. Um inglês, ao ser atacado pela turba, conseguiu segurar um homem, que tentou fugir quando viu um delegado de polícia se aproximando. Mas, ao chegar, o delegado disse que não podia fazer nada naquelas circunstâncias. E o inglês teve que soltar o homem. No dia seguinte, uma passeata saiu em direção à Assembleia Provincial levando uma petição assinada por artesãos, por gente do povo e por alguns deputados. Mas onde foi isso? Na revolucionária Paris de 1848? Não, foi no Recife, em julho do mesmo ano. Em novembro explodia a Insurreição Praieira, um movimento com muitas faces e significados.

Em 1840, assume o trono um jovem de 14 anos, D. Pedro II, que, evidentemente, não estava imune à influência dos políticos que o cercavam e adulavam. Foi nessa época que se constituíram os dois partidos que iriam dominar a cena política brasileira: o Liberal e o Conservador. Cabia ao imperador-menino, com o apoio de seus conselheiros, escolher o gabinete de ministros, tirados de um dos dois partidos. Os liberais que articularam a maioridade de Pedro caíram logo, devido a dissidências internas. Depois disso, vários gabinetes conservadores se sucederiam até 1844, quando o Partido Liberal finalmente voltou ao poder.

Em Pernambuco, ainda na primeira metade da década de 1840, surge o chamado Partido Praieiro, uma dissidência do Partido Liberal. O "racha" ocorreu por influência de três irmãos, os Cavalcanti, que se tornaram senadores – caso único na História do Brasil. A família praticamente comandava os dois partidos em Pernambuco. No Partido Liberal despontava Holanda Cavalcanti, que mais tarde foi o Visconde de Albuquerque. No Conservador estavam Pedro Francisco e Francisco de Paula Cavalcanti de Albuquerque, o futuro Visconde de Suassuna, um eterno vice-presidente da Província, que chegou a assumir o governo pernambucano sete vezes entre 1826 e 1844. Somados aos primos e aliados diretos, como o ex-regente Araújo Lima (Marquês de Olinda), formavam uma bancada de 15 senadores em meados do século XIX. Na verdade, se Pedro II resolvesse formar uma dinastia brasileira naquela época, nenhum outro clã teria tanto *pedigree* para apresentar uma esposa quanto os Cavalcanti de Albuquerque do Nordeste.

O Partido Praieiro, portanto, era a ala anti-Cavalcanti do Partido Liberal em Pernambuco, e ganhou o apelido por ter sua sede na rua da Praia, no Recife. É de seus integrantes a famosa quadrinha: "Quem viver em Pernambuco/ há de estar desenganado/ ou há de ser Cavalcanti/ ou há de ser cavalgado."

Em 1844, sentindo-se desprestigiado pela Coroa e incapaz de contornar as dissidências internas do Partido Conservador, o presidente do gabinete de ministros se demitiu. O imperador não teve alternativa senão chamar o Partido Liberal para formar o gabinete ministerial. Era o governo central que designava os presidentes de província, peças-chave na política local. Devido à influência dos irmãos Cavalcanti, os praieiros não conseguiram indicar um presidente até 1845, quando Aureliano de Souza Coutinho, o Visconde de Sepetiba, assumiu a liderança do ministério. Político hábil, Aureliano comandava um grupo de deputados que frequentava o Paço Imperial, convivendo diretamente com Pedro II. De acordo com Joaquim

Nabuco, era imensa a sua influência sobre o jovem imperador. Os principais deputados praieiros, Nunes Machado e Urbano Sabino, pertenciam a este grupo de deputados "palacianos" liderado por Aureliano.

Em 1845, finalmente os praieiros ganharam o governo de Pernambuco. E governaram como queriam. Demitiram centenas de autoridades vinculadas aos Cavalcanti e aos conservadores, além de mandarem a polícia invadir os engenhos de adversários políticos em busca de criminosos e armas. Foi a primeira vez que a Justiça interferiu diretamente na esfera senhorial. Mas os proprietários atingidos se defenderam pela imprensa, acusando os praieiros de só invadirem as propriedades dos seus adversários, fechando os olhos ao contrabando de africanos e a inúmeros outros crimes.

Para ganhar as eleições, os praieiros iniciaram uma nova forma de mobilização política – os *meetings*. Naqueles pequenos comícios, o principal orador era o deputado Nunes Machado, que arrebatava multidões com a reivindicação de maior apelo popular: a "nacionalização do comércio a retalho", isto é, a varejo. Tentar obrigar comerciantes a empregar somente brasileiros parece algo vazio de sentido, mas naquela época, quando a Independência ainda era relativamente recente, a maioria dos empregos disponíveis continuava nas mãos de estrangeiros, principalmente portugueses e alguns poucos ingleses, que preferiam empregar os parentes, ou então contratar jovens imigrantes que vinham de Portugal, Madeira e Açores, viajando para o Recife sem pagar a passagem, e que eram leiloados no porto pelo seu valor. Esfomeados, submetiam-se a qualquer trabalho. Esse comércio chegou a ser tachado pelo cônsul lusitano Joaquim Batista Moreira de "tráfico de escravatura branca".

Imprensados entre o desemprego, o latifúndio e a escravidão, muitos brasileiros livres pobres acreditavam que a nacionalização do comércio a retalho era a solução para seus problemas. A reivindicação estava no programa do Partido Liberal e foi posta em votação na Câmara dos Deputados por Nunes Machado. O problema é que havia liberais radicais que defendiam essa mesma proposta no Recife, só que de forma bem mais radical, insuflando a massa à ação contra os estrangeiros. A mobilização em torno do discurso antilusitano radical provocou os chamados "mata-marinheiros" ocorridos entre 1845 e 1848. Nesses motins, a massa atacava os "marinheiros", ou seja, os portugueses, saqueando casas comerciais e agredindo até franceses e ingleses mais incautos. No mata-marinheiro de julho de 1848, cinco pessoas foram espancadas até a morte. Para o cônsul português no Recife, a "plebe (...) nessas ocasiões é soberana".

Só que Aureliano caiu em 1848 e, com ele, o Partido Praieiro. A volta do Partido Conservador ao poder não era coisa simples. Havia contas a acertar, principalmente entre os grandes proprietários rurais que estavam razoavelmente bem divididos entre os dois partidos. Os praieiros foram exonerados do comando da polícia civil e da Guarda Nacional. Mas o chefe de polícia da província, um praieiro, grande senhor de engenho, recusou-se a entregar o cargo. Em novembro de 1848, as novas autoridades provinciais resolveram desarmar os praieiros recalcitrantes. Como era de se esperar, houve resistência. Os praieiros não se renderiam sem uma boa luta. Tinham propriedades, homens e armas. Apoio rural e urbano. Os combates começaram em novembro de 1848. Em fevereiro de 1849, o líder praieiro Pedro Ivo articulou uma manobra ousada. Simulou uma retirada, atraindo para o interior os batalhões do exército imperial, e marchou rapidamente para um Recife desguarnecido. Ao chegar, encontrou resistência das tropas de segunda linha e da Guarda Nacional. O ataque fracassou. Dali em diante, os praieiros foram capturados ou mortos até a derrocada do movimento, praticamente extinto em abril de 1849.

A Praieira encerrou uma era de grandes rebeliões que, embora inteiramente distintas, tiveram em comum o fato de ameaçarem a ordem imperial, ou mesmo a unidade territorial brasileira. Junto com a Insurreição Pernambucana de 1817 e a Confederação do Equador em 1824, ela compõe o "ciclo das insurreições liberais do Nordeste". No entanto, o que mais chama a atenção na Praieira é a mobilização das massas urbanas em torno de um discurso liberal radical que defendia o direito ao emprego e à representação popular, beirando as ideias igualitárias pregadas pelos chamados "socialistas utópicos" na Europa na mesma época. O historiador Caio Prado Júnior considerava a Praieira o último dos movimentos de caráter popular e democrático que acompanharam o processo de Independência. Para ele, os rebeldes tinham uma ideologia reformista, sintetizada no conteúdo do manifesto "Ao Mundo", escrito pelo liberal radical Borges da Fonseca, que pregava o voto livre e universal, emprego para todos e o fim do recrutamento forçado para o serviço militar. A discussão continua, mas numa coisa todos concordam hoje em dia: os rebeldes de 1848 formavam uma frente, congregando anseios e interesses diversos.

A composição dessa frente pode ser entendida observando-se os nomes dados à Praieira pelos seus contemporâneos: "rebelião", "revolta", "Guerra do Moraes", "revolução" e "Cabanada". Cada um destes nomes expressa uma face distinta da insurreição.

O chefe de polícia que esmagou o movimento e um deputado praieiro escreveram suas memórias sobre o 1848 pernambucano. O chefe de polícia defendeu a posição do Estado e do Partido Conservador, enquanto o deputado assumiu a defesa dos praieiros. Os dois livros chamam a Praieira de "rebelião" ou "revolta", termos que no século XIX serviam para designar os movimentos armados em defesa dos interesses das camadas sociais dominantes. Para aqueles memorialistas, portanto, a Praieira foi, principalmente, o resultado da radicalização da disputa pelo poder político provincial entre membros da elite.

Já na tradição oral da Zona da Mata, a Praieira ficou conhecida por "Guerra do Moraes", em alusão ao coronel Moraes, um abastado senhor de engenho praieiro. A bem da verdade, a Praieira começou como "Guerra do Moraes", pois o primeiro combate foi a reação de Moraes contra a tropa enviada ao seu engenho para desarmá-lo e prendê-lo. Quando os deputados praieiros chegaram da Corte para tentar articular uma saída para a situação, os senhores de engenho praieiros já estavam em guerra. A "Guerra do Moraes" é um retrato da revolta-rebelião no interior, uma disputa por cargos na polícia, na justiça de paz e na Guarda Nacional que serviam para dar uma roupagem institucional ao poder local.

Mas esta não foi a única face rural da Praieira. Depois do ataque ao Recife, o capitão Pedro Ivo se internou nas matas de Água Preta. As autoridades se referiam à guerrilha que durou até 1850 como uma nova Cabanada. Na Cabanada (1832-1835), posseiros e índios lutavam pela terra e contra a invasão das matas pelo latifúndio. A Cabanada foi uma "insurreição", termo reservado no século XIX aos movimentos de profunda conotação social. Apesar de Pedro Ivo pertencer a uma família de proprietários rurais, foi capaz de arregimentar índios e alguns veteranos da Cabanada em 1848. A repressão em Água Preta foi brutal. Pedro Ivo se entregou, mas morreu no mar em circunstâncias misteriosas e terminou imortalizado num poema de Castro Alves.

O quarto nome da Praieira foi dado pelo liberal Borges da Fonseca: "Revolução de Novembro." Para ele, "estava aberta a luta entre o poder corruptor do Brasil e o povo". Enquanto os praieiros estiveram no poder, ele foi seu maior adversário, acusando o governo provincial de desonesto, servil à Coroa e conivente com criminosos e traficantes de escravos. Era muito popular entre os artesãos e empregados do comércio no Recife, em Olinda e em algumas povoações do interior. Os praieiros lhe atribuíam a culpa pelas manifestações mais violentas em favor da nacionalização do comércio a retalho. Esta reivindicação era o seu ponto de encontro com os praieiros.

Apesar de ter sido preso pelo governo praieiro, Borges aderiu à luta armada levando tropas consigo, e depois da morte de Nunes Machado no combate do Recife, assumiu o comando da rebelião. Para ele, a força motora do movimento era o "povo". As demandas da "Revolução de Novembro" continham nuanças "francesas", como se dizia na época, e foram sintetizadas no manifesto de sua autoria, o mais radical da revolta, publicado na acanhada povoação de Limoeiro, mas pretensiosamente chamado de "Ao Mundo". Renegado pelos deputados praieiros, o manifesto foi assinado por vários senhores de engenho, o que demonstra a capacidade de persuasão de Borges. Nele era exigido "o voto livre e universal do povo brasileiro; o trabalho como garantia de vida para o cidadão brasileiro; o comércio a retalho só para os cidadãos brasileiros; extinção da lei do juro convencional; extinção do atual sistema de recrutamento".

Nenhum dos nomes da Praieira abarca sozinho todos os seus significados. Mas cada um deles funciona como um prisma para observarmos as múltiplas faces do movimento, expressando as motivações que moveram os participantes do 1848 pernambucano. A Praieira é o amálgama dos seus nomes. Foi revolta, insurreição e até "revolução", se pudermos descontar os fascinantes exageros retóricos de Borges da Fonseca. No fim, dentro do leque de intenções dos rebeldes, as causas mais nobres foram derrotadas. Resta-nos o encanto de saber que 1848 também foi aqui.

A Guerra de Canudos à sombra da República

No sertão do Brasil, a destruição de um arraial pelas forças do novo regime abriu feridas e perguntas que ecoam ainda hoje.

JACQUELINE HERMANN

A história da guerra ou do movimento de Canudos marcou tragicamente o processo de transição política que deu origem ao regime republicano brasileiro. Dos chamados movimentos messiânicos brasileiros, Canudos foi certamente o mais estudado por cientistas sociais, literatos acadêmicos e populares, militares e curiosos. Com objetivos e questões variadas, há mais de cem anos estudiosos procuram compreender as causas da guerra, decifrar a personalidade de Antônio Conselheiro, entender o sentido da formação do arraial e da luta dos conselheiristas. Nesse longo percurso para "explicar Canudos", é possível identificar pelo menos duas grandes vertentes de interpretação: a "euclidiana", derivada do clássico *Os sertões*, de Euclides da Cunha, e a que chamo de "progressista", surgida na década de 1960 e identificada com as questões políticas próprias desse outro momento conturbado da História brasileira.

Considerada uma obra definitiva para o pensamento sociológico brasileiro, *Os Sertões*, publicada em 1902, além de oferecer uma explicação para o sentido de Canudos, informa sobre os debates intelectuais do final do século XIX. Ao refletir sobre uma guerra fratricida que opunha o litoral do país – considerado avançado e civilizado – ao interior de um Brasil ainda mergulhado no mais profundo atraso, Euclides da Cunha expôs de forma contundente uma fratura quase irremediável para o projeto nacional pensado pelos republicanos.

O livro foi escrito depois de Euclides voltar da quarta e última expedição militar ao arraial sertanejo. Em agosto de 1897, o então tenente reformado partiu para o cenário da guerra, quando a destruição de Canudos parecia fronteira incontornável para a consolidação da República proclamada em 1889. A longa e inexplicável resistência dos conselheiristas provocou rumores variados, dentre os quais o de que se tratava de possível conspiração apoiada por monarquias europeias. A chamada "última expedição", da qual Euclides participou, preparada e dirigida pelo próprio ministro da Guerra, dava continuidade às tentativas anteriores de debelar a cidadela, transformada em perigoso antro de revoltosos depois da morte do coronel Moreira César, em março de 1897.

Afamado pela violência usada contra os federalistas no Sul, o coronel foi enviado ao sertão baiano a fim de encerrar rapidamente o assunto. O trágico e inesperado desfecho levou Canudos às manchetes dos jornais do Rio de Janeiro, então capital federal, e fez de Antônio Conselheiro e seus seguidores os mais terríveis inimigos da República.

O conflito iniciou-se com um problema local. Comerciantes de Juazeiro não teriam entregado certa quantidade de madeira comprada pelo Conselheiro para o término da nova igreja do arraial. O atraso teria provocado a ira dos conselheiristas e os rumores de que um bando se preparava para "assaltar" Juazeiro. O tom hipotético aqui adotado justifica-se pela falta de documentação segura sobre esses acontecimentos. Provavelmente a desavença dera início à primeira expedição militar contra o arraial, em novembro de 1896.

Liderada pelo tenente Pires Ferreira, composta por três oficiais e pouco mais de cem praças, a expedição partiu de Juazeiro no dia 12 e foi atacada de surpresa pelos conselheiristas nove dias depois. Acuados, com poucos recursos e em menor número, os militares recuaram. Neste primeiro conflito um oficial, sete praças e dois civis foram mortos.

A notícia da derrota chegou a Juazeiro no dia 24, e no dia seguinte a segunda expedição partiu de Salvador. Desta vez comandada pelo major Febrônio de Brito, reuniu dez oficiais e 609 praças, aos quais se agregaram os remanescentes da expedição anterior. Equipes de artilharia e da polícia militar da Bahia, dois canhões e três metralhadoras reforçaram o poder de ataque. O deslocamento para a região vizinha a Canudos teria início em 4 de dezembro.

Havia desentendimentos entre autoridades civis e militares sobre a condução da expedição, que se agravariam nas ações militares posteriores. As divergências culminaram no rompimento do governador, Luís Viana, com o general Solon, comandante do Distrito Militar que dirigia a operação, e em meados do mês de dezembro o general foi afastado. No final deste mesmo mês, as tropas avançariam em direção ao arraial.

O primeiro combate aconteceu em 18 de janeiro de 1897. No dia seguinte, mais uma vez surpreendida, a expedição bateu em retirada novamente derrotada, apesar do reforço militar, contabilizando a baixa de dez praças.

A organização da próxima expedição procurou estar à altura da gravidade do quadro que se desenhava. Convocado para "resolver" o assunto, o coronel Moreira César, reuniu cerca de 1.300 homens, grupos de infantaria, cavalaria e artilharia, comboio de cargueiro para munição. O coronel chegou a Salvador em 6 de fevereiro de 1897 e partiu para o sertão no dia seguinte. Estabeleceu-se em Monte Santo, próximo a Canudos, no dia 18.

No início de março decidiram sobre o assalto ao arraial, mas nova confusão atrapalhou a ação: Moreira César teria mudado de planos e antecipado o ataque. O povoado foi bombardeado, a igreja local atacada, casas do vilarejo incendiadas. Neste mesmo dia, 3 de março, o coronel foi ferido, vindo a morrer no dia seguinte. Os conselheiristas enfrentaram a artilharia, outro comandante foi morto, e na debandada os soldados abandonaram armas e munições, fortalecendo os canudenses. Desta vez, 13 oficiais e mais de cem praças foram mortos.

A notícia da derrota e a morte de tão destacado militar fizeram de Antônio Conselheiro e seu grupo inimigos cruciais da República. A quarta e última expedição foi preparada a partir do Rio de Janeiro, dirigida pelo próprio ministro da Guerra e tornou ainda mais grave o embate político entre lideranças civis e militares que, anteriores e além de Canudos, discordavam sobre as formas de consolidar a transição republicana. Estrategicamente preparada, contou com força mobilizada em vários pontos do país, reunindo mais de 10 mil militares.

Organizada em duas colunas e comandada pelo general Artur Oscar, a expedição começou a ser preparada ainda em março. Em abril e maio os deslocamentos tiveram início, concentrando-se mais uma vez em Monte Santo, e o primeiro combate aconteceu em fins de junho. No início de julho, os conselheiristas fracassaram frente às tropas legais. Houve um assalto violento ao arraial na manhã de 18 de julho, mas apesar do avanço e do cerco os militares não conseguiram debelar a cidadela. Em agosto, mês em que Euclides partiu para a Bahia, forças de vários batalhões se juntaram à tropa preparada para tomar o arraial mais uma vez.

Em setembro mais uma investida parecia indicar o fim: a Igreja Velha, centro da peregrinação a Canudos, foi derrubada. Mas a invasão do povoado levaria ainda um mês: só em 5 de outubro de 1897 o local caiu sob domínio do Exército brasileiro. Todos os combatentes foram degolados e algumas mulheres e crianças ficaram à mercê das tropas. Sobre os sobreviventes ainda pouco se sabe. Antônio Conselheiro morreu no dia 22 de setembro, de causa desconhecida, e seu corpo só foi encontrado pelas tropas no dia seguinte.

Ultrapassada a fronteira da cidadela, nenhum documento comprovou qualquer projeto conspiratório ou aliança com forças externas. A guerra fratricida de um exército fortemente armado contra sertanejos miseráveis numa fazenda abandonada e árida tornou o episódio ainda mais inexplicável. Canudos foi destruído no final do primeiro governo civil da República.

Prudente de Morais havia sido empossado presidente em 1894. Seu governo vivenciava o auge da disputa política entre militares e civis na liderança do novo regime. Se na luta contra a monarquia e todos os seus pressupostos o conjunto dos republicanos parecia unido, com a República o embate entre diferentes projetos políticos e institucionais tornou-se evidente. Foi em meio a esse cenário instável e potencialmente explosivo que a trágica notícia da morte de Moreira César estimulou a ação militar contra Canudos. Ao final da quarta expedição, a vitória sobre os conselheiristas representou a derrota dos militares e de seus projetos.

Depois do assombro da guerra e da falta de respostas, era preciso entender a motivação de grupo estimado em 25 mil pessoas, reunido em torno de um beato que vagava pelo sertão construindo igrejas e cemitérios. Com *Os Sertões*, Euclides da Cunha pretendeu encontrar alguma explicação: partiu para o sertão baiano com a convicção de que o arraial era um foco de restauração monárquica, mas ao chegar à região deparou-se com um cenário aterrador de miséria e pobreza. Sua visão conspiratória foi dando lugar a questões sociológicas profundas, e Euclides buscou nas certezas da ciência de seu tempo a explicação para "o raro caso de atavismo" que encontrara em Antônio Conselheiro. Considerou-o uma "espécie de grande homem pelo avesso (...) reunia no misticismo doentio todos os erros e superstições que foram o coeficiente de redução de nossa nacionalidade". O meio e a raça haviam se combinado de maneira singular e nefasta naquele personagem impressionante.

Antônio Vicente Mendes Maciel nasceu na vila de Quixeramobim, província do Ceará, em 1828. Filho de um comerciante remediado, proprietário de algumas casas na vila, estudou português, francês e latim e assumiu os negócios falidos do pai depois de sua morte. Casou-se em 1857 e, liquidada a casa comercial paterna, chegou a lecionar português, aritmética e geografia, mas acabou se tornando caixeiro viajante. Sua vida seria, porém, completamente alterada pela vergonha sofrida com a suposta fuga da mulher, amasiada com um militar, trajetória tão rocambolesca quanto imprecisa pela falta de fontes seguras. A partir desse momento, teria passado a vagar pelo sertão em busca dos traidores para vingar a desonra, dando início à uma vida errante. Passou a construir cemitérios, capelas e igrejas, reunindo número crescente de ajudantes e admiradores. São de 1874 as primeiras notícias sobre um estranho andarilho que, no interior de Sergipe, dava conselhos, restaurava igrejas e era chamado de Antônio dos Mares. Foi preso em 1877, acusado de matar a mulher e a mãe, mas foi solto por falta de provas. Após este episódio continuou suas peregrinações habituais.

Com um grupo de seguidores, fixou-se em uma antiga, abandonada e estéril fazenda chamada de Belo Monte, em 1893. A fixação em Canudos teria decorrido do primeiro explícito protesto do Conselheiro contra as leis da República. Em Bom Conselho, próximo a Canudos, em dia de feira e sob o barulho de fogos, os conselheiristas teriam queimado as tábuas onde estavam afixados os editais com as leis do novo regime.

Entre os religiosos a ação de Antônio Conselheiro era controversa, havendo os que estimulavam sua atuação jamais insubordinada à hierarquia eclesiástica e os que a reprovavam pela desordem provocada quando passava pelas cidades, pregando e fragilizando as lideranças religiosas locais. Depois de instalado em Belo Monte, recebeu a visita de frei João Evangelista de Monte Marciano, enviado pelo arcebispo da Bahia, D. Macedo Costa, em 1895. Preocupado com o ajuntamento em Belo Monte e com a explícita resistência à República, o arcebispo tentou mostrar ao Conselheiro como contrariava a ordem de Deus e a ordem dos homens. Bem recebido, acabou contrariando os conselheiristas ao insistir na defesa da República e foi convidado a se retirar do arraial. Em seu relatório, advertiu sobre o potencial perigo de cisma religioso e político representado por Canudos, mas não foi ouvido. Só em fins de 1896 Canudos passou a preocupar as autoridades, num crescente de ataques das forças locais à convocação nacional consumada em outubro de 1897.

Depurado de sua base cientificista, a obra de Euclides da Cunha foi considerada "a história de Canudos" até fins da década de 1950, quando os primeiros artigos de Rui Facó, reunidos no livro *Cangaceiros e fanáticos*, indicaram nova direção de análise. Facó deu início a uma corrente que passou a rivalizar com a leitura euclidiana na busca de uma interpretação definitiva para Canudos. A partir de então, a explicação mais recorrente para o sentido da luta sertaneja passou a associar a luta sertaneja dos canudenses à luta pela terra, contra o latifúndio e a opressão, transformando Antônio Conselheiro em líder dos sem terra *avant la lettre*. Nessa perspectiva, a atualidade dessa chave interpretativa tornaria o movimento sertanejo destruído pelas armas do Exército em referência obrigatória e secular da trágica história dos conflitos de terra no Brasil. A partir de então, uma verdadeira "escola" deu continuidade a essa linha de argumentação, cujo vigor ainda se mantém.

Esta nova versão para o sentido de Canudos apontou para uma análise oposta à *euclidiana*. A célebre afirmação de que o sertanejo é antes de tudo um forte, máxima sempre citada para resumir a interpretação euclidiana, com pouco destaque para a condenação do cruzamento racial nefasto combinado na figura de Antônio Conselheiro, foi substituída por interpretações sociológicas que passaram a perceber o movimento a partir de seus aspectos positivos: luta contra a opressão, luta dos excluídos da terra contra o latifúndio.

Por sua complexidade política, social, cultural e religiosa, o movimento sertanejo e a guerra que o destruiu continuam a desafiar pesquisadores e estudiosos, seja pela singularidade do caso, seja pela atualidade das questões que ainda levanta sobre as bases da República criada no Brasil.

Abolição e a República desigual

Flores da liberdade

As camélias se tornaram símbolo do abolicionismo e da adesão à luta negra, sendo usadas em momentos-chave da História até mesmo pela Princesa Isabel.

Eduardo Silva

No dia 13 de maio de 1888, na hora em que a Lei n. 3.353 - a Lei Áurea - foi assinada, aproximou-se da Princesa Isabel o presidente da Confederação Abolicionista, João Clapp, e lhe fez a entrega, em nome do movimento vitorioso, de um "mimoso *bouquet* de camélias artificiais". Logo em seguida, o imigrante português José Seixas Magalhães passou às mãos da Princesa outro buquê de camélias naturais, viçosas, trazidas diretamente do quilombo do Leblon. Vindo de onde vinha, o presente guardava um significado todo especial e representava, na opinião do abolicionista Rui Barbosa, "a mais mimosa das oferendas populares".

Criada em 1883, com sede no jornal *Gazeta da Tarde*, no Rio de Janeiro, a Confederação Abolicionista era uma organização política cujo programa defendia, simplesmente, o fim do trabalho escravo. E o quilombo produtor das camélias do Leblon fazia parte de uma imensa rede de quilombos abolicionistas ligados à Confederação, como o Clube do Cupim, em Recife; o quilombo Carlos Lacerda, em Campos; Senna e Patrocínio, ambos em São Cristóvão; Raymundo, no Engenho Novo; Miguel Dias, no Catumbi; Padre Ricardo, na Penha; Camorim, na Freguesia de Jacarepaguá; Clapp, na praia de São Domingos, em Niterói; Jabaquara e Pai Filipe, em Santos. Uma rede que participava já do jogo político da transição e apontava para a importância fundamental do movimento quilombola e da participação do povo negro na conquista da liberdade.

Na verdade, sem a adesão franca e consciente dos cativos - manifestada pelas fugas em massa, impossíveis de reprimir ou controlar, a "avalanche negra", como se disse na época -, o projeto abolicionista não teria a mínima chance de êxito.

Em que pese o possível glamour das flores, o quilombo do Leblon não era um fenômeno meramente folclórico, mas fazia parte de um modelo novo de resistência ao sistema escravista. Pode-se assim chamá-lo de quilombo abolicionista, para diferenciá-lo do quilombo de rompimento, o tradicional, cujo exemplo clássico é o de Palmares, onde predominava a política do esconderijo e do segredo de guerra, em que os quilombolas se esforçavam para proteger a organização interna e seus líderes de todo inimigo ou forasteiro. Já nos quilombos abolicionistas, as lideranças eram personalidades públicas muito bem articuladas politicamente. Eles se organizavam perto dos grandes centros e faziam uma intermediação entre a comunidade de fugitivos e a sociedade. Devido a essas cumplicidades e às alianças sociais era quase impossível dar combate aberto a um quilombo desse tipo, como se fez com o de Palmares. Jabaquara, em Santos, certamente a maior colônia de fugitivos da história, nunca foi realmente enfrentado, o mesmo acontecendo com os refúgios de escravos apoiados pelo Clube do Capim, em Pernambuco, e, muito especialmente, com o quilombo do Leblon. Ele era a menina dos olhos daqueles que achavam que "a escravidão era um roubo" e, por isso, precisava ser combatida por todos os meios, ou seja, "os abolicionistas da classe dos comunistas", como diziam os escravocratas mais reacionários e como não se cansava de repetir o Barão de Cotegipe, chefe do gabinete conservador (1885-1888).

E a hoje insuspeita camélia, fosse natural ou artificial, era um dos símbolos mais poderosos da ala radical do movimento, servindo, inclusive, como uma espécie de senha de identificação entre os abolicionistas, particularmente quando empenhados em ações mais perigosas, ou ilegais, como o apoio a fugas e a obtenção de esconderijo para os fugitivos. Um escravo que fugisse de São Paulo e viesse a se esconder no Rio de Janeiro podia reconhecer seus aliados já na plataforma de desembarque da estação Central pelo uso de uma dessas flores no peito, do lado esquerdo. Como aconteceu, por exemplo, com o escravo Godofredo. Ele fugiu de Campinas, já combinado com os abolicionistas, ficou um tempo escondido numa casa no centro da cidade e depois foi encaminhado para o quilombo do Leblon, engajando-se na produção de camélias. O proprietário de Godofredo nunca se conformou com a perda do escravo e mandou processar imediatamente José de Seixas Magalhães, dono da Chácara do Leblon e idealizador do quilombo, mas não conseguiu nenhum resultado concreto.

Atravessando de uma ponta a outra a sociedade imperial, as camélias da liberdade permitiram entrever momentos-chave da História brasileira, como a participação da Princesa Isabel, a contribuição da elite negra e, principalmente, do próprio escravo. Uma elite negra formada por personalidades como Luís Gama, que, tendo sido escravo, fez-se jornalista, advogado, e vivia exatamente de promover processos em favor dos seus ex-companheiros de infortúnio, libertando mais de quinhentos deles por via judicial. Homens do porte de um José Carlos do Patrocínio, líder incontestável da campanha abolicionista na imprensa, um dos pilares do quilombo do Leblon, figura de proa da boemia intelectual da rua do Ouvidor, centro da roda literária, dono do jornal *Gazeta da Tarde*, e introdutor do automóvel de passeio nas ruas do Rio de Janeiro. Ou como André Rebouças, um dos personagens mais ilustres da inteligência brasileira, primeiro negro no Brasil, talvez no mundo, a se formar em engenharia, a rainha das ciências do século XIX, base de tudo que era tido como "progresso", "civilização" e "superioridade" da raça branca. E que chegou a professor catedrático da Escola Politécnica, no Largo de São Francisco.

Na década de 1880, um jovem moderno e de ideias avançadas, fosse ele abolicionista ou republicano, não podia deixar de conhecer pelo menos um quilombo abolicionista. Rui Barbosa conhecia muito bem o do Leblon, assim como Coelho Neto, Osório Duque-Estrada e o estudante Brício Filho, depois político e jornalista. Silva Jardim, que era um republicano exaltado, frequentou tanto o do Leblon, no Rio de Janeiro, quanto o de Jabaquara, em Santos. Para se ter uma ideia, no dia 13 de março de 1887, aniversário de José Seixas Magalhães, praticamente todos os abolicionistas importantes da capital do Império estiveram presentes: Joaquim Nabuco, José do Patrocínio, João Clapp, Ernesto Senna, cunhado de José do Patrocínio, e o solicitador (auxiliar de advogado) negro Domingos Gomes dos Santos, cujo apelido era "o Radical". Eram tantos abolicionistas juntos que, segundo testemunhas da época, lotaram o bondinho puxado a burro que servia à Freguesia da Gávea, não deixando lugar para mais ninguém, além de prejudicar o sossego dos moradores com suas gritarias, altas horas da noite, de "Vivam os escravos fugidos!"

Até a Princesa Isabel apoiava o quilombo do Leblon. As evidências são avassaladoras. Em diversas ocasiões, a Princesa ousou aparecer em público com camélias a lhe enfeitar o vestido. Tal era o comprometimento do trono, sob a regência de Isabel, que o próprio Palácio Imperial, por fim, transformou-se numa espécie de filial, sem faltar sequer uma boa plantação de camélias em Petrópolis. André Rebouças, o intelectual negro de maior prestígio na época, fazia a ponte entre o esquema de fugas montado pela Princesa, em Petrópolis, e o alto comendo da Confederação Abolicionista no Rio de Janeiro, tendo João Clapp e José Carlos do Patrocínio à frente.

Já na reta final do regime, tornou-se público que a Princesa Isabel escondia escravos no palácio de Petrópolis, o que mereceu repetidas citações, não apenas no *Diário* "íntimo" de André Rebouças, mas também nos discursos políticos de liberais, como Rui Barbosa, e de republicanos, como Silva Jardim. Rui Barbosa disse-o com todas as letras, em um comentário apenas de passagem, como quem fala de assunto conhecido de todos, no discurso que proferiu no Teatro São João, em Salvador, em manifestação política promovida pela Sociedade Libertadora Baiana, no dia 29 de abril de 1888: "Hoje a regência [isto é, Isabel] pratica às escâncaras, em solenidades públicas, o açoitamento de escravos."

Mesmo Silva Jardim, o crítico mais radical e corrosivo de Isabel, reconheceu o fato em muitos momentos. Para ele, era realmente "notório" que Dona Isabel "acoutava pretos no seu palácio em Petrópolis", mas não havia qualquer mérito ou vantagem porque, segundo pensava, sendo Isabel uma Princesa, ela "podia, pelo seu poder pessoal, libertá-los a todos de uma só vez". Em outra ocasião, Silva Jardim critica abertamente a Princesa que "fazia do palácio de Petrópolis o segundo exemplar dos quilombos fluminenses". O primeiro exemplar, pode-se deduzir, seria o emblemático quilombo do Leblon.

O comprometimento da Princesa mereceu interpretações muito diferentes e dividiu dramaticamente o campo abolicionista. A intelectualidade negra (André Rebouças, José do Patrocínio e outros) cai literalmente aos pés da Princesa, a quem passa a apoiar incondicionalmente e a chamar de "Isabel I, a Redentora", muito antes do 13 de maio. Rui Barbosa, outro crítico de Dona Isabel, parte de um ponto de vista totalmente diferente: a "guinada" da Princesa para o abolicionismo radical não podia ser entendida como uma simples generosidade ou liberalidade real, a questão era política. Juntos, abolicionistas e escravos, sobretudo estes, forçaram a "evolução" da Princesa na direção da ideia de abolição imediata e incondicional: "depois que dos serros de Cubatão se despenhava para a liberdade a avalanche negra, e o não quero do escravo impôs ao fazendeiro a abolição." Rui Barbosa foi, assim, o primeiro intelectual a sustentar que a abolição da escravatura não foi uma dádiva da Princesa imperial regente, mas uma conquista do próprio escravo. A propaganda abolicionista, com o apoio dos quilombos, "obrigou" a Princesa a manifestar-se abertamente, a promover os seus concertos e batalhas de flores abolicionistas e a enfeitar o vestido real "com as camélias do quilombo do Leblon".

O povo contra a vacina

Costumes populares resistiram à vacinação contra a febre amarela e levaram a uma onda de destruições na maior revolta urbana no Rio de Janeiro do começo do século XX.

JOSÉ MURILO DE CARVALHO

Com 800 mil habitantes, o Rio de Janeiro de 1904 era uma cidade perigosa. Espreitando a vida dos cariocas estava todo tipo de doenças bem como autoridades capazes de promover, sem qualquer cerimônia, uma invasão de privacidade. Tuberculose, febre amarela, peste bubônica, varíola, malária, tifo, cólera e outras enfermidades contagiosas vitimavam a população e assustavam os estrangeiros. A capital da jovem República era uma vergonha para a nação. Desmentindo o apelido de "Soneca", o presidente Rodrigues Alves decidiu agir rápido. Iria acabar com esse vexame e ao mesmo tempo embelezar a cidade nos seus quatro anos de governo (1902-1906). Para essa dupla tarefa, convocou respectivamente o sanitarista Oswaldo Cruz (1872-1917) e o engenheiro Pereira Passos (1836-1913). Com suas políticas de saneamento, Oswaldo Cruz mexeu com a vida de todo mundo, sobretudo dos pobres.

Em junho de 1904, o governo propôs uma lei que tornou obrigatória a vacinação, motivando petições contrárias assinadas por cerca de 15 mil pessoas. Esta lei foi aprovada em 31 de outubro. No dia 9 de novembro,

Oswaldo Cruz propôs uma drástica regulamentação, exigindo comprovantes de vacinação para matrículas em escolas, empregos, viagens, hospedagens e casamento. Estava até previsto o pagamento de multas para quem resistisse. A proposta vazou para a imprensa e, indignado, o povo do Rio disse "não" na maior revolta urbana já vista na capital.

O motim começou no Largo de São Francisco, em torno da estátua de José Bonifácio. Estudantes protestavam contra a vacina, quando um delegado de polícia prendeu um deles, levando-o para a Praça Tiradentes, onde ficava a Secretaria de Justiça. Houve confrontos entre os manifestantes e a cavalaria. Foi então que se ouviram os primeiros gritos de "Morra a polícia!", "Abaixo a vacina!". Isso, já no dia 10, uma quinta-feira, quando a regulamentação de Oswaldo Cruz nem sequer havia sido aprovada. No dia 11, repetiram-se os protestos. No dia 12, segundo o *Correio da Manhã*, quatro mil pessoas "de todas as classes sociais" concentraram-se no Centro das Classes Operárias, na rua do Espírito Santo – atual rua Pedro I –, próximo à Praça Tiradentes, para fundar uma Liga Contra a Vacina Obrigatória. Depois, a multidão seguiu rumo ao Palácio do Catete, já fortemente guardado, trocando tiros com a polícia no caminho. O Exército entrou em prontidão.

No dia 13, um domingo, a revolta se generalizou. A Praça Tiradentes virou campo de batalha. Partindo de lá, a luta se estendeu por toda a região entre o Largo de São Francisco e a Praça da República. Ouviam-se descargas de revólver e carabina, bondes começaram a ser queimados, barricadas foram erguidas na avenida Passos. Na rua de São Jorge, as prostitutas aderiram à luta. A população assaltou delegacias, quartéis, casas de armas. A essa altura, o conflito atingia a região portuária da Saúde e da Gamboa, seguindo para Laranjeiras e Botafogo, hoje Zona Sul do Rio de Janeiro, e também para a Tijuca, Rio Comprido e Engenho Novo, na Zona Norte. Na rua Larga de São Joaquim, atual avenida Marechal Floriano, as colunas dos lampiões de gás foram quebradas e enormes chamas lambiam os ares.

Ao amanhecer, a paisagem era de devastação, e foi assim descrita pelo *Jornal do Commercio*, na edição do dia 15: "(...) paralelepípedos revolvidos, que serviam de projéteis para essas depredações, coalhavam a via pública; em todos os pontos destroços de bondes quebrados e incendiados, portas arrancadas, colchões, latas, montes de pedras, mostravam os vestígios das barricadas feitas pela multidão agitada." A revolta se concentrara em dois redutos, o do distrito do Sacramento, entre o Largo de São Francisco e a Praça da República, e o da Saúde, na zona portuária localizada entre a Praça da Harmonia e o Morro da Gamboa. Nos dois pontos, a luta continuou durante todo o dia 14, havendo incidentes até na longínqua Copacabana.

No Sacramento, combatia-se na rua a revólver e a porrete, enquanto dos sobrados os moradores jogavam latas, garrafas, pedaços de madeira e o que mais estivesse à mão. Na Saúde, os revoltosos assumiram o controle da delegacia de polícia e, segundo cálculos do *Jornal do Commercio*, duas mil pessoas construíram barricadas na Praça da Harmonia e ao longo da rua de mesmo nome. O clima era de tensão. O governo dividiu, então, o controle da cidade entre polícia, Exército e Marinha. As autoridades estavam tão inseguras que convocaram tropas do Exército de Niterói, Lorena (São Paulo) e São João del Rei (Minas Gerais).

Na esteira da rebelião popular contra a invasão de privacidade e a obrigatoriedade da vacina, surgiram outras reivindicações de grupos sociais distintos. Declarações do presidente do Centro das Classes Operárias e líder da revolta, Vicente de Souza, atestam isso. Ele dizia que o levante contra a vacinação fora uma reação popular, que elementos belicosos da "classe temerosa" souberam aproveitar.

Na Escola Preparatória e de Tática do Realengo, comandada pelo general Hermes da Fonseca, futuro presidente da República, houve uma tentativa de levante. Um dos revoltosos entrou na escola gritando: "Prende o general! Mata o general!" O golpe falhou, mas o clima de sublevação se instalou na Escola Militar da Praia Vermelha. Cerca de trezentos cadetes, sob o comando do general Silvestre Travassos, se puseram em marcha para o Palácio do Catete. Eram 10 horas da noite e Botafogo estava às escuras, porque os lampiões tinham sido destruídos. O governo fortificou o palácio e mandou tropa para enfrentar os cadetes. Os dois grupos se enfrentaram na rua da Passagem e trocaram tiros no escuro. O general Travassos caiu ferido. Sem saber o que acontecia do outro lado, as duas tropas debandaram. Ao Catete chegou, de início, a notícia de que os soldados do governo tinham fugido. Houve pânico e sugeriu-se a Rodrigues Alves que se refugiasse num navio de guerra para de lá organizar a resistência. O presidente recusou o conselho e logo veio o alívio com a informação da debandada também dos cadetes.

Em vez de festa cívica, o dia 15, aniversário da República, foi de revolta popular. No alto do Morro da Mortona, na Saúde, foi hasteada uma bandeira vermelha. Um novo foco de rebelião surgiu no Jardim Botânico, onde seiscentos operários das fábricas de tecido Corcovado e Carioca e da fábrica de meias São Carlos atacaram a delegacia de polícia. Chegaram nesse dia as tropas de Minas e de São Paulo; no dia seguinte, o presidente Rodrigues Alves decretou estado de sítio. O reduto rebelde erguido em barricadas na Saúde era o que mais preocupava as autoridades. No final da rua da Harmonia ergueu-se a principal delas.

Um repórter do *Jornal do Commercio* assim descreveu a situação no local: "aquela multidão sinistra, de homens descalços, em mangas de camisa, de armas ao ombro uns, de garruchas e navalha à mostra outros." No comando dos rebeldes estavam os valentões Manduca Pivete e Prata Preta, o terror da polícia. Ao ser preso, Prata Preta matou um soldado do Exército e feriu dois policiais. Estava armado com dois revólveres, uma faca e uma navalha. O reduto da Harmonia foi atacado por terra e mar, desmobilizando os revoltosos, que não deram combate e simplesmente desapareceram. Ou, pelo menos, tentaram.

Assim que os manifestantes se dispersaram, a polícia iniciou a varredura das áreas atingidas pela revolta, prendendo quem lhe parecesse suspeito. A caçada se prolongou pelos dias seguintes. Seu ato final foi uma batida no Morro da Favela, no dia 23. O nome fora dado por soldados retornados da Guerra de Canudos e depois acabou se generalizando, sendo atribuído a todas as comunidades pobres dos morros do Rio. Os moradores do Morro da Favela haviam fugido. Mas a essa altura já havia na Ilha das Cobras mais de setecentos presos, chegando a 945 no final das operações de busca dos supostos culpados. Nas ruas, o saldo de vítimas era desolador: trinta mortos, 110 feridos e 461 deportados para o Acre sem qualquer processo.

A classificação dos revoltosos variava. Para a oposição, cuja principal voz era o *Correio da Manhã*, o povo – estudantes, operários, comerciantes e militares – é que tinha se rebelado. Para os jornais que apoiavam o presidente, como *O Paiz*, para o chefe de polícia, Cardoso de Castro, e para o governo, a revolta tinha sido obra de desordeiros, arruaceiros, desocupados. Castro se referiu ao "rebotalho", às "fezes sociais". A elite intelectual concordava. O poeta Olavo Bilac atribuía os acontecimentos à "matula desenfreada", à "turba-multa irresponsável de analfabetos".

Na raiz dos distúrbios estava um problema sanitário sério. Oswaldo Cruz escolheu três doenças como foco de sua empreitada: a febre amarela, a peste bubônica e a varíola. Combater o mosquito transmissor da febre era fundamental para conter o avanço da doença. Brigadas de mata-mosquitos saíam pela cidade invadindo residências, cortiços, casas de cômodos. Limpavam, desinfetavam, exigiam reformas e interditavam esses ambientes, removendo os doentes de seus lares. Só no segundo semestre de 1904, foram 110 mil visitas. Quanto à peste bubônica, o controle da epidemia exigia o extermínio dos ratos e das pulgas. O governo, acreditando poder assim tornar mais eficaz o trabalho, decidiu comprar ratos. Não demorou para que o carioca começasse a criá-los para faturar uns trocados. Um ou outro chegou mesmo a importar o roedor de Niterói para vendê-lo no Rio.

No Carnaval de 1904, a população cantava a própria desgraça. Caiu na folia dançando a polca – ritmo originário da antiga Tchecoslováquia – "Rato-rato", da dupla Casemiro Rocha e Claudino Costa.

Mais de um século depois da Revolta da Vacina, quais conclusões podem ser tiradas daqueles dias turbulentos de novembro de 1904? Uma coisa é certa: houve várias revoltas dentro da revolta. Uma delas foi, sem dúvida, a dos militares. Outra, a dos operários do Centro das Classes Operárias e das fábricas do Jardim Botânico. E ainda uma terceira, a do "povão" do Sacramento e da Saúde, reunindo capoeiras, prostitutas da rua de São Jorge, portuários e gente com passagens pelas delegacias de polícia.

A mobilização começou no Centro das Classes Operárias, dirigido pelo socialista Vicente de Souza – hoje, nome de uma rua em Botafogo. Há informação sobre a ocupação de 10.199 dos 14.812 signatários das petições contra a vacinação obrigatória. Verifica-se que 78 eram militares; os outros, isto é, quase a totalidade, eram operários. A análise dos documentos e jornais de época revela a presença desproporcional desse grupo entre as vítimas. Do total de feridos, ele representa 71%. E do total de mortos, 86%. Esses números ganham proporções ainda mais relevantes se levarmos em conta que os operários representavam apenas 20% da população carioca. É por isso que, para entender os motivos da Revolta da Vacina de 1904, temos de voltar os olhos para os trabalhadores.

Naquele momento, outros grupos se aproveitaram da revolta dos pobres. Os militares e políticos da oposição queriam derrubar o governo, queriam acabar com o que chamavam de "república prostituída dos fazendeiros" e restaurar a pureza que viam em Floriano Peixoto e Benjamin Constant. Para o "povão" do Sacramento e da Saúde, talvez a intervenção sanitária de Oswaldo Cruz não fosse exatamente o principal motivo das manifestações. É possível que tenha aproveitado a revolta para bater em seu tradicional inimigo, a polícia. Mas e os operários e os que poderíamos chamar de pobres honestos, por que se rebelaram?

Não foi por motivos econômicos. Haviam passado os anos duros do governo de Campos Sales (1898-1902) e a economia voltara a crescer e a gerar empregos. Teria sido por causa dos deslocamentos de pessoas causados pelas obras na cidade? Não parece. Quase não se fez referência à reforma nos discursos, nos jornais operários, nas manifestações de rua. Os executores dessa mudança radical, Pereira Passos e Paulo de Frontin, escaparam da ira popular. Mais ainda, os dois principais redutos da revolta, Sacramento e Saúde, foram pouco afetados pelas obras. Tampouco cresceu sua população em virtude da expulsão dos moradores das centenas de casas derrubadas para a construção da avenida Central, hoje Rio Branco, e da avenida Passos.

Resta indagar se os motivos da revolta foram, no final das contas, as campanhas de combate às epidemias e à vacinação obrigatória. Todas as evidências indicam que sim. Para mencionar uma só, Oswaldo Cruz foi massacrado, acusado – pela sociedade de alto a baixo – de despótico e arbitrário, quando não de irresponsável. Políticos, Rui Barbosa entre eles, qualificavam as medidas adotadas de violação dos direitos civis e da Constituição.

Para entender por que a intervenção sanitária revoltou a todos, é preciso ter em mente os valores e os costumes do início do século XX. O líder dos operários, o socialista Vicente de Souza, argumentava que era uma ofensa à honra do chefe de família ter seu lar, em sua ausência, invadido por um desconhecido. E, muito pior, saber que diante dele sua mulher e filhas seriam obrigadas a desvendar seus corpos. Em que consistiria tal desvendamento?

A vacinação era feita no braço, nos postos médicos ou em casa, com o auxílio de uma lanceta, instrumento cirúrgico de dois gumes. O deputado oposicionista Barbosa Lima admitiu a possibilidade de aplicação na coxa. Nos comícios, oradores inflamados deslocaram o local para as virilhas. O escritor José Vieira nos conta, no romance *O bota-abaixo*, que, no Largo de São Francisco, eles radicalizaram, dizendo que "cafajestes de esmeralda" (referiam-se à pedra que representava a profissão de médico) invadiriam as lares para "inocular o veneno sacrílego nas nádegas das esposas e das filhas". O impacto de tais argumentos foi devastador. A vacinação e a revacinação se reduziram de 23 mil em julho para pouco mais de mil em outubro. Na Saúde, só 14 pessoas se vacinaram em outubro e apenas 18 tomaram a segunda dose.

A Revolta da Vacina se distinguiu de protestos anteriores por sua amplitude e intensidade. O que lhe deu esta característica foi a força da justificação moral. Houve um trágico desencontro de boas intenções, as de Oswaldo Cruz e as da população.

Mas em nenhum momento podemos acusar o povo de falta de clareza sobre o que acontecia à sua volta. Embora não se interessasse por política, embora não votasse, ele tinha razão clara dos limites da ação do Estado. Seu lar e sua honra não eram negociáveis. A revolta deixou entre os participantes um forte sentimento de autoestima, indispensável para formar um cidadão. Um repórter de *A Tribuna* ouviu de um negro acapoeirado frases que atestam esse sentimento. Chamando sintomaticamente o jornalista de cidadão, o negro afirmou que a sublevação se fizera para "não andarem dizendo que o povo é carneiro". O importante – acrescentou – era "mostrar ao governo que ele não põe o pé no pescoço do povo".

Abaixo a chibata

A revolta que pôs fim aos castigos físicos na Marinha brasileira e apavorou os poderosos em 1910.

MARCO MOREL

O que foi, afinal, a Revolta da Chibata? Qual o sentido de se lembrar tal movimento mais de um século depois? Certamente, antes de mais nada, a sua atualidade. A rebelião de marinheiros eclodida em 22 de novembro de 1910 nas águas da Baía de Guanabara toca em pelo menos quatro temas até hoje mal resolvidos na sociedade brasileira: a democratização das Forças Armadas, a violência cotidiana do Estado sobre as camadas pobres da população, o racismo e a noção de que existiria uma tradição pacífica e sem violência na História do Brasil. O tema ainda hoje incomoda, desperta tensões e paixões, atiça contradições.

O movimento serviu como um golpe de misericórdia nos resquícios da escravidão que ainda permaneciam arraigados na sociedade brasileira duas décadas após a Lei Áurea promulgada em 1888. Os castigos corporais continuavam frequentes na Marinha mesmo depois da Proclamação da República (1889) – haviam sido extintos na Espanha em 1823, na França em 1860, nos Estados Unidos em 1862, na Alemanha em 1872 e na Inglaterra em 1881. Junte-se a isso a prática dos alistamentos forçados e o fato de que a maior parte da marujada era composta por homens pobres e negros, enquanto que a oficialidade tinha origem social privilegiada, composta por homens brancos, ou que se pretendiam como tal.

Os marinheiros estavam dispostos a matar e a morrer. A rebelião foi preparada com antecedência em comitês clandestinos que se reuniam nos bairros de Santo Cristo, Saúde e Gamboa, e também nos arredores da Praça Onze, nas regiões portuária e central do Rio. Os marujos, que viajavam pelos quatro cantos do mundo, estavam informados de muita coisa, inclusive da revolta dos marinheiros do encouraçado *Potemkin*, ocorrida em 1905 na Rússia.

Uma semana após sua posse na Presidência da República, o marechal Hermes da Fonseca (1910-1914) dava uma recepção no Palácio do Catete quando estrondos sacudiram a cidade. A Marinha brasileira possuía os mais possantes navios de guerra, recém-comprados da Inglaterra, de onde vinham também os técnicos para manobrarem as embarcações quando elas entravam na Baía de Guanabara. Pois estes mesmos navios tinham agora seus canhões voltados para capital do país, e os rebelados davam um ultimato ao governo: ou os castigos corporais eram imediatamente extintos na Marinha brasileira ou eles arrasariam a cidade.

O fato que deflagrou o movimento foi o castigo infligido ao marujo Marcelino Rodrigues, que, ao ser punido por uma falta, levou 250 chibatadas diante da tripulação perfilada. Naquela noite o clarim da sentinela não anunciaria toque de recolher e, sim, combate. Para que os marinheiros tomassem conta das embarcações houve luta e quatro oficiais foram mortos. Ficaram em poder dos revoltosos os couraçados *Minas Gerais*, *São Paulo* e *Bahia*, além do navio de patrulha (*scout*) *Deodoro*. Tiros de canhão dados como advertência em direção à cidade mataram acidentalmente duas crianças. O pânico se espalhou e muitas famílias abandonaram o Rio, rumando para o interior.

Muita gente, ao contrário, sabendo do que se passava, acorreu ao litoral, acompanhando curiosa os acontecimentos. Uma parte do público acenava e aplaudia os navios revoltosos, que faziam ousadas manobras, dispensando, assim, os técnicos estrangeiros, que até então eram os únicos autorizados a realizá-las. Ao mesmo tempo, peças de artilharia eram colocadas em pontos estratégicos em terra firme, na tentativa de atingir os revoltosos.

Pressionado por esta "revolta da cozinha que atingiu a sala de jantar", como chamou o historiador João Brígido (1829-1921), o governo não tinha muita saída. O Congresso, reunido às pressas, aprovou de imediato o fim dos castigos corporais e a anistia para os revoltosos - as duas principais exigências apresentadas. A oposição, tendo à frente Rui Barbosa (1849-1923), fazia eco às denúncias das precárias condições de trabalho dos marinheiros, tirando, a seu modo, proveito da situação.

Tudo parecia ter terminado da melhor maneira possível. Quatro dias depois de iniciada a revolta, os marujos retiraram os lenços vermelhos do pescoço e devolveram as embarcações, de forma pacífica, aos oficiais. Entretanto, meses depois, uma rebelião (forjada, na opinião de João Cândido) foi pretexto para uma repressão das mais cruéis. João Cândido e mais 17 companheiros de revolta foram jogados numa masmorra da ilha das Cobras feita para receber apenas dois presos. Ficaram ali três dias sem comer e beber e cobertos de cal, que era atirado pelos carcereiros para "higienizar" o ambiente. No final havia apenas dois sobreviventes, soterrados entre os cadáveres dos companheiros: João Cândido e outro marujo apelidado de "Pau da Lira".

Depois disso ocorreu a impressionante viagem do navio *Satélite*, que seguiu carregado de prisioneiros para a Amazônia. A maioria era de marujos que participaram da revolta. Ao longo do trajeto, vários foram fuzilados e seus corpos lançados ao mar, ninguém foi punido pelas mortes. Os que restaram foram deixados na floresta, realizando trabalhos forçados para a Comissão Telegráfica então comandada pelo capitão Cândido Rondon (1865-1958).

O nome e os registros funcionais sobre João Cândido simplesmente desapareceram dos arquivos da Marinha, como se ele não houvesse existido, daí que nunca tenha recebido pensão ou indenização. Impedido de trabalhar até mesmo na Marinha Mercante, depois de muito rodar, o "Almirante Negro" passou as últimas décadas de vida carregando cestos de peixe no entreposto de pesca na Praça XV, centro do Rio de Janeiro, e morando num casebre numa favela de São João de Meriti, na Baixada Fluminense.

A anistia para os participantes da Revolta da Chibata, aprovada logo em 1910, não foi respeitada. Muitos deles acabaram expulsos da corporação, presos e mortos. Mais de noventa anos depois, a então senadora Marina Silva (PT-AC) apresentou projeto de lei pela reintegração simbólica dos rebelados à Marinha e concessão de benefícios a seus descendentes. O projeto foi aprovado por unanimidade no Senado e na Câmara Federal e sancionado em 2008 pelo então presidente da República, Luiz Inácio da Silva, que vetou a indenização financeira (sob o argumento insólito de que poderia levar o Tesouro Nacional à falência) e a incorporação. Ficou o apoio simbólico. A memória dos que viveram aqueles episódios e os direitos de seus descendentes ainda não foram plenamente reconhecidos, inclusive com a abertura total dos arquivos da Marinha para que se conheça a história de vida de cada um deles.

Guerras na América e na Europa

•

Paraguai: guerra maldita

Os caminhos para compreender as motivações e os interesses por trás da sangrenta e devastadora Guerra do Paraguai.

FRANCISCO DORATIOTO

A partir da década de 1970, ganhou espaço a interpretação de que o imperialismo inglês foi a causa da Guerra do Paraguai, deflagrada em dezembro de 1864. Segundo essa vertente, o trono britânico teria utilizado o Império do Brasil e a Argentina para destruir um suposto modelo de desenvolvimento paraguaio, industrializante, autônomo, que não se submetia aos mandos e desmandos da potência de então. Estudos desenvolvidos a partir da década de 1980, porém, revelam um panorama bastante distinto. As origens do conflito, mostram eles, se encontram no processo de construção e consolidação dos Estados Nacionais no rio da Prata e não nas pressões externas dos ingleses. Os avanços historiográficos mostram também como o quadro político que se desenhara às vésperas da Guerra do Paraguai aproximou ideologicamente, pela primeira vez na História, o Brasil e a Argentina.

A interpretação imperialista apresentava a sociedade paraguaia do pré-guerra como avançada, liderada por Francisco Solano López, governante autoritário mas preocupado com o bem-estar do seu povo. Nada mais distante da realidade. O Paraguai tinha uma economia agrícola, atrasada;

nela havia escravidão africana, embora diminuta, e López era movido apenas pela lógica de todos os ditadores, a de se manter no poder. Outro mito que caiu por terra foi a suposta rivalidade do Paraguai com os ingleses. Vai contra a lógica histórica responsabilizar o imperialismo inglês pelo desencadear da guerra. Na realidade, o governo paraguaio mantinha boas relações com a Inglaterra, de onde contratou técnicos, desde o final dos anos 1850, com a finalidade de modernizar suas instalações militares. Era, sim, o Império do Brasil que tinha atritos com a Inglaterra, com a qual rompeu relações diplomáticas em maio de 1863. Elas somente foram restabelecidas, após recuo do governo britânico, em setembro de 1865, meses após o início do conflito.

Em busca de modernizar o Paraguai, Solano López tentou ampliar a inserção do país no comércio internacional, exportando produtos primários para obter as libras esterlinas que viabilizariam seu projeto. Para tanto, necessitava de um porto marítimo, que não podia ser o de Buenos Aires, antiga capital colonial, inclusive do Paraguai. Isso porque os governantes argentinos resistiam em conceder facilidades comerciais à nação vizinha. Restava como alternativa para a ampliação do comércio exterior o porto de Montevidéu, no Uruguai.

A situação política no Uruguai é particularmente importante para entender o desencadear da Guerra do Paraguai. Em 1861, o presidente uruguaio Bernardo Berro, do Partido Blanco, se recusou a renovar com o Brasil o Tratado de Comércio e Navegação, assinado em 1851. Com essa medida, reduziu a dependência do Uruguai em relação ao Império brasileiro. Ao mesmo tempo, instituiu um imposto sobre as exportações de gado em pé para o Rio Grande do Sul, atingindo os interesses de estancieiros gaúchos, com propriedades no país. Por outro lado, o cenário político do rio da Prata ganhou um novo Estado Nacional em 1862, com o surgimento da República Argentina. A nação nasce sob a liderança da burguesia de Buenos Aires, tendo Bartolomeu Mitre como presidente.

A primeira tarefa de Mitre era consolidar a República. Mas, para isso, precisava neutralizar a oposição federalista, principalmente das províncias de Corrientes e Entre Rios, impedindo-as de contar com qualquer tipo de apoio externo. Elas, porém, com autorização do governo uruguaio, utilizavam o porto de Montevidéu para seu comércio, escapando do controle alfandegário de Buenos Aires. Mitre permitiu, então, que o Partido Colorado, de oposição a Berro, se organizasse militarmente na capital argentina e invadisse o Uruguai em março de 1863, iniciando uma guerra civil.

Diante dessa situação, o presidente Berro buscou criar um novo equilíbrio de forças no Prata, com o estabelecimento do eixo Montevidéu-Assunção, ao qual poderiam se associar as províncias argentinas dissidentes do governo central. Chefes políticos destas, principalmente Justo José de Urquiza, governador de Entre Rios, mantinham, por sua vez, estreitas relações com Solano López. Foi apostando na consolidação desse novo eixo político que o presidente uruguaio enviou Octavio Lapido, do Partido Blanco, a Assunção, onde deveria oficializar uma aliança com o Paraguai. Embora o acordo não tenha sido selado, o governo paraguaio passou a apoiar o presidente do Uruguai. Por duas vezes, em setembro e em dezembro de 1863, Solano López advertiu Mitre sobre o apoio argentino – que era real – ao general Venâncio Flores, líder da rebelião colorada, de oposição a Berro. Em ambas as ocasiões, o governo argentino negou a acusação, dizendo-se neutro. Mas na segunda negativa, em fevereiro de 1864, Mitre, para repelir as veladas ameaças paraguaias, acrescentou que a Argentina poderia adotar outra postura, insinuando o fim da neutralidade e, portanto, o apoio aberto a Flores.

Para piorar o quadro de tensão no rio da Prata, Souza Neto, representando os fazendeiros gaúchos instalados no Uruguai, se apresentou às autoridades do Rio de Janeiro para denunciar como "abusos" as medidas policiais tomadas por autoridades uruguaias contra cidadãos brasileiros que apoiavam os colorados. A essa altura, o mandato presidencial de Berro já havia terminado, em março de 1864. A chefia do Executivo uruguaio, porém, continuava nas mãos do Partido Blanco, com Atanásio Cruz Aguirre. Souza Neto não fez por menos: solicitou a intervenção do Império no Uruguai. Foram três as razões do governo brasileiro para ceder às pressões dos fazendeiros do Sul. Primeiro, para não ser acusado de omisso. Depois, porque queria evitar que a Argentina colhesse, sozinha, os frutos de uma vitória colorada. E, por fim, para desviar a atenção popular de problemas internos.

Desenhava-se uma nova realidade no rio da Prata, para a qual, após décadas de desencontros, convergiam os interesses do Império do Brasil e da Argentina. Para ambos interessava a vitória dos colorados e havia, pela primeira vez, no liberalismo, identidade ideológica entre os governos brasileiro e argentino. Bartolomeu Mitre era favorável à livre navegação brasileira dos rios platinos, de vital importância para a integridade territorial do Império, já que a província do Mato Grosso, isolada por terra, mantinha contato com o Rio de Janeiro por meio dos rios Paraguai e Paraná. Além disso, como primeiro presidente da Argentina, interessava a Mitre a estabilidade política regional, que certamente contribuiria para a consolidação da República. Foi por isso que ele trabalhou para que seu país e o Brasil substituíssem a rivalidade pela cooperação. Assim, em abril de 1864, ao assumir a representação diplomática argentina no Rio de Janeiro, José Mármol trazia instruções do chanceler de seu país, Rufino de Elizalde, para "associar com o Brasil os interesses" do governo de Buenos Aires. Essa aliança não se estabeleceu de imediato, sendo construída gradativamente, nos meses seguintes, como resposta aos problemas comuns dos dois países no Prata.

Paraguai e Uruguai de um lado. Brasil e Argentina de outro. Estava armado o contexto geopolítico no qual se desenrolaria a Guerra do Paraguai, deixando claro o peso dos problemas internos do rio da Prata no desencadear do conflito. Nesse contexto, o Império enviou, em abril de 1864, o conselheiro José Antônio Saraiva como ministro plenipotenciário em missão especial ao Uruguai, acompanhado por navios de guerra comandados pelo vice-almirante Tamandaré. O objetivo declarado da missão era o de proteger os direitos dos brasileiros residentes no país. Mas, na realidade, o que se desenhava era a preparação para uma intervenção militar.

No Uruguai, Saraiva se convenceu de que poderia tentar a via da negociação para afastar do governo uruguaio ministros blancos que se opunham aos interesses brasileiros, substituindo-os por políticos colorados. Acordo nesse sentido foi assinado em Puntas del Rosário, em 18 de junho de 1864, com representantes desses dois partidos, por Saraiva, juntamente com o chanceler argentino Rufino de Elizalde e o representante britânico em Buenos Aires, Edward Thornton, pois a continuidade da guerra civil prejudicava o comércio inglês.

Esse documento, porém, foi rejeitado pelo presidente Aguirre. Foi então que Saraiva apresentou um *ultimatum* exigindo a punição dos funcionários uruguaios supostamente responsáveis por agressões a brasileiros.

Outra recusa, advertia ele, teria como resposta a ação militar do Império contra o Uruguai. O Paraguai protestou contra a eventual ocupação territorial de seu aliado. Mas em 12 de setembro, tropas brasileiras cruzaram a fronteira do Uruguai e, no mês seguinte, o vice-almirante Tamandaré assinou o Acordo de Santa Lúcia com o general Venâncio Flores, finalmente estabelecendo a cooperação militar entre os colorados e as forças brasileiras.

Solano López respondeu, em novembro, a essa iniciativa do Império, mandando aprisionar o vapor brasileiro *Marquês de Olinda*. No mês seguinte, ordenou a invasão do Mato Grosso, ocupando o território em disputa com o Brasil. O ditador havia sido informado, por espiões, que essa província estava indefesa, bem como sobre a fraqueza militar do Império. Planejava, após garantir a sua retaguarda, derrotar as forças brasileiras que ali se encontravam, passando, para tanto, com o exército paraguaio pelo Rio Grande do Sul, que foi invadido em junho de 1865.

O que López não esperava é que o novo presidente do Uruguai, Tomás Villalba, sucessor de Aguirre, fosse ceder às pressões de dentro e de fora do país. Com o apoio do governo da Argentina, o ex-chanceler conservador do Império, José Maria da Silva Paranhos, novo enviado do governo imperial em missão especial ao Prata, conseguiu obter a rendição da capital uruguaia e selar, em 20 de fevereiro, o Protocolo de Paz de Villa Unión. Atendendo aos interesses de Brasil e Argentina, um colorado, o general Venâncio Flores, chegava ao poder.

Em uma ação que seria fatal para os seus objetivos militares no Prata, Solano López invadiu, em 13 de abril de 1865, a província de Corrientes. Sonhava ser recebido pelos federalistas argentinos como um libertador. Mas tudo o que conseguiu foi permitir que o presidente Mitre formalizasse um acordo com o Império do Brasil, o que, em outras circunstâncias, teria levado a um levante popular no interior argentino, que era antibrasileiro. Em maio de 1865, foi assinado o Tratado da Tríplice Aliança, entre Argentina, Brasil e Uruguai. Entre outras medidas, o documento determinava que a guerra somente terminaria com a saída de Solano López do poder. Estabelecia, também, o desmantelamento das fortalezas paraguaias que impediam a livre navegação pelos rios do Prata e definia as fronteiras do Paraguai com o Brasil e a Argentina, cabendo a esses os territórios em litígio.

Pouco depois, em novembro de 1865, Rufino de Elizalde escreveu a José Antonio Saraiva que se iniciava, entre a Argentina e o Brasil, uma aliança "que lançará profundas raízes para o bem de nossos países e de nossos vizinhos". Para Elizalde, vencido o Paraguai, deveriam ser assinados novos acordos entre os dois países, com o objetivo "de fazermos uma aliança perpétua, baseada na justiça e na razão, que há de ser abençoada por nossos filhos".

Vale destacar o importante papel que a diplomacia imperial teve durante a Guerra do Paraguai. No plano militar, garantiu, na Europa, o fornecimento de armamento. No plano político, conteve a tentativa dos Estados Unidos de intermediarem uma paz que seria favorável a Solano López. Os diplomatas brasileiros não obtiveram sucesso, porém, quer no Velho Continente, quer na América, em neutralizar a simpatia de intelectuais e políticos pelo Paraguai.

A grande frustração fica por conta da vitória da ala conservadora na definição das relações entre Brasil e Argentina no pós-guerra. Ocupada Assunção por tropas brasileiras, em janeiro de 1869, o Partido Conservador, que retornara ao poder no Império em agosto do ano anterior, retomou sua tradicional política de contenção da influência argentina no rio da Prata. Por outro lado, Domingo Faustino Sarmiento, um inimigo da aliança com o Brasil, foi eleito presidente da Argentina.

A diplomacia imperial passou então a trabalhar para garantir que, terminada a guerra – o que ocorreu com a morte de Solano López em 1870 –, o Paraguai permanecesse independente e não perdesse todo o território do Chaco para a Argentina, como determinava o Tratado da Tríplice Aliança. As relações brasileiro-argentinas se tornaram tensas, principalmente em 1872, quando o Império assinou o acordo de paz em separado com o Paraguai, o que era proibido pelo Tratado. Frustrou-se, assim, o projeto visionário de Mitre, Saraiva e Elizalde e alguns outros políticos de substituir a rivalidade argentino-brasileira pela cooperação.

Nas trincheiras contra Hitler

Desacreditada no próprio meio militar, a FEB partiu para o ataque e mesmo com soldados despreparados e subnutridos combateu o temido exército alemão.

LUIS FELIPE DA SILVA NEVES

Em julho de 1944, chegava a Nápoles o primeiro dos cinco escalões da Força Expedicionária Brasileira (FEB). Eram cerca de cinco mil soldados, entre os 25 mil que totalizavam o contingente da única tropa latino-americana a se bater num confronto bélico em solo europeu. Do ponto de vista brasileiro em relação ao conflito é preciso distinguir dois momentos separados por vários meses: o da declaração de guerra às chamadas forças do Eixo, em 1942, e o envio da FEB à Itália.

Foi o clamor popular que motivou o primeiro momento exigindo do governo Vargas a entrada do Brasil no combate. O segundo momento, o da criação da FEB, deveu-se a alguns fatores básicos, entre eles a necessidade dos militares brasileiros de receberem o equipamento e treinamento. A isso se somava o desejo de Vargas de mudar a situação política interna, em cujo contexto sua já caduca ditadura se desgastava visivelmente. Algo parecido aconteceu com a ação da ditadura argentina, na época capitaneada pelo general Galtieri, quando da invasão das Falklands (Malvinas), em 1982. Por fim, havia a pretensão brasileira de que, por mandar tropas para combater na Europa, o país pudesse obter uma posição de destaque nas negociações do pós-guerra, com lugar permanente no Conselho de Segurança da já prevista Organização das Nações Unidas (ONU).

Na época, o país tinha cerca de 40 milhões de habitantes, a grande maioria vivendo no campo. Não faltavam miséria, analfabetismo e doenças, sobretudo aquelas causadas pela má nutrição. A chegada dos primeiros febianos à Itália foi um episódio bastante triste. Um grupo de oficiais de carreira do Exército já estava há meses em Nápoles, com a tarefa exclusiva de fazer os arranjos necessários para a chegada do 1º Escalão. Nada ou quase nada, porém, fora providenciado. Nossos uniformes, apelidados de "Zé Carioca", tinham a cor parecida com a dos uniformes dos soldados nazistas, e o aspecto dos pracinhas, após uma travessia do Atlântico num navio americano extremamente lotado, não era dos melhores. Por tudo isso, foram confundidos pelos italianos com prisioneiros alemães e recebidos a pedradas.

A tropa passou os primeiros dias precariamente acampada sobre areias vulcânicas, numa encosta próxima a Nápoles. A moral só subiu quando começaram os treinamentos em Vada, aí já com instalações decentes, bom armamento e cuidados médicos, tudo fornecido pelos americanos. Estes, na ocasião, fizeram cerca de 20 mil extrações dentárias, além de tratar de doenças diversas, sobretudo aquelas provocadas por alimentação deficiente.

A escolha do comandante da FEB, general Mascarenhas de Moraes, deveu-se a uma hábil decisão de Vargas. Ele sabia que colocar alguém com habilidade política à testa de uma força bem treinada e armada podia representar grande perigo à sua claudicante ditadura. Mascarenhas era um oficial conhecido por seguir à risca a disciplina militar, mas em hipótese nenhuma representou a escolha ideal para comandar a FEB. Suas ações durante a campanha deixaram muito a desejar para qualquer um que possua um mínimo conhecimento de história militar.

Havia ao mesmo tempo muitos que acreditavam ser impossível, para um país subdesenvolvido e pobre como o Brasil de então, atrever-se a combater exércitos alemães, reconhecidos como os melhores do mundo. É nesse espírito que pode ser entendido o símbolo escolhido pelos próprios pracinhas – uma cobra com um cachimbo à boca. Servia de resposta aos incrédulos, que diziam ser mais fácil uma cobra fumar do que o Brasil lutar contra os nazistas.

A primeira ação de combate da FEB deu-se no começo de setembro de 1944, com a 1ª Companhia do 9º Batalhão de Engenharia, perto do rio Arno. Um relatório americano elogiou a atuação brasileira, "que provou ser capaz na execução de sua missão e ganhou o respeito dos engenheiros americanos". A seguir, à medida que mais escalões chegavam do Brasil, a FEB conquistou as suas primeiras vitórias ao longo da bacia do rio Serchio. Uma das mais difíceis dessas lutas iniciais foi a conquista do escarpado Monte Prano, abandonado pelos alemães a 26 de setembro, não sem antes matarem quatro brasileiros, as primeiras baixas fatais na Itália. Na ocasião, foram feitos pelos febianos os primeiros de muitos milhares de prisioneiros alemães. Mas o pior ainda estava por vir.

Após os avanços iniciais e as primeiras vitórias, os pracinhas tiveram o amargo batismo da derrota, perto de Castelnuovo di Garfagnana, a cerca de quarenta quilômetros ao norte de Pisa, ao se instalarem lá para passar a noite do dia 30 para 31 de outubro. Submetidos ao fogo dos experientes alemães, que dispunham de metralhadora, morteiros e granadas, foram forçados a recuar.

Em novembro, a FEB já estava praticamente completa. Com seus três regimentos reunidos, deslocou-se para as montanhas geladas do Apenino Tosco-Emiliano, perto do vale do rio Arno. Ali, diante das tropas nazistas instaladas em lugares mais altos – e consequentemente com melhores posições de tiro –, iria viver seu pior momento. O setor ocupado pelos brasileiros durante o inverno de 1944-1945, particularmente frio, não podia ser pior. Foi ao longo dessa terrível fase que fizemos quatro ataques fracassados a um lugar que se tornou uma verdadeira lenda na epopeia febiana: Monte Castelo. Mais da metade dos cerca de 460 mortos brasileiros na Itália deveu-se às tentativas de tomar o monte, situado a cerca de mil metros acima do nível do mar.

Somente no final do inverno, com o ataque concatenado dos americanos ao Monte Belvedere, em fins de fevereiro, é que finalmente Monte Castelo foi tomado. Foram então achados diversos corpos de febianos, que passaram o inverno enterrados na neve. Contou um pracinha por mim entrevistado que tal fato consternou fortemente a já calejada tropa brasileira. Com os brios feridos, esta passou a correr atrás dos alemães, que começavam a recuar em direção ao vale do Pó, depois de terem sido batidos pelos pracinhas em Montese, a maior e mais sangrenta ação de combate realizada pela FEB.

A perseguição aos alemães pela tropa brasileira foi um momento ímpar na história militar do país. Pela primeira vez uma divisão nacional se locomoveu como um todo, em caminhões e outros tipos de veículos. No dia 29 de abril, véspera do suicídio de Hitler no *Bunker* da chancelaria, em Berlim, os soldados brasileiros capturaram, na cidade de Fornovo di Taro, a 148ª Divisão alemã, fazendo mais de 15 mil prisioneiros, inclusive dois generais. A partir de então, nossa tropa se transfigurou de força combatente em força policial, de ocupação.

Seguiu-se a súbita desmobilização da FEB, por ordem direta de Getúlio. Quando retornaram ao Brasil, os orgulhosos expedicionários foram quase que imediatamente proibidos de usar seus uniformes. E o povo, passada a euforia da vitória e dos desfiles da chegada, logo perdeu o interesse pela epopeia febiana. Alguns chegaram ao absurdo de duvidar que aqueles homens, os quais, por conta da boa alimentação, voltaram em melhores condições físicas do que quando partiram, tinham de fato se batido contra o melhor exército do mundo.

Embora nossos aliados anglo-saxões fossem de um racismo mais do que explícito – exemplo disso é o de que negros americanos, com raríssimas exceções, eram usados em funções de pouca importância, na retaguarda –, o flagelo da discriminação étnica também ocorreu na FEB. Cito apenas dois exemplos: antes da partida para a Itália, ao desfilarem pela avenida Rio Branco, no Rio de Janeiro, os febianos negros foram obrigados pelos seus oficiais a ocupar lugares internos nas formações, e no campo de treinamento em Vada, durante uma visita do primeiro-ministro inglês Winston Churchill, novamente os negros receberam ordens de não se postar nas fileiras frontais da tropa formada. Convém, porém, lembrar que apesar de tudo a FEB foi a única força integrada racialmente. Isto é, reuniu negros, brancos, amarelos e pardos lutando numa só unidade. Se o fato não era relevante para nós, o era para os nossos aliados, que não perdiam oportunidade de visitar o corpo brasileiro a fim de observar suas "esquisitices tropicais".

Infelizmente os aspectos negativos acima narrados são sistematicamente excluídos dos relatos ditos oficiais sobre a campanha da FEB na Itália.

6

Construtores

Entre dois mundos • Guardiões
A palavra e o gesto • Inventores
Lideranças • Sonhadores

ELES E ELAS DOMINAM a arte de nascer e renascer continuamente. Brotam viventes da imaginação coletiva, criada sobre uma raiz original que o tempo varreu para sempre. Suas memórias são reinventadas pela cultura popular, por estudiosos ou por instituições nesse interminável ciclo de recontar o passado histórico.

A matéria de que são feitos é diversa. São homens, mulheres, ousados uns, persistentes outros, sonhadores quase todos. Frequentam extremos das escalas sociais – de presidente a marinheiro –, a tonalidade das diversas paisagens – do litoral ao sertão – mereceram as fortunas da vida, da vitória ao fracasso, suportam todos os humores, são frios e ardentes apaixonados pelo que fabricam.

Na fronteira entre pátria, fé e condição social viveram alguns. Com armas e gestos em defesa do território ou de povos cercados por ameaças cresceram outros. A pena, a palavra e o som foram os instrumentos dos que lutaram por ideias. Isto tudo sem faltar a política, tanto aquela em estado solene quanto em sua forma mais modesta, bordada delicadamente em uma frágil toalha.

A expressão que pode uni-los é, como os próprios personagens, viajante do tempo: serve no passado e nos dias de hoje também, moldando virtudes. Em seu velho dicionário de 1789, Antonio de Moraes Silva registrou que "Constructor, s.m." é "o que faz, traça, e executa." Não é outra coisa que, cada qual ao seu modo, fez e persiste em fazer no território da memória.

Entre dois mundos

•

Maurício do Brasil

Maurício de Nassau foi responsável pelo primeiro contato do Brasil com a Europa moderna, burguesa e industrial, desenvolvendo no Nordeste do país um governo baseado na liberdade, no comércio e no estímulo às ciências e às artes.

EVALDO CABRAL DE MELLO

João Maurício de Nassau-Siegen (1604-1679), Conde de Nassau, governou durante sete anos, de 1637 a 1644, o Brasil holandês. Não era fácil a tarefa. Os problemas enfrentados pelos holandeses no Nordeste eram muito mais complexos do que, por exemplo, os que os franceses tiveram que resolver no Rio de Janeiro ou no Maranhão. Em Pernambuco, não apenas encontraram culturas nativas, mas toda uma sociedade colonial criada pelos portugueses, baseada na grande propriedade, na monocultura da cana, no uso de mão de obra indígena e depois africana. Por consequência, a experiência holandesa no Brasil foi bem mais complexa do que a história dos contatos entre europeus e indígenas, pois abrangia a relação de conflito entre duas diferentes comunidades europeias: os que vieram dos Países Baixos e os lusitanos que haviam povoado a região desde 1534.

Além disso, os holandeses trouxeram consigo ingleses, franceses, alemães e escoceses como soldados, comerciantes e administradores, para não falar na numerosa e influente comunidade judaica de ascendência portuguesa – cujos pais haviam emigrado de Portugal para Amsterdã em fins do século XVI, em busca de segurança e liberdade. Estes judeus não só fundaram em Recife a primeira sinagoga nas Américas, mas, ao abandonarem o Brasil com o fim do domínio holandês, instalaram-se em Barbados, Curaçao e Nova York, cujos cemitérios judaicos ainda hoje guardam os túmulos de judeus nascidos em Pernambuco.

Apesar de serem herdeiros do mesmo legado cristão e ocidental, neerlandeses e portugueses tiveram de se ajustar às realidades do antagonismo entre calvinistas e católicos, tão duro num século como o XVII, conhecido por suas amargas lutas religiosas. Não bastasse esta diferença, havia a disparidade entre o precoce crescimento de valores capitalistas nos Países Baixos - transformando-os no que tem sido justamente chamada "a primeira economia moderna" - e a persistência de Portugal, e colônias, em um sistema que combinava a ética econômica do Antigo Regime com uma expansão ultramarina. Produzindo, assim, o que o historiador inglês Charles Ralph Boxer descreveu como "um império marítimo forjado em feitio militar e eclesiástico". Por fim, as fortunas nacionais dos Países Baixos e de Portugal não podiam ser mais diversas. Enquanto os holandeses viviam seu Século de Ouro, os portugueses estavam às voltas com a prolongada crise de união da dinastia e a guerra de independência contra a Espanha, e, através dos oceanos, na Ásia e na África, com a crescente concorrência comercial por parte de holandeses e ingleses.

O governo de Nassau foi à preamar do que Gilberto Freyre chamou "o primeiro grande contato com o mundo, com a Europa nova, burguesa e industrial, que tivera a colônia portuguesa da América". Abandonando Olinda, os batavos (habitantes da Batávia, depois nomeada Holanda) ergueram em Recife pontes, palácios, observatório, jardim botânico e zoológico. Para Joaquim Nabuco, "os holandeses trouxeram para este país, num tempo em que eles não floresciam aqui", dois grandes princípios modernos de liberdade: de consciência e de comércio. Nassau compreendeu que a estabilidade da conquista dependeria de transformar comunidades tão diversas no que ele mesmo chamou de "um só povo". E fez o que pôde para desenvolver um clima de tolerância religiosa, a despeito das pressões do clero calvinista.

O outro pilar de sua política foi a liberdade de comércio. A Companhia das Índias Ocidentais constituía um monopólio comercial, e Nassau teve de lutar, com o apoio dos negociantes de Amsterdã, para limitá-lo ao tráfico de escravos, de pau-brasil e de munições, liberando o açúcar – principal negócio colonial – a todos os neerlandeses e aos estrangeiros, tendo em vista que estes, como acionistas da Companhia das Índias, podiam comerciar com o Brasil holandês.

Mas Nassau é sobretudo lembrado pelo seu patrocínio às artes e às ciências. Graças a ele os naturalistas Georg Markgraf e Willem Piso realizaram as investigações que levaram à publicação da *Historia Naturalis Brasiliae* (História natural do Brasil) em 1648 e à primeira observação de um eclipse solar nas Américas. Também trouxe consigo, remunerando-os do seu próprio bolso, Albert Eckhout e Frans Post, que, juntamente com Zacharias Wagener, pintaram, pela primeira vez, a paisagem brasileira e os tipos humanos que a povoavam. Ele não resistiu, em especial, ao seu gosto pela arquitetura, pela jardinagem e pelo planejamento urbano. Com seus recursos edificou uma residência rural, construída no atual bairro das Graças, em Recife, além dos palácios da Boa Vista e de Friburgo, este último uma adaptação da arquitetura palladiana, estilo arquitetônico inaugurado na Renascença italiana, às condições tropicais. Condição que o conde holandês apreciou a ponto de, ao retornar à Europa, dormir em rede, ao menos quando era acometido por seus problemas renais.

Manuel Calado do Salvador, um frade português que conviveu com Nassau, descreveu-o nos seus afazeres diários, como, por exemplo, na construção da Mauritstadt (Cidade Maurícia), atuais bairros de Santo Antônio e São José, no centro do Recife: "para afervorar os moradores a fazerem casas, ele mesmo, com muita curiosidade, lhe andava deitando [lançando] as medidas e endireitando as ruas, para ficar a povoação mais vistosa, e lhe trouxe a entrar pelo meio dela, por um dique ou levada, a água do rio Capibaribe (...) pelo qual dique entravam canoas, batéis e barcas para o serviço dos moradores, por debaixo das pontes de madeira, com que atravessou em algumas partes este dique, a modo de Holanda." Do areal atrás do palácio de Friburgo fez um jardim onde abrigou "todas as castas de aves e animais que pôde achar", bem como "todas as castas de árvores de fruto que se dão no Brasil e ainda muitas que lhe vinham de diferentes partes", inclusive dois mil coqueiros ao longo de alamedas em que se erguiam "algumas casas de jogos e entretenimentos, aonde iam as damas e seus afeiçoados a passar as festas no verão e a ter seus regalos e fazer suas merendas e beberetes, como se usa na Holanda, com seus acordes instrumentos; e o gosto do Príncipe era que todos fossem ver suas curiosidades e ele mesmo, por regalo, as andava mostrando, e para viver com mais alegria deixou as casas aonde morava e se mudou para o seu jardim com a maior parte dos seus criados".

Nassau viria a perder ainda no Brasil, e antes da insurreição luso-brasileira, que agudamente previu desde 1642, a ilusão de que o governo de uma companhia de comércio pudesse reconciliar definitivamente o domínio holandês com os luso-brasileiros, que encaravam invariavelmente suas relações com os neerlandeses sob as lentes de uma incompatibilidade radical – que hoje diríamos cultural –, resistindo tenazmente por preservar a fé católica, o sentimento nacional português e a fidelidade monárquica, diante da convivência com hereges ou não católicos, estrangeiros, que eram também gente com reputação de costumes devassos, e homens sem rei, pois as Províncias Unidas dos Países Baixos viviam sob regime republicano.

É bem conhecido o processo mediante o qual, sob a dominação estrangeira, o sentimento nacional tende a se proteger sob a carapaça do exclusivismo religioso (como na Irlanda e na Polônia). Quando Nassau estimulou a vida citadina a que os holandeses estavam habituados na metrópole (a Holanda e a Zelândia foram sobretudo repúblicas de cidades), só teve êxito junto à população vinda do exterior, o que a impediu de promover contatos íntimos entre dominadores e dominados. Enquanto o Recife se especializou em urbe, isto é, cidade, administrativa e comercial, onde predominavam o funcionário e o negociante estrangeiros, o campo, palco da atividade agrícola e fabril, se tornou o local mais sagrado e inviolável da pureza e do casticismo lusitanos.

Graças especialmente a Nassau, provavelmente o primeiro governante dotado de consciência ecológica, a presença neerlandesa continua a ser lembrada naquela parte do Brasil. Na imaginação popular, tornou-se 'o tempo dos flamengos', como os portugueses costumavam nomear os holandeses. Trata-se de uma época antes mítica que histórica, no decurso da qual a terra foi administrada por uma nação rica, capaz de prodigiosas obras de engenharia.

Um viajante francês, no começo do século XIX, observou que a memória de Nassau ainda era reverenciada; e que "cada vez que encontramos alguma construção importante, somos informados de que foi edificada pelos holandeses". E uma autoridade portuguesa admitia que o quarto de século de ocupação neerlandesa havia construído mais obras públicas do que os 170 anos de colonização portuguesa que se haviam seguido. Ironicamente, essa percepção do progresso material dos Países Baixos tendia a atribuir aos batavos edificações de origem efetivamente portuguesa, além de fornecer argumentos aos críticos do colonialismo lusitano quando amadureceu o tempo da independência nacional.

A ironia peculiar à reabilitação do domínio holandês, por parte dos nativistas do século XIX – que atiravam à face do português o exemplo de uma colonização de tipo superior, que teria feito o progresso material e moral do país –, reside precisamente em que a seus antepassados do século XVII é que se devia a rejeição intransigente de tudo o que fosse batavo.

Ainda hoje reiterado pelos oradores em solenidades oficiais, é um anacronismo oitocentista a noção segundo a qual caberia detectar na restauração pernambucana os preâmbulos da consciência nacional brasileira. Na medida em que o movimento constituiu uma manifestação de consciência nacional – da qual é difícil separar o que foi especificamente nacional do que foi propriamente religioso –, a restauração pernambucana foi antes uma reação da consciência portuguesa dos colonos do Nordeste, reativada pela presença estrangeira de hereges e pela recente independência de Castela readquirida pelo reino. Só a partir do retorno da suserania (domínio político) lusitana é que se passou a interpretar o episódio de modo diferente, e assim mesmo não em termos de sentimento nacional, mas local.

Chica da Silva além do mito

Mais que um mulata sedutora e travessa, a ex-escrava atuou com habilidade, cálculo e charme para assegurar uma sólida ascensão social, apesar dos preconceitos.

JÚNIA FERREIRA FURTADO

Desde o filme de Cacá Diegues, que marcou o Cinema Novo brasileiro na década de 1970, a figura lendária da escrava diamantinense Chica da Silva ficou imortalizada na personagem sensual, debochada e travessa, representada pela artista brasileira Zezé Mota. Mas nem sempre foi assim. Sua história foi contada pela primeira vez por Joaquim Felício dos Santos, advogado em Diamantina e historiador nas horas vagas, no livro *Memórias do distrito Diamantino*, publicado em 1868. Em suas páginas, Chica deixava as brumas que ocultavam o passado da região e entrava definitivamente na História. No entanto, a imagem de Chica da Silva construída por esse autor foi extremamente negativa, descrevendo-a como uma mulata alta, corpulenta, boçal e careca, sem atrativos que justificassem uma forte paixão. Era incompreensível, para Felício dos Santos, que uma escrava como ela pudesse despertar a atenção de um homem branco e bem-situado, no caso o contratador dos diamantes João Fernandes de Oliveira, e chegar a uma posição de destaque na sociedade local.

Até meados do século XX, a verdadeira aparência de Chica da Silva ainda gerava controvérsias. Alguns afirmaram que, quando Felício dos Santos escreveu, ainda existiam pessoas no Tejuco que a haviam conhecido e não poderiam enganar-se sobre sua aparência. Em 1924, Nazaré Meneses, autora das notas de uma nova edição das *Memórias do distrito Diamantino*, afirmou que ela não poderia ser feia ou asquerosa, pois despertara o amor do jovem contratador. Pouco depois, o jornalista Antônio Torres, ao fazer apontamentos sobre a história do arraial do Tejuco, já então cidade de Diamantina, registrou que o cadáver de Chica foi encontrado, anos depois da sua morte, ainda conservando "a pele seca e negra", e que os passantes se horrorizavam e fugiam ao ver o corpo incorrupto da ex-escrava. A partir daí, a vida de Chica da Silva foi retratada em livros de História, roteiros turísticos, romances, peças de teatro, músicas, poemas, filmes e novelas. Sem se basearem em uma pesquisa histórica sólida, essas produções criaram novos estereótipos, descrevendo uma Chica distante da mulher de carne e osso que viveu no arraial do Tejuco, dos anos 1730 a 1790.

Chica nasceu por volta de 1732, no arraial do Milho Verde, a meio caminho entre o Tejuco e a Vila do Príncipe – hoje cidade do Serro. Era mulata clara, filha de negra com homem branco, fato comum na sociedade da época, em que as mulheres, principalmente brancas, eram raras. Sua mãe chamava-se Maria, escrava africana oriunda da Costa da Mina, e seu pai o português Antônio Caetano de Sá. Ainda jovem, foi vendida a Manuel Pires Sardinha, proprietário de lavras e médico no Tejuco. Em 1751, teve o primeiro filho, Simão, com seu próprio senhor. Ela era então muito jovem, e Manuel Pires Sardinha quase um sexagenário. No registro de batismo, ele não assumiu a paternidade de Simão, mas deu-lhe a alforria. Mais tarde, em seu testamento, reconheceu Simão como um de seus herdeiros, mesmo já tendo dois outros filhos.

João Fernandes de Oliveira nasceu em Mariana, em 1727, filho do sargento-mor de mesmo nome e de Maria de São José, natural do Rio de Janeiro, primeira esposa do sargento-mor. Estudou em Portugal, formando-se em cânones na Universidade de Coimbra, e recebeu o importante título, comprado pelo pai, de Cavaleiro da Ordem de Cristo. Tornou-se desembargador ao ser nomeado para o Tribunal da Relação do Porto e, em 1763, juiz do Fisco das Minas Gerais. Em 1753, ele chegou ao Tejuco, como um dos arrematantes do quarto contrato efetuado pela Coroa para a extração de diamantes. Sua trajetória refletia o processo de ascensão social que seu pai, antigo contratador, procurava garantir para o herdeiro. João Fernandes de Oliveira, o velho, apesar da enorme fortuna, alcançou apenas o título de sargento-mor, pelo qual era sempre referido. "Solteiro, de boa vida e costumes" e coberto de nobreza, João Fernandes, surpreendentemente, envolveu-se com Chica da Silva, com quem teve relação estável – mas não oficial, pois, na época, o casamento era reservado apenas aos indivíduos do mesmo *status* social – e de fidelidade, ainda que tivessem que viver separados em seus últimos anos, ela no Tejuco e ele em Lisboa. Chica da Silva teria entre 18 e 22 anos quando João Fernandes, então com 26, a conheceu. Jovem, tinha a beleza das mulheres mestiças descendentes das africanas oriundas da Costa da Mina. Ele a comprou de Manuel Pires Sardinha por oitocentos réis, e, no Natal do mesmo ano, a alforriou. Meses depois, em 1754, ficou grávida de João Fernandes. Em abril do ano seguinte, era batizada a primeira filha do casal, a mulata Francisca de Paula. Embora registrada como de pai desconhecido, no documento Chica ostentou pela primeira vez o sobrenome Oliveira, em vez do habitual "Francisca, parda, escrava de..." O casal teve 13 filhos, tendo sido encontrados os registros de batismo de 11 deles. Em 1756, João, o primogênito. No ano seguinte, Rita, e, dois anos depois, Joaquim. Em 1761, Antônio Caetano, seguido de Ana, Helena e Luísa. Em 1766, nasceu Maria, no ano seguinte Quitéria Rita e, em 1769, a caçula das mulheres, Mariana. Antônia nasceu provavelmente em 1765 e José Agostinho em 1770.

Entre os padrinhos dos filhos de Chica e João Fernandes não havia autoridade importante da capitania ou mesmo do distrito, o que faz supor uma certa dificuldade do contratador em estabelecer alianças com representantes da Coroa. As crianças foram batizadas por importantes moradores do Tejuco, sinal provável de que a sociedade local aprovava aquela relação não oficial entre pessoas diferentes em suas condições sociais. Além de Manuel Pires Sardinha, que batizou a primogênita Francisca de Paula, apadrinharam as outras crianças o sargento-mor José da Silva de Oliveira, velho amigo do pai do contratador, e o coronel José Velho Barreto, importante fazendeiro e negociante por atacado no Tejuco. Seu tio Ventura Fernandes de Oliveira, estabelecido em Vila Rica, foi padrinho de Joaquim. Os demais padrinhos eram militares locais de baixas patentes, como o sargento-mor Antônio Araújo de Freitas, o capitão Luís Lopes da Costa, padrinho de Ana, Helena e Luísa, e os capitães Francisco Malheiros e Luís de Mendonça Cabral.

Francisca da Silva de Oliveira agia como qualquer senhora da sociedade. Educou todas as filhas no Recolhimento de Macaúbas, o melhor educandário das Minas na época. Em 1767, recolheu em Macaúbas as mais velhas – Francisca de Paula, de 12 anos, Rita Quitéria, de 10, e Ana Quitéria, com 5 – pagando por matrícula, no ano seguinte, o dote de novecentos mil-réis em barras de ouro. As meninas levaram com elas, para as servirem em seu retiro, três escravas pardas e mais um casal, que ficava de fora. Contavam também com mais sessenta mil-réis anuais, que João Fernandes pagou adiantado no primeiro ano, para o seu sustento.

Em 1780, já estavam ali também outras quatro filhas do casal: Helena, Luísa, Maria e Quitéria. Esse ano foi decisivo na vida das moças. Como João Fernandes morrera em fins de 1779, Chica decidiu que todas voltariam ao seu convívio, apesar de não haver evidências de dificuldades econômicas, já que todas receberam dotes do pai, na forma de fazendas. Provavelmente Chica achou melhor prepará-las para o casamento do que manter os gastos com a iniciação à vida monástica. Outra hipótese é ter ela se inquietado com possíveis irregularidades no Recolhimento, pois, na mesma época, o bispo frei Domingos da Encarnação Pontevel havia proibido a livre entrada na Casa, visando a sua moralização. Também teriam influído em sua decisão a ausência do amparo financeiro paterno e a necessidade de encaminhar as filhas na vida.

Chica e os filhos pertenceram às principais irmandades do Tejuco, centros privilegiados de reconhecimento social. O livre trânsito da mulata e da sua descendência nas diversas irmandades, inclusive de brancos, como as do Santíssimo, São Miguel e Almas, Carmo e São Francisco, mesmo depois da morte de João Fernandes, revelam que Chica conseguira a ascensão desejada. Ela era irmã nas confrarias de brancos, como as do Santíssimo, Terra Santa, São Francisco, no Tejuco, e Nossa Senhora do Carmo da Vila do Príncipe; de mulatos, como a das Mercês, e de negros, como a do Rosário, na qual chegou a ocupar cargos de direção, duas vezes como juíza e uma vez como irmã da mesa diretora. O primeiro filho, Simão Pires Sardinha, entrou para a irmandade de São Miguel e Almas em 1762, sendo também irmão do Santíssimo e das Mercês, e João Fernandes pertencia a São Miguel e Almas e foi irmão da Mesa da Irmandade do Rosário, ali ocupando o cargo de juiz de São Benedito. Já Francisca de Paula era irmã do Santíssimo, São Miguel e Almas, Carmo, São Francisco, Mercês e Rosário.

A morte do velho sargento-mor João Fernandes de Oliveira, em 1770, em Portugal, iria interferir de forma irreversível na vida de Chica e do desembargador João Fernandes no Tejuco. Em 1748, o sargento-mor casara-se em segundas núpcias com uma rica viúva, Isabel Pires Monteiro, num enlace arranjado pelo governador Gomes Freire de Andrade, seu amigo.

Casamento de interesses, os nubentes estabeleceram um pacto pré-nupcial: a noiva incorporou seu patrimônio ao do marido e, em troca, quando da morte dele, caso não tivessem filhos, ela retiraria da herança apenas o montante correspondente aos seus bens. No entanto, poucos dias antes de o sargento-mor falecer, Isabel conseguiu que ele alterasse o testamento, concedendo-lhe o direito à metade dos bens do marido. João Fernandes deixou Chica com as crianças no Tejuco e retornou imediatamente a Portugal, para tentar anular o testamento. O arrendamento de inúmeros contratos de cobrança de impostos em Minas em parceria com o pai havia tornado os interesses de ambos indissociáveis. Nos últimos anos, o filho contribuíra para o enriquecimento da família e via a herança paterna como recompensa pela boa administração dos diversos contratos de extração de diamantes que administrara em seu nome, ou em sociedade. Foi esse o verdadeiro motivo da partida precipitada de João Fernandes para Lisboa, e não, como foi difundido, supostos conflitos entre o contratador e a Intendência dos Diamantes. A decretação do monopólio régio dos diamantes pela Coroa, com a criação, em 1771, da Real Extração, não significava retaliações pessoais contra o contratador, mas sim um efeito da política pombalina de fazer retornar ao controle da Coroa as riquezas de além-mar.

Ao retornar a Portugal, João Fernandes nomeou um tutor para as crianças e um representante junto ao contrato de exploração dos diamantes, além de redigir um testamento que garantia a herança aos filhos ilegítimos. Chica, por sua vez, também redigiu seu testamento dispondo dos bens entre os filhos. Provavelmente já alfabetizada, assumiu o compromisso de garantir a educação e os cuidados com as filhas, enquanto João Fernandes levou para o reino os quatro filhos homens, além de Simão Pires Sardinha, o primeiro filho de Chica, que se responsabilizaria pelo futuro dos irmãos. Disposto a introduzir os filhos na Corte, o ex-contratador ocultou as origens deles e sua relação com a ex-escrava, não por esquecimento ou ingratidão, mas, ao contrário, para dignificar a prole na sociedade hierarquizada do reino. Com isso, mesmo à distância, cuidava de Chica a quem transmitira, no Tejuco, a posse de vastos bens – e de seus filhos e filhas.

No dia 16 de fevereiro de 1796, dona Francisca da Silva de Oliveira morria em sua casa, no arraial do Tejuco. Não era mais uma escrava parda sem nada de seu, mas uma senhora de "grossa casa", como se dizia, possuidora de imóveis e de escravos. O reconhecimento social ficou patente no sepultamento: ela foi enterrada na tumba número 16, no interior da igreja da Irmandade de São Francisco de Assis, que congregava a elite branca local. Em missa de corpo presente, com todos os ritos e sacramentos que distinguiam os irmãos, sua alma foi encomendada diante de todos os sacerdotes do arraial, paramentados com sobrepeliz e estola roxa. Ao terminar o ofício, dobraram os sinos e o corpo foi levado em procissão à sepultura, acompanhado pelos irmãos e pelos párocos, que carregavam velas acesas. No mês seguinte à sua morte, devem ter sido rezadas 24 missas em intenção de sua alma, na matriz de Santo Antônio, direito que adquirira ao se filiar à Irmandade do Santíssimo Sacramento. Nesse mesmo ano de 1796, cumprindo-se seu desejo, foram celebradas quarenta missas por sua alma na igreja das Mercês.

A reconstrução da história de Chica da Silva com base em novos documentos lança luz sobre o tempo em que viveu e os significados de sua trajetória. Assim como outras ex-escravas, Chica alcançou a liberdade, amou, teve filhos, educou-os e buscou ascender socialmente, provavelmente desejando reduzir a marca que a condição de parda e forra impunha a ela e a seus descendentes. Inserção contraditória, ao buscar o reconhecimento da sociedade branca, foi, porém, a única maneira que mulheres como ela encontraram para retomar o controle sobre suas vidas, acumulando bens, transitando entre as irmandades, tornando-se senhora de escravos. Seu itinerário é revelador também das relações entre os grupos étnicos nas

Minas Gerais do século XVIII. Sob o manto de pretensa democracia racial, sutil e veladamente uma sociedade mestiça procurava branquear-se e escapar por variados recursos, inclusive a dissimulação, da fria exclusão sociorracial.

Transferido para o lado de fora do templo, em sepultura vertical, o corpo de Chica da Silva permaneceu esquecido na igreja de São Francisco, se for mesmo verdade o relato de Antônio Torres. O tempo, no entanto, perpetuou a memória da parda Chica da Silva e de sua união com o poderoso contratador dos diamantes. Ao contrário das inúmeras mulheres negras que povoaram as ruas do Tejuco setecentista, cuja lembrança se dissolveu nos séculos, sua trajetória imortalizou-se no mito da "Chica que manda".

José Bonifácio inconformado

Influenciado pelo iluminismo, José Bonifácio foi um jovem inconformista e combativo, que chegou a pegar em armas, em Portugal, para enfrentar o invasor francês.

ANA CRISTINA ARAÚJO

As elites brasileiras se preocuparam desde cedo em bem encaminhar as novas gerações. No século XVIII, o ingresso na Universidade de Coimbra, reformada pelo Marquês de Pombal em 1772, era o passaporte simbólico para a realização dos seus melhores sonhos e aspirações. Com os filhos formados na metrópole, as famílias mais ilustres do Brasil se viam em condições de disputar para eles cargos e carreiras na administração e na Justiça da Coroa, garantindo-lhes o futuro e a ascensão na sociedade colonial. Bonifácio José Ribeiro de Andrada (1726-1789), rico e respeitado comerciante de Santos, foi um daqueles que não descuraram da formação de seus filhos varões. Às expensas do patrimônio familiar, três de seus dez descendentes - José Bonifácio, Martim Francisco e Antônio Carlos - se beneficiaram de uma esmerada educação aqui no Brasil e prosseguiram seus estudos na "Lusa Atenas", como costumavam se referir à prestigiosa universidade portuguesa.

José Bonifácio ingressou em Coimbra aos 20 anos. Em 1783, matriculou-se no primeiro ano do curso jurídico, concluindo sua formatura em Leis em julho de 1788. Iniciou o segundo ano em 12 de outubro de 1784, frequentando, com brilho, as cadeiras de direito, filosofia natural e matemática. No ano seguinte, a 19 de outubro, inscreveu-se no terceiro ano. Em 6 de outubro de 1786 já estava matriculado no quarto ano, e em 11 de outubro de 1787 pagou as suas últimas "propinas" (mensalidades) à Universidade.

A Congregação da Faculdade de Leis atribuiu-lhe o diploma do Curso Jurídico com as seguintes qualificações: "Em procedimento e costumes aprovado por todos; em merecimento literário com cinco votos de bom e dois de muito bom." Habilitado com as cadeiras preparatórias de matemática e filosofia natural, conforme impunham os Estatutos Pombalinos de todas as faculdades, prosseguiu paralelamente sua formação na Faculdade de Filosofia, vindo a concluir com brilhantismo seus estudos filosóficos em 16 de julho de 1787. Enfim, no espaço de cinco anos fez dois cursos e obteve dois diplomas acadêmicos.

No período, frequentavam a Universidade de Coimbra 22 jovens oriundos da América portuguesa, alguns dos quais se tornariam muito próximos de José Bonifácio: Manuel Ferreira da Câmara Bethencourt, João Evangelista de Faria Lobato, José Egídio Álvares de Almeida, Bernardo de Sousa Barradas e Francisco de Melo Franco. Estes jovens ilustrados não se contentavam com o currículo universitário. Entregavam-se também à leitura de obras proibidas, sendo alguns deles acusados pelos professores de manifestarem, publicamente, atitudes e opiniões "incrédulas" e "libertinas".

Sem receio de errar, o professor da Faculdade de Cânones e bibliotecário da Universidade, João Pedro Ribeiro, anotou os nomes dos ídolos intelectuais que mais entusiasmavam a juventude acadêmica da época: Montesquieu, Rousseau, Voltaire, Mably, Blackstone, Diderot, Condorcet, Mirabeau, Marmontel, Holbach, Helvétius e Filangieri. Em 1777, D. Francisco de Lemos de Faria Pereira Coutinho, reitor reformador escolhido pelo Marquês de Pombal para zelar pela renovação dos estudos de todas as faculdades, não deixava também de reconhecer que "os estudantes da Nova Reforma" se tornaram conhecidos por "pensarem livremente em pontos de religião". Com manifesta complacência, defendia que os espíritos livres triunfavam sobre os excessos e as indiscrições de alguns, aplicando-se a maioria dos rapazes ao estudo de "conhecimentos necessários e utilíssimos".

Um traço comum caracterizava a formação dos estudantes: o reconhecimento da importância do estudo da filosofia e das ciências e o gosto pela discussão sobre política e religião. Mas as audácias de espírito desta juventude inconformista não ficavam por aqui. No meio estudantil, corriam de mão em mão manuscritos anônimos, com poesias e libelos satíricos que ridicularizavam a tacanhez de alguns professores e denunciavam a falta de tolerância que então se vivia na academia.

As composições mais conhecidas e glosadas eram o *Desertor das Letras* (1774), a *Ode a Fileno* (c. 1786) e a *Lanterna Mágica ou Trombeta* (1818). Como se depreende das datas de alguns desses textos, a geração de José Bonifácio estava no centro de uma cultura subterrânea de contestação. Lê-los, naquela época, era perigoso. As notícias dos 14 indivíduos penitenciados no auto-de-fé público de 1781 - livres-pensadores presos por perfilharem "ímpias doutrinas" - causavam inquietação e medo entre os estudantes.

No rol dos sentenciados encontravam-se dois estudantes brasileiros: Francisco de Melo Franco, matriculado em medicina, que pouco depois incendiaria a universidade com a divulgação do *Reino da Estupidez* (1784); e o poeta António de Sousa Pereira Caldas, a quem se atribui a *Ode ao Homem Selvagem* (1784), composição fortemente influenciada pela leitura de Jean-Jacques Rousseau. O poema satírico *Reino da Estupidez*, de que se conhecem várias versões manuscritas, parece ter sido da lavra de Francisco de Melo Franco, entretanto absolvido e readmitido, no segundo ano do curso de medicina.

José Bonifácio devia também à Universidade de Coimbra o início de uma sólida formação como naturalista. Domingos Vandelli (1730-1816), seu professor de História Natural, reconhecendo sua inteligência e inclinação para todas as matérias relacionadas ao estudo do universo físico, encarregara-se, no final do curso, de recomendá-lo ao Duque de Lafões (1719-1806), presidente da Academia Real das Ciências de Lisboa. Com o seu talento e beneficiando do alto patrocínio do Duque de Lafões e do naturalista abade Correia da Serra, José Bonifácio impressionou os sábios daquela agremiação. Ingressou na Academia em 4 de março de 1789 como sócio livre, com apenas 26 anos.

Embora pensasse nessa época em exercer algum cargo ligado à magistratura, foi porém como filósofo, ou, como ele próprio se define, na qualidade de "constante indagador da verdadeira e útil filosofia", que apresentou sua primeira memória à Academia das Ciências de Lisboa. Versava sobre "a pesca das baleias e extracção do seu azeite, com algumas reflexões a respeito de nossas pescarias" (1790). Publicou depois, com regularidade, outros importantes trabalhos de Mineralogia e História Natural com a mesma chancela acadêmica. Uma década mais tarde, seus méritos como homem de ciência, dotado de um espírito livre e tolerante, já eram reconhecidos em toda a Europa e ratificados pelas principais academias e centros de saber, de Paris a Viena, de Berlim a Upsala, de Londres a Viena.

Seu percurso internacional, impulsionado pelo Duque de Lafões, que lhe franqueia os primeiros contatos no exterior, é financiado pelo governo e tem o apoio de diplomatas, como Luís Pinto de Sousa Coutinho. Foi este que assinou, em 31 de maio de 1790, a minuciosa "Instrução da Viagem Filosófica Europeia", que poria José Bonifácio em contato com influentes cientistas estrangeiros e embaixadores residentes nos países que visitou.

Por um período de dez anos (1790-1800), José Bonifácio percorreu, na companhia de Manuel Ferreira da Câmara e Joaquim Pedro Fragoso, os mais importantes centros científicos europeus. Nesta longa e cosmopolita expedição, viveu quase exclusivamente devotado à ciência, que cultivava com entusiasmo. Numa conjuntura marcada pelos ecos da Revolução Francesa (1789-1799) – cujo desenrolar inicial acompanha, em Paris, com desconfiança e apreensão –, mantém um calculado afastamento de todas as convulsões políticas que atingem o Velho Continente. E a mesma atitude parece pautar o seu olhar sobre o futuro do Novo Mundo, após a declaração de independência das colônias inglesas da América do Norte (1776) e a Inconfidência Mineira (1789), no Brasil.

Ele regressa a Portugal coroado de prestígio internacional e disposto a pôr a serviço do bem público as ideias e os valores do iluminismo. Pretendia, com o que vira praticado em outras nações e com os conhecimentos que adquirira, dinamizar, em primeiro lugar, o desenvolvimento das atividades econômicas, modernizando tecnologicamente a indústria, em especial a metalurgia, difundindo ensinamentos aos agricultores e fabricantes, melhorando as infraestruturas viárias, tirando o melhor partido das riquezas naturais e auxiliando o progresso material com o incremento do bem-estar, da educação e da saúde das populações.

Em 15 de abril de 1801, voltou a Coimbra para ministrar a recém-criada cadeira de metalurgia. Acumula, então, as funções de lente da Universidade com as atribuições de intendente-geral das Minas e Metais do Reino e diretor do Real Laboratório da Casa da Moeda, com o especial encargo de aí realizar experiências de Química e Docimasia, além de outros cargos. Em 1805, foi nomeado desembargador da Relação e Casa do Porto.

À sua elevada posição política, José Bonifácio associava o peso de missões científicas de indiscutível complexidade. Em todos estes domínios e numa conjuntura difícil, marcada pela guerra e pela incerteza sobre os rumos políticos do país, revelou grande competência e brio no serviço que prestou à Coroa portuguesa. Durante as invasões francesas (1807-1811), participou ativamente do movimento libertador, integrando o corpo voluntário de batalhões acadêmicos. Pegou em armas, preparou munições e coordenou operações militares.

Com o doutor Tomé Rodrigues Sobral, produziu, no Laboratório Químico da Universidade, pólvora para abastecer as tropas aliadas. Sob o comando do coronel Trant, governador das armas de Coimbra, encarregou-se, em 1809, dos trabalhos de fortificação da cidade e dirigiu operações ofensivas arriscadas na região da Beira. Por sua lealdade e valentia, recebeu louvores dos governadores do reino e dos chefes do Exército português.

Em seu último discurso proferido em sessão pública, na Academia Real das Ciências de Lisboa, em 24 de junho de 1819, na nobre qualidade de secretário perpétuo – cargo que aí exercera durante sete anos consecutivos –, sublinhou seu genuíno apego à causa comum do Império Luso-Brasileiro: "Mostrei, senhores, que o estudo das letras não desponta as armas, nem embotou um momento aquela valentia, que sempre circulara em nossas veias, quer nascêssemos aquém ou além Atlântico." Esta seria, talvez, a última ocasião de se despedir do país que fora o seu legítimo berço, mas não o túmulo das suas esperanças e ambições.

Guardiões

•

Maria Quitéria vai à guerra

A extraordinária trajetória da heroína baiana que se alistou no Exército como soldado para lutar com destreza pela Independência do país.

PATRÍCIA VALIM

Quem passar por um terreiro de umbanda e candomblé na Bahia vai conhecer uma das mais importantes pombagiras atuando por lá, da falange das baianas e boiadeiras guerreiras. O canto que faz sua saudação diz: "eu tenho um nome tão lindo/ mas eu só uso em tempo de guerra/ quer saber o meu nome/ eu sou Maria/ mas não vão se confundir por aí/ porque eu sou Maria Quitéria/ dizem que ela é faceira/ formosa e guerreira."

Até chegar a esse lugar no panteão das divindades conduzida pela cultura do povo, Maria Quitéria construiu uma das mais belas trajetórias de mulheres guerreiras que se conhece. Não foi a única, como mostram as lutas pela independência do Brasil que se passam na Bahia desde os primeiros meses de 1822. Ali foi decisiva a participação de mulheres. Quarenta delas integraram um destacamento comandado pela negra baiana Maria Felipa, que entrou para a História por surrar soldados portugueses e comandar o episódio no qual as mulheres de seu destacamento atearam fogo em 42 embarcações da metrópole. Outra líder do movimento foi Joana Angélica, até hoje um símbolo de resistência e bravura por ter sido assassinada à queima roupa ao se opor à invasão das tropas portuguesas comandadas pelo general Madeira no Convento da Lapa em busca de soldados baianos.

Mas nenhuma dessas mulheres ganhou tanta fama popular como Maria Quitéria, a heroína mais reverenciada até hoje não apenas como pombagira, mas também nas comemorações da Independência na Bahia, o chamado "2 de Julho". Nesta data as tropas brasileiras libertadoras entraram na cidade de Salvador e foram recebidas pela população com toda pompa e circunstância.

Seu nome de batismo é Maria Quitéria de Jesus, uma menina bonita com traços doces que nasceu provavelmente em 1792, no sítio do Licurizeiro, arraial de São José de Itapororocas, hoje Distrito de Maria Quitéria, no sertão da Bahia. Filha primogênita do segundo casamento de Gonçalo Alves de Almeida e Quitéria Maria de Jesus, Maria Quitéria só seria batizada em 27 de julho de 1798, vivendo uma infância tranquila até os 10 anos, quando sua mãe faleceu.

Durante cinco meses, Maria Quitéria ficou encarregada do cuidado da casa e de seus dois irmãos mais novos até que seu pai casou-se novamente com Eugênia Maria dos Santos, que morreu logo depois do casamento. Com esse novo falecimento, seu pai vendeu o sítio e comprou a fazenda Serra da Agulha a oitenta quilômetros de Cachoeira. Como criador de gado e produtor de algodão, Gonçalo viu seus negócios prosperarem e casou-se novamente, dessa feita com Maria Rosa de Brito, tendo mais três filhos. Maria Quitéria e a última esposa de seu pai nunca se entenderam. Dona Maria Rosa de Brito não se conformava com o fato de que aquela menina preferia manejar armas de fogo, caçar, montar e domar cavalos a aprender a fiar, tecer, coser, cuidar da casa e preparar-se para o matrimônio. Havia até um pretendente, Gabriel Pereira de Brito, que não escondia sua paixão pela menina.

Pelos idos de 1822, um emissário das tropas brasileiras bateu à porta da fazenda do pai de Maria Quitéria para requerer dinheiro e voluntários à causa da Independência. Gonçalo Dias de Almeida desculpou-se com o visitante, afirmando que não havia como colaborar pois seus filhos homens ainda não tinham idade para os campos de batalha. Ao ouvir a conversa, Maria Quitéria, para surpresa de todos, se apresentou como voluntária para lutar contra as tropas portuguesas. O pai, no entanto, não se conformou e chamou a atenção da filha na frente de todos. Como uma mulher pretendia guerrear em frentes de combate nos quais só existiam homens rudes e truculentos?

Mas a jovem era dura na queda. No dia seguinte foi até a casa de uma irmã mais velha por parte de pai, Teresa, e pediu-lhe emprestado o uniforme de seu cunhado soldado, José Cordeiro de Medeiros, de quem também tomou o sobrenome emprestado. Após fugir de casa, Maria Quitéria alistou-se no Regimento de Artilharia travestida de "Soldado Medeiros", com 30 anos, os cabelos curtos e devidamente trajada. Destacando-se pelo manejo com armas de fogo, logo depois jurou bandeira no Batalhão dos Voluntários do Príncipe, chamado de Batalhão dos Periquitos por causa dos punhos e da gola verde do uniforme.

Enquanto isso seu pai inconsolado procurava a filha desaparecida. Após duas longas semanas percorrendo as cercanias da vila de Cachoeira, Gonçalo Dias de Almeida descobriu toda a verdade. Contrariadíssimo, dirigiu-se ao quartel, revelou a verdadeira identidade do "Soldado Medeiros" ao comandante do Batalhão, major José Antônio da Silva Castro, e depois de reprovar publicamente a atitude de Maria Quitéria, implorou que ela voltasse para casa com ele.

Apesar dos apelos de seu pai, ela manteve-se firme em sua decisão, sobretudo depois que o comandante de seu batalhão a defendeu, alegando que nunca vira uma moça, apesar dos traços tão delicados, dominar com tamanha destreza o manejo de armas de fogo. A partir desse momento Maria Quitéria assumiu sua condição feminina frente ao batalhão sem precisar mais se passar por homem para ser respeitada. Para coroar suas conquistas, o Conselho Interino, instalado na vila de Cachoeira em 6 de setembro, forneceu-lhe uma espada e dois saiotes escoceses que passaram a fazer parte de seu uniforme para evitar confusão com os demais. Espantada com aquela aparência, a viajante inglesa Maria Graham, que se encontrou com Maria Quitéria no Rio de Janeiro, escreveu em seu diário: "que diriam a respeito os Gordons e os McDonald's? O traje dos velhos celtas, considerado um atrativo feminino!".

Maria Quitéria teria papel de destaque nas batalhas ocorridas por toda a margem da Baía de Todos os Santos até Itapuã. Uma dessas lutas foi o episódio conhecido como "cerco de Pirajá" que definiu as lutas pela

Independência na Bahia a favor dos brasileiros, uma vez que a região impedia o acesso das tropas portuguesas ao Recôncavo, de onde provia a maior parte dos alimentos consumidos na capital. A 29 de outubro de 1822 Maria Quitéria participou com seu batalhão da defesa da ilha da Maré e, logo depois, destacou-se nos combates ocorridos nas regiões de Conceição, Pituba e Itapuã, integrando a Primeira Divisão de Direita.

No final daquele ano comandou ainda o pelotão de mulheres que impediu o desembarque de uma grande tropa de portugueses e, no começo de 1823, participou do chamado "combate da Pituba", atacando uma trincheira inimiga, aprisionando soldados portugueses e levando-os sozinha para o seu destacamento. Em abril, ao lado de outras mulheres e com água na altura dos seios, invadiu uma barca portuguesa que estava na barra do Paraguaçu, impedindo o desembarque dos inimigos em terras brasileiras.

Diante de tanta bravura, o general Labatut, enviado por D. Pedro I para o comando geral da resistência, conferiu à Maria Quitéria as honras de 1° Cadete. Após a entrada triunfal do exército libertador brasileiro na cidade de Salvador e a retirada das tropas portuguesas comandadas pelo general Madeira da capital, em 2 de julho de 1823, Maria Quitéria foi coroada com uma grinalda feita por uma freira do Convento da Lapa e designada a embarcar para a Corte, no Rio de Janeiro, para uma sessão com D. Pedro I.

Joaquim Norberto de Sousa Silva (1820-1891), sócio do Instituto Histórico e Geográfico Brasileiro (IHGB) e autor de *Brasileiras Célebres* (1862) descreve o insólito encontro de Maria Quitéria com o imperador, ocorrido no Paço Imperial em 20 de agosto de 1823: "o imperador, que amava os bravos, que se entusiasmava com a glória das armas, tomando uma insígnia de cavaleiro da sua Imperial Ordem do Cruzeiro, colocou-lhe no peito com a própria mão, dirigindo-lhe estas simples, mas sinceras palavras, que tanto a sensibilizaram: concedo-vos a permissão de usar esta insígnia como um distintivo, que assinale os serviços militares, que com denodo, raro entre os mais de vosso sexo, prestastes à causa da Independência do Império, na porfiosa restauração da Bahia."

Maria Quitéria também recebeu a graça imperial do soldo de Alferes até o fim de sua vida e foi muito solicitada a comparecer em eventos em sua homenagem na Corte. Em uma dessas ocasiões, Maria Graham fez dela uma descrição precisa: "ela é iletrada, mas inteligente. Sua compreensão é rápida e sua percepção aguda. Penso que, com educação, ela poderia ser uma pessoa notável. Não é particularmente masculina na aparência; seus modos são delicados e alegres. Não contraiu nada de rude ou vulgar na vida do campo e creio que nenhuma imputação se consubstanciou contra sua modéstia. Uma coisa é certa: seu sexo nunca foi sabido até que seu pai requereu a seu oficial comandante que a procurasse. Não há nada de muito peculiar em suas maneiras à mesa, exceto que ela come farinha com ovos ao almoço e peixe ao jantar, e fuma charuto após cada refeição, mas é muito sóbria."

Alguns biógrafos contam que Maria Quitéria pediu a D. Pedro I que intercedesse a seu favor pelo perdão de seu pai, o qual a atendeu prontamente, preparando uma carta endereçada a Gonçalo Dias de Almeida. Sua Alteza pedia ao fazendeiro que perdoasse sua filha. Esse documento jamais foi encontrado. O fato é que depois de uma intensa estadia na Corte, Maria Quitéria voltou para a Bahia e foi direto para a casa paterna. Ao chegar à fazenda foi saudada com entusiasmo por parentes e irmãos. Seu pai, contudo, retirou-se da varanda sem dirigir-lhe uma palavra sequer.

Passados alguns dias, nos quais a casa vivia cheia de visitas que apareciam para ouvir as histórias de combates, Gonçalo Dias de Almeida convenceu-se da fama da filha e a perdoou. Maria Quitéria acabou se casando com seu antigo pretendente Gabriel Pereira de Brito com quem teve uma única filha. Dedicou o resto de sua vida aos afazeres da casa, a cuidar da filha e do marido até que em 1835 ficou viúva e mudou-se para Feira de Santana com o objetivo de cuidar de perto do inventário de seu pai, cuja herança ela nunca recebeu.

Nem todos os biógrafos concordam com esta versão, afirmando que seu pai manteve-se irredutível diante de toda a ousadia da filha, chegando a negar-lhe sua parte na herança. O que todos concordam é que Maria Quitéria levou uma vida pacata e reclusa até se mudar com a filha para Salvador, onde viveu de seu parco soldo de alferes. No dia 21 de agosto de 1853, nossa heroína faleceu aos 61 anos, praticamente cega e muito pobre.

De lá pra cá, várias ruas, praças e avenidas do país foram batizadas em sua homenagem. Há, inclusive, uma medalha militar e também uma comenda na Câmara Municipal de Salvador que levam seu nome. Sua imagem está presente em todos os quartéis, estabelecimentos e repartições militares do país, por determinação ministerial. Pelo decreto presidencial de 28 de junho de 1996, Maria Quitéria foi reconhecida como Patrona do Quadro Complementar de Oficiais do Exército Brasileiro, um dos poucos que acolhem oficiais do sexo feminino.

Mas a honra maior que talvez historiadores e biógrafos não tenham observado está na boca do povo, que entoa pelos terreiros: "ela é tudo isso/ e não é de brincadeira/ é Maria Quitéria que vem descendo a ladeira/ ela traz consigo o puro axé/ e vem salvar seus filhos de fé..."

Osorio em toda parte

General Osório, que dá nome a ruas e praças em todo o país, teve o raro mérito de conjugar bravura, integridade e ótimo humor.

FRANCISCO DORATIOTO

Em São Paulo, a rua General Osorio é conhecida como um dos melhores lugares para se comprar peças de motos. No Rio de Janeiro, a praça de mesmo nome ocupa lugar privilegiado: a uma quadra da praia de Ipanema. Em Porto Alegre, o general dá nome a uma praça a poucos metros do rio Guaíba. Quase toda cidade do país tem uma rua, uma praça ou um colégio em homenagem a Manuel Luís Osorio: sinal de uma popularidade alcançada no século XIX graças à coragem no campo de batalha e ao seu bom humor.

O Brasil inteiro ficou conhecendo a coragem de Osorio durante a Guerra do Paraguai (1864-1870), na qual sua atuação foi decisiva. Por duas vezes deixou o *front* – a primeira por problemas de saúde e a segunda por ter levado um tiro –, e em ambas fez questão de retornar às batalhas. Ao liderar a primeira tropa que invadiu o país vizinho, foi criticado por arriscar a vida e respondeu: "Eu precisava provar aos meus comandados que o seu general era capaz de ir até onde os mandava."

Apesar da aparente dureza, era dono de um jeito brincalhão que o levava a manter um bom relacionamento com seus subordinados mesmo nos momentos tensos. Em plena Guerra do Paraguai, um militar chamado Paulo Alves, sabendo do gosto do general por poesia, mandou-lhe um poema pedindo uma promoção. A resposta de Osorio veio na mesma linha: "*Quem faz versos tão formosos/ Há de ter grande talento/ E ser valente. Por isso,/ Defiro o requerimento./ Mas não se repita/ Que sai-se mal/ Falando em verso/ Ao general.*"

O bom humor não impedia o reconhecimento de Osorio como líder. Chegou a ser chamado de "patrono informal" do Exército – em 1962 recebeu o título de patrono da Cavalaria, enquanto o Duque de Caxias ganhou o de patrono oficial de toda a instituição. Era conhecido por falar a linguagem dos soldados: uma característica de quem não cursou a Academia Militar e começou a carreira vindo "de baixo".

Osorio só ingressou no Exército porque seu pai, um militar que também se chamava Manuel Luís, não tinha recursos para mandá-lo à escola no Rio de Janeiro, como o rapaz desejava. Nascido em 1808 na atual cidade litorânea de Tramandaí, Osorio se mudou aos 13 anos para Salto, na então Província Cisplatina, hoje Uruguai. Lá aprendeu a escrever e a fazer contas com um professor improvisado.

Quando Osorio tinha 14 anos, D. Pedro proclamou a Independência. No ano seguinte (1823), seu pai foi combater em Montevidéu as tropas portuguesas que se recusavam a aderir à Independência do Brasil, e levou o filho para ser alistado no Exército. A vida militar de Osorio começou então aos 15 anos, no cerco de Montevidéu. Atuou também na guerra contra as Províncias Unidas do Rio da Prata (Argentina), entre 1825 e 1828, e voltou de lá com a patente de tenente do Exército.

Além de militar, Osorio se tornou fazendeiro ao comprar com o pai uma estância no noroeste do Uruguai. A renda dessa propriedade permitiu que ele desse a boa educação que não recebeu aos três filhos que criou com sua mulher, Francisca Fagundes de Oliveira, na cidade de Bagé, onde se instalou.

A obediência ao Império, já demonstrada nas campanhas das quais participou no Uruguai, foi mais uma vez comprovada na Revolução Farroupilha (1835-1844), quando o Rio Grande do Sul esteve muito perto de se tornar independente do Brasil. Osorio lutou ao lado das forças do governo imperial, e após o conflito recebeu a patente de tenente-coronel.

Foi durante essa longa disputa que Osorio estreitou laços com um personagem que seria fundamental na sua carreira. O então Barão de Caxias, futuro duque, foi seu superior e protetor político a partir de 1842. Nem as posições contrárias – Osorio era liberal e Caxias, conservador – impediram que nascesse a amizade entre os dois.

A intervenção de Caxias frustraria os planos do setor liberal progressista gaúcho, que tentaria por duas vezes (em 1859 e 1864) a transferência de Osorio para outra região do país. Isso porque, ao contrário de outros oficiais do Rio Grande do Sul, ele se recusara a assinar documento de apoio ao Barão de Uruguaiana, presidente da província, que enfrentava forte oposição à sua administração.

Foi também o apoio de Caxias que levou Osorio a ser promovido a general, em 1864. Doze anos antes, ele já havia alcançado a patente de coronel após participar de mais um conflito internacional na bacia do Rio da Prata: a guerra na qual o Brasil, aliado ao general argentino Justo José Urquiza, derrotou o governador de Buenos Aires, Juan Manuel de Rosas, e seu aliado, o ex-presidente uruguaio Manuel Oribe.

Com a patente de general, Osorio partiu para o grande momento de sua vida militar: a Guerra do Paraguai. Em 1865, participou das negociações para a assinatura do tratado da Tríplice Aliança, em que Brasil, Argentina e Uruguai decidiam invadir o Paraguai governado pelo presidente Solano López.

Osorio foi promovido a marechal de campo e comandou a marcha de quinhentos quilômetros do Exército brasileiro do Uruguai a Corrientes, na fronteira da Argentina com o Paraguai. Quando as forças aliadas invadiram o território paraguaio, em abril de 1866, lá estava Osorio com o primeiro grupo que entrou no país vizinho. No mês seguinte, recebeu o título de Barão do Erval. Sua popularidade cresceu mais ainda com a vitória dos aliados na Batalha de Tuiuti, a maior já disputada na América do Sul.

Uma inflamação no estômago e um inchaço na perna, causados pelo esforço na guerra, fizeram Osorio se retirar do Paraguai em julho de 1866, mas não o impediram de retornar em março do ano seguinte para colaborar com Caxias logo após a derrota aliada em Curupaiti. Promovido a tenente-general em 1867, Osorio continuou participando do enfrentamento direto com o inimigo. Levou um tiro na Batalha de Avaí, em dezembro de 1868, que lhe fraturou o maxilar. Com o queixo sustentado por um lenço amarrado no alto da cabeça, partiu para Pelotas, onde vivia sua família.

Apesar da condição física precária, voltou ao Paraguai em junho de 1869 a pedido do Conde d'Eu, novo comandante-chefe das forças brasileiras. Sua função era levantar o moral da tropa e participar de novo combate com o inimigo, em Peribebuí. A saúde de Osorio piorou, e foi por sorte que escapou de morrer por septicemia – reação do organismo à falta de tratamento adequado das feridas. Em dezembro de 1869, partiu de volta para casa.

Encerrada a guerra e com a popularidade em alta, Osorio pôs em primeiro plano sua carreira política, que havia começado durante a Revolução Farroupilha, quando entrou para o Partido Liberal. Na época, ao contrário do que ocorre hoje, os militares da ativa tinham permissão para ocupar cargos eletivos. Em 1846, ele fora escolhido deputado provincial, mas não comparecera a nenhuma sessão da Assembleia em Porto Alegre. Permanecera no interior, como importante líder regional.

Em 1877, após sete anos de militância liberal, Osorio foi eleito senador e promovido a marechal de Exército, graduação máxima da instituição. Na mesma época, sofreu uma grande perda. Chegou ao fim sua amizade com Caxias, de quem se afastou por causa de mal-entendidos sobre dois eventos na Guerra do Paraguai e de intrigas de terceiros.

Em 1878, o imperador decidiu dissolver o gabinete de maioria conservadora e chamou Cansanção de Sinimbu, um liberal, para organizar novo ministério. Osorio foi convidado para ser ministro da Guerra e aceitou. Composto de lideranças reformistas, o gabinete Sinimbu ficou dois anos no poder, sem conseguir promover as mudanças de que o Império necessitava.

Nesse curto tempo, Osorio exibiu seu estilo bonachão na Corte. Conta-se, por exemplo, que ele levou a Pedro II o nome de um coronel para ser promovido a general, mas a escolha não agradou ao imperador: "Dizem que é muito mulherengo." O ministro da Guerra respondeu: "Isso é até uma virtude! Se isso impedisse promoção, eu ainda hoje seria soldado raso!"

Antes mesmo de o gabinete Sinimbu cair, Osorio precisou afastar-se por conta de uma pneumonia, que o matou. Mesmo nos derradeiros momentos, manteve o bom humor e a preocupação com a integridade territorial do país. Quando lhe perguntaram como ia, respondeu: "Águas abaixo... para a eternidade." E ao receber a visita de Sinimbu, recomendou-lhe "cuidado com as fronteiras do Império". Morreu em outubro de 1879, aos 71 anos, sem ver, pelas mãos de seus colegas militares, a derrubada da Monarquia, regime ao qual ele tanto se dedicara.

Quem desenhou o Brasil?

Barão de Rio Branco foi responsável pela delimitação de nosso território graças a um louvável talento para negociação e por uma postura pacífica impensável nos dias de hoje.

RUBENS RICUPERO

O jornal *A Noite* resumiu o sentimento geral ao abrir a manchete "A morte de Rio Branco é uma catástrofe nacional" em 10 de fevereiro de 1912. Às 9h10, expirara em seu gabinete de trabalho aquele que era considerado "o maior de todos os brasileiros". O destino do Barão foi paradoxal. Monarquista convicto, teve papel fundamental na legitimação da República de 1889, que começara sob os piores auspícios: a inflação do Encilhamento, a ditadura militar de Floriano Peixoto, a tragédia sanguinária de Canudos, a repressão à Revolta da Armada e a Rebelião Federalista no Sul. Foram os êxitos diplomáticos de Rio Branco, ainda antes de se tornar ministro, nas definições de limites com a Argentina e a França-Guiana Francesa, que forneceram ao governo republicano os primeiros sucessos de que precisava desesperadamente.

Algo parecido ocorreu com sua projeção pessoal. Viveu semiesquecido em postos obscuros na Europa por 26 anos. Só a partir dos 50 anos (morreria com 66) alcançaria o reconhecimento tardio. Desde esse momento, no entanto, acumulou tantas vitórias, em especial como ministro das Relações Exteriores durante quase dez anos (1902-1912), sob quatro presidentes, que ofuscou todos os demais. Nenhum outro diplomata de carreira, em qualquer país, atingiu como ele o *status* de herói nacional de primeira grandeza, culminando com a reprodução da sua efígie no padrão monetário. Entre 1978 e 1989, a nota de 1.000 cruzeiros, a de maior valor, era chamada pelo povo de "barão".

O futuro barão nasceu em 20 de abril de 1845 como José Maria da Silva Paranhos Júnior na velha travessa do Senado, atual rua 20 de abril, no Centro da cidade, num sobrado que se pode ver ainda hoje no Rio de Janeiro. Fez seus estudos no Liceu D. Pedro II e na Faculdade de Direito de São Paulo, transferindo-se no último ano para Recife, onde se formou. No começo, hesitou sobre o caminho a seguir: foi professor, promotor público e deputado por Mato Grosso em duas legislaturas.

Em 1876, conseguiu ser nomeado para o bem-remunerado posto de cônsul geral em Liverpool, na Inglaterra, após vencer tenaz resistência de D. Pedro II e da Princesa Isabel, escandalizados com sua reputação de boêmio na tacanha atmosfera provincial da Corte. Já naquele tempo, mantinha ligação amorosa com a atriz belga Marie Philomène Stevens, com a qual só legalizaria a união muitos anos depois, em 1889.

Em meados de 1893, a morte do advogado brasileiro Barão Aguiar de Andrada em meio ao arbitramento com a Argentina e sua nomeação para substituí-lo vão tirar do anonimato aquele que era o maior conhecedor do assunto. Como disse o grande jurista americano Basset Moore, ele foi a "maior combinação de estadista e de *scholar* que havia encontrado".

A disputa consistia na identificação no terreno dos rios Peperi Guaçu e Santo Antônio, que deveriam fixar a fronteira argentino-brasileira no que hoje constitui o extremo oeste dos estados do Paraná e de Santa Catarina. A região, denominada de comarca de Palmas pelo Brasil e Missões pela Argentina, se afigurava indispensável ao perímetro de defesa brasileiro, além de constituir área agrícola de rico potencial, quase exclusivamente povoada por brasileiros.

Graças aos mapas e documentos inéditos revelados pelo Barão do Rio Branco e à qualidade excepcional da exposição que fez dos argumentos nacionais, a sentença do árbitro, o presidente Cleveland, dos EUA, deu inteiro ganho de causa ao Brasil, assegurando o domínio sobre 36 mil quilômetros quadrados. De uma hora para outra, o ignorado funcionário se transformava em celebridade nacional.

Pouco depois, a reputação conquistada nesse caso inspirou sua escolha como representante do Brasil na contenda com a França por território contestado de 260 mil quilômetros quadrados na fronteira do Amapá. O problema era de novo a identificação de um rio, o Oiapoque ou de Vicente Pinzón, designado como limite no Tratado de Utrecht (1715). A questão foi submetida ao julgamento do presidente do Conselho Federal da Suíça, Walther Houser, que em 1º de dezembro de 1900 decidiu pela posição advogada por Rio Branco, o que consolidou sua fama de vencedor.

Foi tamanha a gratidão do país que o Congresso lhe concedeu um prêmio monetário e uma dotação anual transmissível a seus filhos. Não ficou nisso o reconhecimento. Decorridos menos de dois anos, quando o Barão exercia as funções de ministro do Brasil em Berlim, o presidente eleito Rodrigues Alves o escolheu para seu ministro de Relações Exteriores, cargo que assumiu em dezembro de 1902.

Encontrou à sua espera o desafio mais espinhoso de toda a sua carreira. No extremo oeste da Amazônia, a região do Acre estava prestes a virar estopim de uma guerra com a Bolívia e o Peru. Diante da revolta dos seringueiros chefiados pelo rio-grandense Plácido de Castro, o governo boliviano, que não dispunha de presença local, resolveu arrendar o território a um consórcio de capitais internacionais, sobretudo americanos e ingleses.

A situação se agravou quando o presidente da Bolívia, general Pando, anunciou a intenção de marchar à frente de uma expedição militar para sufocar a revolta. Rio Branco, ministro recém-empossado, não perdeu tempo. Demonstrando firmeza e capacidade de decisão, recusou a proposta peruana de negociação a três e isolou os adversários, tratando com cada um a seu tempo. Após prorrogar a proibição ao consórcio de navegação pelo Amazonas, único acesso ao Acre, o que tornava a concessão sem valor, adquiriu, mediante indenização de 110 mil libras esterlinas, a desistência dos especuladores e dos poderosos governos que os apoiavam.

Em seguida, obteve do governo brasileiro o envio de força militar, que ocupou o território em litígio antes da chegada das tropas bolivianas. Dessa forma, pressionou o governo de La Paz a negociar, deixando claro, em todo o processo, que seu único intuito era tornar brasileira a região povoada por cerca de 60 mil compatriotas. Conseguiu que fosse assinado, em novembro de 1903, o Tratado de Petrópolis, pelo qual a Bolívia cedia 191 mil quilômetros quadrados (posteriormente, uma parte seria reconhecida como peruana). Em troca, o Brasil transferia quase 2.300 quilômetros quadrados em Mato Grosso, habitados por bolivianos, e pagava indenização de dois milhões de libras, hoje correspondentes a mais de duzentos milhões de dólares. Além disso, comprometia-se a construir a Estrada de Ferro Madeira-Mamoré.

Na opinião do próprio Barão, o Acre foi sua maior e mais difícil vitória. Evitando o recurso extremo à guerra, conseguiu-se garantir à soberania nacional um território desbravado e povoado por brasileiros. Dizia Rio Branco que o Acre era o único exemplo indiscutível de expansão das fronteiras do país.

Alertado pela crise acriana, o chanceler tomou a decisão de resolver de modo sistemático todas as questões fronteiriças pendentes. Além dos limites com a Argentina (1893), a França-Guiana Francesa (1900) e a Bolívia (1903), foram definidas as fronteiras com o Equador (1904), com a Inglaterra-Guiana Inglesa (laudo de 1904), com a Venezuela (1905), com a Holanda-Guiana Holandesa ou Suriname (1906), com a Colômbia (1907), com o Peru (1909), e o tratado de retificação com o Uruguai (1909).

Em poucos anos se concluía uma das maiores realizações da história diplomática de qualquer país: todas as questões com os vizinhos foram resolvidas por meio de negociações ou arbitramentos, jamais por guerras. Quando se compara aos países que possuem número de vizinhos similar ao do Brasil ou menor (Rússia, China, Índia, e mesmo Alemanha ou França), verifica-se que em nenhum caso se encontra padrão negociador sempre pacífico como no exemplo brasileiro.

Rio Branco dizia que havia construído o "mapa do Brasil". Definir o espaço da soberania, a linha entre nós e os outros, é o primeiro ato de inserção de um país no mundo. O Barão costumava dizer que era melhor negociar e transigir do que ir à guerra, pois o "recurso à guerra é sempre desgraçado".

Além de solucionar todas as disputas limítrofes, soube perceber antes dos contemporâneos a emergência dos Estados Unidos como a nova potência dominante no cenário mundial. Receoso do agressivo imperialismo europeu de então, transferiu de Londres para Washington o eixo da diplomacia brasileira.

Todo ano, em 1º de março, aniversário do fim da Guerra do Paraquai (1864-1870), celebramos este longo período de paz ininterrupta com todos os nossos vizinhos, proeza possivelmente única no mundo. Rio Branco não poderia desejar homenagem maior do que a que hoje lhe presta o Brasil ao se manter fiel à essa herança de paz, no momento em que ingressa "na esfera das grandes amizades internacionais a que tem direito pela aspiração de sua cultura, pelo prestígio de sua grandeza territorial e pela força de sua população".

Fé na taba

Entre a formação militar e as doutrinas positivistas, marechal Rondon construiu uma admirável trajetória baseada na disciplina, na aposta do progresso e no respeito aos índios.

LORELAI KURY

"Morrer se necessário; matar, nunca." Era neste princípio que se baseava a política indigenista adotada por Cândido Mariano da Silva Rondon ao longo de toda a sua trajetória. Natural de Mimoso, Mato Grosso, ele próprio tinha sangue índio nas veias, bororo, por linhagem materna. Transformou-se em um dos principais mitos republicanos brasileiros, devido, em grande parte, à imagem de rigidez moral que transmitia, sustentada por sua fé inabalável na Religião da Humanidade. Doutrina e crença que abraçou ao ingressar, em 1898, na Igreja Positivista do Brasil, à qual permaneceu fiel até sua morte, em 1958.

As ações e os princípios de Rondon deitam raízes, de modo evidente, na doutrina positivista e nas orientações do apostolado brasileiro, elaboradas principalmente por Miguel Lemos (1854-1917) e Raimundo Teixeira Mendes (1855-1927), discípulos brasileiros de Auguste Comte e os mais importantes porta-vozes do positivismo religioso no Brasil.

Pode-se dizer que dois caminhos diferentes se cruzaram na formação de Rondon: o positivismo e a vida militar. Depois de terminar o curso primário em Cuiabá, ingressou no Liceu Cuiabano em 1879. Formou-se aos 16 anos, e logo em seguida foi nomeado professor primário, atividade que abandonaria em 1881 para sentar praça como voluntário no 3º Regimento de Artilharia a Cavalo, ainda em Cuiabá. Com o sonho de cursar a Escola Militar do Rio de Janeiro, mudou-se para a então capital do Império, classificado no 2º Regimento de Artilharia de Campanha. A carreira militar entrava em linha: em março de 1883, a matrícula no curso preparatório da Escola Militar, encerrado com distinção um ano mais tarde; curso de cavalaria e infantaria, depois, artilharia. Em 1889, ingressa na então Escola Superior de Guerra, onde ensinava Benjamin Constant, líder republicano e positivista, de quem se tornou aluno e seguidor. O positivismo então se revela para Rondon.

As doutrinas positivistas se estabeleceram no país ainda nas últimas décadas do século XIX, período então fortemente marcado pela questão racial. Naquele momento, em uma espécie de compromisso entre o preconceito racial e a verificação patente da pluralidade étnica da população, muitos acreditavam que a solução para esta mistura de brancos com as raças ditas inferiores estaria na diluição do sangue índio e negro na corrente considerada mais pura do sangue europeu. Somente mais tarde a mestiçagem passaria a ser valorizada por algumas correntes intelectuais, que consideravam a "mistura de raças" a marca mais profunda de uma suposta brasilidade, como é o caso do famoso livro de Gilberto Freyre, *Casa-grande & senzala*, de 1933.

Ao contrário de boa parte dos intelectuais e cientistas da época, os positivistas defendiam a posição de Comte, que via as raças como complementares: os negros seriam mais afetivos, os brancos, mais inteligentes e os amarelos, mais ativos. No futuro, a Humanidade iria se tornar uma raça única, herdando as qualidades de todas. Este tipo de argumento serviu também de base no que concerne à incorporação dos indígenas à sociedade, importando aqui frisar que os positivistas ortodoxos pregavam o respeito pelas culturas de origem africana e americana, mesmo que sua transformação fosse inevitável. Segundo as ideias de Comte, as transformações deveriam ser espontâneas e nunca impostas. Com o tempo, acreditavam, os "africanos" e indígenas acabariam naturalmente por adotar os hábitos e costumes considerados mais adiantados. Os positivistas brasileiros acreditavam ainda que tanto os escravos como os índios poderiam pular etapas históricas intermediárias (a fase religiosa) e passar direto do "fetichismo primitivo" para o estágio mais desenvolvido da humanidade, o estado positivo.

Essas reflexões foram usadas para direcionar as propostas dos positivistas com relação à questão indígena. Miguel Lemos e Teixeira Mendes tentaram combater algumas opiniões que circulavam na época, baseadas na premissa da inferioridade dos índios em relação aos brancos. Alguns cientistas chegaram a afirmar que a raça vermelha estava fadada à extinção. Os membros do apostolado procuraram difundir a ideia de que os indígenas deveriam ser salvos da destruição e atraídos para o convívio dos ditos civilizados sem utilização da força, a exemplo do que consideravam o tratamento "humanitário" dos jesuítas. Nesta linhagem estavam incluídos José Bonifácio e os poetas Gonçalves Dias e Castro Alves, que haviam manifestado o desejo de salvar os silvícolas. O positivismo, segundo eles, teria sistematizado cientificamente esse desejo já presente na sociedade brasileira.

Desde as últimas décadas do século XIX, os discípulos brasileiros de Comte defendiam que a incorporação dos índios ao conjunto da sociedade deveria respeitar sua cultura e sua religião, a fim de permitir sua passagem para o estado positivo sem que fossem "contaminados" por crenças do catolicismo. Esta diretriz, se implementada, significaria o fim das missões religiosas, tradicionalmente dedicadas à catequese dos indígenas.

As ações de Rondon eram a aplicação prática desse princípio. Ao longo do século XX, respaldado pelo positivismo religioso, conseguiu em vários momentos dirigir as ações das instituições públicas encarregadas da política indigenista. A influência positivista, além de sua tradicional presença no Exército, se fez sentir também em algumas correntes da esquerda nacionalista, como é o caso de Roquette-Pinto e do famoso antropólogo brasileiro Darcy Ribeiro, que se considerava discípulo do militar.

Durante as inúmeras expedições que comandou, além da proibição de qualquer tipo de agressão, Rondon implantou seu método para tentar estabelecer relações pacíficas com os indígenas. Este consistia em doar às tribos instrumentos agrícolas e de artesanato, ensinando-as a plantar e a criar gado. Acreditava que os índios não deveriam ser forçados a aprender.

A melhor forma de ensino seria o exemplo. Rondon e seus subordinados poderiam, entre outros serviços, arar e semear um terreno e deixar as ferramentas necessárias para a continuação do trabalho, ou mostrar-lhes como construir casas simples, para que percebessem sua utilidade.

Além de uma vigorosa defesa do direito dos indígenas à vida e às suas terras, Rondon procurava transformá-los em trabalhadores brasileiros, capazes de defender as fronteiras do país e respeitar os símbolos nacionais. Os paresí e os bororo trabalharam na instalação de postes telegráficos no Mato Grosso e ajudaram na demarcação de fronteiras no oeste do país. Para Rondon, este exemplo servia como prova da possibilidade de "civilizar" os "selvagens", ou seja, como sinal de sua perfectibilidade. Os resultados técnicos dessa empresa foram praticamente nulos no que diz respeito ao telégrafo, rapidamente substituído pelo rádio. No livro *Tristes trópicos*, de 1955, Lévi-Strauss descreveu a decadência das linhas telegráficas. No entanto, o próprio etnólogo francês e sua equipe utilizaram os caminhos abertos pelos militares e índios a serviço de Rondon.

Rondon, esse militar positivista, considerava os índios os verdadeiros alicerces fundadores da nação brasileira, em consonância com o indigenismo romântico do século anterior. Suas expedições produziram grande quantidade de material de propaganda, inclusive centenas de fotografias e filmes, poderosos registros iconográficos. Neles podemos vislumbrar a crença de Rondon e de sua equipe no advento de uma civilização laica. Os temas abordados mostram aspectos da ordem militarizada presente nas missões, a busca de integração dos indígenas à nação brasileira, além de uma série de imagens romantizadas do cotidiano das tribos contatadas. Os acampamentos seguiam uma rotina rígida e rituais obrigatórios, como o hasteamento da bandeira, procedimento, aliás, realizado até hoje pelos positivistas em seu templo, localizado na rua Benjamin Constant, na cidade do Rio de Janeiro.

Misturados a soldados de uniforme, índios nus aparecem nas imagens cumprindo esses rituais. Os primeiros habitantes do Brasil são retratados travando contato com objetos do mundo civilizado, como câmeras fotográficas, relógios, instrumentos de trabalho. Veem-se também salas de aula, montadas em casas construídas pelos próprios índios a partir das técnicas recém-adquiridas. Acima de tudo destaca-se a beleza de algumas imagens que parecem querer mostrar toda a grandeza dos povos indígenas. O bom selvagem brasileiro, caracterizado como inocente e nobre, constituía, talvez, a imagem de Rondon invertida no espelho: fetichismo e positivismo, os dois extremos da história da humanidade se tocam.

Assim, é impossível traçar a história da política indigenista no início do século XX sem perceber o papel de destaque ocupado pelos positivistas. Da crítica à escravidão e à defesa paternalista dos indígenas, as diretrizes defendidas pelos discípulos de Comte, entre os quais figura Rondon, tinham como alicerce a crença na marcha inexorável da humanidade em direção ao estado positivo, mesmo que o caminho fosse trilhado de forma lenta e sem rupturas. Além disso, sua forma de atuação na sociedade pressupunha uma propagação moral, educativa. Seu desejo de transformação social contava ainda com a incorporação do passado pelo presente. Estes elementos ajudam a compreender a aproximação dos positivistas da literatura romântica, compartilhando com ela a elevação dos índios, a fonte original do sentimento nacional. Em uma conferência sobre José Bonifácio proferida no Instituto Histórico e Geográfico Brasileiro (IHGB), Rondon se apropriou da linhagem de heróis positivistas citando as seguintes palavras de Gonçalves Dias em favor dos índios: "Eles foram o instrumento de tudo o que existe de grande e de útil, eles são o princípio de todas as coisas; eles nos legaram as fundações de nosso caráter nacional."

Mesmo após o fim das atividades da notória Comissão que levou seu nome, Rondon continuou intimamente ligado às questões indígenas, principalmente durante as missões de inspeção de fronteiras, que chefiou nos anos de 1920 a 1930. Em 1939, o Serviço de Proteção aos Índios foi transformado em Conselho Nacional de Proteção ao Índio, tendo o general Rondon, então com 74 anos, como seu primeiro presidente. Em 1952, aos 87 anos, levou ao presidente Getulio Vargas o projeto de lei propondo a criação do Parque Nacional do Xingu, destinado à preservação da flora e da fauna locais, com usufruto da terra para os índios que nela viviam. No ano seguinte, foi um dos principais artífices da criação do Museu do Índio, no Rio. Já com 91 anos e próximo da morte, em 1956, ele apelou ao presidente Juscelino Kubitschek na tentativa de salvar o Conselho Nacional de Proteção ao Índio da desmoralização que vinha sofrendo devido a misturas de questões político-partidárias na gestão do órgão.

Ao longo da vida, por seu trabalho de sertanista e de proteção ao índio, Rondon recebeu inúmeras homenagens no Brasil e no exterior. Em 1911, uma das mais importantes: foi aplaudido no Congresso Universal das Raças, realizado em Londres, como exemplo a ser seguido "para honra da civilização".

A palavra e o gesto

•

Muitos Gregórios

Gregório de Matos, ou "Boca do Inferno", atacou com sua sátira refinada o mau governo português na Bahia. Longe do seu tempo serviu como exemplo de crítica.

JOÃO ADOLFO HANSEN

Nas histórias da literatura brasileira, o nome Gregório de Matos e Guerra (Salvador, 1636-Recife, 1696) classifica grande número de poemas de gêneros diversos, compilados em coleções manuscritas que datam dos séculos XVII e XVIII. O poeta nada editou, e não se conhece nenhum autógrafo dele: todos os poemas classificados pelo seu nome são apógrafos, atribuições. Antônio Houaiss lembrou que na Bahia, já no século XVII, poemas que circulavam em folhas manuscritas ou oralmente foram juntados por seus admiradores, que o aceitaram como autor de tudo quanto a tradição lhe atribuía. O primeiro desses admiradores que se conhece é um letrado da primeira metade do século XVIII chamado Manuel Pereira Rabelo, autor de *Vida do excelente poeta lírico, o Doutor Gregório de Matos e Guerra*, ficção biográfica que anexou à compilação hoje guardada na Divisão de Manuscritos da Biblioteca Nacional do Rio de Janeiro (*Códice Rabelo*, Cofre 50, 1, 011). Não se sabe que critérios ele adotou na compilação; se transcreveu poemas de folhas volantes que se diz terem corrido na Bahia; se teve acesso ao livro ou livros que João de Lencastre, governador entre 1694 e 1698, e amigo de Gregório desde o tempo de estudantes em Coimbra, teria mandado abrir um palácio para acolher obras do poeta. Na *Vida do excelente poeta lírico...* afirma ter conhecido "pessoas antigas" que sabiam poemas de cor, mas já "destruncados" pelo tempo.

Desde o século XVIII, a ficção biográfica foi um documento fundamental para a interpretação da obra atribuída a Gregório de Matos. Não se pode lê-la ignorando os preceitos retóricos do seu gênero. Composta com lugares-comuns do retrato, caracteriza o retratado como um homem infame e o louva como excelente poeta. O personagem Gregório de Matos deseja a justiça a todo preço, em todas as ocasiões. É, segundo Rabelo, um "inimigo acérrimo de toda hipocrisia". O excesso de "humor sanguíneo" lhe arruína o juízo e destempera as ações: "(...) seguindo os ditames de sua natural impertinência habitava os extremos da verdade com escandalosa virtude." Intemperante, imprudente, injusto, é vulgar ou irracional.

Teríamos aqui apenas mais um palhaço sem tato, desclassificado à moda antiga se o século XVII luso-brasileiro não acreditasse que a história tem sentido. E que é sentido transcendente, fundamentado em uma Causa Primeira, Deus, que orienta homens e acontecimentos como efeitos criados e signos análogos da sua Vontade. Conforme Rabelo, Gregório de Matos e Guerra é "causa segunda" – instrumento da Providência Divina. Seu nome materno revela que ele é a própria guerra, mandada por Deus com a fome e a peste para castigar a corrupção da Bahia: "... e não é de admirar que, disparadas do trono da divina Justiça aquelas duas lanças de sua ira, seguisse a terceira com tão esquisito gênero de guerra em um homem que sua Mãe unicamente tomou esse apelido entre outros partos. Ela o deu apelidando-se *da* Guerra; ele o foi sem aquela preposição *da*, por ser a mesma guerra...". Guerra caritativa: a sátira fere para curar. O jesuíta Antônio Vieira, que viveu na Bahia no século XVII, dizia o mesmo, afirmando que um poema de Gregório de Matos fazia mais efeito que dez de seus sermões. "Boca do Inferno", "Boca da Verdade": "Ah Bahia! Bem puderas/ de hoje em dia emendar-te,/ pois em ti assiste a causa/ de Deus assim castigar-te", diz o satírico, em poema que interpreta providencialmente a "bicha", nome dado à epidemia de febre amarela de 1686. Em outro, traduz a sátira como "causa segunda": "Sempre veem, e sempre falam,/ Até que Deus lhes depare,/ quem lhes faça de justiça,/ esta sátira à cidade."

As obras de Rabelo ficaram esquecidas até 1841, quando o cônego Januário da Cunha Barbosa, do Instituto Histórico e Geográfico Brasileiro, publicou uma paráfrase da biografia no número 9 da revista do Instituto e mais dois poemas graciosos que atribuiu ao poeta. Barbosa era romântico e leu a ficção biográfica como documento da vida empírica: interpretou como realidade da psicologia do homem o que em Rabelo é ficção retórica da invenção do personagem. Sua paráfrase foi retomada pelo historiador Francisco Adolfo de Varnhagem, no *Florilégio da poesia brasileira*, de 1850. Unificando os poemas como expressão psicológica de um indivíduo vadio e doente, Varnhagem deu início à censura deles, convencionando signos gráficos para suprimir palavras, versos e estrofes inteiras: "Não deixaremos uma linha de reticências por cada verso omitido por não nos expormos a ver alguma vez uma página só de pontinhos." Também suprimiu a interpretação providencialista acima referida, típica do Antigo Regime português, que entende a sátira como correção de abusos corruptores dos bons usos da hierarquia, substituindo-a pela ideologia nacionalista, que a entende como crítica à Metrópole e antecipação política do Estado nacional brasileiro.

Em 1870, Silvio Romero afirmou que "o brasileiro" de Gregório não era o índio, nem o negro, nem o português, mas o "mazombo", "o filho do país", mestiço capaz de ridicularizar as pretensões separatistas das três raças. Depois, o crítico José Veríssimo acusou a falta de originalidade de poemas que são emulações ou imitações voluntárias de Quevedo e Gongora, poetas espanhóis do século XVII, afirmando que o autor deles foi um homem nervoso, talvez um "nevrótico". Em 1893, Araripe Júnior publicou um livro, *Gregório de Matos*, classificando-o como espécime da "obnubilação", ou obscurecimento, causado pelo clima. A ideologia determinista de Araripe Júnior propõe que o clima do trópico torna as sinapses ou conexões cerebrais do baiano relapsas e causa sua relaxação também sexual. Tendo sido "fauno de Coimbra", jovem, foi "sátiro do mulatame" da Bahia, velho, reles boêmio, quase louco. O sátiro obnubilado expressa a tara obscenamente, como ressentimento e pessimismo do mestiço de origem fidalga que assiste, impotente, à ascensão do burguês, enquanto a fidalguia velha decai. Em 1923, Afrânio Peixoto, da Academia Brasileira de Letras, editou *Obras completas de Gregório de Matos*, expurgando poemas denunciados como de mau gosto. Na década de 1930, o crítico Silvio Júlio repetiu Veríssimo: os poemas do "indecente tocador de viola" são plágios. Outro, Agripino Grieco, afirmou que Gregório foi "parasita vitalício". Em 1946, Segismundo Spina chamou-o de "Homero do lundu", quando publicou *Gregório de Matos*, antologia de poemas líricos e jocosos, acompanhados de precisos comentários filológicos.

Em 1968, após estudarem 17 códices, a maioria deles da Divisão de Manuscritos da Biblioteca Nacional do Rio de Janeiro, James Amado e Maria da Conceição Paranhos editaram o *Códice Rabelo*, pela Editora Janaína, de Salvador (*Obras completas de Gregório de Matos e Guerra. Crônica do viver baiano seiscentista*, sete volumes). Pouco depois, prepostos da ditadura militar na cidade declararam Gregório de Matos "subversivo, anticlerical e pornógrafo", confiscando mil coleções para queimá-las em praça pública. Conta-se que a interferência de um governador impediu o fogo. Poemas que atacam a estupidez prepotente de autoridades do século XVII foram apropriados na resistência à ditadura. No LP *Transa*, de 1972, Caetano Veloso musicou o soneto "Triste Bahia, ó quão dessemelhante" como alegoria do Brasil. Nesse tempo, foi rotineiro aplicar à sátira as formulações do historiador russo Mikhail Bakhtin sobre o riso e a paródia na cultura popular medieval. Tida como transgressora, libertária e revolucionária, a sátira foi dada como expressão risonha da voz de dominados contra a seriedade dos gêneros altos da classe dominante. Na Bahia do século XVII, Gregório de Matos tinha sido vanguarda do proletariado colonial, não se sabe bem se leninista, stalinista ou trotskysta. Citando o lema do poeta Ezra Pound "make it new" ("faça-o novo") e autoridades como T.S. Eliot, Garcia Lorca e Octavio Paz, que revalorizaram poetas do século XVII, como Donne, Góngora e Sor Juana Inés de La Cruz, concretistas de São Paulo afirmaram a novidade de procedimentos técnicos, versos e metáforas de Gregório de Matos no "presente de produção" da sua vanguarda de longa duração. Em 1989, *O sequestro do barroco. O caso Gregório de Matos*, de Haroldo de Campos, acusou *Formação da literatura brasileira*, de Antonio Cândido, de "sequestrar" Gregório de Matos e "O Barroco" do cânone literário brasileiro. Afirmando que o poeta e "O Barroco" são fundamentais para o cânone literário reconstituído da perspectiva do "presente de produção" da sua vanguarda, Haroldo de Campos criticou o nacionalismo de Cândido e defendeu, com nacionalismo, a "brasilidade" de Gregório, primeiro "antropófago cultural" brasileiro, primeiro "malandro da dialética" brasileiro.

Há mais recepções, algumas até mais originais, mas não o espaço para falar delas. Diga-se, para resumir, que a maioria das interpretações feitas nos séculos de XIX e XX são heurísticas. Ou seja: não se interessam pela especificidade histórica dessa poesia como prática simbólica do Antigo Estado português porque seus programas de apropriação do passado colonial são objetivamente interessados em inventar tradições bairristas ou nacionalistas do presente em que são feitas. Ou em defender programas políticos e estéticos, disputando o poder e o mercado com outros programas políticos e estéticos. No século XVII, as obscenidades satíricas trabalhavam para a manutenção da hierarquia e dos privilégios. Evidentemente, não há interpretações *verdadeiras* da sátira, pois se trata de ficção poética. Evidentemente, as interpretações *sempre* produzem novos valores de uso com ela, inclusive valores críticos que não previa no século XVII, como ocorreu na época da ditadura. Mas quando universalizavam transistoricamente a particularidade dos seus critérios de definição de *autoria, obra e público*, as interpretações desistoricizam o passado e o presente em que são feitas.

O exame dos códices manuscritos e das regras retórico-teológicas dessa poesia evidencia que, na Bahia do século XVII, a sátira era um subgênero poético do cômico, conforme o definiu Aristóteles na sua *Poética*. Segundo o filósofo, a matéria geral do cômico é o *feio* e suas espécies, *estupidez* e *maldade*. O *feio* é desproporção sem unidade, por isso todos os poetas do século XVII aplicavam o estilo baixo das misturas deformadas de seus dois subgêneros aristotélicos quando *queriam* figurá-lo: *guelóion*, traduzido por *ridiculum, ridículo*, e *bomolachia*, traduzido por *maledicentia, maledicência*. Como se lê numa sátira a Pedralves da Neiva, fidalgo com foros falsos chegado a Salvador em 1692: "Sejais, Pedralves, benvindo/ E crede-me meu amigo/ Que tudo o que aqui vos digo/ Ora é zombando. Ora rindo." "Zombando", maledicência obscena adequada à deformidade que não faz rir, mas causa dor e horror, porque feiura nos vícios fortes caracterizados pelo excesso de virtude; e "rindo", ridículo correspondente à deformação que faz rir sem dor, pois feiura dos vícios fracos caracterizados pela falta de virtude. Sempre irracionais e sem unidade, vícios e viciosos são extremos para mais e para menos. Proliferam em torno de um ponto médio equivalente à virtude unitária, racional, bela e honesta defendida pelo personagem satírico.

Na tradição aristotélica, o cômico deve se apresentar publicamente como tipo virtuoso e indignado com a corrupção de sua pátria. Age para restabelecer a ordem natural das coisas e sua arma são as torpezas agressivas de gênero baixo. Como nas liras contra Antônio de Sousa de Meneses, governador: "Oh não te espantes não, Dom Antônia / Que se atreva na Bahia/ com oprimida voz, com plectro esguio/ Cantar ao mundo teu rico feitio,/ Que é já velho em Poetas elegantes/ O cair em torpezas semelhantes." Um preceito estoico, igualmente originado na Antiguidade, determina, como se pode ler em Sêneca, que a indignação também é indigna, pois irracional. Logo, o satírico é um louco, tão estúpido e malvado como os viciosos. (Nas interpretações romântico-positivistas que psicologizam o artifício da ficção poética, esse preceito estoico é recalcado e a ficção é dada como expressão do "ressentimento" do homem Gregório.) Ambos os preceitos, aristotélico e estoico, determinam que o personagem satírico seja composto como tipo dramático que fala com informalidade correspondente à falta de controle da sua cólera. Obviamente, como a sátira é arte, a falta de controle não é da psicologia de um homem doente supostamente expresso nela, mas do ato de fingir do poeta que inventa a irracionalidade da cólera com técnicas muito racionalmente regradas. Numerosos poetas evidenciam a convenção: "Eu sou aquele que os passados anos/ cantei na minha lira maldizente/ torpezas do Brasil, vícios e enganos."

Quando canta as coisas baixas, o personagem satírico cita as normas sociais do seu tempo. Citadas poeticamente, ou seja, ficcionalmente, são metáforas de princípios hierárquicos da "política católica" da monarquia portuguesa. Preenchendo os lugares comuns cômicos com referências extraídas dos discursos do lugar, o satírico repete o sentido legal das normas, invocando-as metaforicamente para interpretar e castigar os vícios e abusos. É sempre a instituição que produz a perversão; no caso, as virtudes produtoras dos vícios são as institucionais: brancura da pele contra "raças infectas" de não brancos; religião católica contra heresia luterana, calvinista, maquiavélica, judaica, muçulmana, além da idolatria de índios e africanos, discrição cortesã contra vulgaridade plebeia; liberdade e ócio senhoriais contra escravidão e trabalho mecânico; sexo segundo o direito canônico contra sexo contra a natureza etc.

Na sociedade colonial, os poemas não pressupunham nenhuma autonomia crítica dos seus autores e seus públicos, como acontece nas sociedades de classes contemporâneas. Todos eles definem a sociedade baiana como um "corpo místico" de vontades subordinadas à cabeça, o rei. Todos eles reproduzem aquilo que cada membro desse corpo político *já é*, determinando ao mesmo tempo que *deve ser* e persuadindo-o a *permanecer sendo o que já é*. Assim, todos os seus destinatários também são incluídos nessa totalidade como membros subordinados que testemunham a representação satírica, reconhecendo e devendo reconhecer sua posição subordinada: "Desejo, que todos amem,/ Seja pobre, ou seja rico,/ e se contentem com a sorte,/ que têm, e estão possuindo." Quando reiteram o "cada macaco no seu galho", todos os poemas funcionam como um teatro corporativista em que se representa a hierarquia: encenam os vícios como abusos que a corrompem e, simultaneamente, propõem os bons usos do costume que os corrigem. Assim, também a obscenidade é política: os nomes das partes ínfimas do corpo, funções fisiológicas e excrementos são aplicados neles como metáfora da condição não branca, não católica, não discreta, não fidalga, não livre de tipos classificados como naturalmente feios, inferiores e desiguais.

Machado entre letras e números

Com um olhar atento e perspicaz, Machado de Assis acompanhou de perto a economia brasileira na passagem da Monarquia para a República, revelando em suas crônicas um movimentado cenário de assembleias, especulações, câmbio, dividendos...

GUSTAVO FRANCO

Machado de Assis escreveu crônicas semanais durante mais de quarenta anos. Seu comentário sobre nossa História se estende para todas as direções, inclusive a economia. Especialmente na década de 1890, diversas vezes os leitores se depararam com uma mesma observação – "a semana foi toda finanças" –, após a qual, as crises e os pacotes econômicos misturavam-se, à moda inconfundível de Machado, com as outras ocorrências da semana, efemérides políticas, literárias e *faits divers*.

As crônicas "econômicas" de Machado, uma vez dispostas em sequência, revelam um curioso enredo, que é também um enigma: o inesperado e duradouro interesse do cronista pelos assuntos pertinentes a acionistas, assembleias, deliberações, crônicos problemas de quórum (!) e, principalmente, dividendos.

Deste enredo desponta um "quase personagem": o acionista. Ele aparece pela primeira vez em 1883 e se despede em 1900, e sua identidade é a chave para se compreender a mensagem de Machado sobre a economia da época. Não era como o acionista atual, pois totalmente desinteressado do que hoje chamamos de "governança corporativa". Tampouco se incomoda em receber dividendos sobre lucros fictícios, como aconteceu com o Banco do Brasil no período posterior a 1890. O acionista de Machado se parece mais com o que hoje se designa "rentista", ou seja, alguém que vivia de rendas de escravos, de terras, de casas, de créditos, e de valores. São múltiplas formas de afastamento do trabalho, e ócio elegante, como relata Raymundo Faoro, mediante renda "certa, periódica, obtida sem canseiras e riscos". O que incluía, por certo, "o fazendeiro, na cidade, que vive de renda, liberto da torturada atividade das plantações e da disciplina dos escravos".

No "capitalismo político" próprio do Império – onde, nas palavras de Mauá, tudo é "essencialmente oficial", onde "tudo gira, move-se, quieta-se, vive, ou morre, no bafejo governamental" –, é lícito pensar que, de uma forma ou de outra, todas as rendas acabavam dependendo do Estado, inclusive o dividendo do Banco do Brasil.

O próprio Machado declarou-se acionista do Banco do Brasil algumas vezes. A mais explícita numa "crônica em verso", de fevereiro de 1888, em que Malvólio, personagem shakespeariano bufo que assina o texto, declara, no início de uma detalhada descrição (em verso!) de uma assembleia de acionistas do Banco do Brasil encarregada de reformar seus estatutos:

Eu, acionista do banco
Do Brasil, que nunca saio,
Que nunca daqui me arranco,
Inda que me caia um raio,
E no final, a propósito dos novos diretores eleitos, arremata:
Para mim tudo é mestre
Conquanto que haja, certinho,
No fim de cada semestre
O meu dividendozinho

Machado falava por alegorias: sentia-se "acionista do Império", ou "sócio do Imperador". Era como se a condição de dono de empresa (ou seja, acionista) fosse indistinguível da do proprietário de títulos públicos de renda fixa, líquida e certa, como, aliás, era o seu caso. Era como dizer que as empresas eram todas estatais e nosso capitalismo, uma "ideia fora do lugar", para usar a expressão consagrada de Roberto Schwarz.

Com as mudanças deflagradas pela abolição, a preguiçosa rotina do acionista imperial é destruída pelo furacão modernizador da República. As inovações no terreno da moeda, e os bancos de emissão a alimentar projetos grandiosos, retiram do acionista o tédio e também qualquer noção de segurança. Nada mais bem achado que o cronista afirmar que 17 de janeiro de 1890 tinha sido "o primeiro dia da Criação". Naquela data, entraram em vigor a lei de reforma bancária e a nova lei societária, ambas de Rui Barbosa, compondo o primeiro "pacote econômico" da República.

O fato é que o desmoronamento do Império decide o impasse de tantos anos a favor do "papelismo", os heterodoxos da época. Mas o início dos novos bancos de emissão da República mistura altos desígnios, inovação doutrinária e a mais rasteira improvisação, e mesmo doses de mercantilismo e malversação. A torrente de papel-moeda parece replicar a triste experiência de John Law (1671-1729) na França, o mais rocambolesco de todos os pânicos financeiros, o que, aliás, não escapa a uma evocação do cronista: "Grande Law! Tu tiveste o teu dia de celebridade, depois viraste embromador; e caíste na casinha da história, o lugar dos lava-pratos".

O acionista não desaparece durante o turbilhão de euforia e crise da Bolsa de Valores. Está alerta para os novos acontecimentos, e canalha como Brás Cubas ao recomendar as debêntures de uma estrada de ferro já falida a um amigo chacareiro, e como o benfeitor vigarista que concede alforria ao escravo Pancrácio na véspera da Abolição. Em muitas crônicas, e também mais adiante, em *Esaú e Jacó* (1904), vamos encontrá-lo a refletir com imenso cuidado sobre a guerra santa no terreno da política. As acusações eram pesadas para ambos os lados: por que as rendas decorrentes de privilégios, aí incluído o aluguel de escravos, seriam mais legítimas que os "ágios" apropriados pelos empresários do Encilhamento? O fato é que as imoralidades do Império, mais contidas ou assimiladas ou ocultas, não serviam de álibi para as da República, e Machado, naturalmente avesso a polêmicas, parecia dividido.

Apesar de desancar os excessos da especulação e das novas fortunas, Machado trata de outros aspectos da vida econômica da jovem República com indícios claros de fascinação. Na mesma crônica em que avacalha John Law, ele exalta o novo bonde elétrico e, no terreno da renovação urbana, concorda com a demolição do cortiço conhecido como "Cabeça de Porco" pelo prefeito Barata Ribeiro (1843-1910). Ainda mais interessante é a analogia que o cronista costura entre o grande cortiço e o Banco do Brasil que, a bem dizer, também estava condenado. "Chovem assuntos modernos", deslumbra-se o cronista.

Seu olhar sobre o "bota-abaixo" no câmbio não poderia deixar de ser ambíguo, hesitante ou oblíquo, numa clara indicação da destruição de um passado ordenado e acolhedor, tanto mais distante e irrecuperável quanto mais o câmbio se afastava dos 27 *pence* por mil-réis, a paridade de 1846. No começo, o afundamento do câmbio parece-lhe um "fastio", pois se era devido ao excesso de emissões ou à balança de comércio, que diferença fazia, contanto que voltasse? A decadência da moeda atinge o ápice em 1896, com o câmbio a 8 *pence*, um "algarismo que eu presumia nunca ver nas tabelas cambiais". Era a indicação de que não havia mais retorno.

O saneamento das finanças públicas vai evoluindo lenta e dolorosamente ao longo dos últimos anos do século XIX, ao sabor de tensões em torno da liquidação do Banco do Brasil (a essa altura conhecido como Banco da República), que efetivamente ocorre em 1900. O acionista parece compreender alguns aspectos singulares deste novo mundo: percebe que não só o seu "dividendo" não virá, como também que ainda vão lhe tirar algum. Começa a comportar-se como um acionista moderno, na medida em que enxerga também o lado do passivo: em vez de lucros fictícios, prejuízos reais, decorrentes do mecanismo da inflação, que lhe subtrai poder de compra, ou pela postergação do pagamento dos juros das apólices, que de fato o vitimou a partir de 1898. Sim, a moratória daquele ano alcança os títulos do cronista, que nunca seriam inteiramente honrados: duas outras moratórias, em 1914 e 1931, e mais uma "renegociação" em 1943, resultariam em pagamentos de juros e amortizações em novos títulos, e em descontos, estendendo tanto seu prazo que, já no pós-guerra, a inflação faria o trabalho derradeiro de reduzi-los a valores irrisórios. Como investidor, Machado foi um extraordinário literato.

A breve retomada da crônica – interrompida em 1897 – em novembro de 1900, flagra o acionista em momento de nostalgia pelo fim do Banco Rural e Hipotecário, que tinha iniciado suas atividades nos anos 1860, e, mais significativamente, pela morte do ex-escravo João, sineiro da Igreja da Glória desde 1853. Conta o cronista que João repicara os sinos para batizados e casamentos, gabinetes e guerras. De modo comovente e oblíquo, Machado ocupa o lugar do sineiro e recua trinta anos para contar de um acionista, "lento, aborrecido ou zangado", que vai a uma assembleia do Banco Rural e Hipotecário. Ali o cronista ouve o que diz ser um princípio eterno: "O acionista é um substantivo masculino que exprime (...) credor de dividendos (...) que a diretoria administre, vá, mas que lhe tome o tempo em prestar-lhe contas, é demais. Preste dividendos, são as contas vivas."

O percurso do acionista chega ao fim. Depois de uma longa aventura pelos riscos da modernidade, ele retorna ao porto de onde foi tragado pelo destino para enfrentar as mudanças iniciadas pela abolição. Continua rentista como no início, mas seu olhar tem maior alcance, uma vez que se enxerga sócio não mais do imperador, mas das finanças públicas. E elas se tornaram "públicas" de um jeito que nunca foram, pois agora trazem riscos para os "sócios" do Estado, os detentores de apólices. Estes, trinta anos depois, continuam preguiçosos e indispostos com os "divisores" (a administração). Nada parece ter mudado; o capitalismo republicano continua muito parecido com o do Império. O pessimismo machadiano com o "barro humano", especialmente aquele empregado na política e na economia, encontra aí uma de suas mais interessantes manifestações.

Com a palavra, Lima Barreto

No início do século XX, o escritor carioca fazia da imprensa uma tribuna para tratar dos mais diversos temas do período, como a Revolução Russa, o divórcio, os anarquistas, as mulheres, com engajamento e contundência.

BEATRIZ RESENDE

"Ave Rússia!". Com esta exclamação, Afonso Henriques de Lima Barreto (1881-1922) conclui uma de suas 435 crônicas publicadas, desde 1900 até sua morte, em diversos jornais e revistas. Pouco conhecidas em relação à sua obra como romancista, elas exibem a linguagem contundente do jornalista diante de temas e ideias que agitavam a recente República. Carioca, pardo, morador do subúrbio de Todos os Santos, Lima Barreto fez do jornalismo tribuna para campanhas que revelam sua indignação social e política, na intenção de chamar a atenção da opinião pública para o valor do cidadão, de sua liberdade e de sua consciência política na construção da democracia.

É no semanário *A.B.C.*, de forte cunho político – dirigido inicialmente por Ferdinando Borla e depois por Paulo Hasslocher e Luís de Moraes –, que Lima Barreto manifesta mais vigorosamente suas convicções, defendendo a Revolução Russa, que em 1917 levara os comunistas ao poder, e o Maximalismo, o conjunto de ideias socialistas que inspirou os revolucionários. O escritor inicia sua contribuição ao *A.B.C* em dezembro de 1916 e continua até 1922, exceto por um breve período, em fevereiro de 1919, quando suspende sua colaboração, acusando o jornal de ter veiculado manifestações de racismo contra os negros. Lima Barreto volta a publicar suas crônicas depois que o jornal se retrata, e nele desenvolve suas críticas mais veementes às elites econômicas, aos interesses capitalistas no país e, especialmente em 1918 e 1919, às violências da Grande Guerra. Em maio de 1918, o periódico publica seu texto "No ajuste de contas...", quando faz uma avaliação da situação política do Brasil, a partir da afirmação: "Desde que o governo da República ficou entregue à voracidade insaciável dos políticos de São Paulo, observo que o seu desenvolvimento econômico é guiado pela seguinte lei: tornar mais ricos os ricos; e fazer mais pobres os pobres."

Esta crônica ficou famosa por fazer a defesa dos princípios do maximalismo, por terminar saudando a Rússia, e também pelas ousadas propostas que apresenta: reformulações econômicas, bancárias, o confisco dos bens de certas ordens religiosas, mudanças no Código Civil e a "reforma cataclismática" do ensino público. É neste texto que a "reforma radical" do casamento é vista como medida puramente social, que garantiria o direito ao divórcio completo a ambos os cônjuges, "mesmo que o motivo alegado fosse o amor de um deles por terceiro ou terceira", afirmando ainda que era favorável a "todas as formas de casamento", dizendo que não "lhe repugna a poligamia ou a poliandria".

A explicação tão corajosa de suas convicções passa a provocar a admiração de companheiros jornalistas, especialmente de Astrojildo Pereira, que dirige o jornal *O Debate* e que será, em 1922, um dos fundadores (e secretário-geral) do Partido Comunista do Brasil. É a partir deste momento que o prestígio de Lima Barreto entre militantes e intelectuais começa a se formar e crescer até atrair a atenção de Monteiro Lobato, editor da *Revista do Brasil*, que, em novembro de 1918, se propõe a editar *Vida e Morte de M. J. Gonzaga de Sá*, pagando ao romancista um conto de réis de direitos, em duas prestações. Pela primeira vez o autor de *Triste fim de Policarpo Quaresma*, ao invés de pagar para ter sua obra publicada, é pago.

Duas crônicas veiculadas posteriormente retomam, de várias formas, as ideias do texto de maio. São elas, "Carta aberta" (dezembro de 1918) e "Mais uma vez" (1920). Em "Carta aberta", a situação em que se encontra o escritor é similar à vivida pelo personagem Policarpo Quaresma que, no romance escrito em 1911, redige requerimento às autoridades solicitando a adoção do tupi-guarani como língua nacional, é considerado louco e internado. E no momento em que Lima Barreto escreve sua carta ao presidente Rodrigues Alves – eleito pela segunda vez em 1918, mas que morre antes de tomar posse –, ele já está internado no Hospital Central do Exército. Delírios causados pelo alcoolismo e uma costela fraturada são os motivos do recolhimento por dois meses.

Enquanto está internado, ocorrem na cidade fatos que o mobilizarão de forma contundente, fazendo com que se manifeste imediatamente. A 18 de novembro, sob a liderança dos anarquistas, diversas associações de trabalhadores de todo o país decretam greve geral. A imprensa, em sua quase totalidade, ataca os grevistas, apoiando, como costuma acontecer, o governo e a violência policial empregada. Como em 1917, por ocasião da greve geral que paralisou São Paulo, serão os operários estrangeiros que pagarão mais caro, sendo expulsos do país. Em outubro de 1917, Lima Barreto inicia a campanha na qual as crônicas de 1918 darão continuidade. Dois textos publicados em *O Debate* ocupam-se da defesa dos trabalhadores, denunciando o arbítrio do poder público contra os estrangeiros que se envolveram nas manifestações grevistas. Em "São Paulo e os Estrangeiros I e II", Lima Barreto condena leis feitas sob medida para tornar legal a expulsão de militantes de origem italiana. No primeiro, de 6 de outubro de 1917, juntando à crítica corajosa sua mordaz ironia, acusa os "doges do Tietê" de usarem os estrangeiros a seu bel-prazer, equipar perigosamente a polícia e de "excomungar os estrangeiros a que chamam de anarquistas, de inimigos da ordem social, esquecidos que andavam antes a proclamar que a elegância de sua capital, os seus lambrequins, as suas fanfreluches eram devidas a eles, sobretudo os italianos". No segundo, de 13 de outubro, as acusações se estendem aos políticos que rasgaram a Constituição negando *habeas corpus* a militantes presos, contando ainda uma vez com o "apoio de quase toda a imprensa carioca, sem um protesto corajoso no congresso, realizando-se toda essa vergonha, todo esse rebaixamento da independência dos magistrados, perante o povo 'bestializado', calado de medo ou por sua estupidez".

"Carta aberta" dá continuidade a uma de suas mais comoventes crônicas, "Da minha cela" – a primeira que escreveu durante a internação –, com ponderações dolorosas sobre as condições de tratamento dos loucos. O emocionante tom deste texto será retomado no "Diário do Hospício", redigido em sua segunda internação no Hospital Nacional de Alienados, em dezembro de 1919. Em ambos evoca *Recordação da casa dos mortos*, do inesquecível "Dostoievski" ao falar de "loucos ou semiloucos", aqueles para os quais só se achou "a arma horripilante da prisão, do sequestro e da detenção". O objetivo do artigo não é apenas expor a sua própria condição, mas defender anarquistas vítimas de "inquisidores" do "candomblé republicano" e de seu ódio ao maximalismo, o que faz lançando mão de sua surpreendente erudição e da leitura de jornais e revistas estrangeiros.

A segunda crônica desta campanha, que direcionava ao presidente, aborda o que havia provocado mais uma repressão aos militantes do "motim de 18 do mês passado", ou seja, as manifestações que exibiram o potencial dos trabalhadores para lutar por seus direitos, fazendo com que as greves se multiplicassem por todo o país. Outra vez o oportunismo dos jornais irá indigná-lo. Condenando a "ambiência intelectual da imprensa cotidiana" a serviço da "tenebrosa repartição da rua dos Inválidos" – sede da polícia carioca que se tornará tristemente famosa nos anos do regime militar por abrigar o Departamento de Ordem Política e Social (DOPS) –, o autor se vê na obrigação de alertar o presidente da República sobre a necessidade imperiosa de manutenção das liberdades democráticas: "Não preciso lembrar a Vossa Excelência que ser anarquista, ter opiniões anarquistas, não é crime algum. A República admite a máxima liberdade de pensamento."

A outra crônica, "Mais uma vez", também se vincula aos preceitos de liberdade individual pregados em "No ajuste de contas...", mas está vinculada a uma outra campanha de teor bem diverso: a defesa, que fez por toda a vida, da liberdade das mulheres amarem quem quiserem, e a condenação veemente de toda sorte de violência praticada contra elas por maridos ou amantes. Ficou famosa a implicância que Lima Barreto tinha com as feministas, especialmente Berta Lutz e suas companheiras de militância. Lima Barreto as via como grã-finas vaidosas que se autodenominavam defensoras das mulheres, mas que não se preocupavam com a necessidade que, há muitos anos, levava as mulheres pobres a trabalhar em duros ofícios. O cronista não poupava as sufragistas de sua ironia e humor satírico, mas em relação às mulheres do povo, especialmente amantes perseguidas, demonstrava carinho e solidariedade. Ele defende com ênfase, desde 1915, as vítimas dos chamados "crimes passionais", comentando dois casos ocorridos na cidade e tentando, como afirma no texto, "convencer os homens de que eles não têm sobre as mulheres domínio outro que não aquele que venha da afeição". Assim termina essa bela crônica: "Deixem as mulheres amar à vontade. Não as matem, pelo amor de Deus!".

É pela persistência do tema que Lima Barreto coloca o título de "Mais uma vez". Inicia indicando que o "recente crime da rua da Lapa traz de novo à tona essa questão do adultério da mulher e seu assassinato pelo marido", e recorda diversos casos de mulheres assassinadas e a repercussão que tais crimes tinham "na nossa hipócrita sociedade", que estabelecia como direito do marido matar a mulher ao supor-se traído. No crime da Lapa, o marido assassino sequer acusou a esposa de adultério; a tese foi levantada pelos advogados. De saída, o cronista comprova, com toda razão, que uma característica desse tipo de crime é que "não se dá isto nesta ou naquela camada, mas de alto a abaixo". Naquele momento, porém, depois de já ter clamado tantas vezes em prol das mulheres, ele se ergue contra os advogados e os júris que absolvem os maridos e amantes. Ao condenar o uso de uma figura do Direito que se tornou bem conhecida, a da "legítima defesa da honra", não poupa sequer o companheiro de ideias e advogado Evaristo de Moraes: "O liberal, o socialista Evaristo, quase anarquista".

A crônica soa premonitória ao afirmar os perigos de um preceito baseado nos costumes como o da legítima defesa da honra (ou da honra conjugal) se tornar lei escrita, trazendo o retorno a usos selvagens "que queimavam e enterravam vivas as adúlteras". O fato é que o argumento jurídico usado pelo socialista Evaristo até 1981, quando, ironicamente, foi sepultado por seu próprio filho, Evaristo de Moraes Filho, responsável pela acusação contra o *playboy* Doca Street, acusado de matar a *socialite* Ângela Diniz. Absolvido num primeiro julgamento, em 1979, foi novamente levado ao júri dois anos depois. Se advogado de defesa, Evandro Lins e Silva, sustentava a tese de legítima defesa da honra e travou um "duelo de titãs" com Evaristo de Moraes Filho, que venceu e conseguiu a condenação de Street a 15 anos de prisão.

Inventores

•

Oswald à vista!

Apostando na ironia e em inegável conhecimento histórico, Oswald de Andrade forjou em seu livro Pau-Brasil, *de 1925, um país baseado em misturas culturais e no nacionalismo crítico.*

RENATO CORDEIRO GOMES

É certo que a capa de um livro é a marca de um produto que quer atrair o leitor, sugerindo-lhe significados do que traz dentro. Uma capa que redesenhasse a bandeira nacional, substituindo o lema positivista "Ordem e Progresso" por "Pau-Brasil", facilmente levaria mesmo um desavisado leitor a associá-lo a nacionalismo. Da mesma forma, a quantidade de bandeiras do Brasil espalhadas por nossas cidades, durante uma Copa do Mundo de futebol, indica o orgulho nacional, que, supostamente, "liga todos na mesma emoção". A associação seria mais certeira se esse leitor a relacionasse ao contexto histórico dos anos 1920, momento em que se traçava o projeto modernista empenhado na construção de uma consciência do país, num processo de conhecimento da realidade brasileira. Os modernistas queriam mesmo "descobrir o Brasil". Tornam-se intérpretes do país, com seus quadros, relatos de viagens, música, poemas e livros. Livros como o que teve a capa descrita no exemplo. Ele de fato existiu.

Publicado em março de 1925, em Paris, *Pau-Brasil* tem a assinatura de Oswald de Andrade (1890-1954), o modernista de São Paulo, que pouco antes, em 1922, junto a outros escritores e artistas, realizou a Semana de Arte Moderna, buscando atualizar a arte brasileira com o que de mais atual se fazia na Europa. O pau-brasil, nosso primeiro produto de exportação, é tomado como símbolo dessa arte nova que conjuga o moderno, que vinha de fora, com a realidade brasileira. Ser moderno, aqui, era também ser nacional. Mas em nova escala.

A denominação "Pau-Brasil" designa duas realizações assinadas por Oswald de Andrade: o "Manifesto da poesia Pau-Brasil", editado no jornal *Correio da Manhã*, do Rio de Janeiro, em 18 de março de 1924, e o citado livro de poesias *Pau-Brasil*, impresso em Au Sans Pareil, Paris, um ano depois, que punha em prática o programa modernista que o Manifesto requeria. Como registra Paulo Prado, autor de *Retrato do Brasil* (1928), no prefácio do livro, Oswald de Andrade, em Paris, na Plâce de Clichy, umbigo do mundo, descobre, deslumbrado, a sua própria terra. Com a volta a São Paulo, confirma-se a revelação surpreendente de que o Brasil existia! Ambos – Manifesto e livro de poesia – assentam sobre o nacionalismo crítico, relacionado com aquela nova "descoberta" do Brasil, empreendida pelo programa modernista a partir de 1922, mesmo ano em que se comemorava o centenário da Independência do Brasil e se fundava o Partido Comunista Brasileiro, a que Oswald se filiará em 1931.

À maneira de outros manifestos que inauguraram movimentos políticos, culturais e artísticos, a partir do século XIX, mas que proliferaram no início do século XX com as vanguardas, o "Manifesto da poesia Pau-Brasil", em seu radicalismo, buscou combater pela raiz a literatura e a arte que então se faziam no Brasil. Com suas palavras de ordem, em frases curtas e incisivas, alia o primitivismo e as vanguardas europeias (futurismo, cubismo, expressionismo, surrealismo), para traduzir a ruptura com as convenções do passado. Ao mesmo tempo, retoma um traço da tradição cultural brasileira, não contemplado por essas convenções, isto é, o primitivismo, que para nós era um fato e não mero exotismo, e possibilitava uma lógica diferente, em oposição ao pensar cultivado e domesticado da cultura oficial dominante. De um lado, valoriza os estados brutos da alma coletiva, os sentimentos mais espontâneos, enquanto fatos culturais, e, de outro lado, as inovações formais fornecidas pelas vanguardas europeias, permitindo a implantação de uma linguagem simplificada e depurada da retórica balofa recorrente na literatura e na eloquência brasileiras. Propõe, afinal, uma nova escala para a percepção condicionada pelos meios técnicos da sociedade industrial para ensinar a "ver com olhos livres". Para "acertar o relógio império da literatura nacional".

O Manifesto acaba sendo um programa de reeducação da sensibilidade e uma teoria da cultura brasileira, conforme destaca o crítico paraense Benedito Nunes. Advogando a invenção e a surpresa, a nova proposta decompõe, através da ironia e da paródia, o arcabouço intelectual conservador de nossa sociedade. E propõe a conciliação entre a "floresta e a escola", entre natureza e novo espaço urbano, entre cultura nativa e cultura intelectual renovada, num composto que confirmaria a nossa miscigenação étnica. Retoma, assim, a mestiçagem, ou o hibridismo, que caracteriza a cultura brasileira, portanto não "pura", para fazer emergir a originalidade nativa, para fazer dela o ingrediente de uma arte nacional exportável, como fora o pau-brasil.

Estruturado em aforismos, trabalhando com oposições e contrastes, misturando imagens e conceitos, o Manifesto rompe com o discurso lógico e mescla, em estilo telegráfico, o tom de defesa radical de seus princípios, as alusões e o caráter doutrinário. As ideias novas que propõe são, assim, ditas numa linguagem também nova, sintetizada no aforismo: "O trabalho contra o detalhe naturalista – pela síntese; contra a morbidez romântica – pelo equilíbrio geômetra e pelo acabamento técnico; contra a cópia, pela invenção e pela surpresa." Todos os termos aqui valorizados procuram impor a marca do "novo", eleito como força fundamental e decisiva da arte moderna, aquela que se quer atualizada com o presente estreitamente ligado com o futuro. O "novo", o que a tradição não incorporara, nem inventara, é traço moderno por excelência, ligado à "mudança", com que, assimilada ao progresso, a modernidade se identifica.

O programa do Manifesto será posto em prática no livro *Pau-Brasil*, que o resume no poema "Falação", estrategicamente estampado logo após a abertura do livro com o poema "escapulário", paródia da oração do pai-nosso: "No Pão de Açúcar/ De cada dia/ Dai-nos Senhor/ A poesia/ De cada dia." O pão torna-se a poesia, ração diária necessária à vida e, como indica o título retirado do vocabulário religioso, é protetor de todo o livro.

Adotando como procedimentos da linguagem a apropriação de textos alheios, a paródia, as técnicas de montagem, que vêm do cinema (cortes, closes, flashes) e das artes plásticas – que se abrem para a fragmentação e a visualidade –, *Pau-Brasil* relata uma viagem de descoberta do país, desde a dedicatória "A Blaise Cendrars por ocasião da descoberta do Brasil", mas datada de 1925. Logo, é uma outra descoberta, diferente da que realizaram os portugueses. A homenagem ao poeta suíço-francês que, em 1924, acompanhou a caravana modernista em viagem a Minas Gerais, para "descobrir" o barroco colonial, desaparece na edição das *Poesias reunidas O. de Andrade*, de 1945. Conserva-se, porém, o restante da frase, agora funcionando como fio que costura a possível narrativa do livro, que, organizado em séries de poemas, constrói em tom ao mesmo tempo sério e cômico uma História do Brasil.

Essa história abre, na primeira edição, com um desenho da pintora Tarsila do Amaral, que era casada com Oswald. A ilustração, como os outros desenhos do livro, é propositalmente ingênua, sugerindo em traços infantis a chegada dos portugueses ao Novo Mundo. A história, enquanto viagem, começa com a paródia da carta de Pero Vaz de Caminha e termina com o "canto de regresso à pátria", fechando o périplo da viagem.

O livro começa, assim, pela História do Brasil, seção que parodia cronistas coloniais e relatos de viagem, que descrevem a terra descoberta. Retoma aí, para ironizar, o tópico do Brasil como o paraíso terrestre, presente desde a carta de Caminha e marca de ufanismo de uma feição do nacionalismo brasileiro. Seguem-se os "Poemas da colonização", que introduzem o negro, a miscigenação e o patriarcalismo, e a série "São Martinho", que reapresenta o passado do mundo rural, da aristocracia fazendeira, visto pelo prisma da modernidade, na tentativa de recuperar as raízes primitivas da sociedade e da cultura brasileiras e sua adequação ao presente. O país civilizado à europeia, o universo cosmopolita e a metrópole são tematizados na série de "RP1", a que se segue "Carnaval", que celebra no Rio de Janeiro "o acontecimento religioso da raça". "Secretário dos Amantes" apresenta anotações sintéticas do amante em viagem, pondo em xeque o sentimentalismo romântico, pela apropriação da linguagem "clicherizada" dos manuais de modelos de cartas. "Postes da Light" tematiza os flashes do cotidiano urbano, atualizando a linguagem dos tempos modernos condicionada pelas tecnologias da sociedade industrial. "Roteiro das Minas" reúne os poemas motivados pela viagem da caravana modernista a Minas Gerais, em 1924, para descobrir o passado colonial representado pelo barroco, até aquele momento abandonado e não incorporado à tradição artística brasileira: os vanguardistas vão buscar essa tradição esquecida, mas vista, por isso mesmo, como manifestação do novo. O livro encerra-se com a série "Loide Brasileiro", não à toa o nome de uma conhecida companhia de navegação, e tematiza a viagem de regresso ao Brasil, partindo de Lisboa.

Imitando assim as viagens dos navegantes portugueses, profere seu "Canto de regresso à pátria", poema que parodia a famosa "Canção do exílio", do romântico Gonçalves Dias (certamente o poema mais parodiado da literatura brasileira). Ambos têm como elemento comum o nacionalismo. O romântico exalta ufanisticamente o Brasil como paraíso, em que "nossos bosques têm mais vidas" e "nossa vida mais amores" (imagens repetidas, não à toa, no nosso Hino Nacional). O modernista vê a pátria como lugar do progresso, da exploração das riquezas minerais, da indústria moderna simbolizada por São Paulo, mas também um lugar de rebelião. O primeiro verso: "Minha terra tem palmares" refere-se tanto ao famoso quilombo de Zumbi quanto ao coletivo de palmeiras, remetendo, para modificar, ao primeiro verso da "Canção do exílio": "Minha terra tem palmeiras."

No périplo da viagem pela História do Brasil que o livro *Pau-Brasil* constrói, Oswald de Andrade, transformado no eu poético que fala, aporta e redescobre a terra. Mas não deixa de trazer escondida "uma saudade feliz/ de Paris". A conexão com a Europa tinha mudado, para nossos modernistas, de Portugal para a França, de onde ele traz uma espécie de "contrabando" (título do poema final). Procura indicar que a descoberta da identidade da pátria não mais é exteriorização de uma essência que nos constituiria, enquanto marca identitária pura, mas interiorização do exterior, isto é, incorporação de traços da cultura estrangeira, necessários à atualização tecnológica, cultural e artística. Por esse processo, tais traços se incorporam à nossa identidade - híbrida -, como já anunciava o "Manifesto da poesia Pau-Brasil", que será retomado, em 1928, pelo "Manifesto antropófago", aquele cujo lema é "Tupy or not tupy, that is the question", e, mais tarde, em fins dos anos 1940, pelas teses sobre as utopias e a filosofia messiânica, a que Oswald de Andrade se dedicou no final da vida. Sempre buscando ver o Brasil com olhos livres.

A invenção da MPB

Ao tratar dos dramas e comédias do cotidiano e assumir uma postura declaradamente antirromântica, Noel Rosa imprimiu um caráter popular e inovador à música brasileira.

JOÃO MÁXIMO

A quem possa interessar, uma sugestão: revisitar de tempos em tempos os sambas de Noel Rosa, principalmente os menos conhecidos. Não por saudosismo, nem para não esquecê-los, ou mesmo pelo simples prazer de ouvi-los mais uma vez. Noel é dos raros nomes da música popular em cuja obra sempre podemos descobrir novos detalhes, novos caminhos poéticos, que nos tenham escapado em audições anteriores. Em outras palavras: há, em certos sambas seus, encantos ocultos capazes de surpreender o "noelista" mais atento, sendo ele, como foi, um poeta fingidor, mestre da escamoteação e do duplo sentido.

Não é preciso fazer como certos doutores que andam teorizando sobre letras de Noel Rosa... que não foram escritas por ele (em seus sambas com Ismael Silva, Cartola e outros dos chamados sambistas de raça, os versos da primeira parte nunca são dele, mas do parceiro). Nem é preciso ir tão longe quanto o intelectual baiano que descobriu um Noel elitista e, mais do que isso, racista, a desmerecer os cultos afros nesta homenagem a Vila Isabel, bairro carioca onde ele nasceu e morreu:

A Vila tem um feitiço sem farofa
Sem vela e sem vintém
Que nos faz bem.
Tendo nome de princesa
Transformou o samba
Num feitiço decente
Que prende a gente...

Uma leitura das letras de Noel Rosa já levou estudiosos a vê-lo como o primeiro representante do modernismo na música popular. Será? O caráter antiliterário, coloquial, de anedotas e soluções inesperadas, apontado nessas letras, por exemplo, pelo poeta Affonso Romano de Sant'Anna, seriam aproximações com a estética de 1922. Mesmo que não sejam características de Noel Rosa o desprezo à métrica e o "trabalho de crítica pela sátira ou pela paródia", embora ele tenha sido, de fato, admirável na criação de paródias. Mesmo, também, que "a adoção da linguagem prosaica e a ironia" não sejam exclusividades de Noel, mas recurso de vários outros letristas da década de 1930. Dele, sim, era o humor judaico, autodepreciativo, presente da primeira à última de suas crônicas em forma de música. Na verdade, Noel não teve muita consciência do que foram a Semana de Arte Moderna e os poetas que dela emergiram. No Ginásio de São Bento, que ele cursou de 1923 a 1930, jamais se tocou no assunto, como atestam a coleção de *A Alvorada*, revista cultural do colégio, e os mais dez colegas de turma do próprio Noel que eu e Carlos Didier tivemos a oportunidade de entrevistar há mais de 15 anos. Para eles, e para o menino de Vila Isabel, poeta maior, mesmo, era Olavo Bilac.

A propósito do humor judaico, vale refutar também as acusações de antissemitismo que já lhe foram feitas, em razão de versos de dois de seus mais admiráveis sambas: "Quem dá mais", no qual, entre as riquezas brasileiras, um violão é leiloado ("... quem arremata o lote é um judeu/ Quem garante sou eu/ Pra vendê-lo pelo dobro no museu"), e "Cordiais saudações", carta justificando a cobrança de uma dívida ("... a vida cá em casa está horrível/ Ando empenhado nas mãos de um judeu"). Acusações feitas sem considerar que – no contexto em que os dois sambas foram feitos e por mais imperdoavelmente preconceituoso que isso fosse – *judeu* era como quem emprestava dinheiro a juros a famílias em dificuldades como a de Noel, sendo judeu ou não. É decerto o vilão mais citado em seus sambas, eventualmente também chamado de *turco*, mesmo se fosse árabe, sírio ou libanês.

Noel de Medeiros Rosa nasceu em 11 de setembro de 1910. Como se disse, em Vila Isabel, bairro da Zona Norte do Rio de Janeiro. E morreu em 4 de maio de 1937, no mesmo chalé modesto em que viera ao mundo (hoje um edifício de três andares na rua Teodoro da Silva, número 382). Viveu, portanto, 26 anos, quatro meses e 23 dias. Nenhum compositor popular brasileiro construiu, até essa idade, obra tão importante e influente. O que se deve a dois pontos principais: letra e música. Noel foi tão importante na criação de um novo tipo de lírica popular, detalhe já devidamente reconhecido por todos que estudam a sua obra, como também na evolução melódico-harmônica do samba, num processo não lembrado pelos estudiosos.

A criação de um novo tipo de lírica não aconteceu por acaso. Foi uma atitude consciente de um jovem para quem canções produzidas para o povo cantar deveriam ser simples e despojadas. E que os temas dessas canções precisavam ser os mesmos que o homem comum vivia e compreendia. O novo tipo de lírica que Noel propunha deveria prevalecer sobre a poesia dita culta que os letristas das três primeiras décadas do século XX tentavam copiar. Como ele próprio disse, em 1936, numa entrevista certamente reescrita:

"O samba evoluiu. A rudimentar voz do povo transformou-se, aos poucos, numa autêntica expressão artística, produto exclusivo da nossa sensibilidade. A poesia espontânea do nosso povo levou a melhor na luta contra o feitiço do academicismo a que os intelectuais do Brasil viveram durante muitos anos ingloriamente escravizados. Poetas autênticos, anquilosados no manejo do soneto, depauperados pela torturante lapidação de decassílabos e alexandrinos sonoros, sentiram em tempo a verdade. E o samba tomou conta de alguns deles."

Mais adiante:

"... esses poetas (Orestes Barbosa e Jorge Faraj, dois que tinham se afastado da poesia escrita para se dedicar a letras de música) tiveram também que se modificar, abandonando uma porção de preconceitos literários. Influíram sobre o público, mas foram, também, por eles influenciados. Da ação recíproca dessas duas tendências resultou a elevação do samba como expressão de arte, e resultou na humanização dos poetas condenados a estacionar pelo sortilégio do academicismo. Não duvido que Bilac, se fosse vivo, tomasse o bonde do samba."

Nada mais modernista, sem dúvida, embora seja preciso dizer que os "academistas" a que Noel se referia eram os que, antes dele, tentavam fazer na música popular o que os Bilacs faziam em seus livros. Para citarmos alguns, Catulo da Paixão Cearense, Cândido das Neves, Hermes Fontes, Freire Júnior, Uriel Lourival, criadores de modinhas com linguagem rebuscada, derramada e, no caso de Catulo, afetada. Enfim, réplicas musicais de "poetas cultos" como Bilac, teimando em comparar à seda os cabelos da mulher amada, à pérolas os seus dentes, ao mar os seus olhos, à Lua sua pele morena, à flor o seu odor, à música sua voz.

Nas citadas primeiras décadas do século XX, as letras de canção eram praticamente de dois tipos: as sérias, de cunho romântico, em que pontificavam Catulo e seus pares, e as espirituosas, de sambistas, maxixeiros e chorões mais próximos do povo, os quais se valiam da anedota, da sátira, da crítica, das tiradas ferinas e da graça quase sempre moleque para fustigar inimigos, políticos, modas, situações, comportamentos.

Do romantismo das canções sérias citemos alguns versos. De Catulo:

Põe o ouvido aqui
Na rósea flor do coração
Ouve a inquietação
Da merencória pulsação

De Cândido das Neves:

São dois lírios os teus seios alabastrinos
Quase divinos!
Parecem feitos para o meu beijo

O curioso é que os dois letristas que Noel cita como tendo abandonado "uma porção de preconceitos literários" – Orestes Barbosa e Jorge Farat – continuaram românticos e formais em suas letras, em geral escritas para que alguém as musicasse depois. É verdade que com mais talento e bom gosto que seus antecessores, mas de forma alguma sintonizados com o que Noel propunha.

E o que ele propunha? Nada menos que as letras espirituosas não se limitassem ao Carnaval, às gafieiras, às rodas de samba e ao teatro de revista, em torno do que vigorava a ideia segundo a qual, ali, em termos de letra de música, tudo era permitido. Propunha que a lírica do samba e de todas as canções populares se fizesse pela linguagem do povo e não pela dos poetas cultos. O Carnaval já era por tradição uma festa permissiva, na qual se podia cantar, a plenos pulmões:

Zizizinha, Zizinha,
Ó vem comigo, vem
Também quero tirar uma casquinha

Nas gafieiras já reinava, mais ou menos absoluto, J. B. da Silva, o Sinhô, enquanto no teatro de revista, um poeta como Luís Peixoto aproveitava a liberdade que o meio lhe dava para ensaiar o tipo de letra romântica, nada preciosista, nada empolada.

O que Noel propunha era quase uma inversão: tratar os assuntos aparentemente banais do dia a dia com uma seriedade disfarçada por trás do humor e transformar os temas mais sérios, como o amor e a política, em crônicas nas quais o drama e a comédia se confundissem. Para ele, tudo era permitido, não só no carnaval da gafieira, no terreiro ou no palco, mas em qualquer canção. Motivos e personagens antes proibidos fora daqueles universos – a fome, o mendigo, o dinheiro, a mentira, o lixeiro, a ambição, a mulher da vida, o bêbado, a desonestidade, o ladrão de galinha, a malandragem, a moça do subúrbio sonhando com as luzes da cidade, o *coronel* que banca esse sonho, a alma das ruas, o policial, o morro, nosso já conhecido prestamista – vão povoar suas letras.

São letras, acima de tudo, antirromânticas, sem nada a ver com as dos modinheiros parnasianos. Em rigor, somente uma das suas, das primeiras, pauta-se pelos arroubos e palavrórios dos antigos letristas:

Sem estes teus tão lindos olhos
Eu não seria um sofredor
Os meus ferinos abrolhos
Nasceram do nosso amor

Noel Rosa reagiu de tal forma ao romantismo que vinha de longe que chegou a parodiar canções de amor dos letristas que admirava. Assim...

Seu cabelo tinha a cor
De um sol a irradiar
Fulvos raios de amor
Seus olhos eram circunvagos
Do romantismo azul dos lagos

Virava:

Seu cabelo tinha a cor
De um burro quando foge
Do amansador
Seus olhos eram circunflexos
Perplexos e desconexos

E uma das obras primas de Orestes...

Saudade, de quando em quando
Passarinhos segredando
Voam tontos rente ao chão
Felizes na primavera
Na busca da paz sincera
Do ninho do coração

Virava:

Miséria, de vez em quando
Prestamistas recitando
Minhas contas no portão
E a criada, calmamente,
Diz que estou ausente
E não lhe deixei tostão

Paródias à parte, as letras de Noel para a sua própria música (ou para a música de seus verdadeiros parceiros) reinventaram a lírica popular, deixando-a em total acordo com a fala do homem comum. Forma e conteúdo afinados, pois a sua temática, desde o primeiro sucesso, em que nos fala de um "Brasil de tanga", pobre e faminto (com melodia inspirada no Hino Nacional), será o drama e a comédia de seu povo:

Eu hoje estou pulando como sapo
Pra ver se escapo dessa praga de urubu
Já estou coberto de farrapo
Eu vou acabar ficando nu
Meu terno já virou estopa
E eu pergunto: "Com que roupa eu vou
Ao samba que você me convidou?"

Um Brasil que ele voltará a retratar outras vezes. No já mencionado "Quem dá mais?" (a mulata, o violão e o samba, riquezas brasileiras leiloadas por alguns mil-réis) e no irreverente "Samba da boa vontade", em que compara o Brasil "a uma criança perdulária, que anda sem vintém, mas tem a mãe que é milionária". Tudo isso visto por um jovem de vinte e poucos anos que acabara de abandonar o curso de medicina para tentar ser, segundo disse a um amigo, "o Miguel Couto do samba".

Seus personagens serão um joão-ninguém (o que come bem no almoço pra se esquecer do jantar, o sem ideal na vida e assim mesmo mais feliz do que os que ostentam luxo e vaidade), o falso Tarzan (que deve sua musculatura à habilidade do alfaiate), o teimoso, o palpiteiro, o hipócrita, o invejoso, o guarda-civil de salário atrasado, o boêmio regenerado, o malandro medroso, o gago apaixonado, o mulato bamba (valente e homossexual, o primeiro que se atreveu a cantar em samba). São, também, objetos que adquirem vida, como o barracão posto abaixo, que ele desconfia já ter ido à sua procura, ou a triste cuíca que chora como um boi mugindo. Mas em muitas de suas letras é do próprio sofrimento que ele fala, orgulhoso por saber esconder a dor, por sofrer sem reclamar, ou ainda com uma pena de si mesmo:

E hoje em dia, quando por mim ela passa
Bebo mais uma cachaça
Com meu último tostão
Para esquecer a desgraça
Tiro então uma fumaça
Do cigarro que filei
Do ex-amigo que outrora sustentei

Suas musas não são santas, nem deusas, muito menos estátuas majestosas por Deus esculturadas. São: a operária de fábrica, a mulata fuzarqueira, a dama do cabaré, a que gosta de apanhar, a de riso de criança (mas enganador), a dona do lugar, a vizinha indigesta, a arruaceira que some feito fumaça, a menina de família metida em certo meio, a palmeira do Mangue que não vive na areia de Copacabana. São, na maioria, falsas, ardilosas, traiçoeiras, mas há também as indefinidas, vagas e misteriosas, como a que ele nos oculta nos versos de "Cor de cinza":

A poeira cinzenta
Da dúvida me atormenta
Nem sei se ela morreu
A luva é um documento
De pelica e bem cinzento
Que lembra quem me esqueceu

Seu modo de pensar a vida e as pessoas – combinação de ironia com pessimismo – custou-lhe comparações ditadas pelo exagero, como verem nele uma versão doméstica e popular do dramaturgo inglês Bernard Shaw (1856-1950). Ou não tão exageradas, como chamarem de "filósofo do samba", devido à originalidade de suas letras, às ideias e sentenças nelas contidas.

O que Ary Barroso escreveu em 1955 – reconhecendo como justas as homenagens que se prestavam a Noel, "não especialmente ao *compositor*" (grifo do próprio Ary) – resume a opinião predominante entre músicos, estudiosos e mesmo público:

"Como melodista, às vezes tinha sorte. Como cantor, mau. Como violonista, o suficiente para se fazer entender (...) Noel Rosa letrista, coisa rara. Seu estilo nunca foi superado. Diamante de vários quilates. Como compositor, venero a memória daquele que criou uma escola de poesia para o samba..."

Noel realmente não foi um melodista excepcional. Não foi, pelo menos, tão bom nisso quanto letrista. Mas sua importância na evolução do samba é de outra ordem: a do moço branco da cidade que um dia se associou aos negros de morro que faziam o melhor samba carioca, resultado disso, um exemplo que, logo seguido por outros, ampliaria os limites da música popular do Rio de Janeiro. Um processo diferente do que se deu, pela mesma época, com o jazz nos Estados Unidos, onde o papel do branco foi mais de apropriação do que de associação.

Noel deixou nos amigos e vizinhos de bairro lembranças que em geral convergem para a figura de um jovem muito magro (a tuberculose o mataria), de queixo defeituoso, boêmio, bom de copo, dado a silêncios prolongados e com uma irresistível atração pelas "más companhias". Amigos e vizinhos entendiam como tal não só os malandros e as prostitutas com os quais Noel convivia mais à vontade do que com eles mesmos, mas, sobretudo, os negros que o visitavam em seu chalé ou aos quais ele ia procurar nos morros de toda a cidade. Esses negros eram, quase sempre, do samba. O filho da professora – que acordava tarde e já ia pra debaixo da goiabeira, abraçado ao violão para cantar e compor – adorava quando um daqueles negros aparecia para compor e cantar com ele. Vizinhos e amigos não gostavam: "Esse filho de dona Marta vive metido com gentinha." Pois se deve justamente a essa associação – ou melhor, integração – com o que se entendia por má companhia (para Noel a melhor companhia do mundo) sua importância como compositor.

Seu começo na música deu-se no Bando de Tangarás, um conjunto liderado por Almirante e integrado também por Henrique Brito, Álvaro de Miranda Ribeiro, o Alvinho, e João de Barro (apelido de Carlos Alberto Ferreira Braga, o Braguinha). Todos da classe média do bairro, bons rapazes, bem-comportados. Como se dizia, "de família". O quinteto se formou em 1929 para gravar discos na Odeon. O repertório, ainda sobre influência da invasão do Rio pela música nordestina, ocorrida dois anos antes no rastro da embolada "Pinião", era basicamente de cocos, toadas, desafios, cateretês, maracatus e, claro, emboladas. Só por isso, as duas primeiras composições de Noel a chegarem a disco foram a embolada "Minha viola" e a toada "Festa no céu".

Noel já fazia samba quando entrou para o conjunto, mas a rendição definitiva ao gênero, uma quase traição aos Tangarás (dos quais não tardaria a se afastar), começou na amizade com a primeira "má companhia" que o samba pôs em seu caminho: o negro Deocleciano da Silva Paranhos, o Canuto do Morro dos Macacos (ou seria do Salgueiro?). Com ele Noel compôs três sambas, todos em estilos diferentes do que se vinha fazendo, porque lentos, tristes, de frases longas em lugar das pausas amaxixadas mais usuais.

É que existiam no Rio dois tipos de samba: o da Cidade Nova, dançante, primo-irmão do maxixe, que animava as festas das tias baianas da região, e o do Estácio, mais lento, triste, de frases longas, como Canuto e os outros compositores do morro faziam. Não é por acaso que este samba ficou conhecido como "samba de morro", pois nasceu mesmo no de São Carlos e seus arredores, desceu a cidade para o Carnaval, foi se instalando, gerou a primeira escola de samba e se espalhou por todos os outros morros e também pelos subúrbios que se alinhavam ao longo das ferrovias da Central ou da Leopoldina, como Madureira e Ramos.

Foi por este samba que Noel se enfeitiçou. A ponto de – na primeira metade da década de 1930, quando praticamente não havia parcerias inter-raciais na música popular (o cantor Francisco Alves comprava de autores a participação nos sambas) – Noel se tornar parceiro de vários sambistas negros: Ismael Silva, Cartola, Manuel Ferreira, Antenor Gargalhada, Zé Pretinho, Donga, João Mina, Canuto, Puruca, Alcebíades Barcelos, o Bide, Ernani Silva, o Sete, e Lauro dos Santos, o Gradim. Parcerias integradoras e reciprocamente enriquecedoras, Noel acrescentando segundas partes às primeiras dos "sambistas de morro", dando-lhes a qualidade de sua lírica e aprendendo com eles a música – melodia e harmonia – daquele melhor samba carioca, do qual seriam herdeiros todos os grandes sambistas das gerações futuras.

Ismael Silva – desmentindo os que atribuíam a primazia ao paulista Vadico – foi o parceiro com quem Noel mais colaborou. Juntos criaram uma marcha (gênero raro na obra de Ismael e pouco frequente na de Noel) e dezessete sambas (estes, sim, rigorosamente dentro das regras do Estácio). Muitos não foram assinados por um ou pelo outro, num esperto modo de burlar Francisco Alves, com quem tinham trato de dar parceria em tudo que fizessem. Um dos sambas, "É peso", em que eles se camuflam por trás do nome de um jornaleiro da rua Gomes Freire, entre a Lapa e o Estácio, talvez seja bom modo de finalizar nossa história. Não é anedótico nem crítico, não fala de personagens marginais nem filosofa sobre a miséria, mas é tipicamente Noel Rosa. E Ismael Silva também. Um samba lento, triste, de frases longas, típico do Estácio, com uma letra em que o poeta de Vila Isabel usa os dois sentidos de palavras como *peso* (azar e carga) e *pena* (castigo e coisa leve) para cantar um amor perdido. Obra e mestre que, numa primeira audição, talvez escape ao "noelista" mais atento:

E quando a lua descamba
Com o pandeiro a batucar
Saio da roda de samba
Pra ninguém me ver chorar
Ao azar hoje me entrego
Quem tem peso tem azar
Mas o peso que eu carrego
É a pena de te amar...

"O meu pai era paulista..."

Sérgio Buarque de Holanda e seu filho Chico são, cada um em seu tempo e estilo, geniais intérpretes do Brasil.

FRANCISCO ALAMBERT

"Avó, vou para a Itália. Quando eu voltar, provavelmente a senhora estará morta. Mas não se preocupe. Eu vou me tornar um cantor de rádio. É só a senhora ligar o rádio do céu que vai me escutar." Esse texto impagável constava de um bilhete que uma criança chamada Francisco deixou para a sua avó quando, aos 8 anos, mudou-se com a família para a Itália. A história é contada por seu pai, o grande historiador Sérgio Buarque de Holanda (1902-1982) e consta de um artigo publicado em setembro de 1968 no primeiro número da revista *Pais & Filhos*. Na ocasião, o historiador, já famosíssimo, dava seu depoimento sobre o filho, jovem músico que estourava para o sucesso depois de vencer o II Festival da TV Record, em 1966, com a canção "A banda".

Desde então, seu filho se tornara efetivamente, "seresteiro, poeta e cantor" - e Sérgio, segundo suas próprias palavras, apenas "o pai de Chico". Nesta época o jovem já se transformava em "única unanimidade nacional" (segundo Millôr Fernandes), a ponto de inverter a ordem de apresentação com seu pai, ninguém menos do que um dos três grandes "intérpretes do Brasil", ao lado de Gilberto Freyre e Caio Prado Jr. Só restava a Sérgio reconhecer, em parte por ironia, em parte por desgosto com os rumos do país, que "depois do festival, eu passei a ser o pai dele".

Sérgio intuía ali o surgimento de uma nova geração que, com melhores e piores resultados, tomava para si o projeto da sua própria geração, interrompido pela ditadura. Outro sucesso do filho, obviamente não comentado pelo pai, vai dar um sentido profundo a seu texto sobre Chico – o musical *Roda-viva*, alvo de atentado do Grupo Comando de Caça aos Comunistas (CCC) dois meses antes, antecipando os momentos de tortura e assassinato que o estado ditatorial estava prestes a instituir.

A fala de Sérgio em relação a Chico é ao mesmo tempo um jogo de espelhos e de máscaras, do dito e do não dito. Por exemplo, especula sobre a carreira do filho, então com apenas 24 anos, antevendo uma mudança de domicílio e de atividade: ele "ficou muito contente de ter ido a Paris, porque ninguém o conhecia por lá"; e "não obstante todo o sucesso, o qual não lhe provoca muito prazer, é bem capaz de Chico largar tudo isso e partir para uma outra coisa qualquer". De fato, se não abandonou de vez a música ou o Rio de Janeiro, o filho do Sérgio tem empreendido desde o primeiro romance, *Estorvo*, uma reviravolta em sua vida: mais do que cantor, compositor e autor esporádico de peças de teatro, ele se fez romancista, fazendo do apartamento de Paris seu *atelier*. Mudanças, ou duplicações de rumos, que lembram a trajetória de seu pai que, décadas antes, deixou a crítica literária e o jornalismo para se tornar historiador e professor universitário.

Variando entre o espelho e a máscara, Sérgio oculta nas entrelinhas de seu texto sobre Chico a gravidade do momento. O golpe de 1964 levava a uma virada na história daquela família (e de tantas outras), expressa na radicalização política do pai e no engajamento artístico do filho. Sabemos que, entre outras desgraças, aquele foi o golpe da mediocridade e da insânia brasileiras, que a geração de Sérgio tanto se esforçou por combater e apartar do processo de formação nacional. Agora, nos anos 1960 e 1970, o filho encampava a luta, continuando o trabalho que o pai começou.

Já não era apenas a notoriedade acadêmica que rondava, então, a família dos Buarque de Holanda. Segundo Sérgio, "a família estava um pouco tonta com sucesso tão fulminante" de Chico, entre as canções doces e as canções de protesto, os olhos verdes e as bandeiras vermelhas, a imagem de um bom menino tímido e a de porta-voz da liberdade. Enquanto a ditadura militar ia fechando o cerco ao poeta engajado ("diz que eu sou subversivo/ um elemento ativo/ feroz e nocivo/ ao bem-estar comum"), o músico "conservador" era questionado pelos tropicalistas, por sua filiação a uma certa tradição do samba urbano que não endossava as noções de "ultramodernidade" dos movimentos da contracultura europeia e norte-americana.

Hoje podemos constatar que tanto Chico quanto Sérgio Buarque de Holanda preferiram estar mais próximos dos clássicos, sem perder a modernidade, jamais... Seguindo um princípio constante de seu pai, o processo de substituição das "elites" pelo "povo" como sujeito da História – cujas bases teóricas, no entender do professor Antonio Cândido, estão presentes em Sérgio desde *Raízes do Brasil* –, Chico estranha a abertura irrestrita à massificação e ao desbunde da primeira hora tropicalista, talvez porque o mesmo elogio à indústria cultural e a mesma crítica à esquerda histórica também fossem bandeiras do regime militar.

As calúnias a Chico vinham dos dois lados e de vários modos: "têm surgido boatos por aí de que eu componho as músicas pra ele", escrevia o pai, denunciando as maledicências que o compositor, criativamente, enfrentava, a par de uma censura cada vez mais violenta. Entre a tradição da Bossa Nova, reciclada na vertente da música de protesto, e o desbunde programado e escandaloso da revolução nos costumes proposta pelo grupo tropicalista, Chico se via num impasse. É sintoma dessa crise – e da forma com que o artista vai superá-la – a ironia de uma canção como "Essa moça tá diferente", na qual uma jovem "só samba escondida/ que é pra ninguém reparar", pelo imperativo de se "supermodernizar" e de ver o astronauta americano na televisão.

O texto de Sérgio continua com a apresentação do universo cultural de Chico: "desde menino, sempre se interessou por música e futebol. (...) Da música popular, seus ídolos eram Ismael Silva, Dorival Caymmi e Ataulfo Alves. Mais tarde, João Gilberto, de quem procurava imitar o estilo". Para o pai, esses compositores são mais decisivos na formação do filho do que Noel Rosa, com quem ele foi tantas vezes comparado. Não se tratava de reclamar de Noel, mas de lamentar a desatenção para com presenças mais fortes na vida e na obra de Chico. Sérgio se referia, com certeza, ao ambiente cultural de sua própria casa, em que sempre apareciam amigos do naipe do poeta e compositor Vinicius de Moraes, grande influência do filho e em breve seu parceiro. Mas, a confiar no depoimento de Sérgio, a fonte decisiva era João Gilberto, ouvido "seguidas vezes".

As referências à geografia afetiva do filho, carioca sem ser "da gema" e paulistano honorário, transcendiam o bairrismo tão presente nos dois lados do famigerado eixo Rio-São Paulo. O historiador Richard Morse – em seu célebre estudo sobre a *Formação Histórica de São Paulo* – concorda que Chico é produto de um certo espírito da São Paulo dos anos 1950 e 1960, marcadas por aberturas desenvolvimentistas e democráticas. Como o Rio, aliás.

Em discurso feito em 1967, quando recebeu o título de Cidadão Paulistano, o compositor declara "que Pedro Pedreiro espera o trem num subúrbio paulista, Juca é cidadão relapso do Brás, Carolina é a senhorita da janela da Bela Vista e a banda passou, por incrível que pareça, no Viaduto do Chá, em clara direção ao coração de São Paulo". Curiosamente, as músicas escolhidas nesse discurso são as mesmas que o pai, em seu texto sobre o filho, diz ser as suas preferidas: "das suas músicas todas, gosto mais de 'A Banda', 'Pedro Pedreiro', 'Roda-viva' e 'Carolina'."

A mesma dupla referência de Chico é realçada por Sérgio: "sua formação é, sem dúvida, paulista. Nasceu no Rio, mas quando completou 2 anos, mudamos para São Paulo. Aqui passou toda a sua infância. Preferiu fazer o científico porque achou que o curso clássico era coisa de mulher. Dado momento, escolheu um ramo bem aproximado do artístico: arquitetura. Ficava em casa criando cidades imaginárias."

Falou-se em máscara para os momentos do relato em que Sérgio, consciente ou inconscientemente, não deixa claro certas circunstâncias biográficas de Chico, como parece ser o caso da frase em que distancia o filho dessa "coisa de mulher". Mas a capacidade de mascaramento, de criar personagens e diversificar pontos de vista, é comum tanto ao pai quanto ao filho. Todos concordam que ninguém escreveu melhor sobre a mulher – do ponto de vista de uma mulher – do que Chico Buarque. Num contexto bastante diferente, Sérgio também gostava de criar personagens, no papel e em carne e osso. Segundo relata Walnice Nogueira Galvão, Antonio Cândido conta um episódio em que ele e Sérgio improvisaram uma dança na celebração dos 60 anos deste último, em sua casa à rua Buri, sede de memoráveis festas. De repente, ao rodopiar em direção a uma porta, vislumbravam uns mocinhos parados no umbral, chocados ante tamanha falta de compostura: "eram três jovens provectos e historiadores."

Com o mesmo amigo fundamental, por volta de 1952, Sérgio trocou cartas nas quais escreviam gozações em português do século XVII. Sérgio assinava como "Sérgio Buarque dos Países Baixos" e Antonio Cândido como "Licenciado Antonio Melo". Do mesmo modo, quando Sérgio esteve no Chile, escrevia "Novas Cartas Chilenas", em que parodiava Tomás Antônio Gonzaga e incluía trechos impublicáveis. Essa mesma capacidade de "mascarar-se" – de ser o que não se é ou dizer o que aparentemente não se disse – será vital para Chico escapar da censura, por exemplo, assinando-se Julinho da Adelaide em canções como "Chame o Ladrão". De certa forma, Julinho da Adelaide é o "carioca da gema" que Chico não é.

Se a obra historiográfica de Sérgio foi um olhar para o passado brasileiro *a partir* da História de São Paulo (as monções, as entradas e bandeiras, os caminhos e fronteiras, entre a generalidade do ensaio, em *Raízes do Brasil*, e a sistematização acadêmica de sua produção na USP, a cidade do Rio de Janeiro funda um universo poético e um horizonte criativo inteiramente novos em Chico, no cruzamento das atividades do "morro" (o samba, sobretudo) com as da "cidade" (a Bossa Nova e a vida intelectual do circuito "Zona Sul").

O pai inaugurou sua vida intelectual no contexto modernista de 1922, conviveu no Rio de Janeiro com a vertente moderna da então capital nacional e depois voltou a São Paulo para batalhar por um dos prolongamentos do modernismo: a constituição de uma historiografia universitária avançada. O filho acompanha esse último estágio formativo, mas retorna ao Rio e faz daí seu mundo poético. Se o estudante "paulista" de arquitetura criava "cidades imaginárias", o Rio de Janeiro vai realmente dar o tom na maturidade do compositor, mesmo sob a ação de tantos golpes que farão dela a "cidade submersa" de que fala uma canção recente, onde "escafandristas" buscam como arqueólogos (ou historiadores...) os restos de uma "civilização" perdida – não apenas o Rio, mas o Brasil, talvez. O naufrágio, na canção de Chico, pode ser sinônimo do exílio, como metáfora de um processo que está no centro do radicalismo crítico de Sérgio Buarque, e que exclui – impossibilitando, no limite – a formação e emancipação do "povo". Exílio tornado concreto pela ditadura militar, sobretudo a partir do AI-5, no ano daquele depoimento a *Pais & Filhos*. Ainda em 1968, Chico Buarque comporá sua "canção do exílio", "Sabiá" (com Tom Jobim), em que a problemática de uma pátria que "já não há", ou nunca houve *inteiramente*, diria Sérgio, se configura pela carência e pela dor da separação, da perda: "quero deitar à sombra de uma palmeira que já não há/ colher a flor que já não dá." Aqui , o conceito formulado pelo pai décadas antes ("somos uns desterrados em nossa própria terra") assume um sentido concreto e especialmente trágico.

Essa vertigem do desterro, da perda de sentido de um país que se moderniza para nada, está estampada em muitas canções de Chico. Em "*Bye-bye* Brasil" (com Roberto Menescal), enquanto as fichas de telefone não acabam, um homem perdido faz a tensa narrativa de um país sem unidade, integrado apenas pela indústria cultural. "Hoje somos um povo endomingado, uma periferia sem centro", escreveu o jovem Sérgio num texto anterior a *Raízes do Brasil*. Um povo cuja elite, segundo o historiador, sempre se esforça em criar "asas para não ver o espetáculo detestável" que o país oferece (como a mais brutal desigualdade social do mundo, por exemplo), situação contra a qual o filho se levantou, ora com o lirismo que resgata com as melhores forças gestadas na cultura popular, ora com determinação negativa, que se apoia no melhor senso crítico.

Em Sérgio Buarque, ao lado do homem lúdico, há o intelectual "sério", prestes a revolucionar o papel do engajamento intelectual no contexto brasileiro pós-modernista, no mesmo momento em que o filho sambista, bem-comportado na aparência, era e ainda é um pensador crítico dos desvios do Brasil. Essa atitude, precocemente conquistada por ambos, fez com que aparentassem uma postura apenas aparentemente conciliadora, mas que não traduzia, de fato, "cordialidade" (o mais polêmico conceito de Sérgio, a partir do "homem cordial" de Ribeiro Couto), e sim a inclusão de um novo ponto de vista em debates e disputas que se tornavam, em suas respectivas épocas, inférteis e quase irracionais.

Compreender a radicalidade destas posturas e destas obras talvez seja o mais importante neste momento em que comemoramos os 60 anos do "filho do Sérgio". É preciso lembrar que tanto o pai historiador quanto o filho poeta, cantor e compositor nos deixaram uma das mais impressionantes fortunas críticas para que possamos pensar quem somos e para aonde vamos. Não conheço acaso familiar mais feliz.

Lideranças

•

Vargas exemplar

Ao tirar a própria vida em 1954, Getulio Vargas não desaparece. Sua herança reavivou os compromissos políticos que os cidadãos e os trabalhadores conheciam muito bem.

ÂNGELA DE CASTRO GOMES

O suicídio de Getulio Vargas, ocorrido há quase sessenta anos, foi um acontecimento trágico e único na História do Brasil. Não fosse isso suficiente, guarda um laço fundamental com outro evento traumático da política nacional, o golpe civil-militar de 1964. Não só os analistas políticos profissionais, como também grande parte da população que tem acesso a informações, sabem e repetem que o suicídio adiou por dez anos o golpe. Ou seja, se Vargas não tivesse dado um tiro no coração, a conspiração que então se armava contra ele dificilmente seria evitada.

O segundo governo Vargas (1950-1954) não transcorreu em clima de tranquilidade, tendo o presidente sofrido, sistematicamente, a oposição da maioria da imprensa e de grande parte de setores políticos e militares. Mas, em agosto de 1954, uma grave crise se instalara com o atentado ao jornalista Carlos Lacerda, desencadeando um impasse de graves proporções, no qual se opunham um presidente eleito, gozando ainda de grande popularidade, e uma ferrenha e aguerrida oposição civil e militar, que acusava o governo, especificamente o próprio Vargas, de estar envolvido em um "mar de lama". Tudo isso, é bom lembrar, tendo como cenário a Guerra Fria, que alimentava o medo aos comunistas e também aos sindicalistas.

A tensão chegou a tal ponto que a renúncia do presidente foi pedida, ficando claro que, se ele não se afastasse, seria deposto mais uma vez. Foi nessas circunstâncias que Vargas se matou, num derradeiro golpe político que visava reverter uma situação que vinha beneficiando os antigetulistas. Lançando sobre eles seu cadáver, Vargas, como escreveu na carta-testamento, oferecia seu corpo em defesa do povo e da pátria, saindo da vida para entrar na História. Nunca se saberá o que teria acontecido no Brasil caso Vargas não tivesse se matado. Mas é certo que sua morte transformou o equilíbrio das forças políticas vigentes, bloqueando o golpe que se armava e possibilitando a manutenção da legalidade constitucional, com a realização das eleições para presidente, em que saiu vitorioso Juscelino Kubitschek. Importa assim ressaltar o "sucesso" imediato do suicídio para a manutenção da democracia no Brasil. Trata-se de uma excelente janela para se adentrar à chamada Era Vargas (1930-1945), e aí, particularmente, para se pensar nas razões que tornaram possível a construção da figura desse presidente como um mito da política nacional.

Quando Vargas se matou, não era mais o chefe de um governo ditatorial, como o fora durante o Estado Novo (1937-1945), mas um presidente eleito pelo voto popular em disputado pleito ocorrido em 1950. Sua vitória foi uma surpresa para os opositores, reunidos na União Democrática Nacional (UDN). Estes acreditavam que um ex-ditador não poderia ser eleito, e, se o fosse, não poderia tomar posse. Tanto que questionaram as eleições e a consideraram, como frequentemente os derrotados fazem, uma prova cabal de que o povo brasileiro não sabia votar. O povo, contudo, como evidencia a marchinha campeã do carnaval de 1951, "Retrato do Velho" ("Bota o retrato do velho outra vez/ Bota no mesmo lugar/ o sorriso do velhinho faz a gente trabalhar", de Haroldo Barbosa e Marino Pinto), parecia não se haver enganado quando votou em Vargas para presidente. Foi esse mesmo povo, aliás, que saiu às ruas de várias cidades do país, em agosto de 1954, chorando, gritando, provocando incêndios e quebra-quebras, tudo para deixar claro seu apreço ao presidente morto e, mais uma vez, para assustar a UDN e os antigetulistas. Esses tiveram que fugir ou se recolher, reconhecendo a força do último golpe de Vargas: um golpe de mestre.

Mas, como os historiadores sabem muito bem e insistem em ensinar, nada na História é "natural". É sempre preciso entender que há responsáveis por um acontecimento. No caso, que a popularidade de Vargas tem uma história: quando e como ela começou? Em que contexto nacional e internacional? Quem esteve especialmente envolvido na construção dessa figura? E que recursos, humanos e materiais, foram mobilizados? E por que, afinal, Vargas se torna um mito?

Essa história, em termos nacionais, certamente começou em 1930. Nessa ocasião, Getulio Vargas já era um líder conhecido da política do Rio Grande do Sul e experimentara cargos federais, como o de deputado e mesmo o de ministro de Estado. Embora para os gaúchos fosse uma importante figura política, no conjunto do movimento "revolucionário" de 1930 era apenas uma das lideranças. Assumiu a chefia do Governo Provisório apenas por ter sido o candidato derrotado no pleito que motivara a sublevação. Ou seja, em inícios da década de 1930, Vargas era um entre outros nomes que poderiam ascender na política nacional. Se seu prestígio cresceu ao longo dessa década, isso se deveu a um conjunto de fatores próprios àquele contexto e, também, a um cuidadoso investimento político, no qual se envolveram diferentes órgãos do Estado, além, é claro, do próprio Vargas.

Nos anos 1930-1940 vivia-se um tempo no qual a emergência de lideranças personalizadas era considerada uma estratégia política moderna e operacional para se enfrentar os desafios de uma nova e desconhecida sociedade de massas, bem como para se gerenciar os problemas "técnicos" que ela trazia em seu bojo. A produção de um mito político - o personalismo na vida de um Estado nacional - não era entendido como um sinal de "atraso" ou de menor "evolução política". Ao contrário, o personalismo, combinado com novos arranjos das instituições estatais, era proposto como a forma mais bem-acabada para se governar uma sociedade de massas com segurança, eficácia e legitimidade.

Em relação aos investimentos políticos mobilizados, pode-se ver que a figura de Vargas começa a ser mais sistematicamente trabalhada, como o modelo exemplar de presidente, quando ele é ainda o chefe do Governo

Provisório (1930-1934) e o candidato à eleição indireta, realizada pela Assembleia Nacional Constituinte, em 1934. Foi nessa ocasião e com o objetivo de divulgar os feitos da Revolução de 1930 e de seu maior líder que foi criado o programa radiofônico *A Voz do Brasil*, existente até hoje. A partir daí, a propaganda em torno do nome de Vargas e das realizações de seu governo não pararam de aumentar, em quantidade e qualidade. Entretanto, foi só após o golpe do Estado Novo, em novembro de 1937, que a preocupação com a construção do mito Vargas chegou a seu auge. Propaganda e repressão eram, nesse período, faces de uma mesma moeda.

Esse presidente, cuja figura se construía como um exemplo a ser seguido, inaugurava um novo tempo, em que o Estado intervinha legitimamente em esferas até então intocadas da vida social, promovendo tanto o desenvolvimento econômico - a industrialização, especialmente no setor das indústrias de base - quanto o desenvolvimento sociocultural, entendendo-se sempre que do primeiro dependia o segundo. Um presidente que podia e devia comunicar-se diretamente com o povo, sem quaisquer intermediários partidários, desejando também que "seu" povo com ele mantivesse contatos efetivos: em cerimônias cívicas, por carta etc. Dessa forma, sua figura devia estar no centro de todas as iniciativas encetadas pelo Estado brasileiro: tudo nele tinha início e tudo, para ele, convergia como fim.

Vargas, por conseguinte, era uma grande síntese. Ele reunia em sua personalidade todas as qualidades de nossas maiores figuras históricas, sendo reconhecido por sua clarividência, sabedoria e coragem políticas. Só que para fazer um bom governo, ele também precisava possuir as qualidades de "seu" povo, apresentando-se como um homem simples, ardiloso e matreiro, cujo sorriso se tornaria uma autêntica marca registrada. Era justamente essa delicada combinatória que lhe permitia uma "proximidade de sentidos" com a população; uma proximidade que não eliminava distâncias hierárquicas, mas que possibilitava uma relação, até então não experimentada, de confiança e respeito. Baixinho, meio barrigudo, sorrindo ou não, fumando charutos ou tomando chimarrão, ele era o Gegê, presente em marchinhas de carnaval e textos de literatura de cordel. Discursando em grandes ocasiões, encontrando-se com os maiores líderes de seu tempo e defendendo os interesses da nação no difícil contexto da

Segunda Guerra Mundial, ele era Vargas. Uma construção mítica exemplar, meio verdade, meio ficção, feita para ser acreditada e querida pelo povo.

Para o sucesso da empreitada, inúmeros recursos foram mobilizados, tendo em vista a divulgação de sua imagem e de suas realizações governamentais. Muitas cerimônias foram realizadas durante o Estado Novo. Nelas, em geral, Vargas se encontrava com o povo e discursava para ele, tendo ampla cobertura da imprensa escrita e falada. O Dia do Trabalho é a mais conhecida, mas havia outros momentos, como as paradas militares do 7 de Setembro; o 10 de Novembro, quando se comemorava a instalação do Estado Novo; o Dia da Raça; os festejos de Natal, por exemplo. Cartazes, bandeirinhas e santinhos com sua imagem eram fartamente distribuídos nessas ocasiões e em diversas outras. Seu retrato povoava não só repartições públicas, como estabelecimentos comerciais, escolas, clubes e até casas de família. Cartilhas e livros didáticos foram escritos, com ampla tiragem, sendo distribuídos nas escolas.

Assumindo características não oficiais e até ganhando tons irônicos, embora sempre sob censura, muitas charges de Vargas eram veiculadas por jornais e revistas ilustradas, insistindo em sua esperteza e malandrice políticas. Na mesma linha, eram tolerados personagens do teatro de revistas nitidamente referidos a Vargas, tendo ele mesmo assistido a algumas dessas peças. De maneiras muito variadas, uma série de recursos propagava as múltiplas faces e facetas do presidente. Muitos outros exemplos poderiam ainda ser citados para caracterizar o inequívoco empenho e cuidado com que a burocracia varguista gerenciava os múltiplos aspectos que envolviam os contatos do povo com o presidente. E nesse sentido que um último e fundamental ponto ainda deve ser destacado.

Ele diz respeito ao fato de essa propaganda se fazer em torno de políticas públicas, em grande medida efetivamente implementadas, pela primeira vez, por um governo no Brasil. Quer dizer, a propaganda varguista, como estudos recentes têm evidenciado, só teve boa recepção entre a população porque, além de ser maciça e bem-cuidada, articulava-se a uma série de iniciativas governamentais que materializavam o que se anunciava, ainda que com muitas insuficiências e sem atingir a maior parte da população, como ocorria no caso dos direitos do trabalho, que não alcançavam o homem do campo. A despeito da enorme distância entre o que se prometia e o que se fazia de imediato, havia um vínculo efetivo entre o que se dizia e o que a população experimentava concretamente de forma direta ou indireta.

É por essa razão básica que a população em geral, mesmo a que não estava sendo alvo dos benefícios naquele exato momento, vivenciou tais iniciativas como respostas a demandas há muito veiculadas, mas sempre ignoradas e que, finalmente, começavam a ter algum atendimento. Justamente por isso, essa população passou a utilizar o próprio discurso produzido pelo Estado para cobrar a aplicação desses novos direitos, para garanti-los e para expandi-los, durante e após o fim do Estado Novo. Não é casual, por conseguinte, que as ameaças à liderança de Vargas, particularmente em meados dos anos 1950, tenham sido entendidas pela população brasileira, especialmente pelos pobres e trabalhadores, como uma ameaça aos direitos sociais com os quais sua imagem sempre esteve ligada.

Em muitos aspectos, portanto, tanto o ditador como o presidente eleito Getulio Vargas realizaram reformas na economia e na sociedade brasileiras, sendo que muitas de suas diretrizes alcançaram sucesso e continuidade no tempo. Essa constatação, contudo, não o torna, de forma alguma, um exemplo de líder democrático, nem o afasta das violências praticadas durante o Estado Novo, especialmente contra políticos e trabalhadores que a ele se opuseram. O que se precisa aceitar, para lidar com a política e com os mitos políticos, é que eles não cabem em esquematismos simplistas e maniqueístas, e que sempre perdemos muito ao tentar fazer isso. É dessa complexidade e ambiguidade, inclusive, que nasce muito de sua força e permanência. Vargas é, nessa perspectiva, um grande mito. Tanto que continua sendo estudado e discutido como um referencial, provocando, até hoje, alguns sustos e surpresas.

Um presidente bossa nova

Temperando ousadia, modernidade e faro político, Juscelino Kubitschek não perdeu oportunidades para se consolidar na política brasileira. E ficar.

MARLY MOTTA

JK. As iniciais bastavam para que o público reconhecesse o personagem central da minissérie da televisão. Tal como JFK (John Fitzgerald Kennedy), seu contemporâneo nos Estados Unidos, JK era mais que um presidente; era o "Presidente bossa nova", título da música composta durante a sua presidência e a ele dedicada. E muito popular, mesmo entre os jovens dos dias de hoje.

Juscelino Kubitschek de Oliveira nasceu em 1902, em Diamantina (MG), no seio de uma família de baixa classe média. Formado em medicina, o tipo de investimento que fez em sua carreira profissional ao seguir para Paris em busca de uma especialização em urologia não indicava um talento inato para a política. Revelava, isto sim, um gosto de combinar o "tradicional espírito mineiro" com a "modernidade da cidade-luz".

As transformações políticas decorrentes da Revolução de 1930, que levou o gaúcho Getulio Vargas à Presidência da República, sacudiram o cenário mineiro abrindo espaço para a chegada de JK à política. Ao lado da natural renovação de quadros decorrente de um processo revolucionário, contou a favor de JK o casamento com Sara Gomes de Lemos, de tradicional família de Minas, e o casamento de sua irmã com o médico Julio Soares, homem rico e influente, que viria a ter um papel destacado nos futuros governos do cunhado.

Médico da Força Pública, Juscelino assumiu, em 1934, a chefia da Casa Civil de Benedito Valadares, indicado para o cargo de interventor em Minas pelo presidente Vargas. Seria pelas mãos de Valadares que JK participaria do intrincado jogo político de sua terra. Sob sua influência, ingressou no Partido Progressista pelo qual se elegeu deputado federal em 1934. O golpe de novembro de 1937, a que se seguiu a ditadura do Estado Novo, encerrou abruptamente seu primeiro ensaio na arena política, devolvendo-o à medicina como chefe da cirurgia do Hospital Militar. Poucos anos depois, mais uma vez por influência de seu padrinho, deixa a função de médico para se tornar prefeito da cidade de Belo Horizonte.

A experiência à frente da prefeitura da capital mineira (1940-1945) funcionou como um laboratório de projetos que seriam retomados em seus futuros governos. Tornaram-se marcas de sua administração o investimento em obras de infraestrutura, e a ousada construção do conjunto da Pampulha, berço da relação profissional e de amizade com o arquiteto Oscar Niemeyer. A imagem do político empreendedor e arrojado começava a ser firmada.

O início do processo de redemocratização do país a partir de 1945 seria um teste para a capacidade de JK sobreviver politicamente nesses novos tempos. Organizado sob a liderança de Vargas para agregar os esquemas políticos construídos pelos interventores estaduais, o Partido Social Democrático (PSD) foi a opção de JK para concorrer à Assembleia Nacional Constituinte, em dezembro de 1945. A conquista do segundo lugar entre os candidatos mais votados em Minas sinalizou a aprovação do eleitorado ao seu estilo de governar, e viabilizou a montagem de uma estrutura política capaz de garantir sua indicação para concorrer ao governo mineiro em 1950.

Havia, no entanto, uma pedra no caminho. Em 1947, Milton Campos, tradicional opositor do Estado Novo, foi eleito para o governo de Minas pela União Democrática Nacional (UDN). A derrota do candidato pessedista Bias Fortes e, sobretudo, a substituição de Valadares na presidência do partido em Minas ameaçavam os projetos de JK. Por isso mesmo, sua principal meta naquele período foi reunificar o PSD mineiro, sacramentada com a volta de Valadares, dessa vez no comando nacional do PSD.

A eleição presidencial de 1950 seria o primeiro teste para as principais forças políticas do país, organizadas em torno da UDN, do PSD e do Partido Trabalhista Brasileiro (PTB). Diferentemente do que havia ocorrido em 1945, quando estes dois partidos caminharam juntos em favor da candidatura vitoriosa do general Dutra, agora não havia sido possível montar uma chapa de consenso. O PSD indicou o mineiro Cristiano Machado para concorrer com Getulio Vargas, candidato da aliança PTB-PSP, que esperava voltar ao poder.

Na avaliação de JK, a conquista do governo de Minas seria indispensável para lhe garantir um espaço de relevo no cenário nacional. Para tanto, deveria lidar, primeiramente, com as disputas internas do PSD mineiro, no qual tinha como rival a figura de Bias Fortes, candidato derrotado na eleição anterior. Por uma pequena margem de votos, a candidatura de JK foi homologada na convenção estadual do partido. JK teve, então, que colocar à prova a sua já reconhecida capacidade de conciliar. Ao mesmo tempo em que rejeitava a ideia, corrente no PSD, de abandonar o candidato oficial do partido em favor da candidatura de Vargas, JK temia perder o apoio dos trabalhistas mineiros. A solução conciliatória, marca de seu perfil político, foi negociar a não interferência do ex-presidente na disputa pelo governo de Minas. O acordo deu certo, e ambos foram eleitos em outubro de 1950.

Apesar das diferenças de estilo e de concepção de fazer política, Vargas e JK, em seus respectivos governos, adotaram o conceito de desenvolvimentismo, concebido por economistas europeus e latino-americanos, e dirigido aos países do chamado Terceiro Mundo como forma de superar as barreiras do subdesenvolvimento. A palavra-chave do modelo desenvolvimentista era planejamento com base no fortalecimento do aparato estatal, dotado de instituições consolidadas e de burocracia técnica capazes de transformar o país em uma sociedade moderna, vale dizer, urbanizada e industrializada.

À frente do governo (1951-55), JK lançou o projeto de retirar Minas da posição de estado agro-pastoril e lançá-la na fase de industrialização. Para tanto, investiu prioritariamente na ampliação da produção de energia elétrica, com a criação das Centrais Elétricas de Minas Gerais (Cemig), e na construção de estradas de rodagem, inaugurando a opção rodoviarista que seria a marca de sua futura presidência.

A campanha sucessória foi antecipada com o suicídio do presidente Vargas a 24 de agosto de 1954. A disputa presidencial se transformaria em um tabuleiro de xadrez no qual os possíveis candidatos – JK, entre eles – precisariam demonstrar maestria para mover as peças certas: garantir a realização das eleições na data prevista, 3 de outubro de 1955; compor alianças partidárias e regionais; fiscalizar os resultados eleitorais; vencer as eleições; e, tendo em vista o ambiente político tenso, tomar posse como presidente.

Depois de driblar a tese de uma candidatura de "união nacional", JK fechou o apoio de Minas Gerais à sua candidatura, e reduziu a dissidência dentro do PSD, ameaçando, inclusive, intervir em alguns diretórios estaduais para impor a disciplina partidária. O passo seguinte seria a montagem das alianças, em especial para a escolha do candidato a vice-presidente. Tal como na eleição para o governo de Minas, JK sabia que precisava do apoio dos trabalhistas, em franca ascensão no quadro político-partidário brasileiro. Com eles, comungava da opção pelo modelo desenvolvimentista, embora com mais ambição nas metas e mais celeridade em sua implementação, mesmo que à custa do aumento da inflação. O ponto mais sensível era, no entanto, a aproximação dos trabalhistas com os comunistas. A indicação do nome de João Goulart, ex-ministro do Trabalho de Vargas, e apontado como seu sucessor, assustava os que temiam uma onda crescente de estatização da economia e de influência dos sindicatos na vida do país. Refletindo o clima de acirrado debate político, as eleições de 1955 foram as mais concorridas das quatro realizadas no país entre 1945 e 1960. A campanha de JK, voltada para o futuro, foi sustentada no slogan "cinquenta anos em cinco", que se transformaria em marca de seu governo, e em um dos componentes mais expressivos da construção de sua memória.

Se a face empreendedora de JK foi decisiva para sua vitória nas urnas, a concepção conciliadora que possuía da política foi indispensável para tomar posse e governar por cinco anos (1956-1961). O primeiro teste foi o chamado "Movimento de 11 de novembro", contestação militar à legitimidade de sua posse na presidência, ocorrido pouco mais de um mês depois das eleições. Coube ao general Lott, ministro da Guerra, com o apoio de líderes militares preocupados com a disciplina militar, desbaratar a manobra golpista. Em 7 de janeiro de 1956, o Tribunal Superior Eleitoral proclamou os resultados oficiais do pleito, e no 31 seguinte JK e Goulart tomaram posse.

JK iniciou seu mandato à sombra da rebelião militar, já que logo no primeiro mês de governo enfrentaria um levante de oficiais da Aeronáutica no norte do país. A capacidade conciliadora foi colocada em prática, e o presidente enviou ao Congresso um projeto de anistia ampla e irrestrita a todos os civis e militares que tivessem participado de movimentos entre 10 de novembro de 1955 e 19 de março de 1956. No âmbito da luta político-parlamentar, sem armas mas igualmente acirrada, JK construiu pontes de entendimento com certas correntes da UDN, no intuito de angariar apoios para a aprovação de seus projetos no Congresso, em especial a transferência da capital para Brasília. A construção de Brasília pode ser considerada a principal meta do Plano de Metas, apresentado por JK logo ao início de seu mandato. Para alguns analistas, a nova capital seria o elemento propulsor de um projeto de identidade nacional comprometido com a modernidade, cuja face mais visível seria a arquitetura modernista de Oscar Niemeyer e Lúcio Costa. Ao mesmo tempo, no entanto, a interiorização da capital faria parte de um antigo projeto de organização espacial do território brasileiro, que visava ampliar as fronteiras econômicas rumo ao Oeste e alavancar a expansão capitalista nacional.

Com base em suas experiências anteriores em Minas, o presidente tomou várias iniciativas no intuito de agilizar os processos decisórios. Criou grupos executivos setoriais e a Comissão do Desenvolvimento, juntando, em uma mesma equipe, técnicos de renomado conhecimento e pessoas de sua confiança. Fortaleceu o Banco Nacional de Desenvolvimento Econômico (BNDE) como coordenador dos investimentos do setor público. Obrigado a optar entre políticas de ajuste e a manutenção de seu programa desenvolvimentista, em 1959, JK rompeu com o FMI e com o ministro Lucas Lopes, sogro de sua filha, e avalista do chamado Programa de Estabilização. Esse ano registrou, ao mesmo tempo, o maior valor atingido pelo salário mínimo até então, e o início da aceleração do processo inflacionário.

A vitória do Brasil na Copa do Mundo de 1958, o sucesso da tenista Maria Ester em Wimbledon, a explosão da Bossa Nova e do Cinema Novo, acabaram por favorecer a construção da imagem do "presidente bossa nova". A velocidade com que transitava pelo país a bordo de automóveis e aviões, a descontração diante das câmeras da TV, a agilidade nas pistas de dança, pareciam demonstrar que JK era o "homem no lugar certo, na hora certa."

Dizia-se que "para Juscelino não existia 60, só 65". Passada a faixa presidencial para Jânio Quadros, seu adversário político, JK se dedicaria em tempo integral às articulações políticas para voltar à Presidência e ocupar o recém-inaugurado Palácio do Planalto. Essa expectativa foi frustrada pelo golpe de 1964. No dia 8 de junho, seu nome encabeçaria uma longa lista de cassações e, a partir daí, seria submetido a uma série de inquéritos policiais sob a acusação de corrupção. O fracasso da Frente Ampla, articulação de lideranças políticas do porte de Carlos Lacerda, de João Goulart e do próprio JK, em prol da redemocratização do país, associado ao endurecimento da ditadura a partir de dezembro de 1968 com o AI-5, afastou JK do cenário político nacional. Sua volta, no entanto, foi triunfal.

Morto em um acidente de carro em 26 de agosto de 1976, o "presidente bossa nova" reuniu, em seu enterro, milhares de pessoas que cantavam o *Peixe-vivo*, canção do folclore mineiro pela qual tinha especial preferência. Quem sabe essa combinação de *peixe-vivo* com Bossa Nova seja a chave do sucesso e da permanência de JK?

Sonhadores

•

Palavra de Tiradentes

O alferes Joaquim José, apesar de sua origem social elevada, gostava de conversar em ambientes populares sobre o levante que se preparava.

TARCÍSIO DE SOUZA GASPAR

Que ele arrancava dentes, é fácil de se imaginar. Mas a habilidade de Joaquim José da Silva Xavier que realmente causava arrepios nas autoridades portuguesas era outra: ele falava pelos cotovelos. E falava bem.

Antes de se tornar o "mártir da Independência", Tiradentes foi um exímio comunicador: persuasivo, incansável e – talvez seu traço mais relevante – sem preconceito de público. Onde houvesse concentração de gente e pontos de encontro propícios à conversa, lá estava ele.

Batizado em 1746 na capela de São Sebastião do Rio Abaixo, na comarca do Rio das Mortes, nas proximidades da vila de São João del Rei, Joaquim José era o quinto dos sete filhos do casal Domingos da Silva Santos e Antônia da Xavier Encarnação, uma distinta família local. Seu pai, nascido em Portugal, foi procurador dos quintos (direito régio cobrado sobre o ouro) e almotacel na vila de São João, onde possuía uma fazenda com mais de trinta escravos e uma confortável casa rural de dois pavimentos. Após a morte dos genitores na década de 1750, deixou-se criar pelo tio e padrinho, Sebastião Ferreira Leitão, um cirurgião-dentista registrado, que possivelmente lhe ensinou o ofício a partir do qual ganharia a alcunha. Após a adolescência, envolveu-se no comércio volante, tendo circulado entre Rio de Janeiro, Minas e Bahia. Perto de completar trinta anos, em 1775, alistou-se no Regimento de Cavalaria Regular da Capitania de Minas Gerais, designado para a 6ª Companhia no posto de alferes. Manteve-se no Rio, em missão militar até 1780, quando voltou a Minas, para no ano seguinte tornar-se responsável pelo Destacamento do Caminho Novo, incumbido da missão de abrir uma nova picada a partir de Vila Rica, encurtando o caminho até o Registro do Paraibuna, limite divisório da capitania. Neste trabalho, chegou a perseguir bandidos salteadores que infestavam a Serra da Mantiqueira.

Porém, a labuta penosa no sertão não lhe rendeu reconhecimento ou promoção. Após quatorze anos de exercício, mantinha o mesmo posto em que havia iniciado a carreira militar. Ressentido, Tiradentes justificou que o sentimento de revolta lhe viera da frustração profissional, "por ter sido preterido quatro vezes", impedido de galgar postos que eram dados a outros "por mais bonitos, ou por terem comadres que servissem de empenho".

Fato é que, aos quarenta anos, Tiradentes havia adquirido ampla experiência como explorador do sertão, minerador, dentista, médico prático e militar envolvido em contenção de ações criminosas. Nesta trajetória, aprendeu a ter convívio diário com viajantes, andarilhos, comerciantes e comboieiros de estrada, gente com a qual conversava, obtinha e transmitia informações. Aproveitando-se desta habilidade, tornou-se sujeito com muitas palavras e queixas a comunicar. Palavras e queixas que acabaram registradas no inquérito sobre a Inconfidência Mineira.

Em 1789, João Rodrigues, dono de uma estalagem em Varginha, no caminho que ligava os centros mineradores ao Rio de Janeiro, foi chamado a prestar depoimento perante os juízes que investigavam as denúncias a respeito da conspiração. Motivo: tempos antes ele hospedara o alferes Silva Xavier. A hospedagem em si não lhe teria causado maiores problemas, se o famigerado falastrão não tivesse começado a expor, de modo exaltado, seu descontentamento político.

O estalajadeiro contou aos juízes uma conversa que tivera com outro hóspede após a passagem de Tiradentes: "Vossa Mercê não sabe que há por cá valentões que se querem levantar com a terra? [...] Era um semiclérigo". O termo usado pelo depoente não era apenas irônico, mas altamente simbólico. Ao desvendar o lado "semiclérigo" de Tiradentes, ele não só confirma que seu hóspede falava demais (como um padre em pregação), como deixa claro que o hábito de falar em tom de convencimento estava ligado à atuação dos representantes da Igreja.

Tanto a tradição lusitana quanto a história da capitania do ouro comprovam o desempenho de religiosos na fomentação de motins junto à gente miúda, como na Restauração Portuguesa de 1640, quando Portugal se separou da Espanha após 60 anos da União Ibérica, e nos Furores Sertanejos de 1736, uma série de motins deflagrados contra a cobrança do imposto da capitação, no norte de Minas. Nessas ocasiões, os padres foram duplamente importantes: souberam alimentar o debate com discursos de convencimento e ajudaram a transportar as insatisfações populares (geralmente limitadas ao âmbito oral) para o contexto da escrita.

Na sociedade colonial, os relacionamentos eram marcados pela oralidade. A troca de ideias, as polêmicas e as críticas ao governo ocorriam basicamente em conversas, que se tornavam públicas por meio de boatos e murmúrios. Nesses momentos, os religiosos, acostumados ao púlpito, lançavam mão de sua oratória. E Tiradentes, ao agir como um "semiclérigo", ecoava seu discurso com a mesma eficácia.

Tiradentes trafegava com desenvoltura pelo submundo da Colônia, em ambientes especialmente favoráveis à divulgação de propostas ousadas. Tavernas e prostíbulos eram os locais por excelência para tramas envolvendo fugas de escravos, negociatas ilícitas e ações subversivas. Afinal, ali se reuniam todas as gentes: homens brancos, escravos, libertos, vadios e militares, principalmente os de baixa patente.

No inquérito da Inconfidência Mineira, uma testemunha afirmou ser público que o alferes "andava falando por tavernas e quartéis". Outra, que ele "pretendia excitar uma sedição e motim nesta capitania, chegando o seu desaforo a andar convidando sócios até pelas tavernas". Uma terceira, que andara "por casa de várias meretrizes, a prometer prêmios para o futuro, quando se formasse nesta terra uma república".

Três meretrizes a quem Tiradentes teria feito promessas chegaram a depor no inquérito. Eram mãe e duas filhas, identificadas, preconceituosamente, como "pilatas" – segundo o historiador Tarquínio J. B. de Oliveira, o termo remetia a pia de água benta, "onde todos botam a mão".

As mulheres pediram a Joaquim José que ajudasse um irmão das duas meninas a "sentar praça de soldado na tropa paga". O conjurado teria lhes respondido que "deixassem estar, que brevemente se lhe assentaria praça, porque ele, dito alferes, estava para ser um grande homem".

Mas a "pregação" de Tiradentes não se limitou ao submundo. Transitava pelas ruas de Vila Rica (atual Ouro Preto), visitava residências de sujeitos proeminentes e repartições públicas. Frequentou, especialmente, o primeiro piso da residência de João Rodrigues de Macedo, onde funcionava um cartório. Macedo era um poderoso comerciante e arrecadador de impostos. Por sua casa passava diariamente um grande número de pessoas, por conta de pendências fiscais ou para o acerto de taxas do comércio. Era a mais imponente construção civil da cidade, um ponto de encontro e comunicação que atraía grandes comerciantes, mineradores e "homens bons" da região.

Tudo indica que naquela casa ocorreram encontros secretos entre alguns inconfidentes. Mas muitos tópicos da opinião pública eram também discutidos às claras, sem nenhuma reserva ou sigilo, e por pessoas alheias ao movimento rebelde. O valor da derrama (cobrança que pretendia resgatar o valor do quinto sobre o ouro que deixara de ser arrecadado) circulou de boca em boca por meio dos cálculos de Vicente Vieira da Mota, funcionário do cartório. Grande parte das informações dadas pelo tenente-coronel Basílio de Brito Malheiro, um dos denunciantes da conjuração, foi recolhida no local. E Tiradentes pronunciou ali alguns de seus discursos políticos para quem quisesse ouvir.

Andou também pelos pousos e estradas do Caminho do Rio (ou Caminho Novo). Este trajeto, que ligava as vilas mineiras ao litoral carioca, dois dos principais polos econômicos da América portuguesa, era a rota terrestre mais transitada da Colônia. Notícias e informações circulavam por seus caminhos, refazendo o amplo circuito de comunicação dos viajantes. Tão logo soube das desordens em Minas, o vice-rei Luís de Vasconcelos e Sousa advertiu para o perigo de que, "pela vizinhança e relação contínua de comércio, se possa comunicar [de Minas para o Rio] este tão grande mal".

As palavras de Tiradentes parecem ter sido ali transmitidas e retransmitidas como tentáculos. A impressão que se tem pela leitura do processo contra os inconfidentes é que seria impossível uma só pessoa ter conversado tanto tempo, com tantos interlocutores, em tantos lugares diferentes. São pousos, fazendas, estalagens, ranchos de abrigo do sol, registros fiscais e muitos outros locais a servir de cenário para as confabulações do alferes.

Uma testemunha afirmou ter ouvido dizer que o militar "havia falado a quase todos os moradores da estrada do Rio de Janeiro, como era constante". Outro contemporâneo soube que Tiradentes, enquanto viajava para a capital da Colônia, "tomou a sua conta ir semeando alguns discursos suasórios [persuasivos] das conveniências deste país". O alferes comunicava publicamente suas indignações e sua inquietação, "alargando-se e convidando algumas pessoas, a quem persuadia dos seus intentos, e a quem se encaminhavam aqueles discursos".

Essas práticas motivaram intensos burburinhos. Uma voz pública passou a veicular "as notícias gerais das liberdades e despropósitos que o mencionado alferes viera espalhando desde o Rio de Janeiro – onde tinha residido por largos tempos – por toda a estrada". A elaboração anônima dos boatos se encarregou de fazer chegar suas mensagens a lugares por onde ele não conseguira passar. Um "ouvir dizer" irrefreável espalhou-se pelos caminhos.

Às margens das estradas, as estalagens e pousadas constituíam um meio-termo entre os ambientes rurais e urbanos da Colônia. Viviam da pujança comercial que interligava as regiões do Brasil, abrigando toda sorte de gente. Tropeiros, caixeiros e negociantes constituíam a clientela principal, mas nelas também pernoitavam pessoas alheias ao comércio: funcionários públicos, fazendeiros, mineradores, militares ou simples viajantes.

Na cidade ou na estrada, no submundo ou entre os poderosos, a trajetória de Tiradentes está intimamente ligada à força da oralidade na sociedade colonial. O que nos coloca diante de uma questão atualíssima: ainda hoje uma nação constituída, em grande parte, de analfabetos ou semianalfabetos, o Brasil continua a ter sua história construída por meio de falas e murmúrios. Para melhor nos enxergarmos como nação ou sociedade, convém dar os ouvidos e afiar a língua.

O marinheiro e seus bordados

Líder da Revolta da Chibata, João Cândido enquanto esteve confinado em uma cela registrou em duas toalhas de rosto bordadas sua visão de mundo, suas dores e seus afetos.

JOSÉ MURILO DE CARVALHO

João Cândido, crioulão alto, forte, durão, líder ostensivo da revolta dos marinheiros, fazendo bordados? Quase impensável. Mas realidade. Dois bordados feitos por ele encontram-se no Museu de Arte Regional de São João del Rei. Um tem por título "O adeus do marujo", outro, "Amôr" [sic]. Um terceiro, que se perdeu, trazia o nome do encouraçado *Minas Gerais*.

Nenhum biógrafo de João Cândido, nem mesmo Edmar Morel, que com ele conviveu vários anos, menciona sua habilidade de bordador. Mas o fato não causaria espécie em quem conhecesse a velha Marinha. João Cândido era marinheiro da época em que muitos navios ainda usavam vela. Fora gajeiro, isto é, encarregado de mastro. Lidar com a complicada cordoalha que sustentava e movimentava as velas, trançar, dar nós de todos os tipos, costurar velas, era com ele mesmo. Daí a bordar era apenas um passo. As longas horas de inatividade na prisão forneceram a oportunidade para o exercício do *hobby*.

Os bordados foram feitos no pior momento da vida de João Cândido. Preso em 13 de dezembro de 1910, foi levado, às vésperas do Natal, com

17 companheiros, para uma solitária na ilha das Cobras. Na noite de Natal, todos os prisioneiros, menos João Cândido e um soldado naval, morreram sufocados pela falta de ar e pela poeira causada pelo ressecamento da cal com que tinham lavado a cela. O marinheiro ficou duramente marcado pelo trágico episódio e disse mais tarde que a cena da agonia daqueles homens jamais saiu de seus olhos. Removido em 18 de abril de 1911 para o Hospital Nacional de Alienados, os médicos registraram seu profundo abatimento.

Os bordados foram feitos em toalhas de rosto, após a morte dos companheiros e antes da remoção para o hospital. Traumatizado pela tragédia e sentindo-se injustiçado pela traição do governo, João Cândido deve ter encontrado neles um meio de extravasar sua dor.

"O adeus do marujo" traz, na parte de cima, do lado esquerdo, as letras JCF, iniciais de João Cândido Felisberto. No centro, ainda em cima, está o título "O adeus do marujo". À direita, a palavra "Ordem". No centro da toalha, duas mãos se cumprimentam, atravessadas por uma âncora. Circundando as mãos e parte da âncora, dois ramos que lembram os de café e tabaco da bandeira imperial e das armas da República. Abaixo da âncora, o nome F. D. Martins, referência a Francisco Dias Martins, comandante rebelde do cruzador *Bahia*. Embaixo, do lado esquerdo, a palavra "Liberdade"; do lado direito, a data "XXII de novembro de MCMX", dia do início da revolta.

A leitura mais óbvia do bordado é que ele retrate a despedida de João Cândido e Francisco Dias Martins. Este era marinheiro de primeira classe, paioleiro do cruzador *Bahia*. Tinha apenas 21 anos, alguma educação, e foi por muitos considerado a cabeça pensante da revolta. Ele a teria preparado em várias reuniões realizadas nos navios e em uma casa de cômodos da rua dos Inválidos. Esteve preso na ilha das Cobras com João Cândido e estavam sempre juntos. Aparentemente, mantiveram relações cordiais após a libertação de ambos em 1912.

A dificuldade com essa leitura é que uma das mangas é branca e tem no pulso botões e galões de almirante, ao passo que a outra é de simples marinheiro. Estaria João Cândido se representando como almirante, posto a que a imprensa o promovera? No regresso do *Minas Gerais* da Europa, houve a festa tradicional da passagem da linha do equador em que um marinheiro, geralmente o mais respeitado a bordo, é escolhido para interpretar Netuno, a divindade que governa o mar, e presidir a festa. Escolhido para o papel, João Cândido vestira um uniforme branco com os galões de comandante nas mangas. Abatido como estava após a prisão, seria compreensível que se consolasse da desgraça com a fantasia do breve momento de glória vivido na passagem do equador.

Há uma estranheza no desenho. Registrar a palavra "Liberdade" é o que se esperaria de um rebelde. Durante a revolta ela foi usada muitas vezes. Em um dos manifestos ao ministro da Marinha, os revoltosos "imploram de S. Excia. a Liberdade". Uma foto dos paioleiros do *São Paulo*, publicada pela revista *Careta*, mostra um marinheiro segurando uma faixa com um "Viva a liberdade". No uso dessa palavra, era clara a referência à escravidão a que muitos marinheiros ainda se sentiam reduzidos. Alguns tinham sido escravos ou eram filhos de escravos. Pedir o fim da chibata era pedir o fim da escravidão, a instauração da liberdade. No mesmo manifesto, exprimiam o desejo de que a Marinha fosse "uma armada de cidadãos e não uma fazenda de escravos que só têm dos seus senhores o direito de serem chicoteados".

Mas, e a palavra "Ordem"? Como entendê-la na voz — ou no bordado — de um rebelde? Há aí uma indicação da complexidade da alma de João Cândido. Nada em sua biografia aponta para o rebelde de 1910. Ele era protegido do almirante Alexandrino de Alencar. Quando preso, afirmou que nunca sofrera o castigo da chibata. Na Inglaterra, quando aguardava os últimos retoques no encouraçado *Minas Gerais*, encomendado pela Marinha do Brasil, mandara pintar a carvão o perfil de Nilo Peçanha, então presidente da República (o ministro da Marinha era Alexandrino). De volta ao Rio, foi recebido por Nilo Peçanha para a entrega do retrato. Na revolta do *Minas Gerais*, só apareceu no convés quando o navio já tinha sido tomado pelos rebeldes, ao custo das vidas de três oficiais e alguns praças. Sua conduta durante todo o movimento foi de moderação, resistindo sempre às pressões dos marinheiros mais radicais. Após a anistia, entregou aos oficiais uma lista dos companheiros mais exaltados para que fossem desembarcados. Durante a revolta do Batalhão Naval, deu várias demonstrações de lealdade ao governo. Tudo isso — mais a convivência diária com a disciplina de bordo — fazia dele também um homem da ordem, como o Bom Crioulo do romance de Adolfo Caminha. Quinze anos de

Marinha não podiam deixar de marcar profundamente seus valores e seu estilo de vida. Sintomaticamente, no dia 26, depois de arriada a bandeira vermelha da revolta, o *Minas Gerais* ainda ostentava uma faixa branca com os dizeres "Ordem e Liberdade". O bordado reproduzia fielmente a faixa exibida durante a revolta.

O outro bordado é ainda mais intrigante. Veem-se duas pombas que sustentam pelo bico uma faixa com a inscrição "Amôr". Abaixo da inscrição, um coração atravessado por uma espada jorra rubras gotas de sangue. Dos dois lados do coração, flores, borboletas e um beija-flor. Não há nomes nem datas. O desenho é ingênuo e tosco como no primeiro bordado. Mas a composição é mais límpida e o uso do vermelho lhe confere maior dramaticidade. O coração de João Cândido sangrava por alguém. Sobre quem seria esse alguém, pode-se apenas conjeturar.

Há referência a um amor de João Cândido durante o período de sua prisão. Tratava-se de uma viúva, residente à rua da Passagem, com quem ele se teria encontrado algumas vezes quando estava internado no Hospital de Alienados, aproveitando-se da tolerância dos enfermeiros. Mas, nesse caso, o romance com a viúva teria acontecido depois dos bordados.

Seria Dias Martins? Não parece provável. Sabe-se que a pederastia era generalizada na Marinha. O próprio João Cândido foi acusado da prática, embora sem nenhuma evidência. Poderia facilmente enquadrar-se no modelo do Bom Crioulo. Mas o típico amor de marinheiro, segundo se depreende do romance de Adolfo Caminha e de depoimentos da época, era o de um veterano, um conegaço, como se dizia, ou de um oficial, por um jovem grumete, em geral um "menino bonito". O amor de marinheiro envolvia relação de hierarquia de função, de idade e de experiência. Como lembra Gilberto Freyre, o conegaço era um protetor, um tutor, um pai, além de amante, do jovem grumete. Embora fosse Dias Martins um jovem de 21 anos, de boa aparência, simpático, diante de quem os próprios juízes do Conselho de Guerra se enterneceram, as relações entre os dois não poderiam ter tido a característica de amor de marinheiro. Apesar da pouca idade e da aparência modesta, Dias Martins fora o organizador da revolta e era superior aos companheiros em capacidade intelectual. Além disso, era marinheiro de primeira classe, como João Cândido, igual na hierarquia. Não consta também que os dois tivessem servido juntos.

Seria algum grumete do *Minas Gerais*? É uma possibilidade. O desenho, apesar de lidar com um tema geral — o amor —, não deixa de ser "marinheiro". João Cândido deve ter-se inspirado nas representações de Nossa Senhora das Dores, em que o coração de Maria aparece atravessado por punhais. Mas ele amarinheirou a representação, substituindo o punhal por uma espada de oficial da Marinha. Ao fazer o desenho, poderia estar pensando em algum Aleixo, o belo grumete que transtornou a vida do Bom Crioulo.

A propósito, é intrigante a presença de um marinheiro jovem e bem-afeiçoado ao lado de João Cândido em fotos de jornais e revistas da época da revolta. Numa das fotos, ele está ao lado de João Cândido quando este lê no Diário Oficial o decreto de anistia. É sempre apresentado como "assistente" ou "imediato" do chefe da revolta. Seu nome nunca é revelado, nem mesmo na legenda das fotos. Mais tarde, quando João Cândido já estava preso, ele aparece no noticiário pedindo baixa da Marinha. Mesmo nesse momento seu nome não aparece. É apenas o "imediato" de João Cândido. Seria o seu Aleixo? Ou o amor de João Cândido era simplesmente uma mulata do cais do porto?

Mas, afinal, talvez não importe tanto saber quem sangrou o coração do Almirante Negro. O mais importante é o que os bordados nos mostram: um grande coração que vertia sangue por todos os lados, pela saudade do *Minas Gerais*, pela despedida de um marujo amigo, pela perda de uma paixão secreta. Os bordados revelam ainda que, do fundo de sua dor, João Cândido retirava corações, flores, borboletas, beija-flores. Em sua forma ingênua e espontânea, em seu rico simbolismo, as toalhas de São João del Rei nos bordam um João Cândido maior do que o construído por seus detratores e mais autêntico e humano do que o mito em que o pretendem transformar seus admiradores.

O herói da floresta

Chico Mendes, seringueiro desde os 9 anos e adepto das ideias socialistas, abraçou a defesa dos povos e riquezas da Amazônia como uma causa de vida – e de morte.

KENNETH MAXWELL

Nascido pobre, numa das mais remotas e atrasadas regiões do Brasil, Chico Mendes foi analfabeto até os 20 anos de idade. Seu avô havia migrado do Ceará para o Acre, na década de 1920, estabelecendo-se próximo a Xapuri. Chico Mendes cresceu na floresta, trabalhando como seringueiro desde os 9 anos de idade. Sua família vivia numa modesta palhoça, em meio a uma clareira, bem no centro de uma encruzilhada de trilhas usadas pelos seringueiros. Cada trilha dava acesso a um número de cem a duzentas seringueiras, espalhadas por uma área de aproximadamente 280 hectares, formando um seringal; essas terras eram de propriedade de prósperos empresários da cidade de Manaus, a 1.600 quilômetros de distância, rio abaixo.

Em 1962, aos 18 anos, Chico Mendes conheceu Euclides Fernandes Távora, um comunista, ex-tenente do Exército, que se escondia nos confins da selva. O relacionamento que teria havido entre os dois ainda é obscuro, mas parece não restar dúvidas de que Euclides ensinou Chico a ler e escrever. Segundo Andrew Revkin, em *The Burning Seasons*, ele também apresentou-o às "doutrinas básicas do marxismo", dando ao jovem seringueiro um "domínio do vocabulário do socialismo e do comunismo". Em 1965, Távora, que, por algum tempo, morou na região, desapareceu tão misteriosamente quanto havia chegado, tendo, no entanto, deixado Chico Mendes com a noção de que um mundo muito maior existia para além da floresta. O próprio Chico Mendes lembrou mais tarde: "[Távora] me deu muitos conselhos sobre como organizar o movimento sindical (...) Apesar das derrotas, das humilhações e dos massacres, as raízes do movimento estariam sempre lá, dizia ele. As plantas sempre germinam de novo, mais cedo ou mais tarde, por mais que elas sejam atacadas."

Chico Mendes mudou-se para Xapuri em 1971. Euclides lhe havia ensinado o suficiente para permitir-lhe trabalhar, por um ano, como instrutor na campanha de alfabetização patrocinada pelo regime militar, e ele atuou também como vendedor na loja de Guilherme Zaire, dono de armazém e comerciante de borracha de origem síria. Em 1975, Chico Mendes participou de um curso sobre organização de sindicatos, promovido por um representante da Confederação Nacional dos Trabalhadores na Agricultura (Contag), organização que contava com apoio estatal. Os seringueiros, confrontados com a expansão da criação de gado e com a transferência de títulos de propriedade da floresta em que trabalhavam, criaram um método de resistência que alcançava resultados cada vez melhores, o *empate*. O empate era um confronto organizado entre os seringueiros e os trabalhadores enviados pelos fazendeiros para derrubar a floresta. Os sindicatos alegavam que isso era legal, nos termos do Código Civil brasileiro, que permite ao possuidor "manter-se ou restituir-se por sua própria força, contanto que o faça logo". O empate não era uma forma ghandiana de resistência passiva, mas, como deixam claros os documentários de Cowell para a televisão, e também seu livro, as fotografias de Revkin e, em particular, os relatos de Augusta Dwyer [no livro *Into the Amazon: The Strugle for the Rain Forest*], ele usava táticas de pressão e persuasão. Dwyer o descreve como: "Em muitos aspectos, uma demonstração de força de classe, um grupo grande de pessoas, geralmente incluindo famílias inteiras, abordando trabalhadores mal remunerados, que mourejam na destruição da floresta.

A função do empate era, em primeiro lugar, trazer esses trabalhadores para o outro lado, fazê-los entender que estavam tirando a comida da boca de companheiros. Era também um manifesto, era para dizer a todo mundo que 'vocês terão que nos matar para nos tirar daqui'."

O problema dessa estratégia era que os latifundiários ricos também reivindicavam o direito de defender sua terra pela força. No clima fora da lei que imperava na fronteira, não é de surpreender que os grandes proprietários, reagindo aos empates, apelassem cada vez mais para capangas armados a fim de defender seus direitos.

As mudanças políticas que ocorriam no sul do Brasil, durante os anos 1970, começavam a afetar também o Acre. O regime militar brasileiro mantinha-se no controle, em parte, pelo uso de agentes dos serviços de informação que reprimiam ou se infiltravam em movimentos dissidentes, embora esse regime sempre tenha sido um híbrido bizarro, que nunca abriu mão da formalidade das eleições. Em 1965, após o golpe de estado, foi imposto um sistema bipartidário artificial. É irônico que o *status quo* militar, desse modo, tenha criado um instrumento para a expressão de ideias antimilitares. Votar no eclético bloco oposicionista, o chamado Movimento Democrático Brasileiro (MDB), era o mesmo que registrar insatisfação com o regime militar. Chico Mendes havia-se candidatado pelo MDB nas eleições municipais de Xapuri, em 1977. Com o apoio de seu patrão, o comerciante de borracha sírio Zaire, se elegeu, juntamente com outros dois homens que também trabalhavam para Zaire.

Chico Mendes, no entanto, não alcançou grande sucesso como vereador. Bastava começar seus discursos longos e radicais, que mesmo seus colegas de partido achavam cansativos, que o plenário se esvaziava. Para ele, o tempo passado na Câmara Municipal foi uma experiência decepcionante, embora justificasse essa participação, assim como seu trabalho no sindicato, como sendo coerente com tudo o que Távora lhe havia ensinado. Chico Mendes conta que Távora lhe havia dito que "Lênin sempre dizia que não se deve abandonar um sindicato só porque ele está fraco. Você tem de participar, usar suas ideias e fortalecer o movimento".

No final dos anos 1970, no entanto, vários elementos uniram-se para vir em auxílio da luta cada vez mais desesperada dos seringueiros. A

Igreja, há séculos um bastião dos interesses fundiários, começou a aceitar novos padres, na sua maioria estrangeiros, seguidores da Teologia da Libertação, com experiência na organização de grupos comunitários de base. Os métodos repressivos do regime, que incluíam o difundido uso de tortura, vigilância e intimidação constantes, restrição de direitos políticos e exílio forçado de muitas figuras políticas, fizeram com que a Igreja Católica se envolvesse diretamente nas lutas sociais e políticas.

A Igreja entrou nas regiões rurais em duas frentes, ambas importantes para a organização sindical do Acre. Os padres radicais ajudavam a estabelecer comunidades de base, comprometidas com a assistência mútua e com a militância política. No começo dos anos 1990 essas Comunidades Eclesiais de Base (CEBs) somavam 80 mil no Brasil. A Igreja Católica também organizou, a partir de 1975, as Comissões Pastorais da Terra, que logo se viram na linha de frente da luta pelos direitos dos camponeses. Essas organizações, a princípio destinadas a monitorar os conflitos de terra e a incentivar os padres e trabalhadores leigos a ajudar os camponeses na defesa de seus direitos, tornaram-se mais radicais à medida que se envolviam nos conflitos mortais do dia a dia. Um dos mais famosos dentre os padres militantes foi D. Pedro Casaldáliga, bispo de São Félix do Araguaia. De origem catalã, com grande experiência como missionário na Amazônia, D. Pedro sempre se recusou a batizar os filhos de certos fazendeiros ou rezar missa em suas terras. "Não faria sentido ir denunciar essas pessoas pela morte de camponeses e depois celebrar missa em prédios de sua propriedade", disse ele a Augusta Dwyer. "Seria como celebrar missa num salão do Fundo Monetário Internacional... ou da UDR."

Os sindicatos de trabalhadores rurais do Sul também enviaram organizadores para a nova fronteira, a fim de dar treinamento, ajudar na organização sindical e dar apoio jurídico ao que antes eram basicamente focos isolados de resistência espontânea. Com o apoio da Igreja e dos sindicatos, Chico Mendes ajudou a fundar, em 1977, o Sindicato dos Trabalhadores Rurais de Xapuri, do qual, mais tarde, veio a se tomar presidente.

À medida que a situação se tornava mais tensa, um pequeno grupo de intelectuais, cientistas sociais e jornalistas brasileiros engajados nas lutas sociais começou a aparecer no Acre. Mary Allegretti, uma antropóloga do Paraná [hoje, é secretaria-executiva para a Amazônia do Ministério do Meio Ambiente] que tinha ido ao Acre para fazer um estudo sobre os seringueiros do alto Taracauá, em fins dos anos 1970, tornou-se amiga íntima e conselheira de Chico Mendes. Élson Martins organizou, em Rio Branco, um vigoroso jornal alternativo, o *Varadouro*. Esse jornal ofereceu, entre 1978 e 1981, um fórum para as pessoas que não encontravam espaço para expressar suas opiniões. Em fins dos anos 1970, por meio de contatos na recém-criada Universidade Federal do Acre, Chico Mendes estabeleceu laços clandestinos com o Partido Comunista do Brasil (PCdoB), um partido maoista dissidente, que tomava a China como modelo ideológico e vinha deslocando sua fidelidade para a Albânia.

Em meados dos anos 1980, Chico Mendes já havia estabelecido relações com uma rede internacional de simpatizantes, alguns dos quais capazes de dar apoio financeiro à causa dos seringueiros. O acadêmico britânico Tony Gross [autor do livro sobre Chico Mendes, *Fight for the Forest*], que trabalhava para a Oxfam [Oxford Comittee for Famine Release, ONG inglesa criada em 1942, originalmente para enviar ajuda e alimentos a populações miseráveis] desde 1980, foi uma das pessoas de quem ele mais se aproximou.

Em 1981, a Oxfam começou a apoiar o programa educacional desenvolvido pelo Sindicato dos Trabalhadores Rurais de Xapuri, que visava alfabetizar as famílias do interior do município. Em 1983, duas cooperativas de produtores haviam sido criadas, usando como sede duas das cinco escolas já existentes. As cooperativas eram mantidas com verbas da Pastoral da Terra, da Igreja Católica. O sindicato de Xapuri, presidido por Chico Mendes, rompeu com o sindicato de Brasileia, que então se havia juntado ao Partido do Movimento Democrático Brasileiro, sucessor do MDB, e trabalhava com o órgão do governo que tratava da borracha processada. Em Xapuri, Chico Mendes, que era contrário à cooperação com entidades estatais, mantinha-se filiado ao Partido dos Trabalhadores. Ele e a Oxfam, de fato, haviam-se decidido por apoiar o mais radical dentre os dois partidos de oposição ao regime militar.

Na descrição de Augusta Dwyer, a diferença era entre "os que querem uma sociedade social-democrata, como na Suécia, e os que querem um socialismo democrático, um verdadeiro Estado dos trabalhadores. Chico pertencia ao segundo grupo". A cisão que ocorria no Acre, no entanto, refletia uma ruptura maior, em nível nacional, que levou à criação, em 1983, de uma organização de sindicatos independentes, a Central Única dos Trabalhadores (CUT), estreitamente vinculada ao Partido dos Trabalhadores.

Tony Gross, agora responsável por todos os projetos da Oxfam na Amazônia, também apresentou Mary Allegretti a militantes do meio ambiente em Washington. Em 1985, o produtor de documentários britânico Adrian Cowell, como muitos outros que se preocupavam com a destruição irresponsável da floresta tropical, voltou sua atenção para o Acre, onde a expansão da fronteira, que já tinha devastado Rondônia, tinha-se tornado uma ameaça. Para Chico Mendes, que logo foi descoberto por Cowell, a relação com Gross, Allegretti e Cowell foi de suma importância.

Adrian Cowell, um cineasta premiado que visitava a Amazônia desde fins dos anos 1950, havia presenciado com ressentimento e exasperação crescentes a destruição sem sentido da floresta amazônica e de seus habitantes indígenas. No começo dos anos 1980, ele se tornou amigo íntimo do agrônomo brasileiro José Lutzenberger, há muito um crítico veemente dos projetos desenvolvimentistas brasileiros na região amazônica e organizador ativo do movimento Gaia pela proteção da ecologia mundial. Cowell convenceu-se de que era necessário pôr fim à maré de destruição causada, em grande parte, pelo que ele chamava de "falsas finanças", especialmente os créditos, concessões e empréstimos que financiaram a conversão das florestas em pastagens e permitiram que o sistema rodoviário avançasse pelas florestas tropicais adentro. Ele, então, em suas próprias palavras, "voltou-se para a fonte suprema de grande parte desses financiamentos — uma das instituições mais poderosas do mundo —, o Banco Mundial".

Em 1984, quando filmava em Washington, Cowell conheceu Bruce Rich, um participante do *lobby* ambientalista que liderava uma campanha contra os bancos que financiavam o desenvolvimento do Brasil, e um dos principais membros do Conselho de Defesa dos Recursos Naturais. Foi Cowell que sugeriu a Bruce Rich convidar José Lutzenberger para testemunhar, em Washington, perante o Subcomitê de Recursos Naturais do Congresso. Um ano depois, em 1985, em uma reunião estratégica realizada nos EUA, Cowell afirmou que "(...) A maioria das campanhas ambientalistas realizadas até agora, como, por exemplo, contra a caça às baleias, trataram de assuntos que podiam ser decididos no Primeiro Mundo. Mas como as florestas tropicais ficam no Terceiro Mundo, tudo depende das decisões políticas tomadas nesses países".

Nessa reunião, Cowell conheceu também Stephen Schwartzman, um antropólogo que havia trabalhado com os kreen-akrore, tribo indígena que Cowell filmou pela primeira vez nos anos 1960, e cujos últimos representantes foram transferidos, logo em seguida, para a reserva do Xingu. Algum tempo depois, as fundações americanas Beldon e Threshold financiaram uma visita de Schwartzman ao Brasil, para pedir a ajuda brasileira à organização de uma campanha contra as iniciativas dos bancos. Cowell duvidava que uma campanha em favor da floresta tropical pudesse ter tanto sucesso quanto as campanhas contra a caça às baleias. "As florestas tropicais podem ser mais importantes para o mundo", disse ele, "mas têm muito menos apelo emocional, são muito menos 'fofinhas' que as baleias." Chico Mendes, no entanto, era eminentemente "fofinho".

Em 1985, Cowell e seus colegas planejaram uma ofensiva visando fazer com que o destino das florestas tropicais se tornasse a preocupação prioritária das instituições multinacionais de crédito sediadas em Washington, nas quais a influência dos EUA era dominante. Ao mesmo tempo, em Brasília, durante a I Reunião Nacional dos Seringueiros, surgia a ideia central do movimento, a das "reservas extrativistas", o oximoro (expressão composta por palavras de sentido oposto, que, juntas, não deveriam fazer sentido) que combinava a preservarão da floresta com a exploração de seus produtos, como o látex e as castanhas tropicais. "A reserva extrativista é uma espécie de reforma agrária", disse Chico Mendes a Augusta Dwyer em 1988, por ocasião da visita desta a Xapuri. "O governo brasileiro seria pressionado a desapropriar as terras dos seringais e a transformá-las em reservas extrativistas. A terra passaria a ser propriedade do Estado, e os seringueiros teriam o direito do usufruto" Cowell percebeu imediatamente que a ideia das reservas extrativistas podia ser atraente para a opinião internacional. Segundo Revkin, foi na reunião de Brasília que "começou a prestar atenção no único, dentre os seringueiros, que parecia ter inteligência, carisma e honestidade suficientes para levar a mensagem dos seringueiros da floresta até os conselhos-diretores dos bancos e plenários parlamentares, de dentro e de fora do Brasil. Esse homem era Chico Mendes".

Segundo Revkin, Cowell "jamais gostou de se ver intrometendo nas coisas. Ele não queria transformar o movimento, apenas ajudá-lo a se fazer ouvir". Mary Allegretti, amiga de Cowell, convenceu Chico Mendes a mudar sua mensagem. Em vez das "velhas reivindicações de justiça social e reforma agrária - os carros-chefes da esquerda politica...", ele deveria agora pedir a preservação da Amazônia. Nessa época, Allegretti e Cowell estavam, segundo Revkin, "vivendo um relacionamento que durou três anos" Foi durante esse período que eles, com a ajuda de Stephen Schwartzman, apresentaram Chico Mendes às agências ecológicas internacionais com sede em Washington. Seu objetivo era forçar as instituições internacionais de crédito, especialmente o Banco Mundial e o Banco Interamericano de Desenvolvimento, ambos altamente dependentes de verbas americanas, ambos sendo alvo dos ataques dos ideólogos do governo Reagan, a dar prioridade máxima às questões ambientais em suas decisões sobre política de empréstimos.

O alvo específico foi fácil de encontrar. Em 1986, a estrada que cruzava o Acre estava sendo asfaltada com verbas do Banco Interamericano de Desenvolvimento. Allegretti e Schwartzman concordaram que era hora de atacar com vigor os bancos que financiavam as estradas e os interesses pecuaristas brasileiros. Allegretti ficou sabendo, por meio de Cowell, que Chico Mendes, que se havia candidatado a uma cadeira na Assembleia Legislativa pelo Partido dos Trabalhadores, criticava o asfaltamento da estrada em seus discursos de campanha. Isso prejudicou sua popularidade junto aos eleitores (ele sofreu uma derrota estrondosa), mas forneceu uma chance de ouro para a causa ambientalista. ''Allegretti e Cowell concluíram", segundo Revkin, "que Chico Mendes seria muito mais útil se abandonasse a política local, saísse da floresta... e dirigisse suas críticas diretamente contra o banco". Estavam criadas as condições para um cínico casamento de conveniência.

No governo Reagan, o Tesouro dos EUA vinha procurando, nas palavras de Schwartzman, "um porrete para bater" no Banco Interamericano de Desenvolvimento, visto por aquela administração como a epítome dos males do auxílio externo. O movimento ambientalista, ou Chico Mendes, mais especificamente, podia lhes fornecer as armas. Como observam Cockburn e Hecht, em *The Fate of the Forest*, nas fundações beneficentes e grupos ambientalistas que prestavam auxílio aos seringueiros, "muitos de seus integrantes ficariam horrorizados com a ideia de que suas organizações estavam apoiando iniciativas de sindicalistas radicais".

Em março de 1987, Chico Mendes viajou para Miami a fim de participar de uma reunião do Banco Interamericano de Desenvolvimento. Schwartzman e Cowell foram buscá-lo no aeroporto, e levaram-no ao Hotel Intercontinental. "Aqui estamos, numa daquelas clássicas reuniões em que todos dizem 'vamos comer framboesas frescas, bebericar champanhe e falar dos pobres'." Foi assim, segundo Revkin, que Jim Bond, assistente especial do senador Robert W. Kasten Jr. (republicano de Wisconsin), descreveu a chegada de Chico Mendes à reunião dos banqueiros, bem na hora do coquetel de abertura.

Depois de apresentar Chico Mendes aos banqueiros de Miami, Schwartzman e Cowell levaram-no a Washington, onde foi apresentado ao senador Kasten, que teve tempo de cumprimentá-lo e de comentar: "Eu posso prometer que nosso subcomitê. vai continuar pressionando (o Banco) para que ele restrinja as verbas, ou as corte totalmente, se possível - se eles não cooperarem." Como observou Revkin, tínhamos aí a mais improvável das alianças, entre conservador empedernido, vindo de um estado norte-americano com pastos cheios de vacas a perder de vista, e um marxista morador da floresta, cujos maiores inimigos eram os criadores de gado.

Sobre os autores

ALBERTO DA COSTA E SILVA é historiador, conceituado especialista em História e Cultura da África, além de poeta, ensaísta, diplomata e membro da Academia Brasileira de Letras. Autor de *Francisco Félix de Souza, mercador de escravos* (2004), *Castro Alves, um poeta sempre jovem* (2006) e de vários outros. Recebeu o título de doutor *Honoris Causa* pela Universidade Obafemi Awolowo e pela Universidade Federal Fluminense (UFF) e foi reconhecido como Intelectual do Ano de 2003 pela *Folha de S. Paulo*.

ANA CRISTINA ARAÚJO é professora da Faculdade de Letras da Universidade de Coimbra, onde também atua como pesquisadora no Centro de História da Sociedade e da Cultura. Autora de *O terramoto de 1755: impactos históricos* (2007) e *Memórias políticas: memória das coisas mais notáveis que se trataram nas conferências do governo (1810-1820)* (2012).

ANA MARIA DA SILVA MOURA é doutora em História Econômica pela Universidade de São Paulo (USP). É professora titular da Universidade Severino Sombra, em Vassouras. Publicou, entre outros, o livro *História Moderna vol.2* (2012) e *História nacional das fronteiras* (2012).

ÂNGELA DE CASTRO GOMES é doutora em Ciência Política e Sociologia pelo Instituto Universitário de Pesquisas do Rio de Janeiro (Iuperj) e realizou o estágio de pós-doutorado pela Universidade de Coimbra. Ministrou História do Brasil na Universidade Federal Fluminense (UFF) durante 13 anos; coordenou e lecionou na Pós-graduação em História, Política e Bens Culturais do Centro de Pesquisa e Documentação de História Contemporânea do Brasil (CPDOC). Publicou *A experiência da Primeira República no Brasil e em Portugal* (2011), *Olhando para dentro: 1930-1964* (2013), entre outros.

ANGELO CARRARA é doutor em História Social pela Universidade Federal do Rio de Janeiro (UFRJ). Concluiu o pós-doutorado em História Econômica na Universidade de São Paulo (USP). De 1988 a 2004, lecionou no Departamento de História da Universidade Federal de Ouro Preto (UFOP). Atualmente é professor adjunto da Universidade Federal de Juiz de Fora (UFJF). Em 2012 publicou *O livro primeiro da Provedoria da Real Fazenda de Minas Gerais, 1722-1727* e *Guerra e fiscalidade na Ibero-América colonial, séculos XVII-XIX*.

BEATRIZ RESENDE é doutora em Literatura Comparada pela Universidade Federal do Rio de Janeiro (UFRJ) e realizou estágio de pós-doutorado no Museu Nacional da UFRJ. É professora titular de Poética do Departamento de Ciência da Literatura da Faculdade de Letras da Universidade Federal do Rio de Janeiro (UFRJ) e organizadora do livro *Cocaína, literatura e outros companheiros de viagem* (2006) e autora de *Expressões da Literatura Brasileira no século XXI* (2008) e *Contemporâneos: expressões da Literatura Brasileira no século XXI* (2008), entre outros.

CAIO BOSCHI é doutor em História Social pela Universidade de São Paulo (USP). Professor de História do Brasil aposentado da Universidade Federal de Minas Gerais (UFMG), atualmente leciona no Departamento de História da Pontifícia Universidade Católica de Minas Gerais (Puc-Minas). Ministrou aulas em várias universidades de Portugal, onde concluiu o pós-doutorado, na Universidade de Lisboa. É autor de *O Brasil-Colônia nos arquivos históricos de Portugal* (2011) e *O cabido da Sé de Mariana (1745-1820): documentos básicos* (2011).

CARLOS EUGÊNIO LÍBANO é doutor em História Social do Trabalho pela Universidade Estadual de Campinas (Unicamp) e atualmente é professor-adjunto da Universidade Federal da Bahia (UFBA), onde também leciona Cultura Baiana e História da Bahia. Autor de *Cidades negras: africanos, crioulos e espaços urbanos do século XIX* (2006) e *A pequena África: um portal do Atlântico* (2011).

CHRIS BURDEN é pesquisador britânico, vive e trabalha no Rio de Janeiro, onde atualmente faz pesquisas sobre a colonização informal do Brasil pelos britânicos no decorrer do século XIX.

CLÓVIS BULCÃO é professor de História, formado pela Pontifícia Universidade Católica (PUC-Rio). É autor do romance histórico *A quarta parte do mundo* (1999), premiado pela Fundação Biblioteca Nacional, e das biografias *Leopoldina: a Princesa do Brasil* (2006) e *Padre Antônio Vieira* (2008).

CLÁUDIA M. R. VISCARDI é doutora em História Social pela Universidade Federal do Rio de Janeiro (UFRJ). Cursou pós-doutorado na Manchester

Metropolitan University, onde foi professora visitante entre 2007 e 2008. Atualmente leciona na Universidade Federal de Juiz de Fora (UFJF). É organizadora do livro À *margem do caminho novo: experiências populares em Juiz de Fora* (2011) e autora de *O teatro das Oligarquias: uma revisão da política do café com leite* (2012).

DANIEL AARÃO REIS é doutor em História Social pela Universidade de São Paulo (USP). É professor titular de História Contemporânea da Universidade Federal Fluminense (UFF). Publicou *Tradições e Modernidades* (2010) e *Intelectuais e Modernidades* (2010), entre outros.

DANIELA BUONO CALAINHO é doutora em História pela Universidade Federal Fluminense (UFF) e fez estágio pós-doutoral na Universidade de São Paulo (USP). É professora da Universidade do Estado do Rio de Janeiro (UERJ). É autora de *Guia de fontes e bibliografia sobre a Inquisição* (2005), *Raízes do privilégio: mobilidade social no mundo ibérico do Antigo Regime* (2011) e *Caminhos da intolerância no mundo ibérico do Antigo Regime* (2012).

EDUARDO BUENO é jornalista, escritor, tradutor e editor. Trabalhou no *Estado de S. Paulo*, *Zero Hora* e na TV Cultura. É autor, entre outros, de *Viagem do Descobrimento* (1998), *Náufragos, traficantes e degredados* (1998), *Capitães do Brasil* (1999) e *Brasil: uma história* (2010).

EDUARDO SILVA é doutor em História pela University College London (UCL), pesquisador da Fundação Casa de Rui Barbosa desde 1976 e membro do Instituto Histórico e Geográfico Brasileiro (IHGB). É autor de *Dom Obá II d'África, o príncipe do povo* (1997) e *As camélias do Leblon e a abolição da escravatura: uma investigação de História Cultural* (2003).

EMERSON GIUMBELLI é doutor em Antropologia Social pela Universidade Federal do Rio de Janeiro (UFRJ) e professor associado da Universidade Federal do Rio Grande do Sul (UFRGS). É autor de *O cuidado dos mortos: uma história da condenação e legitimação do espiritismo* (1997), obra pela qual recebeu o Prêmio Arquivo Nacional de Pesquisa, e *A Religião no Espaço Público - atores e objetos* (2012).

EVALDO CABRAL DE MELLO é historiador, escritor e diplomata aposentado. Especialista no período de dominação holandesa no Nordeste brasileiro, produziu obras de grande relevância para a documentação dessa época. Para citar algumas, *O negócio do Brasil* (1998), *Nassau: governador do Brasil Holandês* (2006) e *O Brasil holandês* (2010).

FRANCISCA NOGUEIRA DE AZEVEDO é doutora em História Social pela Universidade Federal do Rio de Janeiro (UFRJ). É professora adjunta do Departamento de História da UFRJ. Autora de *Carlota Joaquina: cartas inéditas* (2008) e *D. João e a Cidade do Rio de Janeiro* (2008).

FRANCISCO ALAMBERT é mestre e doutor em História Social pela Universidade de São Paulo (USP) e professor titular do Departamento de História da mesma universidade. Autor de *Bienais de São Paulo: da era dos Museus à era dos curadores* (2004) e *D. Pedro I: o imperador cordial* (2006).

FRANCISCO DORATIOTO é doutor em História pela Universidade de Brasília (UNB), onde hoje é professor adjunto. Também leciona no curso de formação de diplomatas do Instituto Rio Branco. É autor de *General Osorio* (2008) e *Relações Brasil-Paraguai: afastamento, tensões e reaproximação (1889-1954)* (2012), entre outros.

GEORGINA SILVA DOS SANTOS é doutora em História Social pela Universidade de São Paulo (USP) e professora do Departamento de História da Universidade Federal Fluminense (UFF). É autora, entre outros, de *Ofício e sangue: a Irmandade de São Jorge e a Inquisição na Lisboa Moderna* (2005).

GUILHERME PEREIRA DAS NEVES é doutor em História Social pela Universidade de São Paulo (USP). É membro do Instituto Histórico e Geográfico Brasileiro (IHGB) e professor do Departamento de História da Universidade Federal Fluminense (UFF). Foi coorganizador de *Retratos do Império: trajetórias individuais no mundo português nos séculos XVI a XIX* (2007) e autor de *História, teoria e variações* (2011).

GUSTAVO FRANCO é doutor em Economia pela Universidade de Harvard. Lecionou na Pontifícia Universidade Católica do Rio de Janeiro (PUC-Rio) e foi presidente do Banco Central de 1997 a 1999. É sócio da empresa administradora de investimentos Rio Bravo. É autor de *As leis secretas da economia* (2006), *A economia em Machado de Assis: o olhar oblíquo do acionista* (2007) e *Shakespeare e a economia* (2009), entre outros.

HENDRIK KRAAY é doutor pela Universidade do Texas e professor do Departamento de História e Ciências Políticas da Universidade de Calgary, no Canadá. É autor do livro *Política racial, Estado e forças armadas na época da Independência: Bahia, 1790-1850* (2011).

JACQUELINE HERMANN é doutora em História pela Universidade Federal Fluminense (UFF) e concluiu o estágio de pós-doutorado na Universidad Complutense de Madrid. É professora associada do Instituto de História da

Universidade Federal do Rio de Janeiro (UFRJ), onde coordena o programa de pós-graduação em História Social. É autora de *O sonho da salvação* (2000) e coorganizadora do livro *Memória, escrita da história e cultura política no mundo luso-brasileiro* (2012)

JOÃO ADOLFO HANSEN é doutor em literatura brasileira pela Universidade de São Paulo (USP), onde também leciona. É autor, entre outros, do livro *A sátira e o engenho - Gregório de Matos e a Bahia do século XVII* (1989), pelo qual recebeu o Prêmio Jabuti, *Manuel da Nóbrega* (2010) e *Estudos sobre Vieira* (2011).

JOÃO JOSÉ REIS é doutor em História pela Universidade de Minnesota e professor titular do Departamento de História da Universidade Federal da Bahia (UFBA). É coautor de *O alufá Rufino: tráfico, escravidão e liberdade no Atlântico negro* (2010), livro pelo qual recebeu o prêmio Casa de Las Americas, e autor de *Escravidão e suas sombras* (2012).

JOÃO MÁXIMO é jornalista com mais de quarenta anos de carreira. Foi editor de esportes do *Correio da Manhã* e do *Jornal do Brasil* e hoje colabora com a ESPN. Escreveu, em parceria com Carlos Didier, o livro *Noel Rosa: uma biografia* (1990). É autor de livros como *Paulinho da Viola - sambista e chorão* (2002), *Brasil, rito e ritmo* (2004), entre outros.

JOAQUIM ROMERO DE MAGALHÃES é doutor pela Universidade de Coimbra. Lecionou na École des Hautes Études en Sciences Sociales de Paris, na Universidade de São Paulo (USP) e na Universidade Yale, como professor convidado. Atuou como correspondente estrangeiro do Instituto Histórico e Geográfico Brasileiro (IHGB) em 2001. Em 2012 deixou a Universidade de Coimbra após quarenta anos de docência. É autor de *Vem aí a República!* (2009) e *Labirintos brasileiros* (2011).

JOHN MONTEIRO doutorou-se em História da América Latina pela Universidade de Chicago, lecionou na Universidade Estadual de Campinas (Unicamp), na Universidade da Carolina do Norte e na Universidade Estadual Paulista (Unesp). Havia tomado posse da direção do Instituto de Filosofia e Ciências Humanas da Universidade Estadual de Campinas (Unicamp) em dezembro de 2012, quando faleceu em março daquele ano. Desenvolvia a pesquisa "Mamelucos e Mamelucas: Aliança, Mestiçagem e Escravidão em Perspectiva Transcontinental, 1550-1650". Em 1994, publicou *Negros da Terra: índios e bandeirantes nas origens de São Paulo.*

JOSÉ MURILO DE CARVALHO é doutor em Ciência Política pela Universidade de Stanford. Foi professor visitante em várias universidades, entre as quais

Stanford, Notre Dame, Oxford e École des Hautes Études en Sciences Sociales e, desde 2004, é professor visitante da Escola de Guerra Naval (EGN). É professor emérito da Universidade Federal do Rio de Janeiro (UFRJ), membro da Academia Brasileira de Letras e Academia Brasileira de Ciências. Publicou, entre outras obras, *Os bestializados: o Rio de Janeiro e a República que não foi* (1987), D. *Pedro II* (2007), que lhe rendeu um Prêmio Jabuti, e *A construção nacional* (2012).

JULIANA BEATRIZ ALMEIDA DE SOUZA é doutora em História pela Universidade Federal Fluminense (UFF). Atualmente é professora de História da América do Departamento de História da Universidade Federal do Rio de Janeiro (UFRJ), onde também coordena o curso de graduação do departamento. É autora de *Brasil de todos os santos* (1999).

JÚNIA FERREIRA FURTADO é doutora em História Social pela Universidade de São Paulo (USP) e realizou pós-doutorado na Princeton e na École des Hautes Études en Sciences Sociales. Atualmente é professora titular da Universidade Federal de Minas Gerais (UFMG). É autora de *O mapa que inventou o Brasil* (2013) e organizadora de *Travessias inquisitoriais das Minas Gerais aos cárceres do Santo Ofício: diálogos e trânsitos religiosos no império luso-brasileiro (sécs. XVI-XVIII)* (2013).

KENNETH MAXWELL é historiador britânico. Doutor pela Universidade Princeton, já lecionou em Yale, Columbia, Kansas e na própria Princeton. Foi diretor do Programa para a América Latina do Conselho de Relações Exteriores em Nova York e é *senior fellow* do Centro de Estudos Latino-Americanos da Universidade de Harvard. Desde 2007, mantém uma coluna na *Folha de S. Paulo*. Autor de *O Império derrotado* (2006) e *A Devassa da Devassa: a Inconfidência Mineira: Brasil e Portugal [1750-1808]* (2009).

LAURA DE MELLO E SOUZA é doutora pela Universidade de São Paulo (USP), onde é professora titular do Departamento de História da Faculdade de Filosofia, Letras e Ciências Humanas desde 1983. É autora de livros como *O Sol e a Sombra* (2006) e a obra biográfica *Cláudio Manoel da Costa* (2011), que recebeu o Prêmio Jabuti. Também é membro da Academia Brasileira de Ciências.

LILIA MORITZ SCHWARCZ é doutora em Antropologia Social pela Universidade de São Paulo (USP), onde é professora titular. Foi professora visitante e pesquisadora nas universidades de Leiden, Oxford, Brown, Columbia e Princeton, onde é Global Professor até o ano de 2014. É autora, entre outros, de *As barbas do imperador - D. Pedro II, um monarca nos trópicos* (1998) e *O sol do*

Brasil - Nicolas-Antoine Taunay e as desventuras dos artistas franceses na corte de D. João (2008), livros pelos quais recebeu o Prêmio Jabuti.

LORELAI KURY é doutora em História e Civilização pela École des Hautes Études en Sciences Sociales. Hoje leciona na graduação e na pós-graduação em História da Universidade do Estado do Rio de Janeiro (UERJ) e desenvolve pesquisas na Fundação Oswaldo Cruz (Fiocruz). É organizadora de *Ensaios de história das ciências no Brasil: das Luzes à nação independente* (2012) e *Sertões adentro: viagens nas caatingas, séculos XVI a XIX* (2012), entre outros.

LÚCIA MARIA BASTOS P. NEVES é doutora em História Social pela Universidade de São Paulo (USP), é professora de História Moderna da Universidade do Estado do Rio de Janeiro (UERJ). É organizadora, entre outras, das obras *Elites, fronteiras e cultura do império do Brasil* (2013) e *Dimensões políticas do Império do Brasil* (2012).

LUCIANO FIGUEIREDO é doutor em História Social pela Universidade de São Paulo (USP). Coordenou a área de pesquisa, divulgação e editoração do Arquivo Nacional, fundou e dirigiu as revistas *Nossa História* e *Revista de História da Biblioteca Nacional* até 2011. Foi pesquisador na John Carter Brown Library (Providence/RI) e no Boston College. Atualmente é professor associado na Universidade Federal Fluminense (UFF), pesquisador do CNPq e editor da revista *Tempo*. É autor de *Rebeliões no Brasil colônia* (2005) e organizador de *Guerras e batalhas brasileiras* (2009), entre outros.

LUCÍLIA DE ALMEIDA NEVES DELGADO é doutora em Ciência Política pela Universidade de São Paulo (USP). Atualmente é pesquisadora do Núcleo de História Oral da Universidade Federal de Minas Gerais (UFMG), professora da pós-graduação em Ciências Sociais da Pontifícia Universidade Católica de Minas Gerais (PUC Minas) e membro do conselho editorial de várias publicações sobre história. Publicou, entre outros, *PTB: do getulismo ao reformismo (1945-1964)* (2011) e *O Brasil republicano: o tempo da experiência democrática* (2011).

LUIS FELIPE DA SILVA NEVES é mestre em História Social pela Universidade Federal do Rio de Janeiro (UFRJ). Atualmente é professor assistente da Universidade Federal Fluminense (UFF).

LUIZ FELIPE DE ALENCASTRO é doutor em História pela Universidade de Paris. De 1986 a 1994 lecionou História Econômica no Instituto de Economia da Universidade Estadual de Campinas (Unicamp). Atualmente é professor titular da cátedra de História do Brasil da Universidade de Paris-Sorbonne.

Organizou, entre outros, *Império: a corte e a modernidade nacional*, o segundo volume da *História da vida privada no Brasil* (1997) e é autor de *O Trato dos viventes: formação do Brasil no Atlântico Sul* (2000).

LUIZ MOTT é doutor em Antropologia pela Universidade Estadual de Campinas (Unicamp). Até 2004 foi professor titular do Departamento de Antropologia da Universidade Federal da Bahia (UFBA). É autor de *Bahia: inquisição e sociedade* (2000) e *Boletim do grupo gay da Bahia* (2011), entre outros.

MÁRCIA MOISÉS RIBEIRO é doutora em História Social pela Universidade de São Paulo (USP). É autora de *Exorcistas e demônios: demonologia e exorcismos no universo luso-brasileiro* (2003) e de *A ciência dos trópicos: a arte médica no Brasil do século XVIII* (1997).

MARCO MOREL é doutor em História pela Universidade de Paris. Atua como professor adjunto na Universidade Estadual do Rio de Janeiro (UERJ) e é pesquisador associado da Universidade de Paris. É organizador de *Um historiador do Brasil - István Jancsó* (2010) e autor de *Corrupção, mostra a sua cara* (2012), entre outros.

MARCUS DE CARVALHO é doutor pela Universidade de Illinois e professor titular de História do Brasil da Universidade Federal de Pernambuco (UFPE). É autor de *Liberdade: rotinas e rupturas do escravismo* (1998) e coautor de *O Alufá Rufino: tráfico, escravidão e liberdade no Atlântico negro (c.1822 - c. 1853)* (2010), que recebeu o prêmio Casa de Las Americas.

MARIA FERNANDA BICALHO é doutora em História Social pela Universidade de São Paulo (USP). Cursou o pós-doutorado no Instituto de Ciências Sociais (ICS) da Universidade de Lisboa, em 2001. É professora associada no Departamento de História da Universidade Federal Fluminense (UFF), onde coordenou o Programa de Pós-Graduação em História. Também atua como professora visitante na Universidade de Provence. Publicou *O Governo dos Povos: relações de Poder no Mundo Ibérico na Época Moderna* (2009) e *O Antigo Regime nos Trópicos: a dinâmica imperial portuguesa (séculos XVI-XVIII)* (2010), entre outros.

MARIA LUIZA TUCCI CARNEIRO é doutora em História Social pela Universidade de São Paulo (USP). É professora associada da Universidade de São Paulo (USP) e também participa do Conselho do Núcleo de Estudos Judaicos, da Universidade Estadual do Rio de Janeiro (UERJ). É autora de *Brasil Judaico: mosaico de nacionalidades* (2013) e organizadora de *As doenças e os medos sociais* (2013), entre outros.

MARIETA DE MORAES FERREIRA é doutora em História pela Universidade Federal Fluminense (UFF) e professora associada do Instituto de História da Universidade Federal do Rio de Janeiro (UFRJ). Também atuou como editora da *Revista brasileira de História* e diretora executiva da Editora FGV. É organizadora de *Segurança e cidadania: memórias do Pronasci* (2010) e autora de *A História como Ofício - A constituição de um campo disciplinar* (2013), entre outros.

MARLY DE ALMEIDA GOMES VIANNA é doutora em História Social pela Universidade de São Paulo (USP). Leciona no mestrado em História da Universidade Salgado Filho e já fez parte do corpo docente da pós-graduação das universidades Severino Sombra (USS) e Federal de Santa Catarina (UFSC). É autora, entre outros, de *Revolucionários de 1935: sonho e realidade* (2011) e organizadora de *Uma vida de lutas* (2012).

MARLY MOTTA é doutora em História pela Universidade Federal Fluminense (UFF), leciona na graduação e na pós-graduação na Fundação Getúlio Vargas (FGV). É autora de *História da ordem dos advogados do Brasil: da redemocratização ao estado democrático de direto (1946-88)* (2006) e organizadora de *Memórias do IBRE - Instituto Brasileiro de Economia: depoimentos ao CPDOC* (2008), entre outros.

MARY DEL PRIORE é doutora em História Social pela Universidade de São Paulo (USP) e realizou o estágio de pós-doutorado em História na École des Hautes Études en Sciences Sociales. Já lecionou na Universidade de São Paulo (USP) e na Pontifícia Universidade Católica do Rio de Janeiro (PUC-Rio), e hoje é professora da pós-graduação da Universidade Salgado de Oliveira (Universo). É autora, entre outros, de *Histórias Íntimas: sexualidade e erotismo na história do Brasil* (2011) e *O Castelo de Papel* (2013).

MÔNICA DIAS DE SOUZA é doutora em Antropologia Social pela Universidade Federal do Rio de Janeiro (UFRJ), onde atua como pesquisadora desenvolvendo projetos na área da Antropologia Urbana. Também desenvolve pesquisas na Fundação Oswaldo Cruz (Fiocruz), associada ao grupo de pesquisa Governos e Sociedade na gestão de políticas públicas.

PATRÍCIA VALIM é doutora em História Econômica pela Universidade de São Paulo (USP). Leciona História do Brasil Colonial e América Independente na Universidade do Grande ABC (UniABC).

PAULA PINTO E SILVA é doutora em Antropologia pela Universidade de São Paulo (USP) com ampla experiência acadêmica em história da culinária no Brasil. Já lecionou História da Gastronomia da Universidade Anhembi Morumbi e atualmente é professora da pós-graduação da Escola Superior de Propaganda e Marketing (ESPM). É autora de *Comida de Santo, comida de homem* (1998) e *Misturança* (1997).

RAFAEL CHAMBOULEYRON é doutor em História pela Universidade de Cambridge. Atualmente é professor adjunto da Universidade Federal do Pará (UFPA). Publicou *T(r)ópicos de história: gente, espaço e tempo na Amazônia (séculos XVII a XXI)* (2012) e *Povoamento, ocupação e agricultura na Amazônia colonial (1640-1706)* (2012), entre outros.

RENATO CORDEIRO GOMES é doutor em Letras pela Pontifícia Universidade Católica do Rio de Janeiro (PUC-Rio), onde hoje atua como professor e pesquisador nos departamentos de Comunicação Social e Letras. É coorganizador, entre outros, de *Literatura e revolução* (2011) e *Novos* Realismos (2012).

RENÉ E. GERTZ é doutor em Ciência Política pela Universidade Livre de Berlim, onde também cursou pós-doutorado em História. Professor aposentado da Universidade Federal do Rio Grande do Sul (UFRGS), atualmente leciona no Departamento de História da Pontifícia Universidade Católica do Rio Grande do Sul (PucRS). É coorganizador de *Historiografia alemã pós-muro: experiências e perspectivas* (2007) e autor de *O neonazismo no Rio Grande do Sul* (2012), entre outros.

ROBERT DAIBERT JUNIOR é doutor em História social pela Universidade Federal do Rio de Janeiro (UFRJ). Professor adjunto da Universidade Federal de Juiz de Fora (UFJF), coordena o curso de pós-graduação (*lato sensu*) História e Cultura Afro-Brasileira e Africana e é diretor do Núcleo de Estudos Afro-Brasileiros. É coorganizador, entre outros, de *No berço da noite: religião e arte em encenações de subjetividades afrodescendentes* (2012) e *Escrituras de Deus e do Diabo: ensaios de religião, história e literatura* (2012).

RÔMULO LUIZ XAVIER DO NASCIMENTO é doutor pela Universidade Federal Fluminense (UFF) e professor adjunto da Universidade de Pernambuco (UPE). Publicou o livro *Fragmentos de História do Nordeste: visões socioculturais do mundo açucareiro ao sertão* (2012).

RONALD RAMINELLI é doutor em História Social pela Universidade de São Paulo (USP). Leciona na graduação e na pós-graduação do Departamento de História da Universidade Federal Fluminense (UFF). É autor, entre outros, de *História das Américas: novas perspectivas* (2011) e *A era das conquistas* (2013).

RONALDO VAINFAS é doutor em História Social pela Universidade de São Paulo (USP). É professor titular de História Moderna da Universidade Federal

Fluminense (UFF). É autor de *A heresia dos índios: catolicismo e rebeldia no Brasil colonial* (2010) e *Antônio Vieira: jesuíta do rei* (2011), entre outros.

RUBENS RICUPERO graduou-se em Ciências Jurídicas e Sociais pela Faculdade de Direito da Universidade de São Paulo (USP) e construiu uma carreira sólida no ramo da diplomacia. Foi embaixador em Roma, Washington e Genebra, subsecretário geral da ONU (1999-2004), também atuou como ministro da Fazenda em 1994 e ministro do Meio Ambiente e da Amazônia Legal. Na esteira acadêmica, lecionou na Universidade de Brasília (UNB) e no Instituto Rio Branco e foi professor honorário da Academia Diplomática do Peru. É autor de *Esperança e ação* (2002) e *Folha explica a ALCA* (2003), entre outros.

SANDRA JATAHY PESAVENTO doutorou-se em História Econômica pela Universidade de São Paulo (USP). Lecionava na Universidade Federal do Rio Grande do Sul (UFRGS) no Departamento de História e no Programa de Pós-Graduação em Planejamento Urbano e Regional (Propur). Publicou, entre outros livros, *Sociabilidades, justiças, práticas e violências: representações culturais no Cone Sul (séculos XIX e XX)* (2008) e *Visões do cárcere*, este último publicado em 2009, ano em que faleceu.

SHEILA DE CASTRO FARIA é doutora em História pela Universidade Federal Fluminense (UFF), onde é professora titular de História do Brasil. É autora de *A Colônia em movimento, fortuna e família no cotidiano colonial* (1998) e *Barões do café* (2005), entre outros livros.

TARCÍSIO DE SOUZA GASPAR é professor de História do Instituto Federal de Educação, Ciência e Tecnologia do Sul de Minas Gerais e autor, entre outros, dos livros *Inventário dos bens móveis e imóveis do Patrimônio Cultural do Distrito de Amarantina* (2009) e *Palavras no chão: murmurações e vozes em Minas Gerais no século XVIII* (2011).

Livros para quando sobrar tempo

Sugestões de obras gerais sobre História do Brasil

ALVES FILHO, Ivan. *Brasil, 500 anos em documentos*. 2a. ed. Rio de Janeiro: Mauad, 1999.

BETHELL, Leslie. *História da América Latina: América Latina Colonial*. São Paulo/Brasília: Edusp/Fundação Alexandre Gusmão, 1997.

BUENO, Eduardo. *BRASIL: uma História*. São Paulo: Leya, 2010.

CALDEIRA, Jorge (org.). *Brasil: a História contada por quem viu*. São Paulo: Mameluco, 2008.

FAUSTO, Bóris. *História do Brasil*. São Paulo: Edusp, 1997.

HOLANDA, Sérgio Buarque de (org.). *História geral da civilização brasileira*. São Paulo: Difel, 1986, 11 Vols.

LINHARES, Maria Yedda (org.). *História geral do Brasil*. Rio de Janeiro: Campus, 1990.

LOPEZ, Adriana e MOTA, Carlos Guilherme (orgs.). *História do Brasil. Uma interpretação*. São Paulo: Companhia das Letras, 1997.

MOTTA, Carlos Guilherme (org.).*Viagem incompleta. A experiência brasileira (1500-2000)*. São Paulo: Editora SENAC, 2000.

NOVAIS, Fernando; SCHWARCZ, Lilia M. et alii (orgs.). *História da vida privada no Brasil. 4 Vols*. São Paulo: Companhia das Letras, 1998.

PRIORE, Mary Del e VENANCIO. Renato, *Uma breve História do Brasil*, Rio de Janeiro: PLANETA DO BRASIL, 2010.

SANTIAGO, Silviano (org.). *Intérpretes do Brasil*. 3 vols. Rio de Janeiro: Nova Aguilar, 2000.

SCHWARCZ, Lilia M. (dir.). *História da Brasil nação. 6 Vols*. Rio de Janeiro: Objetiva, 2011-13

Referências dos textos

•

ALAMBERT, Francisco. "De Sérgio para Chico, de Chico para Sérgio". *Nossa História*, Rio de Janeiro, ano 1, nº 8, p. 44-51, jun. 2004.

ALENCASTRO, Luiz Felipe de. "Com quantos escravos se constrói um país?". *Revista de História da Biblioteca Nacional*, Rio de Janeiro, ano 4, nº 39, p. 18-20, dez. 2008.

ARAÚJO, Ana Cristina. "Retrato de um estudante genial". *Revista de História da Biblioteca Nacional*, Rio de Janeiro, ano 2, nº 24, p. 18-21, set. 2007.

AZEVEDO, Francisca N. "A rainha conspiradora". *Nossa História*, Rio de Janeiro, ano 1, nº 5, p. 72-75, mar. 2004.

BICALHO, Maria Fernanda. "Uma cidade em pânico". *Nossa História*, Rio de Janeiro, ano 3, nº 27, p. 16-21, jan. 2006.

BOSCHI, Caio. "Irmãos na vida e na morte". *Revista de História da Biblioteca Nacional*, Rio de Janeiro, ano 1, nº 1, p. 62-66, jul. 2005.

BUENO, Eduardo. "Pública ladroice". *Nossa História*, Rio de Janeiro, ano 1, nº 1, p. 62-67, nov. 2003.

BURDEN, Chris. "Em busca da cidade perdida". *Revista de História da Biblioteca Nacional*, Rio de Janeiro, ano 2, nº 21, p. 16-25, jun. 2007.

CALAINHO, Daniela Buono. "Feiticeiros negros no Brasil Colonial". *Nossa História*, Rio de Janeiro, ano 2, nº 18, p. 67-71, abr. 2005.

CARNEIRO, Maria Luiza Tucci. "Muralha antissemita". *Revista de História da Biblioteca Nacional*, Rio de Janeiro, ano 2, nº 20, p. 36-40, mai. 2007.

CARRARA, Angelo A. "A peso de ouro". *Revista de História da Biblioteca Nacional*, Rio de Janeiro, ano 4, nº 38, p. 16-21, nov. 2008.

CARVALHO, José Murilo de. "Abaixo a vacina!". *Nossa História*, Rio de Janeiro, ano 2, nº 13, p. 74-79, nov. 2004.

CARVALHO, José Murilo de. "Escola de transgressão". *Revista de História da Biblioteca Nacional*, Rio de Janeiro, ano 4, nº 42, p. 18-22, mar. 2009.

CARVALHO, José Murilo de. "Estado da impunidade". *Revista de História da Biblioteca Nacional*, Rio de Janeiro, ano 5, nº 59, p. 24-27, ago. 2010.

CARVALHO, José Murilo de. "D. Pedro II e os valores republicanos". *Revista de História da Biblioteca Nacional*, Rio de Janeiro, ano 5, nº 50, p. 24-25, nov. 2009.

CARVALHO, José Murilo de. "O marinheiro bordador". *Revista de História da Biblioteca Nacional*, Rio de Janeiro, ano 1, nº 9, p. 26-29, abr. 2006.

CARVALHO, Marcus de. "Revolução à europeia com toque tropical". *Revista de História da Biblioteca Nacional*, Rio de Janeiro, ano 1, nº 10, p. 16-20, mai-jul. 2006.

CHAMBOULEYRON, Rafael. "A Amazônia sob fogo cruzado". *Revista de História da Biblioteca Nacional*, Rio de Janeiro, ano 2, nº 17, p. 66-69, fev. 2007.

DAIBERT JR, Robert. "Sob o manto de Isabel". *Nossa História*, Rio de Janeiro, ano 1, nº 12, p. 31-36, out. 2004.

DELGADO, Lucília A N. "Utopias cassadas". *Revista de História da Biblioteca Nacional*, Rio de Janeiro, ano 2, nº 21, p. 72-76, jun. 2007.

DORATIOTO, Francisco. "Eterno general". *Revista de História da Biblioteca Nacional*, Rio de Janeiro, ano 5, nº 52, p. 56-59, jan. 2010.

DORATIOTO, Francisco. "Nova luz sobre a Guerra do Paraguai". *Nossa História*, Rio de Janeiro, ano 2, nº 13, p. 18-23, nov. 2004.

FARIA, Sheila de Castro. "Os barões do café". *Revista de História da Biblioteca Nacional*, Rio de Janeiro, ano 1, nº 2, p. 58-64, ago. 2005.

FERREIRA, Marieta de Moraes. "Os anos rebeldes do tenentismo". *Revista de História da Biblioteca Nacional*, Rio de Janeiro, ano 1, nº 1, p. 46-51, jul. 2005.

FIGUEIREDO, Luciano. "Pinga, cachaça, jeribita". *Nossa História*, Rio de Janeiro, ano 2, nº 13, p. 68-72, nov. 2004.

FRANCO, Gustavo. "O acionista". *Revista de História da Biblioteca Nacional*, Rio de Janeiro, ano 3, nº 36, p. 24-27, set. 2008.

FURTADO, Júnia Ferreira. "Chica, a verdadeira". *Nossa História*, Rio de Janeiro, ano 1, nº 2, p. 14-21, dez. 2003.

GASPAR, Tarcisio de Souza. "Quem tem boca vai à forca". *Revista de História da Biblioteca Nacional*, Rio de Janeiro, ano 4, nº 43, p. 54-57, abr. 2009.

GERTZ, René E. "Fascismo à brasileira". *Revista de História da Biblioteca Nacional*, Rio de Janeiro, ano 2, nº 20, p. 28-31, mai. 2007.

GIUMBELLI, Emerson. "Kardec nos trópicos". *Revista de História da Biblioteca Nacional*, Rio de Janeiro, ano 3, nº 33, p. 14-19, jun. 2008.

GOMES, Ângela de Castro. "A última cartada". *Nossa História*, Rio de Janeiro, ano 1, nº 10, p. 14-19, ago. 2004.
GOMES, Renato Cordeiro. "Brasil à vista!". *Revista de História da Biblioteca Nacional*, Rio de Janeiro, ano 1, nº 5, p. 78-81, nov. 2005.
HANSEN, João Adolfo. "Gregório, Gregórios". *Nossa História*, Rio de Janeiro, ano 1, nº 11, p. 44-50, set. 2004.
KRAAY, Hendrik. "Independência é liberdade". *Revista de História da Biblioteca Nacional*, Rio de Janeiro, ano 4, nº 48, p. 22-24, set. 2009.
KURY, Lorelai. "Marchar com fé". *Revista de História da Biblioteca Nacional*, Rio de Janeiro, ano 1, nº 11, p. 26-30, ago. 2006.
LÍBANO, Carlos Eugênio. "Golpes de mestres". *Nossa História*, Rio de Janeiro, ano 5, nº 5, p. 14-20, mar. 2004.
MAGALHÃES, Joaquim Romero de. "Ao sabor das ondas". *Nossa História*, Rio de Janeiro, ano 2, nº 18, p. 32-36, abr. 2005.
MÁXIMO, João. "O inventor da MPB". *Nossa História*, Rio de Janeiro, ano 2, nº 14, p. 32-38, dez. 2004.
MAXWELL, Kenneth. "O guardião da floresta". *Nossa História*, Rio de Janeiro, ano 1, nº 3, p. 56-62, jan. 2004.
MELLO, Evaldo C. "Um herege no poder". *Nossa História*, Rio de Janeiro, ano 1, nº 8, p. 62-65, jun. 2004.
MONTEIRO, John. "Bandeiras mestiças". *Revista de História da Biblioteca Nacional*, Rio de Janeiro, ano 3, nº 34, p. 16-21, jul. 2008.
MOREL, Marco. "A ordem e o Império". *Nossa História*, Rio de Janeiro, ano 2, nº 20, p. 18-21, jun. 2005.
MOREL, Marco. "O grito dos humilhados". *Nossa História*, Rio de Janeiro, ano 3, nº 29, p. 60-63, mar. 2006.
MOTT, Luiz. "Os mistérios da Rosa". *Revista de História da Biblioteca Nacional*, Rio de Janeiro, ano 1, nº 3, p. 40-45, set. 2005.
MOTT, Luiz. "Nefandos pecados". *Nossa História*, Rio de Janeiro, ano 1, nº 8, p. 28-32, jun. 2004.
MOURA, Ana Maria da S. "Doce, amargo açúcar". *Nossa História*, Rio de Janeiro, ano 3, nº 29, p. 64-68, mar. 2006.
NASCIMENTO, Rômulo. "A toque de caixa". *Revista de História da Biblioteca Nacional*, Rio de Janeiro, ano 6, nº 70, p. 18-19, jul. 2011.
NEVES, Lucia; NEVES, Guilherme. "Retrato de um rei?". *Nossa História*, Rio de Janeiro, ano 1, nº 1, p. 68-73, nov. 2003.

NEVES, Luis Felipe da Silva. "E a cobra fumou!". *Nossa História*, Rio de Janeiro, ano 2, nº 15, p. 22-25, jan. 2005.

PESAVENTO, Sandra J. "À força das armas". *Nossa História*, Rio de Janeiro, ano 2, nº 15, p. 54-58, jan. 2005.

PRIORE, Mary Del. "Mil e uma receitas sexuais". *Revista de História da Biblioteca Nacional*, Rio de Janeiro, ano 4, nº 40, p. 18-21, jan. 2009.

PRIORI, Mari Del. "Traição aprendida no berço real". *Revista de História da Biblioteca Nacional*, Rio de Janeiro, ano 6, nº 64, p. 16-20, jan. 2001.

RAMINELLI, Ronald. "Um alemão na Terra dos Canibais". *Revista de História da Biblioteca Nacional*, Rio de Janeiro, ano 2, nº 18, p. 54-58, mar. 2007.

REIS, Daniel A. "O sol sem peneira". *Revista de História da Biblioteca Nacional*, Rio de Janeiro, ano 7, nº 83, p. 31-35, ago. 2012.

REIS, João José. "Ameaça negra". *Revista de História da Biblioteca Nacional*, Rio de Janeiro, ano 3, nº 27, p. 18-23, dez. 2007.

REIS, João José. "Bahia de todas as Áfricas". *Revista de História da Biblioteca Nacional*, Rio de Janeiro, ano 1, nº 6, p. 24-30, dez. 2005.

RESENDE, Beatriz. "O panfletário Lima Barreto". *Nossa História*, Rio de Janeiro, ano 2, nº 15, p. 72-75, jan. 2005.

RIBEIRO, Marcia Moisés. "Vade retro, Satanás!". *Revista de História da Biblioteca Nacional*, Rio de Janeiro, ano 1, nº 9, p. 49-53, abr. 2006.

RICUPERO, Rubens. "O desenhista do Brasil". *Revista de História da Biblioteca Nacional*, Rio de Janeiro, ano 7, nº 77, p. 60-64, fev. 2012.

SANTOS, Georgina S. "Venerado guerreiro". *Nossa História*, Rio de Janeiro, ano 1, nº 7, p. 14-20, mai. 2004.

SCHWARCZ, Lilia Moritz. "O dia em que Portugal fugiu para o Brasil". *Revista de História da Biblioteca Nacional*, Rio de Janeiro, ano 1, nº 1, p. 20-27, jul. 2005.

SILVA, Alberto da Costa e. "O senhor dos desgraçados". *Nossa História*, Rio de Janeiro, ano 1, nº 7, p. 56-59, mai. 2004.

SILVA, Eduardo. "As camélias da liberdade". *Nossa História*, Rio de Janeiro, ano 1, nº 7, p. 26-31, mai. 2004.

SILVA, Paula Pinto e. "A cozinha da colônia". *Nossa História*, Rio de Janeiro, ano 3, nº 29, p. 20-23, mar. 2006.

SOUZA, Juliana B A de. "Uma rainha para a República". *Nossa História*, Rio de Janeiro, ano 1, nº 12, p. 64-68, out. 2004.

SOUZA, Laura de Mello e. "Canalha indômita". *Revista de História da Biblioteca Nacional*, Rio de Janeiro, ano 1, nº 2, p. 36-41, ago. 2005.

SOUZA, Laura de Mello e. "O nome do Brasil". *Nossa História*, Rio de Janeiro, ano 1, nº 6, p. 34-39, abr. 2004.

SOUZA, Mônica D. "A invenção de Anastácia". *Nossa História*, Rio de Janeiro, ano 2, nº 19, p. 26-27, mai. 2005.

VAINFAS, Ronaldo. "A arte de furtar". *Revista de História da Biblioteca Nacional*, Rio de Janeiro, ano 4, nº 42, p. 23-27, mar. 2009.

VAINFAS, Ronaldo. "Santos e Rebeldes". *Revista de História da Biblioteca Nacional*, Rio de Janeiro, ano 1, nº 1, p. 40-44, jul. 2005.

VAINFAS, Ronaldo. "Soldados de Cristo". *Revista de História da Biblioteca Nacional*, Rio de Janeiro, ano 7, nº 81, p. 14-19, jun. 2012.

VAINFAS, Ronaldo. "Brasil de todos os pecados". *Nossa História*, Rio de Janeiro, ano 1, nº1, p. 10-17, nov. 2003.

VIANNA, Marly A G. "Mudança de comando". *Revista de História da Biblioteca Nacional*, Rio de Janeiro, ano 6, nº 61, p. 48-51, out. 2010.

VISCARDI, Cláudia M R. "Aliança 'Café com política'". *Nossa História*, Rio de Janeiro, ano 2, nº 19, p. 44-47, mai. 2005.

ESTE LIVRO FOI COMPOSTO EM LEITURA,
CORPO 12PT, PARA A EDITORA LEYA BRASIL.